LE MARKETING

POUR

LES NULS

LE MARKETING

POUR

LES NULS

Alexander Hiam

SYBEX

Paris - Alameda - Düsseldorf - Soest - Londres

Sommaire

X

Introduction

Aujourd'hui, le marketing est sans doute l'activité la plus importante au sein du domaine commercial, y compris pour ceux dont la fonction ne comporte pas le mot "marketing". En effet, toutes les activités marketing convergent vers les mêmes objectifs : attirer les consommateurs, les amener à acheter un produit, s'assurer qu'ils soient assez contents de leur achat pour le renouveler. Et les clients sont ce qu'il y a de plus important dans le domaine commercial : un commerce n'a aucune existence sans eux.

J'ai écrit ce livre afin de vous faire bénéficier de l'information et de l'expérience qu'il m'a été donné d'accumuler. Mon souhait est que ces informations contribuent à vous aider efficacement dans votre travail.

Certes, le marketing peut être très amusant car, après tout, c'est l'un des domaines de l'activité commerciale dans lesquels la créativité est non seulement tolérée mais essentielle ! Toutefois, à terme cette discipline exige aussi des résultats concrets et si j'espère que vous aurez autant de plaisir à lire ce livre et à vous en servir que j'en ai eu en l'écrivant, le sujet est tout de même traité tout à fait sérieusement. Chacune des tâches que vous devez accomplir et pour lesquelles vous irez chercher des conseils dans ce livre sont très importantes. J'ai fait en sorte que ces conseils puissent vous aider à les réaliser avec succès. Bien qu'aucun livre ne puisse apporter toutes les réponses, je pense que vous trouverez dans celui-ci beaucoup de renseignements qui vous seront très utiles si vous faites partie de ceux dont le "challenge" quotidien est de trouver et de satisfaire des clients.

A propos de ce livre

Je vais commencer par anticiper, en répondant à trois réactions possibles du lecteur par rapport au livre et au marketing.

"Je ne pensais pas que le marketing c'était si compliqué !", êtes-vous peut-être déjà en train de vous dire. En effet, le lecteur se rendra vite compte que le marketing est un vaste domaine englobant plusieurs spécialités allant de la publicité aux relations publiques en passant par la vente, la stratégie, la gestion de bases de données, la conception de produits et de packagings. Autant dire qu'il est impossible de savoir tout faire très bien. De plus, quel que soit le poste que vous occupez et votre spécialité, il vous arrive sans doute d'avoir à régler des problèmes de toutes natures. La tâche peut paraître immense mais ce livre va vous aider à devenir l'expert improvisé qu'il vous faut être dans tous les domaines énumérés précédemment (ainsi que dans d'autres).

Mais j'aimerais aussi que vous finissiez pas penser que "finalement, le marketing, ça n'est pas si compliqué !". Au fur et à mesure de vos lectures, vous verrez que certains thèmes ou conseils sont récurrents. Ils constituent les grands principes qui s'appliquent à toutes les spécialités du marketing et les unifient en quelque sorte. Ils vous permettront de faire le lien entre les multiples détails et vous aideront à devenir opérationnel très rapidement. Par exemple, la façon dont les consommateurs perçoivent un produit par rapport aux produits concurrents est l'un des éléments clés devant être pris en considération quand il s'agit de prendre une décision dans des domaines aussi variés que la publicité, la vente personnelle, la fixation d'un prix de vente ou encore la planification (du reste, cet élément, appelé la "perception client", est un terme que vous rencontrerez souvent). Vous verrez qu'au fur et à mesure que vous vous imprégnerez de la philosophie du marketing et de ses grands principes, vous serez capable d'anticiper de mieux en mieux sur les conseils qui vous seront donnés. De fait, le marketing devrait toujours être affaire de bon sens !

Enfin, j'espère que ce livre ne sera pas pour vous un livre de marketing comme les autres. Je me suis donné beaucoup de mal pour repenser les concepts et les présenter d'une manière originale. En général, les auteurs de livres de marketing suivent une approche traditionnelle, basée sur l'enseignement dispensé dans les écoles de commerce - ce que j'ai déjà fait moi-même, du reste ! Dans ces ouvrages, il n'est en général pas question de pratique et une personne avec un problème concret à résoudre n'y trouvera pas ce dont elle a besoin. Un ouvrage d'enseignement reprenant un cours magistral ne vous sera d'aucun secours si devez *faire* du marketing, et non simplement l'étudier. Au contraire, dans ce livre chaque page vous apporte des solutions concrètes et vous dit comment faire. Cet ouvrage est entièrement dédié à la pratique concrète du marketing, parce que c'est cela qui est important pour vous, pour votre travail.

Organisation de cet ouvrage

Il existe deux orientations de base en marketing. Vous devrez employer l'une ou l'autre selon les cas. La première est une approche orientée vers la réflexion, dont les conclusions et les résultats pourront être appliqués par la suite dans des actions concrètes. Cette orientation ouvre et clôture le livre : les première et quatrième parties lui sont consacrées. En effet, toute action marketing doit débuter et finir par un vrai travail de réflexion.

La seconde orientation est l'approche par l'action. Ici, l'accent est mis sur la façon de faire plutôt que sur la façon de penser. Qu'il s'agisse de concevoir un plan d'action marketing, un produit ou une campagne de publicité, etc. En effet, un responsable marketing est chargé de mener à bien beaucoup de tâches concrètes. Mais comment les gérer, les accomplir ? Un problème inhabituel ou un obstacle inattendu peuvent se présenter à n'importe quel moment. C'est pourquoi tout le reste du livre est consacré à vous expliquer comment faire une multitude de choses et de tâches concrètes, et les faire bien.

Voici un résumé du contenu de chacune de ces parties. Consultez ensuite la table des matières pour connaître le sujet précis de chacun des chapitres.

Première partie : Développer un plan d'action marketing

Essayez de réfléchir à ce que n'est pas un plan d'action marketing. Un plan d'action marketing ne se limite pas seulement aux éléments prévus dans le budget du département marketing. En effet, ce budget n'inclut peut-être pas tous les moyens utilisés par votre entreprise pour atteindre ses clients. Un plan d'action marketing n'est pas non plus la simple juxtaposition de la publicité, des ventes et autres communications marketing car celles-ci doivent s'intégrer (entre autres) aux politiques de produits et de distribution. De plus, toutes les composantes du plan d'action marketing doivent converger vers une stratégie clairement définie. Enfin, un plan d'action marketing ne vaut pas la peine d'être appliqué s'il ne contient pas quelques idées originales qui le feront se distinguer de ceux des concurrents. Lisez cette partie si vous voulez être sûr que votre plan d'action marketing tienne la route et ait un véritable impact sur votre marché.

Deuxième partie : Les compétences techniques nécessaires

Les responsables marketing doivent souvent mener beaucoup de recherches et consacrent beaucoup de temps à la communication. Cette partie présente de façon exhaustive les différents types de recherches possibles en marketing ainsi que le savoir-faire indispensable en matière de communication. Lisez cette partie si vous avez besoin de renforcer vos connaissances et votre savoir-faire dans les domaines de la recherche et de la communication (dans le cas où vous devez, par exemple, mener une recherche particulière avant de finaliser une publicité, ou encore si vous avez besoin d'inspiration pour améliorer le texte d'une lettre destinée à vos clients).

Troisième partie : Utiliser les éléments d'un plan d'action marketing

Un plan d'action marketing classique doit comporter quatre éléments (les quatre "P") : la politique de prix, la politique de produit, le positionnement du produit et la politique de promotion. Ce sont les quatre principaux éléments qui vont vous permettre d'appliquer votre stratégie. En fait, beaucoup d'autres outils sont à votre disposition. Pour cette raison, cette partie est de loin la plus importante du livre. Vous y trouverez des conseils pour manier ces quatre éléments "traditionnels" auxquels viennent s'ajouter des informations sur des éléments aussi variés qu'Internet, les salons professionnels, l'étiquetage, l'affichage, la publicité sur le point de vente ou le télémarketing. Ces outils sont nombreux. Utilisez-les judicieusement et en aussi grand nombre que possible. Décider les consommateurs à choisir votre produit plutôt qu'un autre n'est pas une mince affaire ! Autant y aller en se donnant le plus de chances possibles de les persuader !

Quatrième partie : Les dix (commandements et interdits) du marketing

Cette partie est un classique des livres de la série " ... pour les Nuls ". Pour ne rien vous cacher, au début je n'étais pas d'accord pour la faire figurer. J'ai tout de même commencé à la rédiger et, ce faisant, je me suis rendus compte que c'est une bonne façon de faire figurer des éléments qui s'incluent difficilement dans les autres parties mais qui sont pourtant essentiels. Je vous recommande même de commencer votre lecture directement par cette partie - à moins que vous-soyez expressément à la recherche d'une réponse à un problème particulier et urgent. Cela vous permettra d'entrer de plain-pied dans le marketing. Vous y trouverez les principes essentiels du marketing et les stratégies à appliquer. Vous verrez aussi quelles sont les erreurs grossières - pourtant très répandues ! - qu'il ne faut pas faire.

Icônes utilisées dans cet ouvrage

Ces symboles vous aideront à localiser les informations qui vous intéressent particulièrement :

Le marketing utilise de plus en plus Internet. Cette icône vous indique les conseils ou exemples d'utilisation judicieuse du Web.

Cette icône attire votre attention sur les conseils spécifiques applicables tels quels dans tout plan d'action marketing. L'icône représente une ampoule dont le filament est constitué par le symbole $ car le test de vérité de toute bonne idée dans le domaine commercial, c'est de voir si elle vous fait gagner de l'argent.

Tous les aspects techniques que vous trouverez dans ce livre n'ont pas été choisis au hasard, mais parce qu'ils sont importants pour vous (par exemple la façon de prévoir le taux de retour d'une offre spéciale ou d'une opération de publipostage est essentielle pour vous). Cette icône vous permet de localiser ces techniques facilement.

 En marketing, il est facile d'aller au-devant des ennuis. Vous êtes vraiment en terrain miné ! Cette icône vous aide à localiser les mines. Il ne vous reste plus qu'à éviter de marcher dessus !

 Tout ce qui concerne le marketing est concret, mais cette icône signale un cas pratique, une technique ou une idée qui a marché (ou au contraire qui n'a pas marché !) pour d'autres.

 La façon d'aborder les choses est parfois essentielle au succès. Cette icône vous signale que, à cet endroit du texte, vous trouverez rappelé un principe de base qui vous aidera dans votre décision.

 En marketing, on ne peut pas tout faire seul, et encore moins le faire bien. Ceux qui réussissent en marketing utilisent les services de nombreuses entreprises : agences de publicité, entreprises spécialisées dans les études marketing, concepteurs de packaging, étalagistes, publicitaires, etc. Il arrive que le meilleur conseil que l'on puisse vous donner soit de décrocher votre téléphone. Cette icône indique les contacts utiles.

Et maintenant...

Il y a un bug ? Un problème que vous ne savez pas résoudre ? Un travail qui vous ennuie et n'en finit plus ? Ne vous inquiétez pas. Commencer à lire - pas forcément à partir du début - et je suis sûr que d'ici à quelques minutes vous aurez crayon et papier en main pour ne rien perdre de ce que vous allez y trouver. D'une façon ou d'une autre, je parie que ce livre va vous faire démarrer au quart de tour. Alors qu'attendez-vous ? A vos marques, prêt, partez !

Première partie

Développer un plan d'action marketing

Dans cette partie...

Le marketing comprend des activités très diverses : la vente, la publicité, le service consommateur, le produit en soi, la fixation des prix et les remises, la réputation, la stratégie, et ainsi de suite. Parmi tous ces éléments, quel est celui qui renferme la clé de votre succès ? Lequel doit être mis en valeur ? Quelle est la meilleure façon de coordonner tous ces éléments marketing en une approche cohérente, efficace et lucrative du marché ?

Ne vous inquiétez pas si vous n'avez pas encore les clés du succès pour le marketing de votre produit et de votre marché (personne ne les connaît !). Du moins pas avant de faire une analyse détaillée telle que celle présentée ici.

Autre chose : la pensée analytique, même si elle est indispensable, n'est pas suffisante. Elle doit être suivie par la pensée créative qui fera de votre campagne marketing une campagne unique aux yeux du consommateur.

Ça ne peut pas marcher quand il n'y a pas d'idées !

Chapitre 1

La nécessité d'un plan d'action marketing

Dans ce chapitre :

Réaliser une approche coordonnée et programmée.

Identifier les facteurs d'impact sur le consommateur.

Identifier le budget réel de votre plan d'action marketing.

Appliquer les principes concrets du marketing à des fins ludiques et profitables.

*V*ous savez déjà que le marketing présente quelques difficultés, sinon vous n'auriez pas acheté ce livre. Vous y trouverez certainement des réponses à vos questions, car il traite de *pratique* et non pas de théorie. Si vous le souhaitez ou que votre emploi du temps vous y oblige, vous pouvez toujours passer directement au chapitre qui vous apporte la solution recherchée. Mais n'oubliez pas qu'une approche plus rationnelle et mieux coordonnée est souvent lucrative à court terme et toujours payante à long terme.

Ce chapitre traite plus précisément d'une approche plus structurée et plus pragmatique du marketing. En tant que professionnel du marketing, vous devez gérer des situations importantes, pourvoir à des détails de dernière minute, surmonter des contraintes budgétaires, mais tout cela ne dépendra pas que de vous. Le résultat de cette dispersion est que la plupart des actions marketing surgissent comme par magie – elles sont plutôt le résultat d'une bonne idée où de l'expression d'un besoin du consommateur que le résultat d'une approche structurée.

Et tous ces magiciens qui rebondissent de partout nous font penser que, actuellement, *le marketing est la moins efficace et la moins rentable de toutes les fonctions commerciales.*

Toutes les fonctions sont en fait liées au marketing, et c'est bien là que réside la difficulté. Des facteurs qui, de toute évidence, sont en relation directe avec le consommateur, tels que les produits ou la publicité, sont facilement contrôlables par le marketing. Mais d'autres qui a priori le sont moins, comme la facturation, la garantie, le service après-vente et même la tenue vestimentaire des employés ou la facilité avec laquelle on peut recycler un emballage, font également partie du scénario complexe qu'on appelle marketing. Ces fonctions moins évidentes rendent la pratique du marketing encore plus ardue.

Evidemment, la fonction marketing est au départ une des plus difficiles : il faut trouver des clients et faire en sorte qu'ils achètent et rachètent le produit. Ce n'est pas une mince affaire ! Cependant, aucune raison ne justifie que le travail de marketing se fasse dans le chaos le plus complet. Faire mieux n'est pas vraiment plus compliqué !

Et c'est là que le *plan d'action marketing* intervient. Un plan d'action marketing est un ensemble coordonnée d'actions visant d'une part la communication, et d'autre part l'influence sur le comportement du consommateur, à travers une série de facteurs d'impact. Car l'objectif recherché est d'influencer le consommateur de telle sorte qu'il achète, utilise et rachète le produit que vous cherchez à lui vendre.

Qu'il s'agisse d'un plan d'action formel, développé dans le cadre d'un long processus de planification ou d'une ébauche griffonnée au dos d'une serviette, un plan d'action servira toujours à consolider des objectifs communs à l'ensemble de l'entreprise. Car ses principales fonctions sont de faire fructifier les retours sur les investissements, de mettre en évidence les nombreux gaspillages et défaillances rencontrés au sein d'une entreprise, et d'obtenir des résultats encore plus performants ! Ne négligez donc pas, dans votre propre intérêt, de lire ce chapitre et de le mettre en pratique dès que l'occasion se présentera.

Comment aborder le marketing ?

Pour une utilisation efficace de l'outil marketing, il est nécessaire de planifier et de coordonner un grand nombre d'actions dont l'objectif est la sensibilisation du consommateur au produit, et ce, indifféremment de la taille de l'entreprise. La seule différence réside dans le nombre d'actions, qui est évidemment supérieur dans une grande entreprise.

Bon nombre d'actions ont un impact sur le comportement du consommateur. Certaines d'entre elles relèvent de la compétence du département marketing, mais d'autres sont accomplies par du personnel externe à l'entreprise. En effet, l'usage de consultants externes est courant dans la plupart des entreprises.

Un plan d'action est, pour un professionnel du marketing, le meilleur moyen d'emprise sur le comportement du consommateur. Pour être efficace, il faut qu'il soit élaboré de façon à permettre la coordination et la mise au point des diverses actions à accomplir. Vous pouvez l'appeler comme bon vous semble : planning, organisation, vision ou tout simplement du bon sens (effectivement, le nom diffère selon l'entreprise). Appelez-le comme vous voudrez, mais faites-le ! Si vous ne faites pas une évaluation des objectifs à atteindre et de la meilleure façon de le faire, toutes ces nombreuses actions soi-disant de marketing ne vous amèneront nulle part. Elles ne se transformeront certainement pas toutes seules en plan d'action coordonné, déclencheur de toute forme d'emprise sur le comportement du consommateur. C'est pour cela que les notions de base sont traitées en première partie.

Cette approche peut paraître surprenante étant donné que des notions telles que publicité, bons de réduction et événements (traités de façon approfondie dans ce manuel) sont généralement traitées en dernier.

Une détermination incorrecte des priorités est souvent à l'origine d'un plan d'action mal conçu. La diversité des actions inhérentes au marketing n'assure pas l'objectivité, la coordination et la définition d'un objectif commun nécessaire à tout plan d'action marketing efficace. Tout simplement parce qu'elles sont divergentes.

Approche classique de la conception d'un plan d'action marketing

Regardons de près un exemple précis. Marie Dupont vient juste d'être nommée responsable marketing de son département, dans une entreprise de taille moyenne active dans le secteur de conception de logiciels. Son directeur la charge d'établir un plan et un budget marketing pour leurs logiciels. (Il s'agit, en l'occurrence, de logiciels de comptabilité). Marie Dupont a donc besoin de persuader ses clients d'acheter son produit ou les nouvelles versions de celui-ci.

Marie Dupont travaillait auparavant en tant que responsable contrôle de qualité et précédemment aux ventes, ou elle était chargée du portefeuille grands comptes. Ces deux fonctions importantes en marketing lui ont permis d'accéder à sa position actuelle. Cependant, élaborer un plan d'action marketing ne faisait pas partie de ses attributions et la met en face de l'inconnu.

Malheureusement, elle fait tout de suite très fort en soumettant un budget de l'année précédente auquel elle a juste ajouté quelques modifications mineures. Ce n'est pas la bonne méthode, comme on pourra le constater au fur et à mesure de cette lecture, puisque la marche à suivre consiste en l'élaboration d'un plan d'action, et ensuite en l'attribution d'un budget. Toutefois, c'est une erreur courante pour un débutant, surtout lorsqu'il dispose de seulement deux semaines pour soumettre un budget, et qu'il faut avancer coûte que coûte. Il ne faut surtout pas se baser sur les budgets de l'année précédente, à moins d'être sûr qu'ils correspondent à la période actuelle. Le budget utilisé par Marie Dupont est donné à titre d'exemple sur le Tableau 1.1.

Tableau 1.1 : Budget marketing.

Poste	Coûts
Dépliants et brochures	8 300,00 FF
Evénements (voyages, repas, tournois de golf)	3 6500,00 FF
Publicité (revues spécialisées, via agence Ad Pro)	54 769,00 FF
Cadeaux (sacs, chapeaux, t-shirts)	7 454,00 FF
Salons professionnels (stands et échantillons, démonstrations informatiques)	48 060,00 FF

Ce budget semble très détaillé (pourtant, il n'est pas difficile de voir qu'il manque de précision). Mais comment l'adapter à l'année en cours ? Marie Dupont décide de consulter le responsable des ventes qui est non seulement son mentor, mais également la personne qui l'a embauchée. Son opinion personnelle se résume à considérer le marketing comme une source de problèmes qu'il ne connaît que trop bien. Il explique que son département nécessite un budget de deux fois supérieur, car la force de vente épuise son stock de cadeaux promotionnels au bout de quelques mois, sans compter qu'il est indispensable de renouveler la documentation (dépliants et brochures), étant donné qu'un lancement de nouvelles versions du produit est programmé pour le printemps suivant. Et, rien que pour cela, il va falloir trouver 20 000 francs si la documentation est multicouleur.

Marie Dupont n'est pas totalement convaincue par ses arguments.

Le responsable des ventes lui assure que, au contraire, pour faire augmenter les ventes, il a besoin d'un budget supérieur. Sinon, l'objectif ventes pourra difficilement être atteint.

Marie Dupont est de l'avis qu'il lui sera difficile d'obtenir l'accord du P-DG pour augmenter le budget.

"Mais c'est très simple, rétorque son mentor. Il suffit de supprimer les frais correspondant à des postes qui ne sont pas réellement nécessaires. Tenez, les événements sont en réalité un fonds perdu, car ils ne nous sont pas utiles pour réaliser des ventes. Nos cadres ne font que passer un moment agréable en compagnie de nos clients. Les ventes, elles, sont faites par les commerciaux longtemps *avant*. Les salons professionnels sont, eux aussi, une perte

d'argent. Nos clients ne fréquentent pas des salons ! Mais nos programmateurs y tiennent, car ils leur donnent l'occasion de rencontrer des collègues
de l'industrie informatique."

 Si vous avez travaillé auparavant dans une grosse entreprise, vous comprendrez aisément que cette petite histoire est en fait un exemple typique de
politique d'entreprise. Lorsque Marie aura fini d'élaborer son budget, elle
aura vu tous les décisionnaires à l'exception de ses clients. Et selon la position que chacun d'entre eux occupe dans l'entreprise, elle aura probablement
été obligé de réduire ses postes de 5 à 10 %. Si elle a de la chance, le responsable ventes est assez puissant pour empêcher d'autre coupures de budget.
Mais son budget définitif restera sensiblement égal au précédent et ne tiendra
toujours pas compte de l'optique du consommateur. (A propos, si vous vous
dites que, de toute façon, *il est impossible de réaliser un budget en deux
semaines,* vous ne réfléchissez toujours pas en termes de marketing. Il suffit
de deux minutes pour contacter un client."

Cela signifie que ce plan d'action, si l'on peut l'appeler ainsi, n'aura subi
aucune amélioration par rapport à l'antérieur tout comme dans la plupart des
entreprises. Car les budgets marketing se ressemblent d'une année sur
l'autre, *n'est-ce pas ?*

Analyse du budget précédent

Réfléchissez quelques minutes à ce plan d'action en vous appuyant sur votre
dernier budget marketing et soumettez-le à une analyse identique. D'après le
budget, quelles sont les priorités définies dans ce plan d'action ? Premièrement, si vous prenez les chiffres, le poste le plus important est celui concernant les publicités dans les revues spécialisées. Deuxièmement, les salons
professionnels et ensuite, les événements. Examinons-le maintenant par ordre
de priorité.

- Publicités dans des revues spécialisées.

- Stands promotionnels.

- Evénements.

Ayant comme base ces priorités budgétaires, le département marketing
utilise un *marketing mix* (l'ensemble d'actions marketing qui désignent un
plan d'action), où l'accent est mis sur la publicité, les salons professionnels et
les événements.

La bonne question maintenant est de savoir si ce mix réussit à générer de
nouvelles ventes, à retenir d'anciens clients et à faire progresser l'entreprise ?

Il est possible qu'il atteigne son objectif *si* on croit à ces deux hypothèses :

- Les clients voient les annonces dans les revues spécialisées ou se rendent aux salons professionnels ce qui les amène a acheter le produit (des logiciels dans ce cas particulier).

- Les clients actuels achètent de nouvelles versions, restent fidèles au produit et ne vont pas chez le concurrent *parce qu'ils apprécient* les événements auxquels ils sont invités.

Ces deux hypothèses sont mises en avant, car l'objectif d'un plan d'action consiste à faire augmenter les ventes en attirant de nouveaux clients et en retenant les actuels en *générant des ventes consécutives* (Voir Figure 1.1.).

Grille d'efficacité du marketing

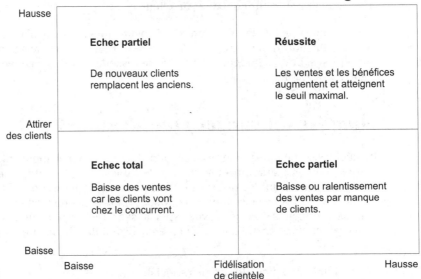

Figure 1.1 : Comment mesurer l'efficacité de votre plan d'action marketing ?

Mais Marie (voir exemple précédent), n'est pas persuadée que ces deux hypothèses soient vraies. Après tout, elle ne possède pas de données sur les motivations de sa clientèle, et son budget n'est pas non plus basé sur leur comportement, car elle croit ne pas avoir ni le temps ni les informations nécessaires pour ce faire.

Nous non plus, nous n'avons pas d'informations concernant le comportement de ses clients. En revanche, nous pouvons aisément imaginer d'autres hypothèses (de la même façon que Marie l'aurait fait si elle était plus expérimentée dans le domaine). Le bon sens nous dit que ces hypothèses sont fausses, et que ce plan d'action n'est pas axé sur des actions susceptibles d'affecter le comportement du consommateur.

Le succès de cette entreprise vient essentiellement des ventes en face à face réalisées par des commerciaux qui non seulement prennent les commandes, mais qui jouent également un rôle important dans le contact avec le client. Pourtant, cet aspect ne figure même pas sur le budget.

On peut également observer qu'un autre poste clé pour la vente, *le développement de nouveaux produits*, ne figure pas sur le budget. S'agissant d'un facteur clé pour tout fabricant de logiciels, il n'y a pas de raison pour que cette entreprise échappe à la règle. Il est clair qu'une entreprise qui n'innove pas jette ses clients dans les bras du concurrent.

Toute décision de rachat, sur *n'importe quel marché,* est motivé par *l'expérience de l'utilisateur avec le produit.* Si vous vous servez tous les jours d'un logiciel comptable, voir exemple ci- dessus, il est fort probable que vous ayez une opinion bien définie sur ce produit. Vous lui trouverez des défauts parce qu'il ne vous permet pas d'utiliser une certaine fonction. Ou bien vous êtes très satisfait par ce qu'il vous permet d'automatiser une autre qui, auparavant, vous aurait pris une semaine de travail. Les logiciels sont conviviaux ou pas, et les manuels ou le service consommateur sont en mesure de vous aider ou pas. Les nombreuses heures d'interaction entre le produit et le client sont la troisième clé du succès ou de l'échec d'une vente.

Passage d'un objectif budgétaire à un objectif d'impact

Le budget marketing qu'on a vu précédemment n'inclut pas de postes comme les ventes, le développement de produit, ou l'assistance après-vente. Car dans la structure de cette entreprise, ces fonctions sont accomplies par différents départements qui, vraisemblablement, disposent de budgets beaucoup plus importants. Le budget marketing limité par cette structure aura donc uniquement un effet sur les activités secondaires - toile de fond des trois clés du succès en marketing. Voilà, le responsable marketing est assis aux premières loges, mais pas sur scène ! On peut donc conclure que son budget n'est pas un bon point de départ à l'élaboration de son plan d'action. De la même façon que tout budget élaboré selon ce modèle ne pourra jamais atteindre les objectifs visés.

Regardons de plus près les acteurs qui ont un rôle à jouer dans le domaine du marketing. On peut commencer par les développeurs de nouveaux produits, les commerciaux, les rédacteurs techniques, le service d'assistance en ligne et sur site et, peut-être, les cadres qui organisent les événements. On peut également penser aux programmateurs qui sortent de leur coquille quelques fois par an pour assister aux salons professionnels. Toutes ces personnes/ services forment des interfaces avec le client. Ce qui nous amène à conclure qu'il faut les considérer comme des *facteurs d'impact* potentiels, car ils jouent un rôle qui peut influencer le comportement du consommateur.

Les publicités dans des revues spécialisées et les cadeaux promotionnels sont également des éléments de communication, mais il faut savoir que certains de ces éléments ont plus de poids que d'autres. Il est donc essentiel que tout plan d'action marketing soit axé sur les facteurs d'impact *primaires* et définisse leur application étape par étape. Si cela implique la *coordination* entre plusieurs départements, alors celle-ci doit *être considérée comme un des éléments clés du plan d'action.*

Analyse des facteurs d'impact

Il est utile de commencer par ce qu'on appellera une *analyse des facteurs d'impact* comme point de départ pour toute ébauche ou altération d'un plan d'action marketing. Une telle analyse consiste très simplement en l'énonciation de toutes les formes d'interaction possibles entre l'entreprise et le client. Cette liste est nécessaire à l'élaboration d'un plan d'action comprenant l'utilisation de tous ces éléments de façon systématique, étant donné que l'objectif d'un tel plan est l'obtention et la fidélisation de la clientèle. Cette liste facilite la compréhension de l'intégralité du processus de marketing (toujours plus complexe qu'on ne le croit !), et sert d'outil de contrôle destiné à éviter les pièges classiques (voir l'exemple de Marie Dupont). C'est également un moyen de vérifier qu'on a bien compris comment fonctionne et à quoi sert un plan d'action marketing. Ci-dessous, vous trouverez les consignes d'élaboration d'une analyse des facteurs d'impact.

Liste des facteurs d'impact

Remplissez cette liste pour chaque type de client.

Vous avez bien compris : il est indispensable de remplir une liste pour chaque type de client ou groupe de client. Par exemple si vous vendez des jouets à des magasins de jouets, et par ce biais, à des parents et à leurs enfants, vous aurez besoin d'une liste pour les magasins et d'une autre pour le consommateur final. Vous aurez également besoin d'un plan d'action de marketing distinct pour chacun d'entre eux. Commencez par établir deux listes de la façon suivante :

Facteurs d'impact primaires

(Enumérez ces points de 1 à 5)

1. _____

2. _____

3. _____

4. _____

5. _____

Facteurs d'impact secondaires (Enumérez tous les autres facteurs d'impact moins importants. Par exemple, bien qu'une facturation mensuelle ne constitue pas un facteur d'impact primordial, elle a tout de même un rôle à remplir. Enumérez-le.)

1.

2.

3.

4.

5.

6.

7.

8.

9.

10.

(ou plus)

Ensuite, ajoutez des colonnes à droite. La première intitulée "Contrôle", et la seconde "Budget prévisionnel".

Qui contrôle chaque facteur d'impact ?

Dans la colonne "Contrôle", notez le nom de la personne/département qui contrôle chacun des facteurs d'impact. S'il s'agit d'un contrôle bivalent, notez-le. En procédant ainsi, vous comprendrez à quel point la coordination est un élément important pour la réussite d'un plan d'action. Si ces deux points concernent des activités extérieures à votre département, vous serez obligé, pendant la phase initiale d'élaboration du plan d'action, de collaborer avec les autres départements et pas seulement en ce qui concerne les questions budgétaires. Si une bonne dose de coordination est nécessaire, il faudra également lui consacrer du temps et de l'argent. Planifiez quelques réunions ou groupes de travail et n'oubliez pas la possibilité de travailler en réseau. Prévoyez également des déplacements fréquents, si la distance géographique l'impose.

Il vous faudra des mois de travail, de nombreux voyages, réunions, présentations et une bonne dose de persuasion pour vous assurer du soutien des différents responsables. La coordination est une fonction vitale en marketing, mais la plupart des départements marketing oublient de l'intégrer dans le planning et dans le budget.

Quelles sont les dépenses effectuées par chacun pour chaque facteur d'impact ?

Rentrez les frais globaux de l'année précédente pour chaque point dans la colonne "Budget prévisionnel". Cela n'est pas une tâche facile, car les budgets et les notes de frais ne se présentent pas de la même façon. Vous serez obligé d'estimer combien, dans chaque poste, correspond réellement à un facteur d'impact. Mais lorsque vous aurez terminé, vous pourrez enfin prendre du recul et examiner le précédent plan d'action marketing de votre entreprise. Vous serez en mesure de juger en termes généraux quels sont les facteurs sur lesquels vous avez misé et qui sont susceptibles d'influencer le comportement du consommateur.

Pour revenir à l'exemple d'Anne, disons qu'elle a rempli la première ligne avec un facteur d'impact primaire : "prospections commerciales (clients potentiellement intéressés par nos logiciels)". Sous contrôle, elle a noté "directeur des ventes" étant donné le peu d'influence du département marketing sous ce facteur d'impact.

Pour remplir la colonne du budget prévisionnel, Anne doit étudier les fichiers de la force de vente. Elle considère que 25 % de ces visites sont de la prospection, le restant s'effectuant sur les clients actuels. Elle a donc prélevé 25 % des coûts directs de la force de vente, pour remplir sa colonne. De cette façon, elle a pu attribuer une partie des coûts du département marketing, au poste brochures et dépliants sur le produit et au poste cadeaux promotionnels.; Elle s'est rendue également compte que les cadres ne prospectent pratiquement jamais. Normalement, ils font la connaissance des cadres de l'entreprise cliente, après que la force de vente a réalisé sa première vente. Elle n'a donc pas attribué un budget événements à cette catégorie. Les coûts correspondants à des salons professionnels n'ont pas été budgétisés non plus, étant donné que ces derniers sont organisés par le personnel chargé des logiciels et que la force de vente n'y joue aucun rôle. Cependant, elle a inclus une petite partie du budget publicité dans sa colonne budget prévisionnel, étant donné qu'un certain nombre de publicités génèrent des enquêtes clientèle et que la force de vente les utilise pour prendre des rendez-vous.

Lorsqu'elle a additionné le tout, Anne se retrouve avec les postes suivants pour sa colonne budget prévisionnel concernant les prospections commerciales.

- Force de vente   115 000 FF
- Brochures et dépliants   3 000 FF
- Cadeaux (prix)   1 000 FF
- Publicités (génératrices de ventes potentielles)   8 000 FF
- Total   127 000 FF

Cette somme représente environ 17 % du plan d'action dans sa totalité.

Cela représente une estimation équitable des dépenses de l'année précédente correspondant aux frais occasionnés pour persuader les clients de passer une première commande. Anne n'aurait pas été en mesure de se rendre compte de cet aspect décisif du plan d'action marketing de son entreprise si elle n'avait pas effectué auparavant l'analyse des facteurs d'impact, les fichiers et budgets de son département n'étant pas en mesure de lui fournir les véritables lignes d'action du plan d'action marketing actuel. Souvenez-vous de cela !

Questions sur un plan d'action marketing

Armée de cette information et de points de vue similaires sur ce que fait réellement son entreprise, *selon l'optique du consommateur*, Anne se trouve dans une position beaucoup plus confortable pour réfléchir au plan d'action marketing de l'année prochaine. Elle est en mesure de formuler des questions pertinentes sur son plan d'action - et vous pouvez en faire autant !

- Est-ce que mon entreprise insiste suffisamment sur l'acquisition de nouveaux clients ? Est-ce que 17 % du budget est une somme suffisante pour les besoins de cette action ?

- Est-ce que mon entreprise insiste suffisamment sur la fidélisation d'anciens clients ? (Anne peut également estimer les coûts correspondants à ce point en utilisant une analyse similaire).

- Est-ce que mon entreprise cordonne les différentes activités relatives à chaque facteur d'impact où est-ce que certaines d'entre elles sont incompatibles avec d'autres ?

- Est-ce que mon entreprise consacre du temps et de l'argent à des activités mineures et à des facteurs d'impact secondaires ?

- Est-ce que les messages correspondants aux divers facteurs d'impact ont pour résultat un message global cohérent ?

- Est-ce que mon entreprise est plus efficace sur certains facteurs d'impact que sur d'autres ?

- Est-ce que nos concurrents traitent ces points différemment? (Est-ce que nos concurrents auraient un message plus clair, plus original ou plus efficace ?)

- Quel est le message que ces facteurs d'impact transmettent ? S'agit-il du message adéquat ?

- Est-ce que mon entreprise cible les bons clients et les bonnes opportunités au bon moment et aussi fréquemment qu'il le faudrait ?

- Est-ce que mon entreprise néglige certains facteurs d'impact qui pourraient être utiles ?

- Existent-ils des facteurs d'impact non contrôlables (par exemple, du bouche à oreille négatif ou des présentations déformées de la part de commerciaux concurrents ?) Si tel est le cas, que peut-on faire pour augmenter le contrôle sur des tels facteurs ?

Ces questions essentielles sont susceptibles d'engendrer des concepts conduisant à une meilleure maîtrise de l'outil marketing. Par contre, se poser des questions n'est pas suffisant. Il faut également trouver les bonnes réponses ! Cela représente un effort plus substantiel, et tout le reste de ce livre y est consacré. Réfléchissez bien à votre cible, à ses motivations et besoins et à tous les autres éléments traités dans les chapitres suivants. Néanmoins, si vous ne commencez pas par vous poser les bonnes questions, vous ne serez *pas* en mesure de concevoir un plan d'action marketing. La pierre angulaire de toute décision marketing doit être une évaluation des facteurs d'impact courants. Apprenez à les connaître et à connaître la politique de votre entreprise concernant ces facteurs. Essayez de savoir comment et pourquoi vos clients réagissent à ces facteurs. Réfléchissez-y vraiment !

Un marketing efficace change votre entreprise de façon radicale

En lisant les sections précédentes, vous vous êtes peut-être demandé si, par hasard, vous n'étiez pas en train de lire *La comptabilité pour les Nuls* (éditions Sybex). Bien sûr, on vous fait chiffrer des budgets à droite et à gauche, et même remplir des tableaux. Rien ne vous empêche d'utiliser votre tableur pour effectuer cette analyse, mais il ne s'agit certainement pas de comptabilité ! Tout comptable digne de ce nom ferait un bond en avant en voyant la liste des facteurs d'impact. Cette liste est faite d'estimations et rompt définitivement avec les données précises et la structure classique de toute entreprise.

Vous êtes obligés de redéfinir les rôles pour restructurer radicalement votre entreprise. Le client voit l'entreprise de l'extérieur, mais toute l'information dont vous disposez, y compris le budget de l'année dernière, vous renvoie une image interne. Et vous ne pouvez même pas *penser* en termes de marketing si vous n'êtes pas en mesure de voir votre entreprise dans l'optique du client.

Le marketing est...

Peter Drucker, un des derniers gourous du management, a défini le marketing comme étant *la totalité de l'entreprise vue sous la perspective du consommateur*. Cette excellente définition nous fait prendre conscience que notre vision interne est, vraisemblablement, très différente de celle du consommateur. Et franchement, votre vision n'intéresse personne. Le succès de toute entreprise peut se résumer à l'attitude du consommateur et cette attitude est un résultat de ce *qu'il voit.* C'est pourquoi certaines personnes dans le marketing et la publicité affirment que : "La perception est tout." Pourtant, même si le consommateur remarque votre produit et votre marque, il sera ce qu'il en fera. Si le consommateur trouve un produit identique et moins cher, il aura du succès, sinon... Alors peu importe ce que vous lisez dans les rapports techniques !

Comment voir les choses selon la même optique que le consommateur ? On peut répondre que pour cela il est nécessaire de conduire des enquêtes en masse, d'analyser des tonnes de données informatisées et d'interpréter des graphiques pratiquement identiques. Vous *allez peut-être* réaliser des études, mais pas maintenant ! Avant de passer à cette étape, il va falloir d'abord revoir entièrement votre entreprise à l'aide de l'exercice décrit dans les sections précédentes. Cet exercice est la première et la meilleure façon de commencer à comprendre le point de vue du consommateur.

Tout ce qui importe aux yeux du consommateur sont les facteurs d'impact, c'est-à-dire les moments où il y a une interaction entre ces facteurs et votre produit. Ces facteurs d'impact sont donc le seul moyen d'agir sur la perception et l'attitude du consommateur. Le marketing dans son ensemble peut se résumer à ces simples interactions. Et le point de vue du consommateur est la façon dont il ressent ces interactions.

Ce que le marketing peut accomplir

L'objectif principal en marketing est de se mettre *à la portée du consommateur, de le persuader à acheter, utiliser et racheter le produit.* Ce n'est pas une mince affaire étant donné que, normalement, le consommateur n'a rien à faire de votre entreprise. Ce qui lui importe sont ses motivations et ses besoins. Bande d'égoïstes ! Et d'une façon ou d'une autre, vous devez les persuader *que leur intérêt est* d'acheter, d'utiliser et de racheter votre produit. Et vous n'arriverez jamais à convaincre un nombre important de consommateurs avec ses arguments, s'ils ne sont pas vrais.

Ce que le marketing n'est pas en mesure d'accomplir

Dans le meilleur des cas, le marketing est en mesure de persuader le consommateur d'une vérité évidente. Dans le pire des cas, il n'arrive même pas à accomplir ce simple fait. Le marketing ne possède certainement pas la capacité de transformer le mensonge en vérité.

Il n'est pas simple d'influencer le comportement qui mène à l'achat, même si vous disposez d'un plan d'action marketing irréprochable. Il faut faire preuve d'humilité lorsque on s'implique dans un projet ou une décision marketing. Le consommateur a ses propres opinions et priorités. Et, en règle générale, il se méfie des intentions venant de la part des commerciaux. Le consommateur est conscient que le plus important pour un commercial est de réaliser une vente hors cette vente, ce qui ne va pas forcément dans l'intérêt du consommateur. Même si votre entreprise vend un produit ou un service qui est réellement le meilleur depuis l'invention du pain tranché, il y a tellement de propositions commerciales malhonnêtes, qu'il reste toujours difficile de percer un marché.

N'attendez pas de votre plan d'action marketing qu'il soit en état de résoudre tous les problèmes de votre entreprise. Si le produit est imparfait aux yeux du consommateur, la meilleure chose que vous puissiez faire en tant que commercial est d'en apporter la preuve et de faire en sorte que votre entreprise décide d'améliorer ce même produit. Le marketing ne peut pas faire l'impossible. Ne vous laissez donc pas dire le contraire !

Règles de marketing pratique

Le département marketing est une "race" à part au sein d'une l'entreprise puisqu'il dispose à la fois d'un point de vue interne et d'un point de vue externe. Cette différence est essentielle au succès d'une entreprise, car si elle n'existait pas, l'entreprise serait incapable de développer et commercialiser un "bon produit" aux yeux de leur clientèle.

Pour maîtriser efficacement l'outil marketing, il faut être capable d'adopter sa perspective. Les professionnels du marketing dansent à un autre son de caisse : celui du client. Suivre le rythme n'est pas difficile tant qu'on garde à l'esprit certains principes. Nous avons choisi de les appeler autrement que principes de marketing, étant donné que ce terme a une autre connotation en marketing classique. Nous les décrirons donc plus en détail dans les sections suivantes, en les appelant règles de marketing pratique.

Règle n° 1 : Vos clients ne vous écoutent pas

N'oubliez jamais que vous êtes toujours plus désireux d'effectuer une vente que le consommateur de faire un achat. La plupart du temps, les consommateurs ne sont pas du tout intéressés par vous ou par vos produits. Le client n'est pas, en règle générale, partie prenante de votre plan d'action marketing. Vous devez communiquer et motiver des gens qui sont très occupés avec tout autre chose que le message que vous voulez faire passer. C'est là qui réside toute la complexité du marketing. Et c'est la raison pour laquelle ce livre comporte autant de chapitres sur des thèmes tels que points de vente, événements spéciaux, et moyens de communication électroniques. Autrement dit, toutes les choses sur lesquelles vous n'aurez pas à vous faire du souci, mais qui sont un mal nécessaire lorsqu'il s'agit de faire passer un message à quelqu'un qui ne s'intéresse pas forcément à son contenu.

Les rares exceptions à cette règle concernent les cas où le client devient un acheteur consentant parce qu'il a un problème urgent à résoudre. Là, c'est un jour de chance pour le marketing ! Tout ce que vous aurez à faire, c'est de faire passer votre message face à un client tellement pressé qu'il sera prêt à l'accepter sans problème. Une autre façon de faire passer un message est par exemple de faire savoir que vous avez publié une offre d'emploi intéressante. Les clients se donneront beaucoup de mal pour trouver votre annonce (résultat, les annonces d'emploi sont un moyen extrêmement efficace et relativement bon marché comparés à d'autres types de publicité). Malheureusement, il y a peu d'exceptions. En règle générale, on peut partir du principe que le client participe involontairement à votre plan d'action marketing.

Règle n°2 : Vous n'êtes pas le seul à vouloir communiquer

Un autre problème de communication que vous rencontrerez est le grand nombre de commerciaux en quête de clients réceptifs. Le consommateur moyen est confronté chaque jour à des milliers de messages commerciaux (y compris environ 1 500 publicités transmises à travers la télévision, la radio, les journaux et les panneaux publicitaires. Le consommateur ne se rend même pas compte de la plupart d'entre eux. Et s'il lui arrive de retenir quelques-uns de ces messages, la plupart sont vite oubliés.

Toutes ces publicités créent un environnement chargé. Pour pouvoir communiquer, il faut pouvoir passer à travers tout ce "bruit". Ce qui veut dire que vous devez parler plus fort (en dépensant plus d'argent), ou de façon plus persuasive (en communicant mieux), ou de façon plus intelligente (en trouvant des nouvelles stratégies ou autres formes de communication).

Au problème d'un environnement déjà très chargé s'ajoute celui du manque d'intérêt du consommateur. C'est ce qui rend la communication en marketing l'une des plus difficiles formes de communication à l'exception, peut-être, de la communication entre des espèces différentes. A vrai dire, il est sans doute plus facile d'apprendre le langage des signes à un chimpanzé que d'avoir à convaincre des millions de consommateurs de changer de lessive.

Règle n°3 : Le reste de votre entreprise pense que vous êtes fou

N'oubliez pas que l'ensemble de votre entreprise (si vous travaillez au sein d'une entreprise) est organisée et dirigée dans la direction opposée à celle de vos clients, et que vous êtes probablement la seule personne à l'intérieur qui voit les choses dans la même perspective que le client, même si cela est parfois difficile. Vous serez toujours à contre-courant. Soyez patient mais persistant. Vous serez obligé de défendre le point de vue du consommateur et d'organiser des groupes proconsommateurs de façon que votre entreprise soutienne et instaure un plan d'action marketing efficace.

Règle n°4 : Vous ne pouvez pas activer votre plan d'action sans la collaboration du reste de l'entreprise

En tant que département marketing, vous ne contrôlez pas la plupart des facteurs d'impact qui rendent possible le changement de comportement du consommateur. Il faut créer des liens avec les autres départements à l'intérieur de votre entreprise et, souvent, également avec d'autres entreprises. Mais étant donné que la plupart de vos collègues et supérieurs sont incapables de comprendre la perspective marketing, il se peut qu'il y ait une certaine résistance (voir règle n° 3). Soyez persistant, car vous ne pourrez pas y arriver tout seul ! Un grand nombre de professionnels du marketing choisissent une route solitaire et se rendent finalement compte que c'est une voie sans issue. Créer des liens doit être une des tâches constantes de votre travail. En marketing, il est impossible de réussir si on ne fait pas du relationnel.

Règle n°5 : Si vous ne réussissez pas, vous êtes un homme mort (mais votre entreprise aussi)

Malgré tous ces problèmes insurmontables, votre entreprise compte sur vous pour en faire une année charnière. Aucune entreprise ne peut vivre long-temps sans clients. Vos collaborateurs vous croient peut-être fou et cela risque de rendre difficile l'accès à l'information et aux ressources vitales. Ils insisteront peut-être sur la nécessité de réduire le budget de 20 % ou de faire déménager votre département dans une vieille aile de l'immeuble (tant pis si l'air conditionné ne marche pas). Néanmoins, ils comptent sur vous pour faire décoller les ventes et garantir ainsi leur salaire *et* leur prime de fin d'année. Votre seul espoir réside dans le fait qu'ils soupçonnent l'existence d'un lien entre une augmentation probable de leur paie, et la réussite de votre plan d'action marketing. C'est pas beaucoup, mais c'est toujours ça de gagné. Bonne chance !

Règle n°6 : Plus on donne, plus on reçoit

Pourquoi feriez-vous un effort si vos clients s'en fichent et vos collaborateurs pensent que vous êtes fou ? Parce que la sympathie est le seul moyen de réussir en marketing. Bob Carkhuff, président du groupe de presse HRD, s'explique : "En marketing, il est essentiel de donner le plus possible en investissant le moins possible." C'est un risque, mais le jeu en vaut la chandelle !

Le groupe de presse HRD s'est spécialisé en didacticiels destinés à la formation du personnel. Cette entreprise innove avec ses produits, tout simplement parce qu'un logiciel est d'une utilisation plus souple qu'un livre. Alors que certains de ses concurrents font payer leurs disquettes de démonstration, HRD les distribue gracieusement. En réalité, ils dévoilent une petite partie de leur plan d'action tout en conservant l'essentiel. La stratégie consiste à faire en sorte que le client puisse faire connaissance avec le produit sans pour autant débourser un centime. Sans cette approche commerciale, les clients ne seraient probablement pas au courant de l'existence du produit.

De façon similaire, quelques petites entreprises ont découvert l'intérêt commercial de la distribution de bons de réduction pour attirer une clientèle potentielle. Myrna O'Reilly, P-DG d'une entreprise spécialisée en opérations de couponing (émission de bons de réduction), explique : "Les bons de réduction sont distribués localement, ce qui permet de faire connaître le produit tout en donnant aux clients l'opportunité de l'essayer gratuitement." Les clients sont prêts à rentrer dans le jeu si l'offre est assez généreuse. Une erreur courante lorsqu'on utilise ce système est d'offrir des réductions trop négligeables. (Pour une utilisation correcte de cette technique, voir Chapitre 13.) Si vous avez réellement besoin de baisser vos prix de façon à attirer des clients potentiels, soyez certain de proposer des réductions généreuses, pas de fausses réductions. Mieux encore, offrez le produit !

Règle n°7 : Etre bon n'est pas suffisant, il faut faire mieux

Le marketing est un terrain hautement compétitif. Vous êtes en compétition pour de l'espace publicitaire, pour l'intérêt du consommateur, pour ses achats et sa fidélité. Vous luttez pour devenir et rester le leader en introduisant des nouveaux produits, en baissant les prix ou en innovant techniquement. Vous améliorez vos méthodes de production et de distribution de façon à avoir un produit meilleur et plus adapté aux besoins de vos clients. Et tout cela, même si c'est difficile et coûteux, vous le faites parce que vos concurrents ne restent pas endormis. Ce n'est pas parce que le département marketing a besoin de réinventer le marché, c'est qu'il n'a pas le choix. Cela s'appelle la concurrence !

N'oubliez jamais que ce que vous avez fait l'année dernière ne pourra pas servir cette année ou l'année prochaine. Vos concurrents sont des cibles mouvantes et vous avez intérêt à bouger plus vite qu'eux ! On ne peut pas s'empêcher de citer Will Roger lorsqu'il disait : "Il faut bouger, même si vous êtes sur le bon chemin ; autrement, vous serez écrasé !" En pratique, cela signifie qu'en tant que professionnel du marketing il faut innover sans cesse et mener son entreprise constamment vers des stratégies innovatrices et performantes. Ce n'est peut-être pas facile, mais il faut bien que quelqu'un se charge de faire en sorte que les employés aient leur prime de fin d'année !

Règle n°8 : Le marketing devrait être le domaine le plus créatif de votre activité (mais ce n'est probablement pas le cas)

Est-ce que votre politique marketing est réellement performante ? Est-ce que les objectifs fixés ont été atteints ? Si vous réfléchissez au passé de votre entreprise, vous découvrirez, sans grand enthousiasme peut-être, que le marketing est plus performant lorsque il est plus créatif. Ce n'est pas en suivant des instructions et en produisant des chiffres à tort et à travers qu'on crée un nouveau produit, ou qu'on écrit une annonce publicitaire fantastique. Il est vrai que ce livre est rempli de chiffres et d'instructions et elles vous seront sans doute utiles, mais elles ne sont que le point de départ pour activer votre créativité. Vous seul êtes en mesure de concevoir quelque chose de créatif et de novateur. Personne ne peut le faire à votre place !

Si vous avez du mal à comprendre ce point de vue, réfléchissez à ceci : en marketing (contrairement à toute autre fonction commerciale), *toutes vos actions doivent être uniques*. Il est impensable, par exemple, d'avoir chaque fois la même campagne publicitaire, de vendre éternellement le même produit, ou même d'avoir le même discours publicitaire pour chaque client. Le travail du département de marketing évolue sans cesse, et il relève plus de l'art que de la science.

Voilà, vous avez finalement accepté que la créativité soit indispensable en marketing. Mais soyez réaliste, le reste de l'humanité n'en est peut-être pas encore là. La plupart des organisations considère le département marketing comme une poignée d'empêcheurs de tourner en rond. La plupart des professionnels du marketing n'ont jamais reçu une quelconque formation créative capable de les soutenir dans leurs fonctions. Ils sont obligés de nager contre le courant pour être créatifs. C'est la raison pour laquelle j'ai dédié tout un chapitre à l'importance de la créativité dans le domaine du marketing (cf. Chapitre 4). C'est probablement le chapitre le plus important de tout le livre.

Règle n°9 : Le marketing doit être le domaine le plus rationnel de votre activité (mais il ne l'est probablement pas)

Ce n'est pas agréable à dire, mais il est vrai que pour réussir en marketing *il ne suffit pas* d'être créatif. Les bons professionnels sont à la fois des artistes et des scientifiques. Alors qu'ils chantent sous la douche, ils ont soudain une idée géniale qui fait appel aux besoin sous-jacents du consommateur. Ils la griffonnent en vitesse, pour ne pas l'oublier, sur le miroir de leur salle de bains et ensuite ils enfilent leur costume et se rendent au bureau pour tester leur intuition à travers une étude de marché, un marché pilote (un marché test), une projection de ventes ou un test de seuil de prix. Eh bien, il va falloir en faire autant ! Il faut apprendre à passer d'un élan de créativité à une analyse statistique sérieuse et devenir un Minotaure du marketing : une tête scientifique sur un corps d'artiste. Cela paraît peut-être grotesque, mais qu'à cela ne tienne, vous serez au moins terriblement efficace.

Règle n° 10 : Tout est marketing

Ce n'est pas pour jouer aux bâtisseurs d'empire, il s'agit de constater un simple fait. Tout ce qu'une entreprise fait relève du domaine du marketing, dans le sens que tout ce qu'on fait peut, potentiellement, exercer une influence sur le comportement du consommateur et en conséquence affecter les ventes de façon positive ou négative.

Cependant, le département marketing est souvent un des plus petits au sein d'une entreprise. Et lorsque les entrepreneurs jonglent avec plusieurs rôles, celui du marketing est considéré comme étant un des moins importants. Ce qui signifie que la plupart des entreprises sous-estiment ses ressources. Elles ne réalisent pas le nombre de façons possibles d'influencer le comportement du consommateur. C'est donc à vous, en tant que professionnel, de mettre en œuvre des nouvelles ressources pour réaliser des bénéfices importants.

 Voici un exemple simple (bon marché et efficace) de tirer profit de la règle "tout est marketing". Lorsque vous envoyez des notes ou des factures, cela relève probablement du département comptable, mais vous pouvez en tirer avantage. Assurez-vous d'abord que les méthodes de recouvrement de votre entreprise sont "conviviales", c'est normal de vouloir s'assurer que les paiements sont faits en bonne et due forme, mais ce n'est pas une raison pour être agressif. Bon nombre d'entreprises commettent l'erreur d'être impolies vis-à-vis de leurs clients, même les plus fidèles, dès lors qu'ils ont un retard de paiement. Rien de tel pour faire fuir le client !

Enfin, réfléchissez à des façons de fidéliser la clientèle ou de faire décoller les ventes en utilisant, par exemple, les factures comme mode de communication. En même temps que la facture, vous pouvez envoyer un petit catalogue, proposer une offre spéciale ou une promotion. Vous voyez : tout est marketing, à condition de faire travailler l'imagination !

ATTENTION !

Quoi de neuf pour les glaces Eskimo ?

Le nom Eskimo est un des plus connus sur le marché des produits surgelés.

Ce produit était le leader incontesté il y a quelques années et réalisait des bénéfices importants pour la plus grande satisfaction de tout le monde, y compris de ses actionnaires.

Cependant, la marque a commis des graves erreurs de marketing et l'entreprise lutte pour reconquérir sa place. Eskimo avait en effet décidé d'élargir sa gamme de produits en achetant une entreprise de yaourt glacé. Des versions light de leurs glaces ont été également développées (au cas ou vous ne le sauriez pas, la version originale est une glace à la vanille nappée de chocolat).

Beaucoup de clients, ne trouvant plus les glaces Eskimo traditionnelles, ont simplement changé de marque. Apparemment, la plupart des consommateurs considèrent les glaces comme un petit plaisir qu'on s'offre de temps en temps et n'ont pas envie de s'en priver au profit des produits light. A cela se sont encore ajoutés des problèmes d'emballage et d'étiquettage. Quelqu'un avait eu l'idée de réduire les coûts d'emballage en faisant faire des grosses quantités en même temps. Mais lorsque les réglementations concernant l'étiquettage ont changé, Eskimo s'est retrouvé avec un stock d'emballages inutilisable.

Vous pouvez être sûr que, à l'heure qu'il est, le département marketing d'Eskimo travaille dur comme fer à l'élaboration d'un nouveau plan d'action marketing.

Chapitre 2

Stratégie de base
du marketing : trouver
un besoin et le combler

Dans ce chapitre, vous apprendrez comment :

Evaluer les besoins du consommateur.

Augmenter les ventes.

Développer le marché.

Définir les objectifs de part du marché.

Augmenter les bénéfices en augmentant votre part de marché.

Stratégie signifie tout simplement *savoir pourquoi.*

Rien de plus facile en marketing que de se préoccuper des "si". Il y en a tellement !

Si on proposait des bons de réduction ?

Si on publiait des annonces dans la presse ? Ou des insertions gratuites dans les journaux gratuits ? Une campagne publicitaire à la télé ? Ou à la radio ? De la publicité tout court ? Ou la mise en place de points de vente ?

Peut-être qu'on devrait embaucher plus de commerciaux ou de représentants pour s'occuper des clients grands comptes ? Baisser les prix ? Augmenter les prix ? Changer d'image ? Proposer des produits plus légers ? Racheter une entreprise concurrente fabricant des produits complémentaires ? Changer de logo ? Et ainsi de suite. Un professionnel du marketing est confronté à un nombre de choix illimité. Cela peut pour le moins prêter à confusion. Lorsqu'on dispose d'autant d'options, il est difficile de savoir comment concentrer les efforts, à moins de disposer d'une _stratégie_, d'une idée structurée permettant de réussir ses objectifs. La stratégie rend les choses claires : votre plan d'action trouvera naturellement sa place et la connaissance de l'utilisation des facteurs d'impact deviendra quelque chose de plus en plus naturel.

Votre stratégie peut, par exemple, consister à repositionner votre chaîne de restauration rapide en la rendant plus attirante aux yeux du jeune consommateur (adolescents et jeunes adultes). Donc, moins ciblée sur les enfants.

En gardant à l'esprit cet objectif très précis, vous déciderez bientôt de changer la conception de vos produits pour qu'ils soient mieux adaptés au goût du consommateur. En même temps, vous lancerez une campagne publicitaire audiovisuelle diffusée aux heures de grande audience. (Cela vous paraît familier ? Il s'agit de la stratégie de McDonald's lors du lancement du McDeluxe en 1996.)

Ce chapitre et les suivants sont donc obligatoires. Vous avez vraiment besoin d'une _stratégie_ et celle de l'année dernière risque de ne pas faire l'affaire. Prenez le temps d'y réfléchir. Vous y gagnerez en clarté lorsque vous examinerez de plus près tous les petits détails de votre plan d'action qui risquent de poser un problème.

Evaluation des besoins du consommateur

Est-ce que le consommateur a besoin de vous ou de votre produit ? Vraiment besoin ? Est-ce que vous lui êtes indispensable ? Est-ce que le rapport qu'il entretient avec vous est tellement important qu'il ne peut pas attendre pour en parler à son entourage ? Est-ce que votre produit le fait rêver ?

La réponse est loin d'être affirmative.

La plupart des départements marketing ne peuvent pas, en réalité, compter sur une pareille loyauté. C'est le consommateur qui nous tient la plupart du temps, parce qu'on est facilement remplacés. Le consommateur est versatile et n'a pas de contraintes. Souvent, il nous ignore totalement en achetant notre produit. Ou, pire encore, en achetant celui du concurrent. Comment osent-ils ?

Pas de problème, il y a plein d'autres clients. Il suffit des les trouver ! Faux ! C'est beaucoup plus intelligent de fidéliser votre clientèle en vous rendant plus intéressant à ses yeux (cela doit être votre stratégie principale en dehors de toutes les autres que vous adopterez).

Le fait est que, pour beaucoup d'entreprises, il est beaucoup plus difficile de trouver de nouveaux clients que de garder les actuels. C'est pourtant bel et bien ce qu'a fait le propriétaire d'une entreprise de lubrifiants automobiles. Il a décidé de ne pas investir en publicité pour attirer de nouveaux clients et a adapté son plan d'action marketing à ses clients actuels en créant une carte de fidélité donnant droit à des réductions après quatre rendez-vous. Il a également utilisé des mailings pour joindre ses anciens clients et, bien entendu, développé le nombre de services proposés. Toutes ces actions ont eu pour résultat l'obtention d'un taux de fidélité de clientèle de 90 %, sans compter avec le bouche-à-oreille. C'est un exemple parmi d'autres qui figure dans un excellent article intitulé : "Constitution d'un portefeuille clients", paru dans le numéro de décembre 1996 de *Nation's Business*.

C'est à vous que revient le premier geste pour vous assurer de la fidélité du consommateur.; Votre produit doit avoir suffisamment de valeur aux yeux du consommateur pour vous donner la possibilité de faire des bénéfices. Et si vous voulez développer votre activité, il va falloir trouver de nouveaux clients ayant des besoins auxquels vous pouvez répondre, ou créer un nouveau produit qui aura du succès.

C'est à vous de voir. Ce sont vos intérêts qui sont en jeu. Votre succès dépend de la façon dont vous serez capable de comprendre et d'anticiper les besoins du consommateur. Mais la réussite du consommateur ne dépend pas de votre produit.

La première et la plus importante de vos actions stratégiques est de réfléchir sur les besoins et les motivations du consommateur. Si vous réussissez à le faire convenablement, ça sera une surprise agréable pour vos clients et une mauvaise surprise pour vos concurrents. Sinon, il vaut peut-être mieux que vous envisagiez de changer de métier. Pas de panique, c'est une blague !

Compréhension des besoins et des désirs

Quelqu'un a dit un jour qu'on a beaucoup de désirs et peu de besoins. C'est une affirmation assez juste. Nos besoins, en tant qu'êtres humains, peuvent probablement se compter sur les doigts de nos mains : nourriture, logement, amour, réussite sociale, respect, loisirs, etc. On a tous des nombreux désirs mais il sont juste des façons différentes de satisfaire nos besoins primaires.

On peut avoir envie d'une pizza au déjeuner alors qu'hier on s'était contenté d'un sandwich. Ce sont simplement deux façons différentes d'exprimer des besoins sous-jacents (dans ce cas particulier, il s'agit des besoins de nourriture et de plaisir).

Et même si on a envie d'une pizza, ce n'est pas un besoin vital. Si pour une raison quelconque on ne peut pas en avoir, on prendra tout simplement autre chose. C'est la preuve que le consommateur sait s'adapter, pourvu qu'il arrive à satisfaire ses besoins sous-jacents.

C'est donc à vous de proposer un produit qui fasse appel à ces besoins. Quels sont les besoins vitaux comblés par votre produit ? Et même s'il y parvient, est-ce qu'il le fait de façon suffisante ? Quel est le désir spécifique que votre produit est en état de combler et comment réussit-il par rapport aux autres ?

Ce qu'il y a de bien avec les désirs par opposition aux besoins, c'est que leur nombre est énorme et varié. On peut dire que les désirs sont sans limites, et cela laisse une grande place à la créativité. Une de vos tâches consiste à réfléchir à de nouveaux désirs. Dans ce cas concret, vous pouvez toujours proposer autre chose qu'une pizza. Des sandwiches, par exemple. Ou un déjeuner japonais traditionnel ou des feuilletés de viande jamaïcains. Votre imagination est la seule limite lorsqu'il s'agit de faire appel aux désirs sous-jacents du consommateur.

Une autre manière de développer la créativité est de réfléchir aux besoins sous-jacents suscités par un produit. Cela paraît compliqué et nous allons vous fournir un exemple. Admettons que les restaurants situés à proximité de mon bureau s'efforcent tous de combler deux nécessités de base : nourriture et plaisir. Ils sont donc en compétition pour offrir un bon repas dans un cadre agréable. On peut donc devenir compétitif sur ces deux besoins, en trouvant un nouveau désir à combler (voir énumération ci-dessus). Toutefois, je peux aussi repositionner mon produit de façon qu'il corresponde à un besoin vital : par exemple, le besoin d'estime et de contacts sociaux. Trouvez un produit qui soit en mesure de satisfaire ces besoins et vous aurez un produit compétitif sur le marché local. Avez-vous réfléchi à une autre solution ? Que diriez-vous d'un club-restaurant ? Ce n'est pas un concept très connu, mais ça peut marcher. On pourrait peut-être également ajouter le besoin de réussite sociale, en invitant de temps à autre un orateur pendant l'heure du déjeuner. Ou peut-être...

Il faut être créatif et perspicace en même temps lorsqu'il s'agit de besoins et de désirs, c'est là tout le problème (cf. Chapitre 4 pour plus d'informations sur le rôle joué par la créativité en marketing). Ce sont les éléments de base qui assurent le succès d'une stratégie marketing. Si vous n'êtes pas capable de mieux cerner les besoins de vos clients, actuels et potentiels, ils iront certainement voir ailleurs.

Stratégies de développement de marché

Le *développement du marché* est une stratégie courante en marketing, c'est pour cela que nous avons choisi de l'aborder en premier. L'idée est étonnamment simple : ciblez un nouveau marché et ne l'abandonnez pas avant de le conquérir.

L'esprit d'initiative peut vous mener dans une région géographique différente. Prenons comme exemple les glaces Ben & Jerry, développées à partir de leur région d'origine, le Vermont, et devenues une marque connue dans tous les Etats-Unis. Ou, comme c'est le cas chez Motorola, ce même esprit peut vous mener à produire une gamme de produits différents. Motorola développe son marché en fabriquant des micro-ordinateurs compatibles MacIntosh et utilisant le même système d'exploitation. Cela peut également vous mener dans de nouveaux pays. Motorola le fait en Chine et dans toute l'Asie avec ses micro-ordinateurs. Cette stratégie est actuellement une des plus utilisées. Si votre entreprise n'est pas encore présente partout ou n'envisage pas de le faire, vous vous rendrez très vite compte que vos concurrents ne tarderont pas à le faire. Et tant qu'à faire, faites comme eux.

Evaluation des risques

Lorsqu'on envisage de développer un marché, il ne faut pas oublier le fait qu'un nouveau marché comporte plus de risques qu'un marché connu. Tout simplement parce qu'il est nouveau et que vous manquez de connaissances et de savoir-faire par rapport aux marchés dans lesquels vous êtes déjà intégré. Sans compter que vous serez peut-être obligé de lancer à la fois un nouveau produit sur un nouveau marché. Comme l'a fait Motorola en lançant en même temps des micro-ordinateurs (nouveau produit) sur un nouveau marché (la Chine).

Le fait d'opérer sur un nouveau marché augmente les risques puisque, par définition, un w signifie aussi de nouveaux clients à chaque étape de votre circuit de distribution. Il faut donc en tenir compte, en diminuant les prévisions de ventes de façon à calculer ces risques. Personne n'est très sûr en ce qui concerne le taux de diminution applicable mais, en règle générale, on peut calculer un taux compris entre 20 à 50 %, dépendant de la *nouveauté* du marché pour votre entreprise.

Le risque augmente également lorsqu'on lance de *nouveaux produits* : c'est-à-dire des produits dont la fabrication et la commercialisation vous sont inconnues. Lorsqu'on lance un nouveau produit il faut également prévoir une diminution de 20 à 50 % de la prévision de ventes. Les risques sont de nature différente s'il s'agit d'introduire, à la fois, un nouveau produit sur un nouveau marché. Dans ce cas, il faut prendre en compte un taux encore plus élevé. Si vous additionnez ces deux estimations de risque et les déduisez ensuite de votre prévision de ventes, vous prenez en compte ces risques. Oui, je sais que 50 %+ 50 % = 100 % amenant la prévision de ventes à 0 %. Mais une stratégie de développement est parfois tellement risquée qu'il serait irréaliste de s'attendre à de bons résultats au cours de la première année de lancement d'un produit. Il vaut mieux être prudent et conserver le produit le plus longtemps possible sur le marché, ce qui vous permettra d'apprendre à le commercialiser correctement que de le condamner définitivement en étant trop confiant au départ.

Eviter des erreurs culturelles

Les chaussures Bata, vendues dans le monde entier, ont pour logo un dessin représentant trois cloches. Ce logo permet une identification universelle du produit. Quoique... Certains musulmans pensent qu'il ressemble un peu aux caractères arabes représentant Allah. Et lorsque il est apparu sur des sandales Bata au Bangladesh, des musulmans fondamentalistes ont manifesté leur colère contre ce qu'ils considèrent comme un blasphème. Cette petite erreur de marketing a causé cinquante blessés.

Ce genre d'accident peut arriver à n'importe qui et est courant lorsqu'on opère au niveau international. La même erreur s'est produite avec les voitures Chevrolet, lors du lancement au Mexique du modèle "Nova". "No va", signifie "N'y va pas" en espagnol. Ce genre d'incidents peut être évité en procédant à des études de marché qualitatives adaptées aux marchés locaux. Une bonne méthode consiste à créer des groupes de débat dirigés par des animateurs (appelés *Entretiens de groupe* en *études de marché*). Ces entretiens de groupe ont pour objectif l'évaluation d'un produit et examinent en détail tous ses aspects positifs et négatifs (ce qui peut s'avérer très utile en ce qui concerne la publicité locale). Vous trouverez facilement des agences de publicité et de consultants locaux sur n'importe quel marché. Vos publicitaires vous affirmeront sans doute qu'ils n'auront aucune difficulté à gérer des problèmes posés au Bangladesh, de leurs bureaux à Paris ou à Londres. Mais la stratégie la plus efficace consiste sans aucun doute à collaborer activement avec des experts locaux, ne serait-ce que pour tester l'acceptabilité du produit sur le marché local.

Décisions concernant les parts de marché

Dans cette section, vous apprendrez non seulement à réfléchir de façon stratégique sur la part de marché, mais aussi à évaluer son importance. (On y reviendra plus loin, mais commençons d'abord par un petit résumé. Plus votre entreprise est grande, plus les coûts sont bas, en comparaison avec les concurrents, plus grand sera l'impact exercé sur le consommateur et plus grande sera votre couverture du marché.)

La *part de marché* signifie très simplement le nombre de ventes de votre produit par rapport à la totalité des ventes réalisée dans la même catégorie de produits. Si, par exemple, vous vendez pour 2 millions de francs de fromage et que le marché mondial représente 20 millions de ventes par an, votre part de marché s'élève à 10 %. Simple, non ?

Choisir une unité de valeur ou de mesure

Quelle unité choisir pour mesurer les ventes ? Bonne question. En tout état de cause, cela n'a pas la moindre importance. Des francs français, des dollars américains, des livres sterling, des grammes, des conteneurs - toutes les unités sont bonnes. L'important est *d'être cohérent.* En d'autres termes, vous pouvez calculer votre part de marché sur la totalité du marché de fromage en Amérique du Nord, en grammes si cela vous convient. Ce qu'il ne faut pas faire, c'est mélanger grammes et francs français. Prenez comme unité de mesure celle qui vous semble la plus adaptée à votre produit (c'est-à-dire la plus adaptée du point de vue du consommateur) et celle sur laquelle vous obtiendrez plus facilement de données. Si les statistiques officielles calculent les ventes en dollars, faites pareil.

Définition de "marché global"

A quelle catégorie appartient votre produit ? C'est sans doute la question stratégique la plus importante que vous ayez à vous poser. Si vous vendez des crêpes, alors votre produit rentre dans la catégorie "crêpes". Mais est-ce que cette catégorie comprend toutes sortes de crêpes ? Est-ce qu'il faut inclure d'autres marques de crêpes dans cette catégorie de produits ? Ou ajouter d'autres choses, telles que les galettes ? Ou des crêpes vendues avec une crêpière ? Ou de la pâte à crêpes ? Ce marché, comme beaucoup d'autres, est difficile à délimiter. Et si la délimitation est plus large (c'est-à-dire qu'elle inclut plus de produits), cela signifie que la totalité des ventes sur ce marché est plus élevée, et donc que votre part de marché est inférieure. Un produit peut avoir une part de marché équivalente à 25 % selon une formule de calcul déterminée, et à peine 1 % selon une autre formule. Quelle est alors la bonne formule ?

Posez la question au consommateur. Est-ce qu'il choisit entre toutes les sortes de crêpes énumérées ci-dessus ou seulement entre quelques-unes ? Ce qui est déterminant, c'est la façon dont le *consommateur perçoit* la catégorie à laquelle appartient un produit. Demandez-lui comment il choisit les produits qu'il achète (voir Chapitre 6 pour la conduite d'études formelles). Essayez de comprendre comment le consommateur perçoit les différents choix qui lui sont proposés. Ensuite, il faudra inclure la totalité de ces choix, ou *choix approximatifs,* dans votre définition de marché global. En ce qui concerne les crêpes, le choix du consommateur comprend probablement toutes les sortes de crêpes, y compris la pâte à crêpes. Mais cela n'inclut pas les crêpes vendues avec une crêpière, puisque ce produit est également assimilé à une action. Il est donc important de bien délimiter une catégorie lorsqu'on essaye de définir un marché global.;

Ouf ! Il est évident que vous n'aviez pas la moindre idée des difficultés qu'on peut rencontrer lors du calcul de la part de marché. C'est un calcul complexe, même si l'arithmétique est étonnamment simple, parce que votre vision du marché peut changer radicalement le résultat et que ce dernier peut changer radicalement votre plan d'action.

Comment obtenir plus de données sur la taille/ croissance du marché ?

Pour calculer votre part de marché, vous aurez besoin de prévisions concernant la totalité des ventes sur ce marché. Il est donc nécessaire de faire un peu de recherche. Eh oui ! Il n'y a pas d'autre moyen ! Tant qu'à faire, essayez d'obtenir des données sur plusieurs années, par exemple les ventes des cinq aux dix dernières années. Ces informations vous permettront de mieux comprendre le taux de croissance de votre marché, indicateur fondamental de son potentiel futur aussi bien pour vous que pour la concurrence.

Ce type d'informations peut généralement être obtenu auprès d'organisations professionnelles et d'associations diverses telles que : CNPF (Conseil national du patronat français), Les chambres de commerce et de l'industrie, L'ADETEM (Association nationale pour le développement des techniques de marketing), etc. Grand nombre d'entre elles possèdent des statistiques annuelles de ventes dans diverses catégories de produits. Autres sources de données sont les sources officielles telles que : L'INSEE (Institut national de la statistique), le CREDOC (Centre de recherche, d'étude et d'observation des conditions de vie), l'INC (Institut national de la consommation), etc. Une autre source de données intéressante nous parvient de revues spécialisées telles que : *Economie et statistiques* publiée par l'INSEE et *Consommation*, publiée par le CREDOC. Vous pouvez également consulter des annuaires, guides et publications financières dont voici quelques-unes à titre d'exemple : *Répertoire du commerce Didot-Bottin, Annuaire du marketing* (publié par l'ADETEM), etc.

Vous pouvez également trouver ce type de données sur Internet. Essayez de voir ce que vous pouvez obtenir lorsque vous tapez le nom de votre produit suivi de "chiffres de ventes" ou "taille du marché".

La publication *Sales & Marketing Management* peut se révéler très intéressante, spécialement pour tout ce qui concerne les biens de consommation (c'est une publication de Bill Communications et vous pouvez appeler le 609.786.9085, à partir de la France). Pour un abonnement à prix modéré ou un numéro particulier, vous obtiendrez énormément d'informations.

Une gamme de produits est un groupe ou un ensemble de produits apparte-nant à la même catégorie. Votre produit rentre forcement dans une catégorie de produits. Par exemple, un fabricant de vêtements masculins opérant dans le Nord de la France peut déduire ses ventes des ventes globales (dans cette même région) pour connaître sa part de marché dans cette région. Si vous pensez que la catégorie de points de vente est trop vaste, vous pouvez effectuer votre propre étude. Demandez à vos distributeurs ou détaillants quelle est la totalité de leurs ventes dans votre catégorie de produits - la plupart d'entre eux n'hésiteront pas à vous aider. Si c'est absolument néces-saire, chargez un bureau d'études marketing de faire une enquête auprès du consommateur de façon à déterminer le pourcentage d'achats de votre marque et des marques concurrentes. Les entreprises de grande taille font généralement une enquête annuelle pour obtenir des données fiables sur leur part de marché.

Méthode rapide de calcul de la part de marché

Il est possible que tout ce qui a été dit précédemment vous paraisse compli-qué. Voici donc une méthode très simple pour calculer la taille du marché et votre part de marché. Tout ce dont vous aurez besoin est d'une simple feuille de papier.

1. **Calculez le nombre total de clients appartenant à votre marché (combien de personnes dans votre pays ou région sont susceptibles d'acheter du dentifrice ou combien d'entreprises louent les services d'un consultant).**

2. **Calculez le nombre d'achats annuels en moyenne (six tubes de dentifrice, quinze heures de services).**

   Vous pouvez vérifier la totalité de vos ventes ou demander autour de vous pour obtenir des estimations plus fiables.

3. **Maintenant, multipliez les deux chiffres et vous obtiendrez le nom-bre de ventes global annuel. Ensuite, déduisez de ce chiffre la totalité de vos ventes et vous obtiendrez votre part de marché.**

Définition d'objectifs de part de marché

Le calcul de la part de marché vous permet d'analyser périodiquement vos résultats par rapport à ceux de vos concurrents. Si votre part diminue, vous perdez. Si elle augmente, vous gagnez. C'est aussi simple que ça ! C'est pour cette raison que la plupart des plans d'actions marketing s'appuient, du moins partiellement, sur **des objectifs stratégiques de part du marché**, comme : "Augmenter la part de marché de 5 à 7 % en améliorant un produit et en augmentant les ventes par des promotions spéciales telles que des échantillons gratuits." Lors de l'analyse finale du plan d'action de l'année précédente, il faut toujours tenir compte des changements de part du marché. Cette analyse est essentielle et ne devrait jamais être négligée. Si votre plan d'action marketing précédent a fait doubler votre part de marché, vous devriez considérer sérieusement de l'appliquer de nouveau, mais si votre part de marché est restée égale ou a diminué, vous avez besoin d'un nouveau plan d'action.

Faut-il investir dans l'augmentation de votre part de marché ?

La connaissance de la part de marché constitue non seulement un bon point de repère, mais permet également de comprendre le fonctionnement de certains mécanismes, du moins en ce qui concerne les chances de réussite de votre produit. Certains voient la part de marché comme un bon indice de rentabilité à long terme, argumentant que les leaders du marché ont plus de succès avec leur produit et réalisent des bénéfices plus importants. Cette croyance est si fortement ancrée que certaines entreprises abandonnent des marques ayant des faibles parts de marché au profit d'autres dont la chance de devenir les leaders sur le marché est plus élevée.

Si cette théorie est vraie, cela signifie que, pour obtenir une part de marché, il faut non seulement une bonne dose d'agressivité mais aussi une gamme de produits dont certains d'entre eux sont des leaders du marché. Faut-il alors supprimer tous ceux dont la part de marché n'est pas très élevée ? Ou songer à l'acquisition de produits avec une part de marché élevée ? Ou augmenter la qualité de vos produits et doubler les coûts des produits moyens pour faire monter leur part de marché ? De telles stratégies sacrifient des gains à court terme en espérant obtenir, à long terme, des gains plus importants. Mais elles sont risquées et dépendantes, d'une certaine façon, de la justesse de toutes ces théories. A vous d'examiner attentivement la réalité avant de prendre une décision.

Premièrement, un certain nombre d'études de qualité démontrent qu'en moyenne les produits dont la part de marché est élevée produisent des investissements plus rentables. Un cabinet de consultants à Cambridge, Massachusetts, possède dans sa base de données un nombre impressionnant d'informations concernant la part de marché et les retours d'investissement (RI). Cette base de données est intéressante dans la mesure où les données fournies concernent des *unités commerciales* (divisions ou filiales sur un marché unique) plutôt que de grandes entreprises, ce qui, d'un point de vue marketing, est beaucoup plus intéressant. Ces unités commerciales possédant des plus grandes parts de marché réalisent des retours sur l'investissement avant taxe nettement plus élevés. Un rapport est dès lors établi entre le pourcentage du bénéfice et le pourcentage de l'investissement. Ce rapport est approximativement celui fourni dans le Tableau 2.1.

Tableau 2.1 : Gains de part de marché.

Pourcentage en part de marché	Pourcentage en retour sur l'investissement
Moins de 7	10
Entre 7 et 15	16
Entre 15 et 23	21
Entre 23 et 38	23
38 ou plus	33

Une autre donnée non négligeable fournie par cette base de données nous indique que l'augmentation de la part de marché semble correspondre à un bénéfice du retour sur l'investissement (même si ce bénéfice, en en termes de pourcentage, varie entre un quart et la moitié de part de marché).

N'oubliez pas que l'inverse est également vrai : une baisse de la part de marché entraîne une baisse du bénéfice sur le retour d'investissement. Cela signifie qu'une bonne stratégie consiste à *maintenir la part de marché actuelle.* Cela est possible à condition de conserver une bonne image du produit (cf. Chapitre 4), d'innover en actualisant votre produit (cf. Chapitre 14) et en développant des plans d'action marketing adaptés (cf. Chapitre 1, et hélas, la totalité de ce livre).

En quoi cette relation entre le retour sur l'investissement et la part de marché est-elle si importante ? Les entreprises possédant une part de marché plus importante réalisent des économies considérables tant sur le plan de la production que sur le plan du marketing. Peut-être est-ce parce qu'elles possèdent plus d'expérience que les petites entreprises, mais elles ont également une plus grande marge de négociation avec les fournisseurs, les distributeurs et même avec les banques. Un autre facteur également important est le fait que ces grandes entreprises soient souvent plus connues sur le marché, étant donné qu'elles possèdent des moyens marketing beaucoup plus importants. Cela est important en termes de communication. La communication est effectivement un problème, dans la mesure où la concurrence publicitaire est énorme. Il est donc essentiel de se faire remarquer.

Les consommateurs, de leur côté, sont peut-être plus enclins à reconnaître et à faire confiance à certaines marques, simplement par ce qu'il est plus facile d'obtenir des renseignements les concernant. Faire connaître une marque suscite des réactions et il est plus facile de le faire lorsque l'entreprise est plus grande que celle du concurrent.

Voilà pourquoi il est si important de défendre ses parts de marché et de faire en sorte qu'elles augmentent et deviennent leaders sur le marché. Si, par exemple, vous occupez la troisième position sur le marché vous devriez considérer des investissements de croissance, de façon à devancer le n° 2 et à vous rapprocher du leader.

Mais il faut rester attentif, car toutes ces études ne sont pas unanimes. La part de marché est un sujet de polémique toujours actuel dans les milieux universitaires. Une étude récente (et par ailleurs bien menée), réalisée par un consultant de McKinsey en collaboration avec un professeur de l'université de Colombia, conclut que "les petites entreprises où la priorité est donnée aux activités stables et la part de marché considérée moins importante pendant une période économique favorable réalisent généralement plus de bénéfices sur une longue période que les entreprises dont la part de marché est restée stable ou a augmenté".

En d'autres termes, si vous travaillé pour une petite entreprise, ne vous laissez pas impressionner par la part de marché au point de déstabiliser tous les autres facteurs. Comme tous les objectifs stratégiques, l'obtention d'une part de marché est un facteur qui doit être géré avec précaution en ne perdant pas de vue l'interaction qu'il peut déclencher en combinaison avec des facteurs également importants. Soyez donc prudent.

Chapitre 3
Stratégie élaborée : définir le message

Dans ce chapitre vous apprendrez comment :

Faire un diagnostic du cycle de vie du marché.

Choisir une stratégie adaptée à la phase actuelle du cycle de vie du produit.

Définir un marché cible.

Lister les principaux critères de positionnement.

Répondre aux quatre questions de la sélection de stratégies .

Vérifier la crédibilité de votre stratégie.

Comme on a pu le voir dans le Chapitre 2, la question stratégique de base se résume à savoir "pourquoi ?". Se poser cette question amène à la définition des besoins des consommateurs auxquels votre produit s'adresse et au développement de vos techniques et objectifs marketing.

Mais vous n'êtes peut-être pas tout à fait prêt pour passer aux "si" liés à tous les aspects pertinents d'un plan d'action marketing bien conçu. Nous allons donc formuler une dernière question stratégique avant de passer à l'étape suivante. Cette question est "comment ?" ou plus exactement "Comment une entreprise peut-elle faire connaître les avantages fantastiques apportés par son produit, de sorte qu'il soit perçu par le consommateur comme la réponse à ses besoins ? "

Formuler cette question, c'est pousser la stratégie jusque dans les problèmes pratiques posés par un plan d'action. Obtenir des réponses permet d'élaborer un plan d'action clair et précis.

Cette précision découle essentiellement de la connaissance des interlocuteurs du marché cible et de leurs motivations. Réfléchir à la façon dont vous allez effectuer votre prochaine vente amène tout naturellement à plus de précision.

Est-ce qu'elle est le résultat d'une publicité favorable au produit auprès de consommateurs potentiels ? Ou le résultat d'une concurrence saine ? Ou d'un changement d'attitude ayant pour conséquence un taux plus élevé de fidélisation de clientèle ? Ces trois hypothèses stratégiques sont développées dans les pages suivantes.

En dernier lieu, il est indispensable de synthétiser votre stratégie en formulant une description succincte du profil de votre clientèle et de l'image que vous souhaitez donner à votre produit. Après tout, la stratégie n'a pas de sens si elle n'est pas acceptée par le consommateur. Cela signifie que la dernière étape dans la concrétisation d'une stratégie est le transfert entre toutes les bonnes idées du département marketing et le consommateur, d'où la nécessité d'une description de profil du consommateur.

Stratégies relatives au cycle de vie d'une catégorie de produits

Chaque catégorie de produits (l'ensemble de produits concurrents comprenant aussi bien des services que des produits) a un cycle de vie d'une durée limitée. Cela est vrai du moins théoriquement et souvent vérifié en pratique. Il suffit de penser à l'évolution réalisée dans le domaine des transports pour mieux comprendre cette affirmation : de la carrosse on est passé au bateau, du bateau au train, du train au camion, pour atterrir maintenant en avion.

De la même façon, un produit est soumis à un cycle continu qui se décompose de la façon suivante : lancement, croissance, maturité et déclin.

Le *modèle du cycle de vie d'un produit* est un grand classique en marketing et donc le sujet inévitable de n'importe quel test. Certains étudiants affirment que cela leur a été d'une grande utilité ; pourtant, son application n'est pas toujours facile. On va donc la simplifier en l'abordant sous un angle différent. La maîtrise de cette version simplifiée suffit largement à maîtriser la technique de n'importe quelle stratégie. Et c'est bien ça qui compte !

Ce modèle a comme base la théorie suivante : chaque produit est soumis à un cycle qui va de son introduction sur le marché, traverse plusieurs phases, et finit par son déclin. Cette théorie résulte de l'effort constant fourni par les professionnels du marketing à innover et à améliorer un produit. Ce procès ne vous est certainement pas inconnu, car il est l'apanage de toute entreprise. Si bien que même le produit le plus performant n'échappera pas à son remplacement par un autre. Par ailleurs, restons attentifs à ne pas confondre produit et marque. Ainsi, des produits particulièrement novateurs dans une catégorie de produits donnée n'ont qu'un effet relatif dans le cycle de vie de cette dernière.

Au contraire, le cycle de vie d'un produit est déterminant pour son succès. Ce qui signifie que pour appliquer correctement ce modèle, il est nécessaire d'avoir une vision globale de l'ensemble du marché, obtenue à partir des chiffres de vente d'une marque en particulier et de ses concurrentes. Par exemple, si vous devez déterminer le chiffre de ventes de votre marque, vous devez non seulement prendre en compte les ventes de votre propre produit, mais aussi celles de vos concurrents.

Prévision et interprétation de la croissance du marché

Pendant une très longue période, les ventes suivent une courbe de croissance en forme de S ; ensuite, elles se stabilisent et poursuivent leur croissance au fur et à mesure que le nombre de clients augmente pour finalement décliner lorsqu'un nouveau produit apparaît sur le marché. Cela vous paraît compliqué ? Examinez la Figure 3.1 pour mieux comprendre l'évolution de la courbe de croissance. Selon ce modèle, le cycle de vie d'un produit traverse quatre phases différentes.

Comme on peut le constater d'après la Figure 3.1, lorsqu'un marché est saturé, les ventes augmentent grâce aux clients actuels. Cette tendance ralentit la croissance des ventes et remet en question plusieurs actions marketing telles que la publicité.

Introduction ou lancement

Lorsqu'on procède au lancement d'un nouveau produit, on observe une courbe de ventes caractérisée par une évolution lente et graduelle. Au bout d'une certaine période plus ou moins longue, la courbe progresse visiblement et finit par décliner ultérieurement. Cette évolution provient du fait que, lorsqu'un nouveau produit est introduit sur le marché, il faut non seulement du temps pour le faire connaître, mais également du temps pour le faire accepter. Il s'agit, en conséquence, d'une phase difficile pour les professionnels du marketing, car il faut faire connaître le produit ainsi que les avantages qu'il apporte. Plus le produit est nouveau, plus il exige un changement de comportement de la part du consommateur, ce qui implique également que la phase de lancement devient plus longue.

Croissance

Après un certain temps, généralement situé aux alentours d'une obtention de part de marché variant entre 10 à 20 %, le concept fait son chemin. Il rentre alors dans sa phase de croissance : le produit est accepté et le nombre de consommateurs l'ayant adopté est de plus en plus grand. Malheureusement, une pareille réussite attire également la concurrence et, cela va de soi, l'augmentation du nombre de produits concurrents. Normalement, le produit leader perd alors sa part de marché initiale, mais sa croissance rapide est, en règle générale, source de bénéfices pour tous les concurrents.

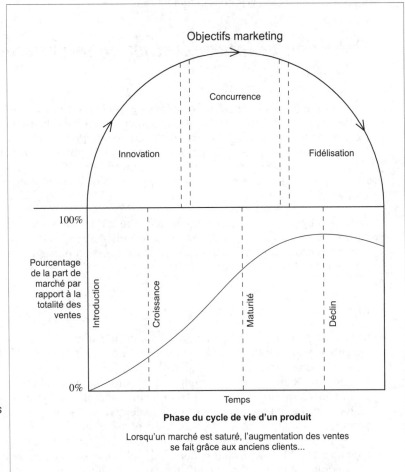

Figure 3.1 :
Taux de croissance et tendances du marché au cours du cycle de vie d'un produit.

Maturité

C'est vers la fin de la période de croissance que les mauvaises nouvelles arrivent. Une fois que tous les consommateurs dont le pouvoir d'achat est assez élevé ont acheté le produit, il est inévitable que des changements se produisent sur le marché. Et ce n'est pas en continuant à faire de la promotion que les bénéfices augmenteront. Il faudra attendre que le consommateur soit prêt à le remplacer, mais vous ne serez pas tout seul ! Vos concurrents adopteront la même démarche. Dans le meilleur des cas, vous serez en mesure de garder une grande partie de votre clientèle et même d'en engendrer une nouvelle. Mais, quoiqu'il en soit, le temps de la croissance rapide est de l'histoire ancienne, car un marché saturé est synonyme de connaissance et d'utilisation d'un produit. Et ce n'est pas la constitution d'une nouvelle clientèle qui accélérera sa croissance. La rapidité avec laquelle un produit est remplacé par un autre et la capacité de récupération de clients chez le concurrent freinent toute ambition de croissance.

Il est évident que certains produits sont plus sensibles à la saturation que d'autres. Le marché des réfrigérateurs, par exemple, peut être considéré comme étant raisonnablement saturé, sachant que la plupart des ménages en possèdent un et qu'ils ne sont pas prêts à le remplacer tant que cela ne s'avérera pas nécessaire. En revanche, un marché comme celui des T-shirts n'arrive probablement jamais à saturation puisque les amoureux de ce vêtement ne le remplacent pas par un autre. Au contraire, ils continuent à en acheter tant qu'un modèle leur plaît.

Aux Etats-Unis, par exemple, on sait qu'un étudiant lambda possède en moyenne une vingtaine de T-shirts alors que la moyenne générale est d'un demi par personne ! Et même si ces grands consommateurs possèdent cinquante fois plus de T-shirts que l'Américain moyen, ils affirment qu'ils en achèteront au moins un autre dans le mois qui suit. Voici donc un exemple de catégorie de produit qui ne rentre pas dans le modèle du cycle de vie des produits et dont la seule limite réside dans la créativité de ses développeurs.

Et l'heure du déclin arrive...

Selon le modèle du cycle de vie des produits, un produit cesse d'être remplacé par un autre lorsqu'un produit plus innovant apparaît sur le marché. Qui pensera par exemple encore à acheter des disques vinyls alors que la même musique est disponible sur CD ? Voici comment un produit rentre dans sa phase de déclin, synonyme d'une baisse de ventes et de bénéfices et d'une baisse de concurrence. Quelquefois, il est possible de tirer profit de cette phase en restant fidèle à un produit qui, malgré tout, attire encore de la clientèle. Cependant, c'est souvent une perte de temps, et il est plus prudent de se retirer du marché alors qu'il est encore dynamique en remplaçant l'ancienne ligne par une nouvelle, mieux adaptée aux nouveaux besoins.

Ou peut-être pas ?

Certains professionnels du marketing, sans doute ceux qui croient à la réincarnation, n'abandonnent jamais une idée. Ils croient dur comme fer à l'idée qu'une bonne dose de créativité et un marketing adapté, suffisent à faire revivre un produit. Quelquefois ils ont raison, comme nous le verrons dans l'exemple suivant : prenons le cas du bicarbonate de soude, un produit utilisé à l'origine pour la confection de petits pains, gâteaux, etc., et tombé en désuétude à cause du changement de style de vie du consommateur. Personne n'a plus le temps de faire cuire des petits pains !

Alors que les ventes de Arm & Hammer, leader du marché du bicarbonate de soude en Amérique du Nord, baissaient considérablement, le département marketing avait remarqué un phénomène curieux : certains clients achetaient des larges quantités du produit sans aucune raison apparente. Intrigués, ils décidèrent de faire une petite étude qui révéla que certains consommateurs avaient détourné le produit de sa fonction primaire et l'utilisaient à d'autres fins. Ils s'en servaient maintenant pour se blanchir les dents ou pour nettoyer des tapis, etc. Incroyable non ?

Suite à ces résultats, le fabricant a décidé de revenir à la phase d'introduction du produit en utilisant des arguments basés sur ses nouvelles utilisations du produit. Voilà comment transformer un bien de consommation en voie de disparition en un produit florissant. C'est bien ce qu'on peut appeler une résurrection !

Influences du cycle de vie sur le marché

Dans la partie supérieure de la Figure 3.1, on retrouve un *deuxième* modèle habituellement utilisé en publicité. Il a été légèrement modifié pour mieux correspondre au modèle du cycle de vie des produits. Il suffit de combiner les deux pour obtenir un ensemble très efficace alliant en même temps théorie et pratique. Ce modèle utilisé en publicité établit trois phases distinctes dans le cycle de vie d'un produit. A chacune d'entre elles correspond un objectif stratégique différent : ainsi, l'*innovation* est utilisée pour donner de la notoriété au produit, *la concurrence* pour augmenter la part de marché et *la fidélisation* pour réduire les dépenses. En les appliquant au modèle du cycle de vie, vous serez en mesure de choisir la stratégie adaptée aux tendances du marché. Vous retrouverez dans le tableau ci-dessous les objectifs stratégiques correspondant à chacune des trois phases.

Tableau 3.1 : Quel objectif pour quelle phase du cycle de vie.

Innovation	Concurrence	Fidélisation
Faire connaître le produit	Acquisition de notoriété de marque	Fidélisation du client
Stimuler l'utilisation gratuite du produit	Prise de position par rapport à la concurrence	Instauration d'un dialogue avec le consommateur

Innovation	Concurrence	Fidélisation
Mise au point de la chaîne de distribution	Prise d'une part de marché dominante	Amélioration de la qualité
Segmentation du marché pour apporter une réponse plus adaptée aux besoins	Amélioration du service	Amélioration du produit

Toutes les actions d'un plan d'action sont le résultat de ces stratégies de base. Lorsqu'on examine dans quelle phase du cycle se trouve le produit, on est en mesure d'appliquer la stratégie adéquate de façon relativement simple.

Ainsi, lorsqu'on commercialise un produit dont les ventes augmentent, on sait que celui-ci passe de la phase d'introduction à la phase de croissance. Pour savoir alors quelle stratégie adopter, il suffit de regarder la Figure 3.1 et on constate qu'à ce stade précis correspond la stratégie de l'innovation. En se reportant ensuite au Tableau 3.1, on apprend que cette stratégie consiste à faire connaître le produit, à stimuler son utilisation et à s'assurer que la chaîne de distribution marche convenablement. On dispose maintenant d'une stratégie claire, au fur et à mesure qu'on définit le plan d'action marketing (à l'aide des éléments décrits dans la troisième partie de ce manuel).

Prenons le cas de la fixation des prix. A quel prix faut-il vendre un produit ? En règle générale, le prix doit être suffisamment bas pour stimuler son achat, ce qui signifie que lancer un produit à prix élevé n'est peut-être pas la meilleure des stratégies. En revanche, dans cette phase, aucune règle ne nous oblige à être compétitifs au niveau du prix (cette stratégie s'applique plutôt à la phase de la concurrence). C'est peut-être le meilleur moment pour proposer des prix bas en faisant des offres spéciales pour pousser le consommateur à essayer le produit. Dans cette phase, on peut également parler de distribution d'échantillons, plus particulièrement lorsqu'ils sont associés à des prix modérés (voir Chapitre 13, "Prix de vente et offres promotionnelles").

Et la publicité ? Dans tous les cas, elle doit avoir un caractère informatif et éducatif sans oublier de mettre en valeur les avantages du produit. En même temps, il faut s'assurer que le distributeur soit encouragé à distribuer le produit et à faire sa promotion. Il faut donc prévoir un budget important, destiné à des promotions pour les distributeurs et à une grande mobilisation de la force de vente.

Tout cela semble évident tant qu'on suit les stratégies proposées par le modèle. C'est là que réside la beauté de la stratégie : elle clarifie et simplifie les petits détails essentiels.

Application d'une stratégie

On trouvera, dans les Figures 3.2, 3.3 et 3.4, des concepts de dessins pour annonces publicitaires. Le premier est destiné à un produit imaginaire appelé "Plein Œuf". Il s'agit d'un produit plus sain vendu en boîtes de carton et destiné à un usage quotidien. Le produit est conçu de façon à proposer une formule plus saine, car il contient moins de cholestérol qu'un œuf normal. Quelle stratégie adopter pour un tel produit ? Une stratégie d'innovation semble la mieux adaptée à cette phase d'introduction du produit.

Figure 3.2 :
Une annonce innovatrice adaptée à la phase d'introduction.

Evidemment, il y a des produits concurrents et même un produit leader, "Super-œuf", qui vise un marché de personnes âgées suivant un régime sans cholestérol. Par contre, les personnes d'une quarantaine d'années qui apprécient également les produits naturels ne sont pas attirées par ce produit, qui leur semble quelque peu surfait. Il y a là un marché cible pour "Plein Œuf" dont le slogan : "100 % sain et naturel" correspond aux besoins de ce groupe de consommateurs. Un moyen d'informer le consommateur est d'énumérer sur sa boîte tous les avantages qu'il offre. Il faudrait également que le slogan "Essayez Plein Œuf dès aujourd'hui" soit accompagné de distribution d'échantillons gratuits et de livres de recettes dans les supermarchés où ce groupe de consommateurs fait normalement ses achats.

Pour beaucoup de consommateurs, un œuf reste un œuf et les critères de choix ne concernent que le prix ou le fait qu'il se trouve à ce moment sur le rayon. Cependant, un nombre croissant de consommateurs, est de plus en plus conscient des différences de qualité et reste attentif au choix d'un produit considéré comme plus sain. Sur la Figure 3.3 on peut voir une annonce publicitaire destinée à la phase de croissance. Le produit présenté dans cette publicité cible ce groupe en introduisant une innovation : tous les avantages d'un œuf sain pondu par une poule en liberté. "Les œufs les plus savoureux sont ceux de la poule élevée en plein air" proclame le slogan, et, en même temps, il apprend au consommateur comment faire la différence entre ce produit et tous les autres qui, évidemment, n'utilisent pas les mêmes arguments.

Figure 3.3 : Une annonce compétitive adaptée à la phase de croissance.

Cette annonce crée également une position distinctive de la marque à travers l'image drôle et inoubliable d'un œuf avec une tête et des ailes. Cette position est renforcée par l'utilisation de la marque déposée "Œufs en liberté". Une stratégie de concurrence réussie doit forcément s'appuyer sur ces deux critères : différenciation du produit et notoriété de la marque. Cette stratégie sera très utile dans l'acquisition d'une part de marché pour ce produit. Espérons que le consommateur cherchera cette marque unique, malgré l'énorme concurrence.

Mais que faire lorsqu'on cherche simplement à vendre une marque solidement établie au niveau régional mais possédant peu de caractéristiques distinctives ? Un produit tel que des œufs en boîte fait naturellement partie d'une catégorie de produits en phase de maturation. C'est la raison pour laquelle l'annonce publicitaire sur la Figure 3.4 utilise une stratégie de rappel destinée au consommateur fidèle à la marque.

Figure 3.4 :
Une annonce
de rappel
adaptée à la
phase de
maturité.

Contrairement à la marque "Œufs en liberté", la marque "La crémerie de Nathalie" ne peut pas utiliser d'arguments distinctifs dans sa stratégie. En revanche, elle a d'autres atouts : c'est un producteur local (coûts de distribution moins élevés), et il a une solide implantation régionale. Mais avec l'apparition des marques des distributeurs, la marque se retrouve en concurrence avec ses propres distributeurs.

La marque a donc besoin d'une campagne publicitaire de répétition, comme celle qu'on peut voir sur la Figure 3.4. Dans ce cas précis, il faut donc suivre une stratégie similaire et essayer d'obtenir des distributeurs et de l'espace publicitaire sur le point de vente. On pourrait finaliser la campagne par le sponsoring de la radio locale et par une participation active dans la vie de la communauté locale. Pour empêcher que la marque tombe dans l'oubli, il faut assurer une promotion intensive pour rappeler son existence au consommateur.

Utilisation du point de vente pour des campagnes de répétition

Comme on l'a vu dans l'exemple précédent, la formule du point de vente est un moyen effectif dans l'élaboration d'une stratégie de répétition. L'utilisation du point de vente en marketing consiste simplement à faire autant de publicité que nécessaire pour que le consommateur choisisse votre produit en même temps qu'il fait ses achats.

Le fabricant du couteau suisse (Precise International) utilise cette même stratégie pour commercialiser son produit dans les bureaux de tabac et les magasins de coutellerie. En collaboration avec Phoenix Display et Packaging Corp., Precise crée une série d'articles de présentation représentant des modèles géants du fameux couteau suisse. Malgré la saturation du marché, le couteau suisse reste une marque connue, ce qui lui permet de maintenir une part de marché considérable et de réaliser des bénéfices très confortables. Tout simplement par ce qu'il sait ne pas se faire oublier.

Stratégies de positionnement du produit

La décision finale et indispensable en stratégie concerne la façon dont le produit doit se *positionner*. C'est-à-dire *la façon dont le produit se situe dans l'optique du consommateur.*

1 : Sélection du marché cible

La première étape dans le positionnement d'un produit consiste à *segmenter le marché cible.* Prenons le cas de McDonald's, qui a décidé de s'attaquer au marché des adolescents. Une segmentation du marché passe d'abord par la prise de conscience de sa diversité. Un marché est composé de différents segments auxquels correspondent des besoins spécifiques. Par exemple, les enfants et les adultes, les grands consommateurs de restauration rapide et les consommateurs occasionnels. Chacune de ces différences découpe le marché en groupes ou segments. Additionnez les deux et vous obtiendrez une segmentation du marché en deux dimensions. Cette segmentation peut être complétée en créant un tableau avec des colonnes pour les catégories d'âge et des lignes pour le niveau de consommation. Vous obtiendrez alors un tableau où chaque cellule représente un segment de marché. Dans le cas présent, McDonald's est déjà le leader du marché sur certains de ces segments, mais il souhaite néanmoins s'agrandir en appliquant une des stratégies les plus efficaces.

Vous pouvez segmenter votre marché comme bon vous semble. Faites-le par catégorie d'âge, par domicile ou par supermarché, cela n'a pas d'importance. Il peut même être intéressant d'effectuer une segmentation par catégories rares. Cela peut mener à des marchés très innovateurs et se révéler très payant, mais une chose est essentielle : il faut constituer des groupes de consommateurs ayant des besoins identiques et une vision similaire du produit ! L'avantage de la segmentation est qu'elle vous permet de mieux répondre aux besoins d'un groupe bien déterminé qu'à ceux de tout un marché. Mais cela ne se vérifie que si les segments ont été bien déterminés (pour plus d'informations sur les méthodes de segmentation, voir Chapitre 6).

Une fois que vous aurez choisi les critères de segmentation à utiliser, il faudra décider quels groupes cibler. Il est, en règle générale, impossible de tous les cibler. Le mieux, c'est d'en choisir un seul, ou quelques-uns seulement. Et n'oubliez pas que, pour chaque groupe, vous aurez besoin d'une stratégie et d'un plan d'action individuel. Après tout ils ne se ressemblent pas, et la stratégie non plus.

2 : Conception de la stratégie de positionnement

Maintenant que vous connaissez votre marché cible, vous pouvez commencer à élaborer votre stratégie de positionnement. Voici quelques principes élémentaires :

- Vous pouvez, par exemple, positionner le produit par opposition au produit concurrent : "Nos taux d'intérêt sont moins élevés que chez Citybank." Cette tactique est adaptée à la phase de maturation où la stratégie adoptée est celle de la concurrence.

- Vous pouvez mettre en valeur un atout distinctif du produit : "Le seul beurre qui ne contient pas de graisses saturées." Cette tactique est la mieux adaptée lorsqu'on applique une stratégie d'innovation pour le lancement d'un produit.

- Vous pouvez associer le produit à une valeur respectée par le consommateur : "Le dentifrice le plus recommandé par les dentistes." Cette tactique donne une valeur ajoutée au produit. Une autre technique particulièrement efficace consiste à utiliser un leader d'opinion (une personnalité très connue, un joueur de football ou un acteur), l'image d'une famille heureuse, une villa magnifique entourée de jardins ou une mascotte. Toutes ces tactiques sont utilisées pour positionner favorablement le produit aux yeux du consommateur.

Prenons comme cas l'exemple de Merril Lynch, la banque d'investissement qui positionne son produit par rapport à Leonardo de Vinci. Evidemment, c'est sans doute aller un peu loin, mais l'analogie est assez réussie comme on peut le voir dans le texte de l'annonce ci-dessous : "Tout comme Leonardo pendant la Renaissance a mis à contribution son intelligence et son imagination, notre entreprise est motivée par un engagement similaire. Avec un taux de présence inégalée dans le monde, notre connaissance des forces motrices qui dominent le monde actuel permettent à nos clients de réagir de façon plus créative et plus lucrative. Comme Leonardo da Vinci, nous pensons que l'intelligence au service du client fait la différence."

Il est essentiel d'élaborer votre stratégie de positionnement sous forme de plan en l'affichant de façon évidente, par exemple au-dessus de votre bureau, pour vous assurer que vous resterez focalisé sur son exécution. Distribuez également des copies de ce document à votre agence de publicité, à vos distributeurs et à toutes les personnes impliquées dans l'exécution de votre plan d'action.

Il est relativement simple d'élaborer un tel plan mais, avant de commencer, il faut savoir :

- Comment déterminer le profil du consommateur cible ?

- Qu'avez-vous à offrir au consommateur ?

- Quels sont les moyens dont vous disposez ?

- Pourquoi êtes-vous meilleur que vos concurrents ?

Ensuite, remplissez la liste suivante (en l'adaptant à vos besoins, si nécessaire) :

Notre produit offre les avantages suivants :

_____

_____

Il est destiné à ce groupe de consommateurs (décrivez le segment cible) :

_____

_____

En quoi notre produit est-il meilleur que les produits concurrents :

_____

_____

Nous pouvons le prouver parce que (avantages, différences) :

_____

_____

Lorsque vous prenez le temps de réfléchir à un plan de positionnement, vous avez déjà fait la moitié du travail. Evidemment, il ne sert pas à vendre vos produits, mais il vous sera très utile dans l'élaboration de toutes vos actions marketing en commençant par votre plan d'action. En effet, toutes vos actions, du produit au conditionnement jusqu'à sa publicité, devront servir à un seul but : sensibiliser le client à vos arguments. N'hésitez donc pas à vous servir de votre plan de positionnement lorsque vous commercialisez un produit.

3 : Comment intégrer cet élément dans votre plan d'action

Un plan de positionnement détermine non seulement le message à transmettre, mais aussi le groupe auquel il s'adresse. Le plan de positionnement permet de visualiser la stratégie de manière tellement simple et claire qu'il empêche de perdre de vue l'objectif. Il faut essayer de le voir comme un plan d'action tellement compact qu'une simple feuille de papier suffit à le décrire.

Chaque fois que le plan d'action est mis en application, c'est-à-dire chaque fois qu'il touche le consommateur à travers un facteur d'impact donné, il est indispensable de s'assurer qu'il vise le consommateur ciblé et transmet le message adapté. Le plan de positionnement est donc l'outil idéal à la réalisation de ces objectifs.

Cela paraît tellement évident qu'il est difficile de comprendre pourquoi on gaspille autant de temps et d'argent avec des plans d'actions marketing dont les messages sont *incohérents par rapport au plan de positionnement*. Tout message qui ne réussit pas à transmettre de façon convaincante les avantages d'un produit ou d'une entreprise est un échec dans le positionnement de ce produit.

Tout plan marketing doit répandre une seule et unique stratégie de positionnement clairement définie. Cette méthode se révèle particulièrement efficace lorsqu'on utilise la stratégie de la concurrence (voir tout ce qui concerne le cycle de vie d'un produit au début de ce chapitre). Une stratégie de positionnement détermine clairement la façon dont vous souhaitez que le consommateur perçoive le produit par rapport à ses besoins et ses motivations. Il devient alors possible de comparer plusieurs stratégies de concurrence destinées à répondre à ces besoins et ces motivations.

Prenons une fois de plus l'exemple de McDonald's, qui souhaite mieux se positionner par rapport à un groupe de jeunes consommateurs toujours très pressés. Pourquoi vouloir cibler ce groupe ? Tout simplement parce que cette chaîne de restauration rapide est perçue par les adultes comme étant plus particulièrement destinée aux enfants. Cette idée est totalement juste puisque cette chaîne a toujours voulu donner une image d'endroit amusant pour les enfants, notamment à travers les espaces jeux, les "Happy Meals" (menus enfant avec un petit cadeau à l'intérieur) et l'utilisation d'un clown pour ses spots publicitaires. C'est une excellente stratégie étant donné que les enfants sont des consommateurs de taille. Cependant, des études réalisées en Amérique du Nord démontrent que les grands consommateurs sont des adultes et la part de McDonald's dans ce segment de marché n'est pas aussi importante qu'il le souhaite. Il a donc fallu imaginer une nouvelle stratégie de positionnement destinée à attirer les jeunes consommateurs, grands consommateurs d'hamburgers, en les persuadant que McDonald's est l'endroit qui leur convient. Pour mettre en œuvre cette stratégie, un nouveau produit appelé McDeluxe a été développé et une nouvelle agence de publicité contactée, pour développer des publicités spécifiquement destinées à ce groupe de consommateurs.

Tester votre stratégie sur le marché

Aucune stratégie ne peut réussir si elle n'est pas crédible, car il ne faut pas oublier que sa mise en place ne dépend pas que de vous. Pour mettre en place un plan d'action basé sur une stratégie précise, il faut pouvoir compter sur la collaboration de la force de vente, des distributeurs, des agences de publicité, des grossistes, etc. Il est donc essentiel, que la stratégie soit simple et crédible de façon que sa mise en place ne pose pas trop de problèmes.

Est-ce que le message passe ?

Il existe encore une autre raison pour vérifier la crédibilité d'une stratégie : il faut être sûr que le message est bien compris par le consommateur. Prenons l'exemple de Colgate lors de l'introduction de Colgate Junior, un dentifrice pour enfants. Pour qu'une telle stratégie réussisse, il faut que le groupe de consommateurs ciblé (les parents et les enfants) connaisse l'existence du produit et qu'il apporte une réponse à un besoin spécifique. Il est clair que le consommateur a autre chose à faire qu'à attendre le lancement sur le marché d'un nouveau dentifrice. Ce groupe de consommateurs achète souvent la même chose, est attentif aux prix, utilise des coupons de réduction et profite des promotions spéciales pour faire ses achats. Il ne connait probablement pas la composition de son dentifrice (vous la connaissez, vous ?). Ce qui signifie que, pour lancer un nouveau produit dans cette gamme, il faut le présenter de façon simple, claire et attrayante.

Comment être sûr qu'il passe

Est-ce que votre stratégie passe ces deux tests : celui de la clarté en ce qui concerne les personnes chargées de l'exécuter et celui de la compréhension du message par le consommateur ? Avant de faire des tests sur le marché, vous pouvez tester sa crédibilité en essayant d'expliquer son contenu à votre entourage et en testant sa compréhension quelque temps après. Si votre enfant, votre copain ou un autre, peut comprendre votre stratégie et la trouve si intéressante qu'il s'en souvient encore quelques jours après, cela signifie qu'elle est claire et crédible – une stratégie qui tient debout face à la toute puissance d'un plan d'action.

Que se passe-t-il si vos interlocuteurs s'endorment, changent de sujet ou n'arrêtent pas de vous poser des questions idiotes ? Ne cherchez pas plus loin : votre stratégie n'est pas au point. Il faudra recommencer ! Voici trois petits conseils pour peaufiner votre stratégie.

- **Révisez les besoins auxquels vous vous adressez.** Est-ce qu'ils sont réels et clairement formulés ? Cela paraît facile, mais un professionnel du marketing est souvent obligé de faire preuve d'intuition et de créativité pour définir précisément les besoins du consommateur. Un exemple courant est la difficulté rencontrée par beaucoup de parents pour que leurs enfants se brossent les dents. Toutefois, personne n'avait pensé que cette difficulté pouvait venir du goût du dentifrice, jusqu'à ce que Colgate, Maine et quelques autres se soient penchés sur ce besoin. Il fallait bien que quelqu'un ait une idée géniale. Une de ces idées, une fois expliquée, semble tout à fait naturelle. C'est ce genre d'intuitions qui font faire des fortunes en marketing !

- **Révisez votre conception du marché cible.** Est-ce que le segment que vous avez déterminé existe réellement ? On peut imaginer sans peine des exemples tels que des enfants qui ne veulent pas se brosser les dents, il suffit de regarder les nôtres ! La stratégie de segmentation de Colgate – découpage du marché du dentifrice par catégorie d'âge et de goût – est parfaitement crédible. Et puisque l'objectif est clair, il n'est pas très difficile de créer un emballage ou un spot commercial adressés aux enfants qui détestent se brosser les dents. Pour beaucoup d'enfants, cette stratégie est très claire et ils n'auront aucune difficulté à comprendre le message. Evidemment, les enfants n'achètent pas de dentifrice, mais leurs parents, si ! Mais lorsqu'un marché cible n'est pas bien déterminé, cela affecte le plan d'action marketing et le résultat est que le message est mal compris par le consommateur. Ne vous laissez pas piéger par une mauvaise communication !

- **Réécrivez votre plan de positionnement.** Si votre stratégie ne semble pas suffisamment claire pour que votre entourage la comprenne, il est grand temps de la réécrire. Il se peut que votre produit ne soit pas positionné de manière intuitive. Les professionnels du marketing ont souvent tendance à utiliser la vision de l'entreprise, c'est-à-dire les arguments qui, selon les développeurs de produit, le rendent si unique. Si votre plan de positionnement est rempli de termes techniques, reformulez-le en langage courant. Et n'oubliez pas de vérifier si votre produit est bien positionné par rapport aux besoins et aux motivations spécifiques du consommateur (cf. Chapitre 2).

On verra dans le Chapitre 6 comment effectuer des études de marché permettant de déterminer les critères d'évaluation du consommateur - les critères sur lesquels se base le consommateur lorsqu'il achète un produit.

Mais il est inutile de se lancer dans des études formelles pour respecter cette règle de clarté stratégique. Par exemple, pour le consommateur souhaitant acheter une voiture, un des critères de choix sera l'adhérence des pneus à la route lorsqu'elle effectue un virage difficile. Par contre le constructeur ne s'exprimera pas du tout de la même façon. Il vous parlera du centre de gravité, de la surface d'adhérence des pneus et autres détails techniques. Laissez-le parler, mais pas avec vos clients !

 N'oubliez pas qu'il faut toujours évoquer les critères d'évaluation du consommateur selon ses propres termes ou en utilisant un langage tellement naturel qu'ils seront vite adoptés par le consommateur. Suivez ces conseils et vous aurez certainement une stratégie payante. Par contre, si vous vous obstinez à faire le contraire, votre plan d'action marketing n'a pas une chance de réussir et vous n'aurez plus qu'à faire vos valises !

Chapitre 4
Vive la créativité

L e commerce est par définition quelque chose d'assez peu créatif. Ce qui lui fait défaut ce ne sont ni l'argent, ni la technique, ni le personnel qualifié ou les clients : ce sont de nouvelles idées ! Cette théorie se vérifie surtout en marketing, domaine où le progrès est étroitement lié à la créativité.

Aucune entreprise ne peut réussir sans une approche créative du marketing, car le marketing lui-même suppose un changement régulier de tous les concepts. Il est impensable d'utiliser toujours les mêmes annonces publicitaires, il faut sans cesse les renouveler. Ou de proposer toujours les mêmes produits ; si vous ne renouvelez pas votre gamme, votre concurrent, lui, le fera. De la même façon que vous ne pouvez pas tenir toujours le même discours promotionnel (vos clients s'en souviendraient !), ou occuper chaque année le même stand au salon X, et ainsi de suite. En réalité, le marketing ne tolère pas la routine, et si vous ne changez pas, vous ne réussirez pas. Il ne suffit pas de suivre les tendances, il faut les lancer !

Voilà pourquoi la créativité est tellement importante en marketing. Par contre, ce qui est curieux, c'est que dans la plupart des manuels de marketing il est impossible de trouver ne serait-ce qu'un paragraphe sur le sujet ! Il n'est donc pas étonnant que la plupart des responsables et professionnels du marketing offrent plutôt une image d'hommes d'affaires (comme le reste de l'entreprise) qu'une image de créatifs. Ils oublient que les affaires et la créativité sont comme l'huile et l'eau : ils ne se mélangent pas ! En fait, même si cela peut paraître bizarre, on peut faire une analogie entre le marketing et la vinaigrette : il s'agit de mélanger deux éléments *a priori* incompatibles. D'un côté l'analyse pure et dure, de l'autre côté, la créativité déchaînée. Dans ce chapitre, vous apprendrez comment stimuler votre créativité et celle de vos collaborateurs, de façon à pouvoir disposer à tout moment d'une source d'idées nouvelles applicables à vos actions marketing.

Qu'est-ce que la créativité ?

On peut répondre à cette question de deux façons ; premièrement par une définition classique dont je vous donne une interprétation personnelle : "La créativité est l'établissement de liens hétérodoxes entre des objets ou des idées."

Deuxièmement par un exemple, cela pouvant s'avérer un exercice très utile. Car, en regardant autour de vous, vous vous rendrez compte que peu d'actions marketing (les vôtres et celles de vos collègues) débouchent sur des exemples parfaits de créativité. La plupart du travail soi-disant créatif est en fait très routinier, et les liens établis tellement évidents qu'on passe à côté sans les voir !

Cette absence de créativité en marketing révèle combien il est difficile de bien faire, car pour arriver à des résultats réellement créatifs, il faut être armé d'une bonne dose d'intuition et être prêt à fournir des efforts.

 Cependant de bons exemples existent, et je vous encourage à les chercher parce qu'ils constituent des sources d'inspiration non négligeables pour tous les professionnels du marketing. Prenons l'exemple du meilleur prix de conception pour un présentoir sur un point de vente faisant la promotion vidéo d'un film pour enfants : "Un indien dans le placard" dans des vidéothèques. C'est l'histoire d'un jeune garçon qui possède un placard magique capable de transformer tous ses jouets, y compris un petit indien, en objets animés. Plutôt que d'utiliser quelques-unes des meilleures scènes du film pour illustrer le présentoir sur le lieu de vente, l'agence Drissi a choisi de communiquer à travers la magie du placard lui-même. Mais comment montrer ses pouvoirs magiques ? La manière la plus évidente aurait été de montrer l'extérieur du placard ou du moins la partie apparente à quelqu'un qui le voie pour la première fois. Mais c'est là que Drissi a montré toute sa créativité en plaçant le spectateur à l'intérieur d'un placard tourné vers l'extérieur, passant à côté d'un petit indien surpris à travers une gigantesque serrure et regardant dans les yeux un enfant géant regardant à travers la même serrure. Le présentoir est pliant, de manière à donner l'impression que le spectateur se trouve à l'intérieur, et ses proportions tellement énormes, que le spectateur a l'impression d'être minuscule par rapport à l'énorme serrure et à l'enfant géant. Ce présentoir dégage une telle force qu'il ne nécessite pas de texte très élaboré - un simple panneau portant la mention "Dévoilez le secret" et le nom du film dans la partie inférieure.

Un autre exemple de créativité nous est donné par un restaurateur à San Diego en Californie. Lorsqu'il a décidé de monter un restaurant, Ralph Rubio a opté pour une restauration rapide servant des plats mexicains. Jusque-là rien de neuf. Mais c'est en prenant comme base le taco traditionnel, qu'il a eu une idée géniale en lançant un nouveau taco au poisson : un filet de poisson frit entouré par une galette moelleuse de maïs, servi avec quelques feuilles de salade, une sauce spéciale et un zeste de citron vert. Tout le monde est ravi par ce plat original et Ralph Rubio connaît un grand succès. Il n'en est pas resté là, car il a eu une autre idée lumineuse : créer une mascotte en forme de poisson, appelée Pesky Peskado, habillée d'une veste en forme de galette. Cette mascotte apparaît dans les journaux locaux, sur une immense montgolfière et même sur des T-shirts. Pesky Peskado a conféré une image particulière au produit et lui a apporté de la notoriété. Voilà un exemple illustrant la manière de transformer un plat de restauration rapide en quelque chose d'original. Si ce n'est pas de la créativité !

Le reste de l'histoire est on ne peut plus classique : distribution d'autocollants, parrainage de clubs de football locaux, distribution de dépliants, publication régulière d'annonces avec distribution de coupons d'essai gratuit. Voilà donc un entrepreneur local qui a su transformer son histoire en une histoire à succès, en doublant ses revenus tous les cinq ans jusqu'à monter une chaîne régionale de restaurants. Cette histoire est un exemple de marketing efficace et bien planifié, qui sait tirer avantage du plus grand nombre possible de points d'impact, mais l'essentiel de ce succès reste sans aucun doute la créativité.

Le développement créatif derrière ces deux exemples est un peu particulier. Il s'agit d'un travail de qualité qui attire l'attention et plaît. C'est comme un cadeau pour le consommateur et pour le public en général : un petit coup de théâtre, un peu de poésie et le produit retrouve naturellement sa place sur le marché. Souvenez-vous des règles de marketing (cf. Chapitre 1) : plus vous donnez au consommateur, plus vous recevrez en retour. Et du bon travail créatif, c'est un cadeau pour le consommateur, et qui est bénéfique pour lui aussi bien que pour vous. En fait, c'est un calcul très simple : nul besoin d'être agressif puisque la créativité rend votre produit nettement supérieur à ceux des concurrents, mais pour cela il faut avoir de bonnes idées !

Générer des idées

Tout le monde est prêt ? A vos marques… en route pour la créativité ! Vous avez peut-être déjà quelques bonnes idées ? Non ?

Comment ça, non ?

Pas de panique, on ne devient pas créatif sur commande et la plupart d'entre nous sommes confrontés à ce genre de problème, que ce soit dans le domaine du marketing ou ailleurs. Pour les artistes, la créativité est un plat quotidien, mais pour les hommes d'affaires c'est tout le contraire. En conséquence, la plupart d'entre nous avons peu d'idées créatives au cours d'une journée ou même d'une année. Combien d'idées créatives avez-vous mises en pratique au cours de l'année ?

Lorsqu'il s'agit de créativité en marketing, nombre d'entre nous pensent qu'il nous faut un coup de pouce. Comment devenir créatif ? Et quelles sont les implications que le processus créatif entraîne ?

Un étudiant a posé cette même question il y a quelque temps à l'agence de publicité "Young & Rubicam" et la réponse fournie par Mary O'Meara, un des directeurs créatifs de l'agence, est devenue un classique en la matière. Cette réponse est reproduite dans *The Young & Rubicam Traveling Creative Workshop* (par ailleurs, une source recommandée), mais vous la trouverez également ci-dessous.

Le processus créatif comprend plusieurs stades. Le premier est celui de l'*éponge* : celui au cours duquel on absorbe toutes les informations qu'on peut trouver (il faut bien trier parce qu'un grand nombre d'entre elles ne sont pas utilisables).

Le deuxième, celui du *shaker* : lorsqu'on mélange toutes les informations recueillies, qu'on écarte ce qui n'est pas essentiel et qu'on essaie de cerner le problème en imaginant toutes sortes de questions.

Le troisième est le stade de la *compression* : lorsqu'on presse l'éponge pour extraire les idées les plus originales.

Le quatrième, le stade de la *partie de ping-pong* : au cours duquel vous et un de vos collaborateurs lancez des idées dans tous les sens jusqu'à sélectionner seulement les meilleures.

Le cinquième stade est celui du *racloir* : il ressemble au stade précédent, sauf que maintenant il faut gratter en espérant trouver quelques notions intéressantes.

Le sixième, celui de la *révision* : lorsqu'on examine sous un angle rationnel toutes les idées sélectionnées, qu'on les trie et qu'on finit par n'en garder que quelques-unes au chaud.

Le septième stade, le *désert* : lorsque vous arrêtez de réfléchir à tous les problèmes et que vous vous tournez vers des choses agréables ou routiniè-res, cela dépend. En réalité, vous n'avez pas fini de cogiter, c'est juste une impression.

Le huitième, *eurêka* : lorsque des liens se font et qu'une idée surgie de nulle part apporte la solution. Souvent cela se produit lorsqu'on ne s'y attend pas et alors même qu'on ne réfléchissait pas du tout au problème.

Le neuvième est celui de l'*action* : ou les talents et les techniques sont conju-gués, pour transformer une idée en solution adéquate.

Le dixième, l'*intuition*, devrait peut-être figurer en premier. Tout le monde sent quand quelque chose ne va pas et c'est cette intuition qui est souvent à l'origine de la motivation qu'on peut avoir pour résoudre un problème de façon créative, en employant une solution originale et innovatrice. C'est l'insatisfaction procurée par toutes les solutions apportées, même les vôtres, qui donne envie de résoudre un problème.

J'ai tenu à reproduire ce passage, car c'est sans doute une des meilleures définitions du procès créatif qu'on puisse trouver. Personnellement, j'ai horreur des listes d'étapes de "résolution de problèmes de manière créative", parce qu'elles essaient de réduire la créativité à une science. Or, la créativité n'en est pas une. C'est un ensemble de comportements excentriques comme absorber des informations, voir un problème sous tous ses angles, lancer des idées dans tous les sens avec un collaborateur, et ensuite laisser reposer le tout et penser à autre chose.

Suivre ses intuitions

Mettre en marche le processus créatif est le "déclic" qui permet de trouver des idées meilleures et de nouvelles approches. Les créatifs sont souvent motivés par leurs intuitions. Si vous voulez devenir réellement créatif, écoutez plus souvent vos intuitions. Il suffit de regarder d'un œil critique ce qui nous entoure, professionnellement parlant, bien entendu. Dès que vous commencez à vous dire : "Tiens, ça c'est bête. Je peux faire mieux." ou "Comment peut-on supporter une telle incompétence ? Je suis sûr qu'on peut faire mieux.", vous êtes sur la bonne voie.

On peut toujours faire mieux, cela va de soi. On peut créer un produit plus performant, trouver un nouveau canal de distribution, améliorer une campagne publicitaire, trouver une alternative aux sempiternels bons de réduction ou avoir une meilleure idée pour le stand de l'entreprise au salon truc-machin ! Ça peut être n'importe quoi, mais on peut toujours faire mieux ! Il suffit d'avoir confiance en soi et de travailler dur sur les idées créatives. Il ne suffit pas d'avoir une idée : il en faut beaucoup. Car de toute façon, nombre d'entre elles seront rejetées pour des raisons pratiques et ce qui restera ne sera pas tellement créatif à moins d'avoir un stock d'idées important.

Créativité de groupe

Etre créatif en tant qu'individu est déjà assez difficile mais souvent, en marketing, il s'agit de constituer des groupes ou équipes de créatifs. Bon courage !

La plupart des gens, lorsqu'ils se retrouvent longtemps enfermés dans une salle de réunion, se limitent à discuter d'un tas d'idées obsolètes ou, pire encore, à faire des suggestions absurdes que tout le monde s'empresse de suivre !... C'est très malin : cela évite de réfléchir ! Un conseil : si vous voulez vraiment qu'un groupe devienne créatif, vous avez intérêt à appliquer des procédures structurées de groupe. Il va donc falloir convaincre le groupe à se soumettre à des activités telles que le *brainstorming**. Bien qu'utilisé à tout bout de champ, il est rarement employé à bon escient. Même si au début le groupe s'y oppose, persistez. Demandez aux participants de faire un petit essai, après tout ils n'ont rien à perdre. Une fois les premières craintes dépassées, le groupe réalisera qu'en travaillant de la sorte il sera beaucoup plus productif et ne verra pas d'objection à essayer d'autres techniques de créativité.

La liste suivante est composée des *meilleures techniques existantes de créativité de groupe*. On peut le dire avec certitude, puisque toutes ces techniques ont été vérifiées en pratique.

Ces techniques ont généralement comme résultat l'élaboration d'une liste d'idées. Dans l'idéal, elle doit être aussi complète que possible, mais il ne suffit pas de l'élaborer, il faut aussi l'analyser afin d'en extraire les meilleures idées et développer ensuite des propositions concrètes.

La technique nominale de groupe

Cette technique consiste à mettre à contribution tout le groupe, en le faisant surmonter son hésitation naturelle, pour fournir des idées originales.

1. **Exposez d'abord clairement le problème – celui auquel tout le monde est supposé réfléchir.**

   Vous pouvez commencer par exemple par : "Réfléchissez à des idées pour le stand de notre prochain salon." Si cela s'avère nécessaire, un des participants peut exposer brièvement le problème et mettre le groupe au courant de la situation.

2. **Chaque personne note individuellement sur une feuille de papier le plus grand nombre possible d'idées.**

   Il est préférable d'utiliser une seule feuille par idée.

3. **Les idées sont soumises au groupe (soit par chacun individuellement, soit par une seule personne).**

   Notez-les sur un tableau.

---

*   Le brainstorming est une technique de créativité qui consiste, à partir d'une question ouverte, à faire réagir librement un groupe de personnes pour en retirer le plus grand nombre d'idées possible. (N.D.T.)

4. **Lancez le débat et autorisez les questions de façon à clarifier chaque idée individuellement.**

5. **Organisez un vote pour la "meilleure idée".**

    (Soit par vote secret, soit en levant les mains.)

Le brainstorming

Le *brainstorming* est la technique idéale pour développer aussi bien le nombre que la variété d'idées. Son objectif est de générer une liste exhaustive d'"'idées originales". Parmi ces idées, quelques-unes vous seront sans doute utiles. Cette technique a le mérite de faire sortir les participants d'un *raisonnement carré* et de les amener à un raisonnement original – à condition que vous soyez capable de les y conduire. Ne vous contentez pas seulement de suivre la totalité du processus de brainstorming car, pour bien l'assimiler, il faut surtout faire de *libres associations d'idées* - laisser libre cours à l'esprit et sauter d'une idée à une autre sans chercher à comprendre quel est le lien qui les unit.

Il va falloir sans doute encourager le groupe. Quoi de mieux que de commencer par fournir des exemples ? Supposons que vous envisagiez de changer l'aspect de votre stand promotionnel. Donnez une dizaine d'exemples au groupe pour illustrer la technique : un stand en forme de tente de cirque ou en forme de fusée spatiale, ou décoré d'un paysage avec ciel bleu et petits nuages et ainsi de suite.

Ces idées ne seront peut-être pas adoptées par le groupe, mais elles serviront à illustrer la technique du brainstorming qui consiste à laisser de côté l'esprit critique et à laisser libre cours à son imagination. Vous trouverez ci-dessous les règles de cette technique (n'oubliez pas d'en informer le groupe avant l'ouverture d'une session) :

*   C'est la qualité et non la quantité qui génère le plus grand nombre d'idées.

*   Personne n'a le droit de critiquer les idées d'un autre membre du groupe (il n'y a pas d'idées trop originales).

*   Une idée n'appartient pas exclusivement à une personne – le groupe entier doit pouvoir s'inspirer des idées d'un autre membre.

Le brainstorming par les questions

Cette technique est similaire à la précédente mais, au lieu de demander au groupe de réfléchir à des idées, on lui demandera de réfléchir à des questions. C'est un autre moyen de générer de la créativité.

Pour revenir à l'exemple précédent, le groupe peut se poser un certain nombre de questions telles que :

- Est-ce que des stands plus grands attirent plus l'attention ?

- Quel stand a attiré le plus de public ?

- Est-ce qu'on souhaite attirer le plus grand nombre possible de visiteurs ou seulement une catégorie particulière ?

- Est-ce qu'on aura plus de succès si on aménage un endroit pour se reposer et qu'on propose un petit café ?

Wishful thinking (ou faire comme si)

Cette technique a été découverte par Hanley Norins de l'agence de publicité Young & Rubicam et utilisée dans des séminaires de formation interne. Cette technique suit les règles de base du brainstorming à la seule différence que toutes les affirmations doivent être précédées de "Je voudrais que…". Son inventeur nous explique que si on commence ainsi une phrase, on pense automatiquement à des choses comme : "Je voudrais qu'on puisse partir en vacances au début de l'hiver"… "Je voudrais être assis au soleil sur une belle plage, buvant un cocktail", etc.

Ce genre d'affirmations peut se révéler très utile pour le développement d'une campagne publicitaire pour un hôtel aux Caraïbes, par exemple. Si vous cherchez un autre sujet, tout ce que vous aurez à faire c'est de donner des indices dans la bonne direction. Par exemple : "Imaginez qu'une fée vous dise que tous vos souhaits se réaliseront à condition qu'ils soient en rapport avec le stand professionnel." Il est clair que des souhaits pareils sont beaucoup moins drôles, mais ils peuvent néanmoins donner de bons résultats.

Analogies

Les analogies constituent également une technique formidable pour développer la créativité. Ne souriez pas. C'est vrai que l'idée peut paraître banale, mais souvenez-vous que "la créativité est l'établissement de liens hétérodoxes entre des objets ou des idées". Et une bonne analogie, c'est justement ça.

Le chimiste August von Kekule, qui a découvert que les six atomes de carbone du benzène forment un cercle, nous fournit un bon exemple d'analogie. C'est en rêvassant à des chaînes d'atomes en forme de serpent (un des reptiles s'est enroulé autour de lui-même, et a mordu sa queue) qu'il est arrivé à cette importante conclusion.

Pour utiliser au mieux la technique des analogies, demandez au groupe de réfléchir à des choses semblables au sujet ou au problème en question. Le groupe va tout d'abord proposer des idées conventionnelles, mais une fois qu'ils seront à court de ce genre d'idées, ils proposeront des analogies plus originales. Vous pouvez par exemple demander au groupe de suggérer des analogies relatives à un produit, qui serviront de source d'inspiration pour une campagne publicitaire.

L'agence de publicité Nordic Track a utilisé pour une campagne publicitaire de Home Trainers, une analogie entre l'estomac et un pneu, et le résultat a donné ceci : "De simples instructions pour changer votre roue de secours."

Faire passer

Faire passer est un jeu de société ludique qui permet de briser les conventions et de donner libre cours à l'association d'idées et à la pensée créative. C'est un jeu qui existe depuis fort longtemps, mais, qui joue encore de nos jours à des jeux de société ? Voici les règles du jeu au cas où vous ne les connaîtriez pas.

1. **Une personne écrit un mot ou une phrase sur un bout de papier, en rapport avec le sujet choisi. Elle le passe ensuite à son voisin qui écrit en dessous une deuxième phrase ou mot.**

2. **On peut faire autant de tours que nécessaire.**

   Ce jeu peut être joué par un groupe composé de trois à vingt personnes. L'idéal, c'est d'arriver à remplir une feuille de papier. Si le groupe se prête au jeu, chaque phrase suggère une nouvelle phrase ou idée, et à la fin on se retrouve avec une quantité de bonnes idées. Au fur et à mesure que le groupe développe les idées, on découvre une nouvelle dimension du problème.

Imaginons par exemple une réunion entre l'équipe marketing et l'équipe commerciale. L'objectif est de donner naissance à de nouveaux concepts destinés au département de développement de produits d'une banque. Cela semble un peu difficile – que peut-on trouver de nouveau en matière de produits bancaires ? Voici quelques suggestions.

Comment gérer mieux les finances de nos clients ?

Suggestions pour "Faire passer"

- Distribuer un billet de loto.

- Aider les clients à épargner au moyen de virements mensuels.

- Mettre en place des plans d'épargne études.

- Aider les clients à tenir leur comptabilité personnelle.

- Distribuer un chéquier "autorégulateur".

- Informer par anticipation de problèmes tels que des chèques sans couverture.

Comme cet exemple le démontre, une idée mène à une autre et, même si la première n'est pas la bonne, l'association de toutes ces idées conduit certainement à de bons résultats. Une banque ne va probablement pas adopter la première idée (il y a certainement une loi qui interdit aux banques de participer aux loteries) ; néanmoins, le groupe a suggéré des idées valables pour mieux gérer le patrimoine financier de leur clientèle.

Evidemment, un chéquier ne peut pas être autorégulateur, mais cette tâche peut être effectuée par un ordinateur. Cela est possible, si le client est d'accord, bien entendu, pour traiter ses opérations *a*) par Internet en se connectant directement au serveur de sa banque ou *b*) en utilisant un logiciel de gestion de chéquiers. Ces deux technologies existent – pourquoi ne pas combiner l'une d'entre elles avec un service standard de contrôle général pour tous ceux que l'idée enthousiasme ?

A propos, saviez-vous qu'il est possible d'adapter la technique du "faire passer" (et autres techniques utilisées dans le processus de créativité) à l'adresse électronique de votre entreprise ou à un groupe de discussion sur Internet ? Pratiquement tous les réseaux permettent de travailler à plusieurs sur le même dossier, ce qui signifie qu'on peut faire circuler une liste virtuelle et ainsi faire participer tous ceux qui ne peuvent pas être présents aux réunions.

Questions classiques

Par questions classiques, on entend des questions rhétoriques qui obligent un groupe à examiner des hypothèses de base et à revoir son jugement. L'auteur de *Business Communication and Practice*, Arthur Bell, conseille d'établir une liste de dix de ces questions. Il est facile de les adapter à n'importe quel sujet.

1. Pourquoi accorder de l'importance à _____ ?

2. Comment partager en étapes_____ ?

3. Quelle est l'origine de _____ ?

4. Quel genre de personne serait intéressée par_____ ?

5. Si_____n'existait pas, comment évolueraient les choses ?

6. Quel est l'aspect de _____ qui me plaît le plus ou le moins ?

7. Quelle tendance, domaine ou situation, constitue la toile de fond de _____ ?

8. Quels sont les principaux avantages de _____ ?

9. Si_____ ne marche pas, quels sont les obstacles ?

10. Comment peut-on expliquer le (a)_____ à un enfant ?

Il est probable que certaines de ces questions soient plus adaptées à votre situation que d'autres. N'hésitez donc pas à supprimer celles que vous jugez inutiles. Ou, mieux encore, remplacez-les par d'autres que vous aurez vous-même imaginées. On peut, par exemple, demander à un groupe de décrire les avantages du nouveau stand. Ou tous ses aspects négatifs. L'avantage de ce genre de questions est qu'elles révèlent des aspects du problème auxquels le groupe n'avait pas pensé. C'est donc une bonne introduction à la génération d'idées créatives. Cette technique peut être un bon point de départ pour l'élaboration d'une liste d'idées, avant de passer aux techniques du brainstorming ou de la technique nominale de groupe.

Équipes concurrentes

Ces équipes sont souvent utilisées en publicité pour stimuler la créativité. Lorsqu'une agence de publicité prépare une offre pour un nouveau client, plusieurs groupes de créativité composés de plusieurs personnes sont constitués et participent à un concours interne. Ces équipes travaillent sous la pression d'une date butoir et font chacune leur proposition. Un jury interne examine alors ces propositions et choisit la meilleure. Ensuite, les deux équipes collaborent pour peaufiner la proposition finale. Cette technique peut être utilisée pour n'importe quel problème créatif. Il suffit de diviser un groupe en petites équipes (les meilleurs résultats sont généralement obtenus lorsque l'équipe est composée de deux ou trois personnes). Fixer une limite de temps, une heure par exemple, et ensuite rassembler le groupe pour écouter chacune des équipes et choisir la meilleure proposition.

Le passage de la compétition à la collaboration, à la fin du concours, peut s'avérer difficile. Il est également possible que vous envisagiez de mettre de côté toutes les hypothèses faites par les équipes et de recommencer à zéro, cette fois-ci en travaillant au sein d'un groupe plus grand. La seule règle à respecter est que personne n'a le droit d'imposer sa façon de penser. Cette phase finale oblige les participants à dépasser leur premier effort et à essayer de proposer une meilleure approche en combinant les idées et les intuitions de plusieurs groupes.

Créativité en publicité

La publicité, quel que soit le support utilisé – presse, télévision, radio, affichage ou autre – est le domaine de choix de la créativité. Si vous travaillez en publicité ou que, dans le cadre de vos fonctions, vous êtes obligé de faire appel à des agences de publicité, votre réussite dépend de la créativité. Comment cela ? C'est simple : si vos publicités se limitent à rappeler ce que vous ne voulez pas faire oublier, elles passeront complètement inaperçues. La concurrence est énorme et seulement les plus originales parviennent à se faire remarquer par le consommateur.

On peut voir la publicité comme le lien entre la marque et ses prospects. C'est une vision du rôle joué par la publicité en marketing particulièrement puissante – et ce rôle ne peut être joué activement que si vous y ajoutez de la créativité. La créativité donne un caractère unique au produit et accentue les caractéristiques d'une marque de façon qu'elle soit remarquée par le consommateur.

Les portables d'IBM ont certainement des caractéristiques techniques particulières, mais un grand nombre de fabricants sont également en mesure de fournir des portables de qualité, alors comment faire ressortir la marque IBM ? Un des slogans de l'annonce publicitaire pour les portables d'IBM met en valeur le fait qu'on puisse l'utiliser partout – mais cela est loin d'être une idée originale. On fait donc appel à une figure prestigieuse pour mettre en valeur la marque. Voici le résultat :

> **C'est ce que Shakespeare aurait préféré.**

On aurait pu voir l'image d'un homme d'affaires travaillant sur un portable, suivie de ce slogan : "C'est ce que l'homme d'affaires intelligent utilise pour ses voyages." Mais l'imagination du copywriter a eu pour résultat une vision et un slogan plus créatifs. Ce slogan créatif exprime une perception d'un besoin sous-jacent du consommateur – quelque chose qui va droit à l'essentiel du concept du produit. L'idée derrière l'usage d'un ordinateur est qu'il aide l'utilisateur à réaliser un travail de meilleure qualité, alors pourquoi pas le meilleur ? Si Shakespeare était vivant, ne voudrait-il pas utiliser ce qui se fait de mieux pour écrire ? C'est ce que souhaite également le consommateur actuel, du moins c'est l'idée derrière cette publicité réussie.

Elaboration d'une copie stratégie

En publicité on dispose d'un outil appelé *copie stratégie*. Une copie stratégie est un support d'information destiné à faciliter le travail créatif. Cette copie stratégie définit les objectifs et la teneur d'une annonce publicitaire. Elle sert également de source d'informations (utile lorsqu'on réalise du travail créatif). Souvent, on définit la copie stratégie comme étant la réponse aux six questions que tout journaliste se pose : qui, quoi, où, quand, pourquoi et comment ?

Voici une définition de la copie stratégie selon Leo Burnett, une des plus grandes agences de publicité.

- **Définition des objectifs :** quels sont les objectifs d'une annonce publicitaire ? Les objectifs doivent être déterminés de manière claire et précise – il est plus facile de réaliser un seul objectif que plusieurs. Cette définition comprend également une description succincte des cibles de l'annonce, parce que la réalisation de l'objectif est déterminée par les attitudes du groupe cible.

- **Définition du soutien matériel :** les qualités promises par le produit et l'évidence matérielle qui les soutient. Ce point est la base de l'argument sous-jacent (celui qui sert à convaincre) de l'annonce. Cette définition peut avoir comme base un raisonnement, un fait, un argument ou un attrait instinctif ou émotionnel. Quel que soit le soutien choisi, il est indispensable qu'il soit solidement motivé.

- **Définition du ton ou ambiance générale :** une caractéristique distinctive, un sentiment ou une personnalité. Plusieurs choix sont possibles, mais, en règle générale, ils sont étroitement liés aux objectifs fixés. Vous pouvez, par exemple, choisir de mettre en évidence l'identité à long terme de la marque ou un ton unique qui se superpose à l'image de marque. Par exemple, l'objectif d'un détaillant local qui organise une grande vente pour le 1er mai sera d'attirer un maximum d'acheteurs. Cet événement doit être mis en évidence de façon à atteindre les objectifs. Par opposition, un fabricant national d'une nouvelle ligne de boissons bio doit nécessairement construire une forte image de marque. Ce qui signifie que sa copie stratégie doit viser la définition de l'image de marque, soit de manière verbale soit de manière visuelle.

Vous trouverez ci-dessous un exemple d'une copie stratégie pour une annonce locale d'un nouveau salon de thé.

- **Objectif** : attirer la clientèle qui travaille aux alentours du salon de thé.

- **Soutien** (preuve) : mettre en évidence une marque de café très connue et pas encore présente sur le marché local. Proposer une variété de pâtisseries danoises et de croissants maison, préparés sur place par un cuisinier français.

- **Ton** : chaleureux et convivial avec une pointe de raffinement. C'est le salon de thé préféré de ceux qui aiment les bonnes choses. Et aussi l'endroit où ils rencontrent les gens qu'ils fréquentent.

Mise en place de la copie stratégie

Après avoir trouvé les réponses appropriées à ces trois rubriques, vous êtes prêt à passer au brainstorming ou à une autre technique de votre choix. La copie stratégie permet de définir clairement un objectif et est un excellent support de travail pour l'application de la créativité à une annonce publicitaire ou à toute autre forme de promotion.

Réfléchissez, par exemple, à la conception d'un stand pour un salon. Si vous établissez d'abord une copie stratégie, vous serez obligé de définir quels sont les objectifs de ce stand, à quel groupe de consommateurs il est destiné (ce genre de décisions fait partie de la définition des objectifs). Vous serez obligé de revoir les facteurs concrets qui ont contribué à la réussite de l'entreprise (tant qu'à faire, profitez-en pour laisser libre cours à votre imagination). Qu'est-ce qui fait de votre stand un exemplaire unique parmi les autres ? Pour répondre à cette question, examinez la liste des preuves (soutien). Cela vous aidera à trouver des idées et à faire travailler votre imagination. Soyez sûr d'avoir des preuves tangibles de façon que la conception de votre stand en soit le reflet. Pour terminer, réfléchissez à l'image qu'il doit transmettre de votre entreprise et à la meilleure façon de le faire. Cette étape est la pierre angulaire de la définition du ton.

Comme cet exemple le démontre, la copie stratégie vous oblige à réfléchir concrètement à la conception d'un stand avant même de le concevoir. Par conséquent, le résultat final n'en sera que plus ciblé.

Le rôle de la créativité dans le développement de produit

Le développement de nouveaux produits et l'amélioration de produits courants sont traités dans le Chapitre 14. Cependant, avant de l'aborder une remarque se justifie : comment gérer de façon créative une équipe de développement de produit ? La première chose à faire est, bien entendu, de choisir la bonne équipe. Cela signifie, en règle générale, une équipe suffisamment *diversifiée* réunissant toutes les compétences dont une entreprise peut disposer. Des fonctions diverses telles que la vente, le marketing, la technique, la production devront obligatoirement prendre part au procès créatif. Tout simplement, parce que la diversité de connaissances est très utile dans la création de nouvelles idées. De toute façon, vous serez obligé de les impliquer à un moment ou un autre. Autant le faire tout de suite !

 Dans les grandes et moyennes entreprises, il est essentiel de mettre en place une étroite collaboration entre la recherche, le département commercial, le département marketing et l'équipe technique ! C'est ce que fait General Foods, une entreprise qui lance chaque année plusieurs nouveaux produits. Cette entreprise a recours à des méthodes comme les conférences, la formation interne et la constitution d'équipes mixtes pour faciliter l'obtention de liens non évidents entre des connaissances diverses.

Créativité et image de marque

Une des tâches principales en marketing est la création d'une image de marque suffisamment forte et attirante. La créativité permet justement de le faire. Comme on a pu le voir dans la mise en place du plan de travail créatif, l'image de marque est un élément de communication important en publicité. Souvent, cette image est le cœur même de la campagne publicitaire et le centre autour duquel tournent d'autres actions telles que : conception du produit, conditionnement, événements, etc. Une forte image de marque peut devenir une entité à part entière créée par le marketing et offerte au public. Le développement d'une marque pousse les facultés créatives à l'extrême et donne naissance à de nouvelles entités !

Ce que nous prouvent les études

Il est important de connaître les résultats d'études réalisées sur le fonctionnement d'équipes de développement de produit. Des preuves tangibles existent (voir Alexander Hiam *The vest-pocket marketer*, pp. 138-40 pour plus de détails) qui nous prouvent que ces équipes sont plus efficaces lorsque trois conditions sont réunies :

- Pour bien fonctionner, une équipe a besoin d'une répartition efficace, de tâches, d'une direction expérimentée, d'objectifs clairs et de suffisamment d'autonomie et de pression (des délais très courts pour effectuer des tâches déterminées) pour être une vraie équipe et produire de bons résultats. Cela ne constitue cependant pas une garantie de succès de l'équipe.

- Un autre facteur pour son bon fonctionnement est une parfaite entente entre ses membres. La confiance doit régner au sein de l'équipe et leur travail doit non seulement avoir un sens, mais aussi leur procurer une satisfaction. Sans oublier la communication, facteur essentiel de la réussite d'un travail d'équipe.

- L'équipe a besoin du soutien de l'entreprise : un local de travail, suffisamment de moyens, l'appui de la direction générale, et d'être récompensée une fois le projet terminé.

Toutes ces conditions sont essentielles pour le bon fonctionnement d'une équipe de développement de produit. Si vous voulez que votre équipe réalise du travail créatif de qualité, vous avez intérêt à bien la chouchouter !

Une enquête annuelle de consommateurs aux Etats-Unis attire notre attention sur la question de la marque. Une des questions de cette enquête était de savoir si le consommateur achète plus souvent des marques génériques qu'auparavant. Le nombre de réponses affirmatives augmente chaque année. Et même si, pour l'instant, il ne s'agit que d'un tiers des personnes interrogées, cela signifie qu'un bon nombre de consommateurs ignorent une marque et la remplacent par un produit générique similaire ou par une marque-distributeur.

La tendance vient probablement du fait que la qualité des marques a baissé. Les produits génériques, les marques-distributeurs et les importations bon marché ont fait beaucoup de progrès en ce qui concerne la qualité, et la différence entre ces dernières et une marque est de moins en moins perceptible.

L'affaiblissement du phénomène marque est également une conséquence de l'énorme guerre des prix, des offres spéciales et des soldes. Ce genre d'activités promotionnelles fait faiblir l'image de marque et est à double tranchant : plus vous investissez dans ce domaine, moins vous avez d'argent à consacrer à l'implantation d'une image de marque.

Examinez l'ensemble de ces tendances et vous serez en mesure de prévoir un déclin du phénomène marque. Vous pouvez *défier* cette tendance en menant une politique marketing qui renforce l'image de marque, et continuer à innover pour produire des produits de meilleure qualité que ceux de vos concurrents. C'est indiscutablement un travail d'envergure, mais vous y arriverez *si* vous êtes plus créatif que vos concurrents.

Deuxième partie
Compétences techniques nécessaires

Dans cette partie...

Pour être efficace en marketing, il faut être capable de porter plusieurs casquettes. Pourtant, il n'est pas toujours évident de combiner le côté analytique du marketing (études de marché) et la communication. Surtout, ne paniquez pas si vous n'arrivez pas à rédiger une brochure ou à préparer une présentation. Et ne vous inquiétez pas si vous manquez d'assurance pour répondre à des questions difficiles concernant vos clients, vos concurrents ou votre marché.

Dans cette partie, vous apprendrez à effectuer des tâches similaires et beaucoup d'autres de caractère technique. La communication et les études sont les clés de la plupart des actions marketing. Il est donc nécessaire de posséder un bon niveau de compétence dans ces deux domaines. Ces deux techniques sont présentées dans cette partie de telle façon qu'il ne vous sera pas difficile de les maîtriser.

Chapitre 5
Communication marketing – Rédaction et conception

Dans ce chapitre :

Communiquer de manière persuasive en travaillant votre argument de vente.

Donner une image positive à votre marque.

Utiliser le Stopping Power.

Utiliser la stratégie Pull.

Bien rédiger.

Concevoir de bonnes images.

*U*ne politique marketing efficace est composée de tellement d'éléments qu'il faut arrêter de dire que *chaque* chapitre est le plus important. Cela devient encore plus difficile lorsqu'on parle de communication : après tout, en marketing, tout est communication ou presque ! Une bonne partie d'un budget marketing est consacrée à la communication de *ce* que vous avez à offrir et des *raisons* pour lesquelles votre produit ou service répond totalement aux attentes du consommateur ciblé.

Si vous parvenez à communiquer sur ces deux points de manière plus persuasive et plus originale que vos concurrents, votre communication marketing sera une réussite. Sinon, vous jetez probablement de l'argent par les fenêtres et vous ne serez sûrement pas en mesure de persuader qui que ce soit d'acheter votre produit.

La communication passe par plusieurs voies et facteurs d'impact, comme on a pu le voir dans le premier chapitre. Il s'agit donc d'élaborer un argument de vente efficace transmis à travers tous ces facteurs d'impact. Mais que faire pour réussir ? Et qu'est-ce qu'un *argument de vente* efficace ?

- Un argument de vente efficace commence d'abord par le *positionnement* du produit dans l'esprit du consommateur. La stratégie correcte de positionnement doit être comme une solide structure épaulée par des produits qui tiennent l'ensemble de la promesse. (Cf. Chapitre 3 pour plus d'informations concernant le positionnement.)

- La deuxième étape est l'élaboration d'un argumentaire *convaincant* capable de refléter ce positionnement.

- Ensuite, vous aurez besoin d'une *idée spectaculaire et créative,* quelque chose qui enveloppe les arguments de vente d'une manière si attrayante qu'on ne peut s'empêcher de le remarquer. L'argumentaire doit être en mesure de persuader le consommateur de votre point de vue.

Lorsque cette méthode est appliquée correctement, elle crée un argument séduisant et efficace. La tâche est difficile mais essentielle. Dans ce chapitre, vous apprendrez comment élaborer un argument de vente séduisant et efficace, indispensable à la réussite de votre communication marketing.

Attirer le consommateur

Vous voulez faire savoir au consommateur pourquoi votre produit est le meilleur et le persuader de l'acheter. Il ne suffit pas de dire que votre produit est formidable - tout le monde connaît la chanson et personne ne vous écoutera. Ce dont vous avez besoin, c'est d'une manière de rendre cet argument *séduisant* aux yeux du consommateur.

Le problème est le suivant : quels arguments de vente pouvez-vous utiliser pour faire appel aux besoins et motivations de base du consommateur ? Et comment rendre votre produit séduisant et efficace ?

Ce n'est pas facile. En tant que parent, j'en ai la preuve tous les jours. Chaque fois que je demande à mes enfants de faire quelque chose, je reçois une leçon sur la difficulté de motiver quelqu'un à travers la communication. Comme tous les parents du monde, je passe mon temps à me répéter. Et mes enfants, comme tous les enfants du monde, ont développé une remarquable "surdité sélective" qui les immunise contre les instructions parentales. Souvent, il faut faire des efforts et trouver un moyen efficace qui fasse appel aux désirs et motivations d'un enfant pour le persuader de faire ce qu'on souhaite. Pourquoi faire d'abord les devoirs et jouer ensuite ? Pourquoi faire son lit tous les matins ? Les enfants ne voient pas les avantages de ce genre de comportement (à propos, mes enfants se plaignent souvent de la "surdité parentale", preuve que ça marche dans les deux sens). De la même façon, on se demande si, parfois, les professionnels du marketing ne sont pas sourds aux arguments du consommateur.

En tant que parent, on ne dispose que de deux solutions. Soit recourir à la force physique (trop fatigant !), soit trouver un moyen efficace et attirant de conjuguer nos objectifs avec les *leurs*. Un parent intelligent étudie les motivations de ses enfants et sait utiliser des récompenses abstraites (comme la louange ou l'humour) et quelquefois, des récompenses concrètes (comme un nouveau jouet, ou une sortie au cinéma) pour communiquer de manière plus motivante. Ce petit exercice décrit tout l'art et l'usage de l'*argument* – tout ce qui en communication fait appel aux motivations du récepteur et le pousse à agir de manière déterminée.

Des arguments mal construits en abondance

Il faut savoir que la plupart des arguments de vente ne sont pas efficaces. Motiver un consommateur est beaucoup plus difficile que motiver un enfant – en tant que professionnel du marketing, il est plus difficile d'interpeller et d'influencer le consommateur. C'est la raison pour laquelle on voit tant d'arguments de vente complètement inefficaces.

Il suffit d'ouvrir un magazine pour en avoir la preuve. Prenons comme exemple une annonce d'IBM composée exclusivement de texte. La première chose que vous voyez est le mot "Timbuktu" écrit en grosses lettres bleues. Si vous ne lisez pas les petites lettres (mais pourquoi le feriez-vous si vous n'êtes pas intéressé par ce village de l'Afrique de l'Ouest ?), vous ne trouverez pas l'argument de vente.

> *"Si mon fils de six ans peut se faire des amis par Internet, même à Timbuktu, pourquoi mon personnel ne peut-il pas travailler en équipe ?"*

C'est une annonce publicitaire destinée à promouvoir l'utilisation de Lotus Notes. La qualité de Lotus Notes, par ailleurs un excellent produit, n'est pas en cause, mais le lien qui l'unit à un enfant qui surfe sur Internet est loin d'être évident. Cet argument de vente ne fonctionne pas parce qu'il fait appel à un phénomène "mode" - Internet – plutôt qu' à un argument plus solide et concret.

Est-ce que Lotus Notes permet un travail d'équipe plus rapide et efficace ? Si c'est le cas, voici un bon argument de vente. Surtout quand vous travaillez avec des gens qui ne sont pas très malins ! Alors un meilleur argument peut être de mettre en évidence la capacité de ce produit *à vous sauver de situations inextricables lorsque vous êtes entouré de nuls !* Toute personne dans une situation semblable, et il doit y en avoir beaucoup, trouvera cet argument beaucoup plus convaincant que les exploits d'un enfant sur Internet. Comme cet exemple le démontre, il est toujours possible de construire des arguments de vente convaincants, et surtout, qui aient un rapport avec le produit.

Les bons arguments vont droit au but

L'exemple précédent illustre le problème d'une argumentation superficielle. Un bon argument doit aller droit à l'essentiel. Bill Bernbach, leader créatif de la publicité dans les années soixante, nous donne une excellente définition sur l'art de l'argumentation.

Notre société change, mais être conscient de ces changements n'apporte pas la réponse. Vous ne vous adressez pas à la société. Vous vous adressez à des individus, chacun avec sa propre personnalité, sa propre dignité, ses propres caractéristiques qui font de chacun un individu unique. Les arguments sociaux ne sont qu'une question de mode et de culture qui enrobent joliment les vraies motivations : celles qui viennent d'instincts et d'émotions immuables. Et c'est cet individu qui est le vrai sujet de communication.

Essayez maintenant d'associer ce que vous venez de lire avec l'exemple de Lotus Notes. Vous verrez tout de suite que, même si l'annonce publicitaire est dans l'air du temps, elle ne s'adresse pas pour autant à des motivations basiques et intemporelles. L'argument de vente développé est facilement oublié et on peut difficilement l'associer au produit. Lorsqu'on a révisé l'argument on a suivi la théorie de Bernbach. Premièrement on a changé de cible en ne s'adressant plus à un groupe mais à un individu – la personne qui dirige une mauvaise équipe. Et cet argument individuel est simple mais séduisant – Lotus Notes va résoudre son problème professionnel et le sortir d'une mauvaise passe.

La manière dont vous utilisez cet argument de vente est une autre paire de manches. Faut-il montrer une personne entourée de singes habillés en hommes d'affaires ? C'est une image frappante et particulièrement drôle qui synthétise parfaitement l'argument.

Quelle accroche utiliser pour accompagner cette image ? Que pensez-vous de quelque chose comme : "Est-ce que votre équipe est en train de vous ridiculiser ?"

Cette affirmation peut également être reliée à l'argument de vente mais ajoute une note de provocation à travers le jeu de mots et de l'image (des singes habillés en hommes d'affaires). Ce concept ferait une bonne annonce publicitaire qui posséderait réellement du *stopping power* (la capacité de retenir l'attention – mais on en reparlera) et réussirait à transmettre un argument convaincant pour Lotus Notes.

Ce concept est susceptible de marcher, mais ce n'est qu'un exemple parmi des centaines de façons de communiquer. Une fois que vous avez trouvé le bon argument de vente, il vous faut encore faire appel à votre imagination pour créer des façons originales de le transmettre (Cf. Chapitre 4, Générer des idées). L'essentiel est que toute annonce ou autre forme de communication que vous imaginez pour Lotus Notes ou un autre produit doit avoir comme *base* un *argument de vente convaincant*.

Faire appel à la logique ou aux émotions ?

En communication marketing, vous aurez des choix à faire. Est-ce qu'il faut construire un argument et une stratégie de communication autour d'un fait indéniable et soutenu par des preuves irréfutables ? Ou, au contraire, faut-il faire appel aux émotions en utilisant un argument auquel le consommateur est sensible, mais qui ne soit pas basé sur des faits ?

Ce choix s'impose en raison du fait que chaque individu prend des décisions soit d'ordre logique, soit d'ordre émotionnel. Normalement, les décisions émotionnelles concernent la vie privée et les décisions logiques la vie professionnelle. De la même façon, les décisions d'achat sont quelquefois émotionnelles et quelquefois rationnelles.

Et pour rendre les choses encore plus compliqués, le comportement humain n'est pas un ensemble cohérent. Quelques personnes, par exemple, prendront des décisions émotionnelles sur l'achat de leur maison ou de leur voiture. D'autres sont rationnelles et attentives à leurs choix. Et vous, êtes-vous plutôt rationnel ou plutôt émotionnel ? S'il vous est déjà arrivé d'acheter une voiture, essayez de vous souvenir quelles ont été les raisons qui vous ont conduit à l'acheter. Si vous dites "Parce que j'aime cette voiture" ou "Parce que j'ai le sentiment que c'est une bonne voiture", il est probable que votre achat soit émotionnel. Si, au contraire, vous dites "Parce qu'elle ne consomme pas beaucoup et que *Que choisir* dit que c'est une voiture très sûre", il est clair que votre achat est rationnel.

Chaque individu est plus ou moins enclin à l'une ou l'autre de ces tendances. Vous pouvez donc cibler soit le consommateur de type émotionnel soit le consommateur de type rationnel. Vous pouvez même segmenter votre marché sur ces deux critères et établir des plans d'action séparés pour chacun. Vous pouvez décrire ces deux façons d'agir de façons très variées (voir Tableau 5.1). Par contre, lorsqu'il s'agit de bâtir un argument de vente, il faut opter soit pour un argumentaire rationnel soit pour un argumentaire émotionnel.

Tableau 5.1 : Deux façons d'agir.

Rationnelle	Emotionnelle
Logique	Intuitive
Dure	Douce
Paroles	Images
Pragmatique	Basée sur les valeurs
Suit les règles	Suit la morale

En 1996, Volkswagen a décidé de se repositionner sur le marché américain en tant que constructeur de voitures ludiques, destinées à tous ceux qui ne sont plus des adolescents mais qui ont néanmoins besoin d'exprimer une certaine dose d'individualisme. L'approche du constructeur a été de mettre en valeur le caractère ludique de la voiture et de persuader le consommateur que les propriétaires de Volkswagen sont des passionnés de la conduite et des amoureux de la vie. Voici un exemple classique d'un argument de vente à caractère émotionnel. La campagne publicitaire met en évidence plutôt les images que les mots et utilise un argument à teneur fortement émotionnelle basé sur les valeurs de la génération cible. Lorsqu'on regarde une publicité de Volkswagen, on n'apprend rien de concret, mais on est frappé par les images.

Lorsque vous définissez votre stratégie de communication, il est préférable de faire un choix : lorsqu'on hésite entre deux approches, le message perd de sa force.

Il ne faut cependant pas oublier que le même individu peut prendre des décisions différentes en des occasions différentes. Et quelquefois, c'est la nature du produit qui détermine la façon dont le consommateur réagit. L'usage auquel on destine le produit a également de l'importance. Ainsi le cadre qui a réussi dans la vie achète une Volvo break pour conduire ses enfants à l'école. Il est possible que sa décision d'achat soit rationnelle : c'est une voiture sûre et solide. Un argument de vente rationnel sera donc le plus adapté. Imaginez maintenant le même cadre qui envisage d'acheter une voiture de sport pour se balader le week-end. Il est maintenant la proie idéale pour un argument de vente émotionnel, parce qu'il cherche des récompenses émotionnelles pour l'achat de sa voiture – jeunesse, amusement, statut social, etc. Voilà comment le consommateur peut être réceptif soit à un argument rationnel, soit à un argument de caractère émotionnel en fonction des circonstances et du produit. Votre tâche est d'être capable de "percer les désirs du consommateur" de façon à savoir *sur quel bouton il faut appuyer* : émotionnel ou rationnel.

Donner de la personnalité à vos produits

Comme on l'a vu au Chapitre 4, il est important de donner de la personnalité à un produit.; En réalité, la meilleure façon de valoriser une marque est de la rendre vivante. Cette tactique prend toute son importance lorsqu'on utilise un argument de vente à caractère émotionnel, car une personnalité séduisante attire toujours des acheteurs émotionnels. Même si votre argument de vente est à caractère rationnel, il est important de donner de la personnalité à un produit ; si ce n'est pas un élément décisif, cela vous aidera néanmoins à mieux communiquer et à rappeler au consommateur votre argument de base.

Mais que signifie au juste un produit qui a de la personnalité ? Faut-il imaginer une créature genre Frankenstein, incontrôlable et douée d'une volonté propre ? Cela ne se produira pas si vous réfléchissez sérieusement à la question de la personnalité d'un produit. Ne laissez pas cela au hasard : concevez dès le départ la personnalité adéquate pour chaque nouveau produit, marque ou service.

Avant tout, il faut *définir la personnalité de votre marque* de façon que vous puissiez l'exprimer lorsque vous communiquez avec l'extérieur. Une personnalité riche a le pouvoir de briller à travers tous les facteurs d'impact de votre plan d'action marketing, et devient la pierre de touche de votre communication. Si vous "connaissez" bien votre marque, vous serez en mesure de transmettre cette connaissance au consommateur.

Une page de fiction

Comment définit-on une personnalité ? En fiction, cela s'appelle *développement de personnage* et, avouons-le, ce n'est pas une mince affaire ! On peut toutefois apprendre deux ou trois petites choses en regardant le travail d'un bon auteur de fiction.

Un outil qui marche aussi bien en fiction qu'en marketing est la définition d'un personnage à travers ses goûts et ses aversions. Par exemple, on sait que Sherlock Holmes, un des personnages de fiction les plus connus, fume une pipe lorsqu'il réfléchit. Il joue également du violon, s'intéresse à certains aspects de la science en rapport avec le crime et remplit des carnets entiers avec des coupures de presse sur des criminels fameux. Mais il n'est pas attiré par des relations amoureuses et n'a pas d'ami intime à l'exception du Dr Watson, qui l'aide à solutionner ses cas. Sherlock Holmes est un personnage froid et rationnel avec une petite touche de fantaisie (héritée de Vermier, un peintre impressionniste et parent lointain). Tous ces faits aident à la création d'une image particulière, exploitée par tous les éditeurs, fabricants de jouets, metteurs en scène, etc.

Vous aussi vous pouvez élaborer une liste de caractéristiques qui puissent être associées à votre marque ou au nom de votre entreprise et qui lui confèrent un caractère distinctif. Les publicités de Jaguar, par exemple, associent souvent des manoirs somptueux à leurs voitures. On sait donc que si la voiture était un individu, il aimerait passer des week-ends à la campagne dans une demeure somptueuse, et qu'il appréciera évidemment une voiture confortable et rapide.

Un autre outil de fiction qui peut être utilisé en marketing, consiste à écrire un chapitre sur un épisode de la vie du personnage. De nombreux auteurs décrivent des actions ou événements de façon à pouvoir développer la personnalité d'un personnage. Cette description peut apparaître au milieu d'un chapitre ou constituer un chapitre à part entière. Vous pouvez, vous aussi, vous servir de cette technique. Si par exemple vous travaillez sur le marketing de Jaguar, vous pouvez écrire une petite histoire sur un week-end dans la vie d'une Jaguar. Faites comme si c'était un chapitre pour votre prochain roman. Imaginez la voiture roulant sur une route longeant un canal (alors qu'il tombe des cordes !), tournant ensuite pour remonter l'allée d'un beau manoir. Quel bruit fait la voiture ? Est-ce qu'elle gémit ? Non. Est-ce qu'elle gronde ? Bien sûr que non. Le bruit de son moteur est bien plus subtil. Silencieux mais puissant. Il se peut même que son moteur soit tellement silencieux que le bruit se perde sous celui de la pluie.

Qu'*éprouve* la voiture lorsqu'elle quitte l'autoroute pour se diriger vers la petite route au bord de l'eau ? Est-ce que ça l'ennuie ? Est-ce qu'elle se fait des soucis pour le mauvais temps ? Certainement pas. Notre personnage ne s'inquiète jamais sur les conditions routières. Elle se sent probablement en paix, plus légère et en même temps plus attentive et prête à réagir. Et lorsqu'elle remonte l'allée ? Est-ce qu'elle est excitée ? Absolument pas. C'est un terme qui ne convient pas à une voiture au caractère si posé. Par contre, elle a certainement le sentiment de rentrer chez elle, de connaître chaque virage et chaque secousse, ce qui lui procure un sentiment de sécurité qu'aucune autre voiture ne ressentirait.

Armé de toutes ces idées, vous serez bientôt en mesure de faire une bonne description d'un week-end de la vie d'une Jaguar. Au fur et à mesure que vous avancez, vous verrez qu'une personnalité est en train de se construire.

 Ce petit exercice présente un autre avantage pour vous et votre marque : il vous aide à être consistant dans la présentation de la marque au consommateur. Car une fois que vous aurez décrit la personnalité de la marque, elle servira de point de repère à tous ceux qui sont concernés, que ce soit au niveau du marketing ou à celui de la vente.

Demandez à votre psy

Les psychologues ont étudié le casse-tête de la personnalité humaine pendant des siècles et ont réussi, parfois, à faire quelques progrès. Ainsi vous pouvez également vous servir de la psychologie pour donner une personnalité à votre produit.

Une technique utilisée en psychologie, qui peut être très utile en marketing, est la *perspective du trait de caractère*. Cette méthode cherche à expliquer les différences de la personnalité humaine en identifiant les différents traits qui la caractérisent. Vous pouvez donner une personnalité à votre marque en décrivant ses traits de caractère essentiels. Cette perspective est utile car elle s'appuie sur la description et non sur l'explication du comportement humain. Voilà une théorie qui convient parfaitement au professionnel du marketing et à son caractère pragmatique. En marketing, on n'a pas besoin de connaître la raison du développement d'une personnalité, on a juste besoin de savoir quelle personnalité donner à nos produits. C'est une tâche simple : pas besoin d'un analyste ou d'un thérapeute, juste d'un crayon bien aiguisé !

Une autre technique utile est un *test* d'évaluation *de personnalité* – juste un nom pompeux pour un questionnaire sur lequel vous sélectionnez les choses qui vous plaisent et qui déterminent d'après les réponses, votre "type" ou "profil". La seule différence est que nous allons l'utiliser pour un produit et non pas pour une personne ! Ce genre de questionnaire ne vous est d'ailleurs peut-être pas inconnu. Grand nombre d'entreprises l'utilisent au cours de formations ou de procédures d'embauche.

Un autre test très populaire s'appuie sur les types de personnalité décrits par Carl Jung. Intitulé *Myers-Briggs test*, il est, édité par "International Learning Works". Cependant il existe encore un autre ouvrage qui nous semble plus adapté. Il s'agit de *L'Inventaire des idées*, édité par "HRD Press".

Un petit aperçu des traits de caractère décrits dans "L'Inventaire" est donné dans le Tableau 5.2. Vous pouvez attribuer à votre produit une sélection de traits de caractère sympathiques pour mieux transmettre son identité au consommateur. Ceux que vous verrez dans le tableau sont considérés comme favorables puisque, de toute évidence, on cherche à faire aimer un produit. Après tout, d'une certaine façon, ces traits de caractère peuvent être considérés comme un cadeau offert au consommateur, puisqu'ils lui offrent la possibilité de s'identifier à un produit qui leur paraît sympathique.

Tableau 5.2 : Traits de caractère d'après "L'inventaire des idées".

Trait de caractère	Description
Précis	Attentif aux détails, juste, précis, aime l'ordre et l'organisation.
Animé	Vivant, joyeux, énergique, exprime ses émotions, très expressif en ce qui concerne les gestes et les expressions.
Charmant	Très sympathique, parle facilement, attire l'attention au milieu d'un groupe, persuasif.
Convaincant	Irrésistible, parle bien, extraverti, capable d'influencer facilement les autres.
Facile	Calme, patient, capable de supporter des frustrations, stable.
Vigoureux	Direct, assuré, parle franchement, énergique, autoritaire.
Le roi de la fête	Vivant, expressif, fait facilement connaissance et parle sans difficulté, aime être le centre des attentions, adore être entouré.
Serein	Calme, facile, patient, capable d'attendre sans s'énerver, ne se fâche pas facilement.

Tableau 5.2 : Traits de caractère d'après "L'inventaire des idées" (suite).

Trait de caractère	Description
Résolu	Constant, pas facilement influençable, énergique, exigeant, inébranlable.
Tolérant	Résigné, pardonne facilement, indulgent, patient, ne se fâche pas facilement.

Le pouvoir d'accrocher (Stopping Power)

STOP !

Le pouvoir d'accrocher, ou *stopping power*, est la capacité d'une annonce publicitaire ou d'un autre moyen de communication à attirer l'attention du public. Les formes de communication qui possèdent ce pouvoir provoquent des réactions telles que : "Qu'avez-vous dit ?" ou "Avez-vous vu ça ?" Ce type de communication génère un haut degré d'attention – contrairement à la plupart des formes de communication marketing.

Vous pouvez être sûr qu'une centaine de messages marketing assailliront le consommateur en même temps que le vôtre. Comme on a pu le voir au Chapitre 1, la deuxième règle du marketing pratique dit que "vous n'êtes pas le seul à vouloir communiquer". Compte tenu du grand nombre de messages, la plupart de vos efforts de communication tomberont à l'eau. D'ailleurs, la plupart des annonces publicitaires n'attirent pas l'attention du consommateur qu'elles convoitent.

Demandez autour de vous si quelqu'un se souvient des publicités qu'il a vues la veille à la télé (si ces personnes l'ont regardé, ils ont probablement vu une dizaine de publicités). Observez les réactions - la surprise s'affiche sur leurs visages alors qu'ils essaient désespérément de s'en souvenir. Ils diront probablement "Oh, oui. J'ai vu une pub rigolote où il y avait un type qui…" Et ainsi de suite, si les publicités qu'ils ont vues la veille n'étaient pas trop mauvaises. Et entre toutes, ils se souviendront d'une ou deux marques tout au plus.

Si vous répétez le même exercice mais que, au lieu de demander à un groupe de personnes ce qu'ils ont vu à la télé, vous leur demandiez ce qu'ils ont vu dans un magazine ou un journal : c'est le vide total. La plupart des personnes interrogées ne se souviennent pas d'une seule publicité dans la presse écrite, à moins qu'on leur donne quelques indices. Essayez avec la radio : c'est pareil.

Ce petit exercice démontre à quel point il est important d'attirer l'attention. Vos publicités ont besoin de plus de stopping power que les autres, si vous voulez qu'un nombre significatif de personnes s'en souviennent et y pensent !

Cette capacité est extraordinaire, mais ce n'est pas quelque chose qu'on puisse ranger et sortir à la demande. Quels sont les éléments qui confèrent ce pouvoir à une publicité, alors que la plupart en possèdent si peu ? Vous les trouverez ci-dessous sous forme de liste.

Les sept règles du pouvoir d'accrocher

Selon un des formateurs de l'agence de publicité Young & Rubicam, il y a sept règles qui font d'une publicité ou d'un autre moyen de communication un véritable "arrêt sur image".

1. **L'annonce doit être construite autour d'une intrigue accessible à tous.** Ce qui signifie qu'elle doit être capable d'attirer un public extérieur à l'audience ciblée. Si, par exemple, les enfants aiment une annonce destinée à un public d'adultes ou vice versa, alors elle possède cette qualité.

2. **Elle doit demander la participation de l'audience.** Cela signifie qu'elle doit provoquer des réactions de la part du public. Cela peut consister, par exemple, à appeler un numéro de téléphone, aller dans un magasin, rire aux éclats ou tout simplement, provoquer une association d'idées. Dans tous les cas, le public ne doit pas jouer un rôle passif.

3. **Elle doit provoquer une réaction émotionnelle.** Cet élément doit être présent, même si l'argument de vente utilisé est du type rationnel. Elle doit s'appuyer sur un quelconque besoin humain de base, quelque chose pour lequel on puisse se passionner.

4. **Elle doit stimuler... la curiosité.** Le public doit vouloir en savoir plus. Ce désir le fera s'arrêter et étudier l'annonce – et poursuivre les recherches ensuite.

5. **L'annonce doit causer un effet de surprise.** Une accroche surprenante, une image inespérée, une ouverture originale au cours d'une présentation, un présentoir hors du commun dans une vitrine – tous ces éléments ont le pouvoir d'accrocher le public en le surprenant.

6. **Elle doit transmettre l'information attendue d'une façon inattendue.** Une action fantaisiste, une façon originale d'exprimer une idée – ce sont des éléments qui rendent l'attendu inattendu. Evidemment, il vous faut transmettre des informations concrètes sur la marque et les avantages qu'elle procure, mais faites-le de façon inattendue, ou vous n'arriverez pas à retenir l'attention du public.

7. **L'annonce doit rompre avec les règles et la personnalité de sa catégorie de produits.** Cette mesure est nécessaire pour mettre en valeur le produit. Le public remarque ce qui sort des comportements ordinaires, et ces comportements existent en marketing. Et à moins que votre annonce soit complètement différente de ce à quoi le public s'attend dans cette catégorie de produits, il ne s'arrêtera pas.

Ces éléments sont extraits d'un livre magnifique d'Hanley Norins, *The Young & Rubicam Travelling Creative Workshop* (Prentice Hall, 1990), que nous voudrions vivement conseiller si vous avez l'intention de vous lancer dans la publicité. C'est un aperçu de la formation reçue par les copywriters de cette agence de publicité.

Au fur et à mesure que j'écrivais cette liste, une pensée n'a cessé de me hanter : l'importance méconnue de la créativité. C'est la créativité qui donne un caractère spectaculaire à une annonce : une de celles qui ont le pouvoir de surprendre, de rompre avec l'ordinaire, de transmettre ce à quoi on s'attend de façon inattendue ! Ce qui signifie vraisemblablement que la chose la plus essentielle pour qu'une publicité ait le pouvoir d'accrocher est la créativité. Retournez au Chapitre 4 si vous avez des doutes.

Vous avez dit sexe ?

Des études en publicité révèlent un autre élément capable de faire accrocher : le sexe. Le titre de cette section a été intentionnellement choisi pour illustrer le pouvoir d'accrochage détenu par le sexe. Rien que le mot en lui-même attire déjà l'attention. Alors pour accrocher le consommateur, utilisez le sex-appeal.

Cependant, il faut se montrer prudent car les mêmes études démontrent que, bien que les annonces où le sexe joue un rôle important attirent l'attention, elles ne sont pas *efficaces* en ce qui concerne d'autres facteurs. Le rappel de marque par exemple (la capacité du public de se souvenir à quelle marque correspond une publicité) est habituellement inférieur pour les annonces à connotation sexuelle que pour les autres. Alors qu'elles possèdent le pouvoir d'accrocher le consommateur, elles ne semblent pas présenter d'autres avantages. Elles échouent à transformer l'attention qu'elles attirent en prise de conscience ou en intérêt. Elles ne provoquent pas de changement d'attitude par rapport au produit. En somme, elles sacrifient une communication efficace à la simple faculté d'accrochage.

Une seule exception à cette règle : lorsque le sexe est un facteur *pertinent* pour le produit. Si, par exemple, vous voulez vendre un parfum que vous prétendez irrésistible, le fait de montrer une équipe de joueurs de basket-ball poursuivant une femme comme un essaim d'abeilles se justifie (d'accord, c'est un exemple un peu bête, mais il illustre ce point de vue). Ce qu'il faut avant tout, c'est que l'élément sexe soit *pertinent*.

Le pouvoir d'attirer (Pull Power)

Vous, là-bas ! Venez ici !

Le pouvoir d'attirer (*pull power*) est la capacité détenue par une annonce publicitaire ou un autre moyen de communication, à attirer le public vers un lieu ou un événement. Les annonceurs au niveau national ne prêtent pas beaucoup d'attention à cette stratégie car ils sont souvent préoccupés par la *notoriété de la marque* ou par le changement des attitudes du public en repositionnant leur produit (Cf. Chapitre 3). En revanche, cette stratégie est intéressante pour les annonceurs locaux, moins concernés par la notoriété de la marque.

Après tout, il faut bien que *quelqu'un* se charge de *vendre* le produit sur le marché local. Et ce qui compte, à ce stade, c'est d'attirer l'attention du consommateur.

L'objectif primaire de toute publicité locale (toute publicité destinée spécifiquement à une ville ou région – environ la moitié de la publicité aux Etats-Unis et dans de nombreux autres pays) est d'attirer l'attention.

Cette stratégie suppose également une bonne dose de publicité, vente directe, mailing, promotions spéciales et actions sur le point de vente – en termes de dépenses, cela signifie certainement plus de la moitié des sommes dépensées pour l'ensemble de la communication marketing à travers tous les facteurs d'impact disponibles.

C'est justement à cause de cette stratégie que la pratique locale du marketing est radicalement différente :

- Les formes de communication locale s'intègrent plutôt dans une stratégie à court terme que sur une campagne à long terme. Si une annonce diffusée pendant deux semaines dans un journal local ne génère pas de résultats immédiats, elle est condamnée à l'échec. De la même manière, les étalages du mois et présentoirs des points de vente (Cf. Chapitre 16) doivent être retirés prématurément s'ils n'attirent pas suffisamment de clients, et par conséquent ne génèrent pas suffisamment de ventes.

- Les formes de communication locale sont mieux adaptées à des budgets restreints. Cette donnée est importante pour juger de l'impact produit et pour pouvoir quantifier les retours sur investissement. Une campagne publicitaire d'un mois pour un cabinet de courtage doit être en mesure de générer un nombre de transactions supérieur à la somme dépensée en publicité et marketing. Dans le cas contraire, le département marketing doit trouver rapidement la cause de l'échec. Les calculs sont assez simples puisqu'ils couvrent une courte période et des sommes assez modestes.

- Les formes de communication locale doivent être en mesure d'augmenter le nombre de clients, de faire sonner le téléphone plus souvent, d'amener plus de visiteurs sur un site Internet ou tout autre objectif faisant partie de cette stratégie. Ces objectifs diffèrent de ceux d'une campagne publicitaire à échelle nationale, qui vise souvent le renforcement de la notoriété de la marque et le changement de son positionnement sur le marché. Pourtant, il est clair que certains objectifs marketing sont communs à ces deux formes de publicité : augmentation de la prise de conscience, accroissement de la part de marché et génération de ventes consécutives. Les éléments d'un marketing efficace sont les mêmes à l'échelle locale ou nationale. Ce qui change, c'est l'ordre des priorités.

- Les formes de communication locale doivent utiliser les médias de façon plus créative parce que l'accent est local et le budget moins important. En réalité, quelques-unes des actions marketing basées sur cette stratégie sont gratuites.

Cherchez à attirer l'attention ! Vos actions marketing ne peuvent pas réussir si elles ne provoquent pas l'augmentation du nombre de clients, le débordement de votre boîte aux lettres ou un standard téléphonique qui vire au rouge ! Assurez-vous qu'elles provoquent une réaction ; informez le consommateur de votre présence sur le marché. Et n'arrêtez pas de communiquer toujours de façon créative et originale, pour ne pas vous faire oublier.

Bien rédiger

Que signifie bien rédiger en termes de communication marketing ? Quels sont les secrets pour réussir ? Un bon texte devrait être en mesure de communiquer une idée de façon succincte et claire pour captiver le public mais aussi attirer et captiver l'attention suffisamment de façon à s'assurer que…

Voici un exemple de *mauvaise rédaction*, au cas où vous ne l'auriez pas remarqué !

Mais il y a pire parce que :

- L'idée principale ne ressort pas.

- La voix passive est utilisée (ce qui rend impossible de savoir *qui* fait *quoi*.

- Utilisation de conjugaisons difficiles au lieu du présent de l'indicatif (par exemple "un bon texte devrait être en mesure de …" au lieu de "un bon texte doit être en mesure de…").

- Par conséquent, ce style de rédaction est non seulement ennuyeux, mais prête aussi à confusion.

On sait maintenant ce qu'il ne faut pas faire et on peut donc réécrire cette horrible introduction. Et réécrire, réécrire, jusqu'à ce que cette introduction produise de l'effet. Que pensez-vous de ceci :

> *Vous voulez un style de qualité ? Soyez direct et restez simple.*
> *Faites ressortir votre idée et captivez le lecteur.*

Avez-vous remarqué que le premier paragraphe utilise 51 mots alors qu'il n'est même pas fini ? La nouvelle version utilise seulement 20 mots. Voilà qui n'est pas négligeable.

Bien rédiger signifie également être clair.

N'oubliez pas que l'originalité et l'effet de surprise sont essentiels si vous souhaitez que votre style "accroche". Mais surtout, restez simple et clair.

L'essence de la communication ne peut être obtenue qu'à travers plusieurs essais. Retravaillez vos documents, révisez votre façon de penser et ne cessez pas de travailler vos mots jusqu'à ce qu'ils fassent ressortir votre idée très clairement. Et lorsque vous y parviendrez : taisez-vous !

Créer de belles images

Imaginez ce qui suit : un enfant joue au tennis contre un mur lorsqu'un chien arrive et lui vole sa balle. La balle, jaune et brillante, déborde de la bouche du chien (la caméra fait un zoom pour le montrer) et l'image remplit l'écran.

C'est une image simple mais parlante car elle suggère combien l'enfant et le chien s'amusent, en même temps qu'elle fait entrevoir l'intrigue. Que ressent l'enfant lorsque le chien lui prend la balle ? Et le chien, lorsqu'il la prend ? Mais surtout, cette image suggère que le tennis amuse tout le monde sans distinction d'âge et de race !

C'est l'image principale d'un spot publicitaire de la fédération américaine de tennis qui vise à promouvoir ce sport. Ce spot publicitaire illustre le pouvoir détenu par les images.

Il illustre également la formule du succès d'une bonne image – mettre en évidence une image unique et pertinente. Dans ce cas concret, il s'agit d'une balle de tennis portée fièrement par un chien. Ce n'est qu'un exemple ; ce qu'il faut savoir, c'est qu'une bonne image doit séduire, être facilement repérable et pertinente par rapport à l'argument de vente.

L'importance de la conception d'images

Attention, ce n'est pas en lisant ces paragraphes que vous deviendrez un bon dessinateur. Vous serez obligé de travailler avec des dessinateurs ou illustrateurs, à moins que vous n'en soyez un. L'acquisition de compétences techniques et le développement du sens artistique, ne serait-ce que pour réaliser une simple brochure, est quelque chose qui prend beaucoup de temps. Mais tout de même, vous serez peut-être obligé un jour d'effectuer des tâches mineures telles que l'élaboration d'un catalogue, d'un dépliant, d'un présentoir ou toute autre action pour laquelle vous ne disposez pas d'un budget. Votre ordinateur vous sera d'une aide précieuse.

Si, par exemple, vous disposez d'un Macintosh équipé de fichiers Clip Art, de Quark XPress et Photoshop et d'un scanner, vous pouvez "jouer" au dessinateur de façon assez efficace. Cela se fait couramment lorsqu'un projet est trop petit pour justifier de faire appel aux professionnels.

Attention, cependant ! La plupart des illustrations "maison" sont de mauvaise qualité et, en élaborant vous-même vos illustrations, vous risquez de vous faire plus de mal que de bien.

Un bonne présentation est un ensemble de texte et d'images

Il faut que vous acceptiez qu'au premier abord le public voie votre communication marketing comme une *présentation*. On "regarde" des annonces, des présentoirs, l'emballage et autres formes de communication visuelle. Si le design est réussi, il est probable qu'on sera plus concerné par une annonce publicitaire ou un texte.

Mais les mots sont superflus si la présentation ne parvient pas à retenir l'attention.

Il faut donc apprendre à réfléchir au texte de votre message comme un dessinateur, ce qui est complètement différent de l'optique du rédacteur. Quel est l'effet produit par des mots sur une page ? Est-ce qu'ils ont suffisamment de contraste et d'intérêt visuel pour captiver l'attention du lecteur ? Est-ce qu'il y a interaction entre les mots et les autres éléments visuels, de façon à créer des motifs séduisants pour le lecteur ? Le dessinateur considère le texte comme un des éléments de l'ensemble. C'est pour cela qu'il a "le dernier mot" en toute communication marketing. Si l'annonce ne marche pas d'un point de vue visuel (ou musical pour les spots à la radio), les mots n'y changeront rien.

Chapitre 6

Etudes de marché : clients, concurrents et industrie

Dans ce chapitre :

Maîtriser les quatre "recettes" d'une étude réussie.

Connaître un marché à travers des sources d'information existantes.

Concevoir de meilleurs questionnaires.

Faire appel à des cabinets d'études spécialisés.

Mesurer le taux de satisfaction du consommateur.

*E*n règle générale, les études de marché se concentrent sur l'analyse du comportement du consommateur, l'exploration de la structure industrielle et la position des concurrents. Mais cette définition étriquée est loin de nous faire prendre conscience de l'importance des études en marketing. Dans ce domaine, il existe un grand besoin en information mais la quantité de données disponibles laisse à désirer. C'est la raison pour laquelle le marketing s'appuie sur une série de méthodes de recherche variées. Plus on fait d'études, meilleure est la qualité du travail fourni.

Une des différences les plus frappantes entre les leaders du marché et le reste des entreprises est justement que les premiers font une quantité considérable de recherches. Il est tout à fait normal pour une grande entreprise d'interviewer quelques milliers de consommateurs juste pour savoir si, par exemple, leur attitude vis-à-vis des pellicules (du cuir chevelu) a changé ! Les campagnes publicitaires sont également régulièrement évaluées pour déterminer le pourcentage d'audience capable de se souvenir d'une dizaine d'extraits d'annonces publicitaires. Ces entreprises utilisent les services de statisticiens de haut niveau pour traiter ces données et produire un nombre impressionnant de graphiques et de diagrammes qui permettent leur interprétation.

Des investissements de cet ordre, comme chez Procter & Gamble (P & G), constituent un énorme avantage par rapport à des entreprises concurrentes de plus petite taille. Les grandes entreprises sont souvent les premières à détecter une tendance ou une part de marché. Cela ne les empêche pas pour autant de commettre des erreurs dues aux difficultés rencontrées dans la conduite d'une étude ou à l'interprétation des données. Ce n'est pas parce que ces entreprises ont plus de moyens qu'elles sont les seules à pouvoir mener des études de marché. Vous aussi vous pouvez le faire, même si c'est à plus petite échelle. Dans ce chapitre, vous trouverez quelques idées pour réaliser des études avec moins de moyens. Cependant, quelle que soit votre décision, assurez-vous de bien maîtriser les quatre "recettes" (traitées plus loin dans ce chapitre) pour réussir une étude de marché.

Etes-vous aveugle au marché ?

La plupart des professionnels du marketing sous-estiment les possibilités offertes par une étude de marché. C'est comme rouler par une nuit de pluie avec des lunettes de soleil et sans essuie-glaces ! Tant qu'il n'y a pas de virages ni de voitures dans le sens contraire, une vision occasionnelle de la route est suffisante, mais lorsque des changements interviennent, l'absence de vision peut être fatale !

Les solutions à ce problème sont diverses et variées. Dans ce chapitre on examinera quelques-unes des méthodes et stratégies, mais vous pouvez toujours recourir à des cabinets d'études spécialisés si vous avez besoin d'un coup de main. Même si vous ne lisez plus une seule ligne de ce chapitre, faites au moins ceci : dessinez un grand point d'interrogation sur une feuille de papier et accrochez-la à un mur. Chaque fois que vous la regarderez, vous vous souviendrez qu'il est essentiel de *poser des questions*.

La curiosité est le moteur de la recherche en marketing. Et cela ne demande pas de moyens financiers importants. Demandez-vous pourquoi le consommateur se comporte d'une façon plutôt que d'une autre ? Quelles sont les causes de changement du marché ? Qu'arrive-t-il aux clients qui ne reviennent pas ? Presque toutes les questions sont un bon point de départ. La première étape, et la plus importante, dans la conduite d'une étude est de poser une question intelligente ! C'est aussi simple que ça.

Recette n° 1 : travailler à contre-courant

Instinctivement, on commence toujours par recueillir des données et ensuite on réfléchit à la façon de procéder. L'étude d'abord et l'analyse ensuite. En réalité, cette attitude constitue une perte de temps et d'argent. Ce n'est pas parce que vous êtes submergé par des données que vous prendrez la bonne décision : vous ne ferez que perdre du temps !

Pour mieux utiliser l'outil recherche, il faut commencer par une *analyse attentive des décisions qui s'imposent.* Supposons que vous soyez responsable d'un logiciel de conception de plans d'action marketing pour les PME, sur le marché depuis deux ans. En tant que chef de produit, quelles décisions devez-vous prendre ? Voici une liste d'hypothèses probables :

- Faut-il lancer une nouvelle version ou continuer à vendre la version courante ?

- Est-ce que notre plan d'action actuel est suffisamment efficace ou faut-il le revoir ?

- Est-ce que le produit est positionné correctement ou faut-il changer son image ?

Avant d'entamer une étude de marché, vous devez *réfléchir attentivement* à ces décisions. Plus particulièrement, vous aurez besoin de :

- Choisir les alternatives réalistes dont vous disposez pour chaque décision.

- Evaluer le taux d'incertitude et de risque encouru pour chacune de ces décisions.

Ensuite, pour toute décision risquée ou incertaine, vous aurez besoin de :

- Poser des questions dont les réponses devraient vous aider à réduire le risque et l'insécurité correspondant à chacune de ces décisions.

C'est *maintenant,* muni de toutes les réponses, que vous êtes prêt à commencer une étude.

Lorsque vous examinerez ce raisonnement, vous vous direz sans doute qu'il n'est pas indispensable de réaliser une étude de marché. Si, par exemple, le responsable marketing a déjà décidé d'investir dans une nouvelle version du produit dont vous êtes le responsable, il est inutile de faire une étude. Que ce soit la bonne ou la mauvaise décision, vous n'avez pas le pouvoir de la changer. Cependant, un certain nombre de questions réussissent à passer le filtrage et deviennent de bons critères de recherche. Pour les trouver, il va falloir poser une série de questions destinées à réduire les risques potentiels d'une prise de décision ou à mettre en évidence des aspects auxquels on n'avait pas pensé.

Prenez par exemple la question : "Est-ce que le produit est positionné correctement ou faut-il changer son image ?" Pour pouvoir répondre à cette question, il faut d'abord savoir comment le consommateur perçoit ce produit, comment il le voit par rapport aux produits concurrents et quelle est sa personnalité (Cf. Chapitre 5 pour plus de détails concernant la personnalité d'un produit). Si vous connaissez les réponses à toutes ces questions, vous serez certainement mieux armé pour prendre la bonne décision.

C'est la raison pour laquelle il faut définir soigneusement toute décision en marketing. Une étude de marché est superflue si vous ne savez pas quelles décisions prendre. (Voir Figure 6.1 pour un diagramme du processus de recherche.)

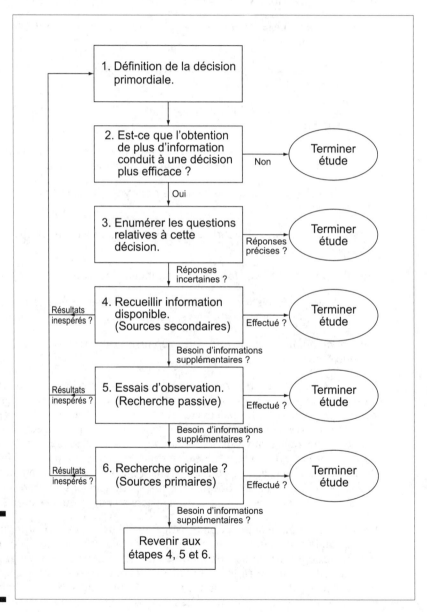

Figure 6.1 : Diagramme de processus de recherche.

Recette n° 2 : on peut toujours trouver de l'information gratuite

Le monde est rempli d'informations et, pour entamer une étude de marché, il n'en faut pas beaucoup. Alors, avant d'acheter des rapports ou de faire appel à des prestataires extérieurs, tâchez de rechercher de l'information gratuite ou, du moins, pas trop chère.

Evidemment, vous aurez ce pourquoi vous avez payé. Vous pouvez par exemple contacter les bureaux de recensement de l'état civil, mais ne soyez pas surpris si on vous fait poireauter pendant des heures et attendre quelques mois avant de recevoir ce que vous avez demandé. Bien sûr, vous pouvez avoir recours à des organismes privés, mais pas pour le même prix !

Même si vous avez accès à des données gratuites, il est fort possible que ces informations soient obsolètes, et vous serez probablement obligé de dépenser quelques sous avant de trouver une réponse à vos questions. Mais, au moins, les données que vous aurez recueillies gracieusement serviront à vous faire démarrer en réduisant la taille du domaine concerné et vous aideront à considérer quelques bonnes réponses hypothétiques que vous testerez ensuite. Et, parfois, l'information gratuite est tout ce dont vous avez besoin !

L'information gratuite rentre souvent dans la catégorie données secondaires. C'est-à-dire, des données recueillies ou publiées par quelqu'un d'autre auparavant. Quelques-unes de ces données sont parfois fournies gracieusement, d'autres peuvent être obtenues contre rémunération auprès d'éditeurs ou de cabinets d'études. Qu'il s'agisse de données payantes ou gratuites, les données secondaires sont (presque) toujours moins onéreuses que les données primaires – informations spécialement recueillies pour des besoins spécifiques.

Les données primaires peuvent être recueillies à travers toutes sortes d'études, par l'observation et par d'autres moyens comme vous le verrez plus loin dans ce chapitre.

Ne sous-estimez jamais l'importance de données secondaires car on peut apprendre énormément en examinant l'information recueillie par quelqu'un d'autre. Et évidemment, le rapport qualité-prix est excellent !

Recette n° 3 : vous pouvez faire une étude sur n'importe quoi !

Une des choses les plus incompréhensibles sur l'étude de marché est que cette catégorie soit en réalité constituée de plusieurs catégories. Il n'y a pas de catégorie unique. Vos besoins dépendent de plusieurs facteurs, et c'est lorsque vous le réalisez que vous découvrez l'existence d'une série de cabinets d'études divers et variés.

Laissez-vous guider par vos questions

Gardez toujours présent à l'esprit que, lorsque vous effectuez une étude de marché, il est essentiel de poser des questions précises avant de pouvoir recueillir des données.

Pourtant, la plupart du temps, les professionnels du marketing entament leurs études, persuadés de détenir la science infuse. Ils définissent des objectifs tels que : "On a besoin d'information concernant le marché des cookies." Parfait. Bientôt vous serez entouré d'une énorme pile de tableaux et d'articles sur le sujet, mais vous ne saurez toujours pas comment profiter de ce marché ! Une étude de marché ne vous apprendra rien qui vaille, si auparavant vous n'avez pas posé de questions très précises. Voici quelques exemples : "Qui consomme des cookies ?" "Quels sont les plus grands consommateurs ?" "Quelle sorte de cookies préfèrent les grands consommateurs ?" "Quels sont les médias qui ciblent ces utilisateurs ?" "Quelles sont actuellement leurs marques préférées ?" (Au besoin, adaptez ces questions à votre produit.)

Si vous avez du mal à formuler des questions précises, retournez au point de départ qui consiste en la définition ou en définitions du thème de votre étude (voir Figure 6.1). Réfléchissez aux réponses dont vous avez besoin de manière à pouvoir prendre les décisions qui s'imposent. Ensuite, entamez les démarches élémentaires à l'obtention de ces réponses.

Si vous cherchez par exemple à savoir si vos présentoirs sont exposés correctement, vous pouvez faire appel à un prestataire extérieur spécialisé dans le domaine (Cf. Chapitre 16). Vous pouvez également interviewer les clients du point de vente en question et leur demander ce qu'ils en pensent. Ou créer un marché test pour observer la réaction du consommateur à vos nouveaux emballages. La même chose est valable pour une société de services. Vous souhaitez peut-être savoir quels nouveaux produits ou services vos concurrents développent, de façon à pouvoir réagir ? Ou savoir comment le marché international réagit à vos produits ?

Et ainsi de suite. La question est que, même si vous n'êtes pas en mesure de conduire une étude de marché, de nombreux cabinets d'études et prestataires sont prêts à vous aider pour bien mener vos études. Si une plus ample information peut vous amener à prendre les bonnes décisions, n'hésitez pas à recourir à ces services pour obtenir des données primaires.

Consulter les sources de données secondaires

Les *informations secondaires*, précédemment définies comme des données recueillies auparavant, sont normalement moins onéreuses et doivent pour cette raison être considérées comme prioritaires par rapport aux *informations primaires*.

Où peut-on trouver des données secondaires ? Tout d'abord un mot sur la meilleure source de données gratuites (ou presque) : les organisations gouvernementales. Presque tous ces organismes possèdent un grand nombre de données concernant l'activité économique, la démographie et les tendances actuelles. Pour en savoir plus, reportez-vous au Chapitre 2 – Comment obtenir des données sur la taille/croissance du marché.

Démographie !

Pour attirer l'attention, nous avons décidé d'ajouter un point d'exclamation au mot démographie. La *démographie* - données statistiques sur la population - est pour la plupart d'entre nous un sujet ennuyeux. Cependant, des données telles que l'âge moyen de la population, le niveau d'études, etc., sont très importantes pour la compréhension du marché. Par exemple, les populations des Etats-Unis, du Canada et du Japon vieillissent. Quelles sont les conséquences de ce phénomène en termes de marketing ?

A première vue, cela semble sans importance. D'accord, l'âge moyen a augmenté d'une année ou deux en dix ans. Pourtant, rien ne vous empêche de continuer à cibler des catégories d'âge diverses et à ignorer les effets démographiques à long terme.

Une autre option consiste à examiner de plus près ces tendances démographiques et à déceler les opportunités qui en découlent. Actuellement, aux Etats-Unis, de nombreux professionnels du marketing travaillent en étroite collaboration avec Charles Schewe, un consultant du Massachusetts, qui concentre ses études sur la population du troisième âge et conçoit des produits et services adaptés à leurs besoins spécifiques. Cette tranche de population a un même comportement et partage les mêmes valeurs, ce qui rend leur ciblage plus facile. Ils ont des besoins identiques en ce qui concerne, par exemple, le conditionnement ou les télécommandes. Un autre point important est la question des revenus. Ce groupe dispose de revenus confortables étant donné que la richesse, dans la plupart des pays, est détenue par cette tranche de population. Au fur et à mesure que la population vieillit, ce segment de marché très prometteur continue de s'accroître.

Ce genre d'opportunités est facilement décelable lorsqu'on examine attentivement les données démographiques et autres sources d'informations secondaires. Néanmoins, nombre de professionnels du marketing sous-estiment ces sources d'information peu onéreuses, et en conséquence ignorent des changements importants sur le marché.

Analysez les ventes !

Le volume total des ventes est une source de données secondaires souvent inexploitée. Pourquoi le consommateur n'achète-t-il plus vos produits ? De quel type de consommateur s'agit-il ? Quelles sont les raisons de cette défection ? Quelle est la plus importante catégorie de consommateurs en termes de bénéfices et de taille ? Dans quelles régions êtes-vous bien implanté ? Quelles sont celles où vous n'arrivez pas à percer le marché ? En analysant les ventes, vous trouverez la réponse à ces questions et à bien d'autres. Si ces données ne sont pas assez détaillées, consultez les données de ventes ou parlez avec les commerciaux et les détaillants. Il y a certainement des personnes, au sein de votre entreprise ou à l'extérieur, qui sont mieux placées pour vous renseigner sur le comportement du consommateur et sur la concurrence. Alors, pourquoi ne pas profiter de ces sources d'information ?

Dans les grandes entreprises, l'effectif du personnel n'est pas un élément statique. Il y a un va-et-vient constant de personnes - dont certaines qui ont travaillé chez la concurrence. Pourquoi ne pas chercher à les voir, en prenant soin de consulter d'abord le département des ressources humaines afin d'éviter tout problème d'ordre juridique. Ces employés peuvent vous fournir des informations précieuses concernant la concurrence.

Obtenir des informations primaires

La recherche d'informations primaires consiste à recueillir des informations directement, soit par l'observation du comportement du consommateur soit par des études.

Ci-après, vous trouverez un bref aperçu de diverses techniques.

Observation du comportement du consommateur

Il y a quelques années, les responsables de l'aquarium de Boston ont souhaité connaître quelles attractions avaient le plus de succès auprès du public. Pour cela, ils ont décidé de faire appel à un prestataire extérieur pour réaliser une étude. Ce dernier leur a répondu que cela n'était pas nécessaire et il s'est contenté d'examiner les traces de pieds sur le sol. Devant certaines attractions, il y avait beaucoup plus de traces qu'ailleurs. Ce qui démontrait clairement qu'elles étaient plus populaires aux yeux du public.

Il n'est pas difficile d'observer le consommateur ni d'apprendre des faits nouveaux en l'observant. Cependant, la plupart des professionnels du marketing *regardent* sans *observer (voir encadré).* L'observation est sans doute la méthode la plus sous-estimée en études de marché.

Ci-dessous, vous trouverez des exemples concrets d'observation du comportement du consommateur. Essayez d'*observer le comportement du consommateur lorsqu'il utilise un de vos produits.* Il s'agit d'observer, pas seulement de regarder. Prenez un crayon et une feuille de papier et notez tous ses gestes. Que fait-il ? Dans quel ordre ? Cela lui prend combien de temps? Est-ce qu'il dit quelque chose ? Si oui, quoi ? Est-ce qu'il semble heureux ? Frustré ? Désintéressé ? Est-ce que tout se passe bien ? Est-ce que quelque chose ne va pas ? Prenez des notes détaillées et étudiez-les. Cela vous donnera au moins une idée pour améliorer votre produit. Une simple observation ne suffit pas pour mener une étude, mais elle sert au moins d'expérience.

Sherlock Holmes et le pouvoir d'observation

Il n'est pas nécessaire d'être Sherlock Holmes pour travailler en marketing, mais on peut tirer quelques leçons de ses méthodes. Sherlock Holmes utilise une méthode qui consiste à examiner d'abord tous les détails et ensuite à établir une théorie. Ses facultés d'observation surprennent souvent son ami le Dr Watson, pourtant elles semblent évidentes. Néanmoins, la méthode utilisée par Sherlock Holmes est précise et minutieuse, comme on peut le constater d'après cet extrait de *A scandal in Bohemia* :

"Vous voyez, Watson, vous n'observez pas."

"La différence est pourtant claire ; par exemple, vous avez souvent remarqué l'escalier qui mène de l'entrée à cette pièce ?"

"Très souvent, en effet."

"Combien de fois ?"

"Une centaine de fois, je suppose."

"Alors combien de marches y a-t-il ?"

"Combien de marches ? Je n'en sais rien."

"Voilà ! C'est bien la preuve que vous n'avez pas observé. Cependant, vous l'avez regardé. C'est justement là que je voulais en venir. En revanche, moi je sais qu'il y a 17 marches parce que j'ai, à la fois, regardé et observé."

Il est peut-être inutile de compter les marches chaque fois que vous montez un escalier mais, *parfois*, cela peut s'avérer utile.

Il faut savoir changer d'outil lorsqu'on mène une étude et *observer* au lieu de se contenter de *regarder*.

Lorsque vous envisagez la possibilité de mener une étude, prenez d'abord quelques jours pour réfléchir aux méthodes d'observation. Il est important de prendre le temps nécessaire parce qu'une fois de plus, la plupart du temps on *regarde* au lieu d'*observer*.

Les interviews

Les interviews, enquêtes et autres méthodes sont depuis toujours considérées comme crédibles par les entreprises spécialisées. Il y a une bonne raison à cela : on peut toujours apprendre quelque chose en demandant au consommateur son avis ! Les reproches majeurs qu'on peut faire à ce genre de techniques résident dans le fait que le consommateur n'a pas toujours une idée précise de ce qu'il pense ou souhaite. Et quand bien même il le sait, cela risque de s'avérer onéreux. Pourtant, ces techniques se révèlent particulièrement efficaces dans certains cas.

Améliorer un questionnaire

Une des choses qu'on me demande le plus souvent de faire est de relire un questionnaire et de suggérer des modifications. La raison en est simple : la plupart des professionnels du marketing sont conscients du fait qu'un bon questionnaire est essentiel pour la qualité et la crédibilité des réponses. Ne l'oubliez donc pas, et demandez à votre entourage de relire vos questionnaires.

Si l'enjeu est de taille, il est préférable d'effectuer un test préalable de l'enquête auprès d'un petit échantillon de personnes. Vous pouvez ainsi contrôler si les questions sont bien comprises et les réponses logiques.

Cependant, dans la plupart des cas, le jeu n'en vaut pas la chandelle. Cela ne vous empêche pourtant pas de demander à vos collègues de jeter un coup d'œil !

Voici les sept questions que l'on doit se poser lorsqu'on relit un questionnaire :

1. **Est-ce que le questionnaire présente un intérêt pour les personnes interrogées ?**

   Le questionnaire doit présenter un quelconque intérêt pour les personnes interrogées : un sujet intéressant, des instructions claires et concises et peut-être même un petit cadeau (un bon de réduction, un formulaire de participation à un concours, une promotion). Tous ces éléments sont susceptibles de rendre plus agréable la tâche de la personne interrogée et, par conséquent, de produire un taux de réponses plus élevé. Nombre d'enquêtes sont trop longues et manquent de clarté. Limitez-vous aux questions essentielles et faites en sorte qu'elles soient intéressantes ! Assurez-vous également que l'échantillon de personnes interrogées est représentatif.

2. **Est-ce que certaines questions font référence à plusieurs sujets ?**

   Si c'est le cas, il est préférable de les dissocier. Par exemple, la question : "Comment jugez-vous la sélection de nos fleurs et plantes ? 1234 (1 = pauvre, 4 = très bien)" peut être séparée en deux questions : une concernant les plantes, et l'autre les fleurs. Pour faire encore mieux, posez la question de la façon suivante :

Comment jugez-vous la sélection de nos fleurs et plantes ?				
Herbes aromatiques	1	2	3	4
Annuelles	1	2	3	4
Paniers suspendus	1	2	3	4
Vivaces	1	2	3	4
Bulbes	1	2	3	4
Sapins de Noël	1	2	3	4
	Maigre		Très bien	

Cette question a été formulée auprès des employés d'une jardinerie et les résultats ont été très utiles pour savoir quelles lignes de produits développer. Une question plus générale n'aurait pas donné le feed-back nécessaire aux décisions d'achat pour l'année suivante.

3. **Est-ce que l'utilisation d'échelles permet plusieurs réponses ?**

Quelquefois les questions limitent les réponses. Offrez plus de possibilités et utilisez "Autres :_____" lorsque cela est possible.

Si vous utilisez une échelle numérique, par exemple de 1 à 4, essayez de déterminer les avantages et les inconvénients d'une échelle supérieure ou inférieure. Une différence évidente est qu'une échelle allant de 1 à 5 permet une réponse neutre. Cette différence est importante lorsque vous avez des questions du genre : vrai/faux. Même si les réponses neutres ne vous intéressent pas, vous pouvez tout de même envisager cette possibilité.

Les cabinets d'études utilisent généralement une échelle allant de 1 à 5 ou de 1 à 7. C'est une bonne méthode, car le fait d'avoir plus de choix ne fait pas vraiment perdre de temps et une fois que les personnes interrogées ont compris le fonctionnement de l'échelle, ils peuvent répondre très rapidement – à condition de ne pas appliquer une échelle différente à chaque question ! Sans compter qu'une échelle plus grande permet des réponses plus précises.

4. **Y a-t-il des questions directives ou biaisées ?**

Vérifiez si la formulation des questions est claire et aussi neutre que possible.

Exemple : "Etes-vous d'accord que notre service consommateur est excellent ?" Oui ___. Non ___. Cette question est formulée pour obtenir une réponse positive. En utilisant des termes tels que "d'accord" et "excellent", la personne interrogée aura tendance à vous donner la réponse que vous voulez entendre. Deuxièmement, cette question peut porter à confusion en ce qui concerne l'utilisation d'une échelle. Ci-dessous, un exemple de cette question reformulée.

Veuillez évaluer le service consommateur :

Très mauvais   Excellent

1   2   3   4   5   6   7

(Voir également la section concernant l'évaluation du service consommateur à la fin de ce chapitre.)

5.   Est-ce que les questions sont pertinentes ?

Vérifiez si le questionnaire ne comporte pas de questions inutiles. Une question n'est pertinente que lorsqu'elle peut améliorer une prise de décision importante.

Dans la plupart des questionnaires, on retrouve environ 75 % de questions inutiles. Sans blague ! Les changements dans la politique d'une entreprise ne résultent pas, la plupart du temps, de la lecture des réponses à un questionnaire. Or, si les réponses ne suscitent pas de réaction, il est évident que la question est inutile.

Pour revenir à notre questionnaire effectué pour le compte de la jardinerie, voici un petit aperçu de questions totalement inutiles :

---

1. Sexe :   ___M   ___F

2. Lorsque vous venez chez nous, vous êtes :

_____ seule

_____ en compagnie de votre mari

_____ en compagnie de vos enfants

_____ avec des amis

3. Reviendrez-vous dans notre magasin ?   ___Oui   ___ Non

- La première question a probablement été incluse par égard pour la tradition qui veut que, dans toute enquête, on recueille des données démographiques. Seulement, dans ce contexte, elle n'est absolument pas pertinente. Ce genre de question est adapté à des enquêtes menées auprès d'échantillons importants et dont les réponses, par conséquent, proviennent d'un public diversifié. Elles sont utilisées lorsque la segmentation par catégorie (d'âge, de sexe, etc.) s'impose.

  Or, dans ce cas précis, de telles questions n'apportent strictement rien, car il s'agit d'une étude informelle utilisant un échantillon faible qui ne permet pas ce genre d'analyse statistique.

- La troisième question nous paraît plus utile. Après tout, la vente consécutive est un phénomène important qui justifie la question. Cependant, le questionnaire invite à répondre et à le retourner pour obtenir une réduction de 5 F sur tous les achats suivants d'une valeur de 20 F ou plus. Or, cela suppose que tous ceux qui répondront reviendront et donc que la plupart des réponses négatives ne pourront jamais être analysées.

6. **Y a-t-il des questions dont les réponses auraient pu être obtenues par l'observation du comportement du consommateur ?**

   C'est une deuxième catégorie de questions inutiles car, même si vous avez besoin des réponses, elles auraient pu être obtenues par l'observation du comportement du consommateur.

   Supposons que ce magasin nécessite de savoir quel est le sexe de ses clients, s'ils viennent seuls ou accompagnés et s'ils ont ou non l'intention de revenir. Toutes ces informations peuvent être facilement obtenues en observant les clients qui rentrent dans le magasin et à travers des sources d'information secondaires, telles que l'utilisation de cartes de crédit. On peut très bien charger un employé de remplir un formulaire décrivant les clients qui viennent dans le magasin. L'analyse des transactions effectuées par carte de crédit permet de dire si un client vient pour la première fois. Evidemment cette source exclut les clients qui paient en liquide ou par chèque. On peut donc envisager la constitution d'un fichier clientèle en utilisant une caisse électronique ou en proposant au client de laisser ses nom et adresse pour recevoir des informations régulièrement.

   Un observateur peut mesurer d'autres aspects du comportement du consommateur, mieux que n'importe quelle étude. Par exemple, combien de clients rentrent dans le magasin, font un tour et repartent sans avoir trouvé ce qu'ils cherchent ? Une étude basée sur le fichier clientèle ne comprend pas ces clients. Un formulaire distribué à l'entrée du magasin aura les mêmes conséquences, puisqu'un client qui n'est pas satisfait accepte difficilement de remplir un formulaire.

Cependant, par l'observation on peut se procurer un grand nombre de renseignements concernant ces clients. Par exemple, on peut charger un employé de compter de façon aléatoire, tous les quarts d'heure, le nombre de ces clients. Vous disposez ainsi de données concernant le nombre de clients qui ne font pas d'achat. Cela vous permet de faire une estimation de leur nombre, par jour, semaine, mois, etc.

Pour obtenir plus de renseignements, vous pouvez toujours demander à un employé d'intercepter quelques-uns de ces clients en leur demandant la raison de leur départ.

Les données obtenues par des méthodes d'observation sont particulièrement intéressantes en ce qui concerne les *ventes consécutives* et le *nombre de clients qui ne font pas d'achat*.

7. **Est-ce que le questionnaire permet aux interviewés de vous donner des informations inconnues (Questions ouvertes) ?**

Cette question est la dernière et la plus subtile des questions conseillées. Bon nombre de questionnaires sont bien élaborés et permettent de recueillir des informations utiles. Pourtant, souvent, ils ne sont pas en mesure de fournir des informations importantes simplement parce qu'on a oublié de poser la bonne question.

Par exemple, les clients qui viennent dans ce magasin pendant la pause déjeuner apprécieraient peut-être d'avoir la possibilité de manger un sandwich dans le jardin lorsqu'il fait beau. C'est en incluant des questions ouvertes dans un questionnaire qu'on donne la possibilité au client de s'exprimer sur un certain nombre de sujets.

Recette n° 4 : les meilleures idées sont spontanées

Au début de ce chapitre, on a beaucoup insisté sur l'importance de la définition des actions marketing avant de mener une étude. Une approche méthodique est la solution, et pour cela il est indispensable d'avoir un plan d'action marketing.

Cependant, il faut savoir que parfois le processus de recherche est pervers. Il arrive que les résultats soient tellement surprenants que la seule chose à faire est de tout abandonner et de repartir à zéro.

Lorsqu'on a donné l'exemple (au début de ce chapitre) sur le chef de produit qui cherchait à savoir s'il fallait repositionner son produit, on a voulu illustrer si cela était utile. Comment ce produit est-il perçu par le consommateur par rapport aux produits concurrents et quelle est sa personnalité ?

Supposons que vous fassiez appel à un cabinet d'études pour conduire une enquête téléphonique qui permette d'obtenir les réponses à ces questions. L'enquête commence et, surprise : *78 % des utilisateurs n'ont jamais entendu parler du produit !*

Il est clair que vous étiez sur une mauvaise piste – vous supposiez que votre marque avait suffisamment de notoriété pour occuper une place sur le marché. Pourtant, les faits parlent d'eux-mêmes et heureusement que vous l'avez découvert à temps.

A présent, la bonne attitude consiste à jeter à la poubelle les résultats de votre étude. Puisque pour vous il s'agissait plutôt de positionnement que de notoriété de marque, il faut repartir à zéro en utilisant le diagramme du processus de recherche (Figure 6.1). Ce dont vous avez besoin est de faire connaître votre produit à travers une campagne massive de notoriété. Oubliez toutes les autres résolutions et concentrez-vous sur le développement de la notoriété de votre produit.

Vos clients sont-ils satisfaits ?

Dans un certain sens, le marketing est quelque chose de très simple. Si les clients sont satisfaits, ils reviendront. Sinon, c'est *Bye bye !* Et étant donné qu'attirer de nouveaux clients coûte entre 4 à 20 fois plus que de retenir les actuels, vous ne pouvez pas vous le permettre. Ce qui signifie qu'en aucun cas vous ne pouvez les décevoir. C'est la raison pour laquelle il est essentiel pour tout professionnel du marketing de *mesurer le taux de satisfaction de la clientèle et de définir des objectifs.*

Cependant, on est loin de voir cette question susciter l'attention qu'elle mérite malgré tous les efforts développés par les soi-disant "experts" dont moi-même. Jusqu'à présent, la majorité des professionnels du marketing ne se préoccupent pas vraiment de cette question.

Je ne proteste pas, quoique… tout le monde proteste !

L'université du Michigan et l'association américaine de contrôle de qualité mènent, depuis quelques années, une étude sur 28 000 consommateurs. Cette étude cherche à mesurer le taux de satisfaction du consommateur sur une vaste échelle de services et industries aux Etats-Unis. Les dernières données disponibles, 1995-1996, révèlent un manque de progrès considérable. Le consommateur moyen est mécontent quant à la qualité de bon nombre de services : les restaurants, les compagnies aériennes et les médias. De façon générale, les services sont considérés comme étant 2 % moins performants au niveau de l'accueil clientèle que l'année précédente. Sur 206 entreprises analysées, seulement un tiers a amélioré la qualité de ses services. Et seulement 7 % des entreprises ont fait des efforts considérables (4 % ou plus).

Si vous travaillez pour une de ces entreprises (deux tiers) dont le service au consommateur ne s'est pas amélioré, il va falloir s'y mettre ! Rien de tel pour se mettre à l'œuvre que des statistiques mesurant le taux de satisfaction du consommateur. Une fois que ces statistiques auront été diffusées au sein de l'entreprise, il ne sera plus possible d'ignorer cette question.

Néanmoins, bon nombre de ces mesures sont élaborées de façon à déguiser l'insatisfaction de la clientèle et à éluder le vrai problème. Cette tactique revient au même qu'évaluer le confort d'un matelas en posant dessus un édredon confortable et en mesurant ensuite le niveau de confort.

Par exemple, toute étude basée sur une évaluation qui demande au consommateur de mesurer son taux de satisfaction en termes généraux, sur une échelle allant de 1 à 10, n'est pas très utile. Que signifie un résultat de 8,76 ? Bien sûr, c'est un très bon résultat mais est-ce que cela signifie pour autant qu'il soit satisfait ? Comment le savoir puisque vous ne lui avez pas vraiment posé la question ! Pire encore, vous ne lui avez pas demandé s'il était *plus* ou *moins* satisfait qu'auparavant. Ou s'il était *moins* satisfait des produits/ entreprises concurrents(es) que de vos produits.

Le taux de satisfaction du consommateur est un facteur dynamique qui change à chaque interaction entre celui-ci et le produit. C'est un facteur en perpétuel mouvement. Il convient donc de s'assurer, lorsqu'on mesure sa position sur le marché, qu'on le fait par rapport aux attentes du consommateur et aux performances de la concurrence. *Ce taux de satisfaction doit être élevé non seulement par rapport aux attentes du consommateur mais aussi par rapport aux performances de la concurrence.* Assurez-vous aussi que vos questions sont suffisamment directes. Cela vous permettra de connaître votre position par rapport aux normes du consommateur. Ci-dessous, vous trouverez quelques exemples de ce type de questions.

---

1. **Quel est actuellement le meilleur produit (ou la meilleure entreprise) sur le marché ?**

   (Proposez une série de réponses parmi lesquelles il faudra en choisir une et ajoutez une case blanche "Autres".)

2. **Notez votre produit par rapport aux produits concurrents :**

Pire			Semblable			Meilleur
1	2	3	4	5	6	7

3. **Notez votre produit par rapport à vos attentes :**

Pire			Semblable			Meilleur
1	2	3	4	5	6	7

Il peut également être utile d'analyser les *principaux facteurs* de satisfaction du consommateur (une liste de facteurs peut être obtenue à partir d'entretiens de groupe ou de discussions informelles avec le consommateur). Vous trouverez ci-après un exemple de questionnaire pour un service de coursiers.

1. **Notez "Livraison Express" sur la vitesse de livraison par rapport aux entreprises concurrentes.**

2. **Notez "Livraison Express" sur sa fiabilité par rapport aux concurrents.**

3. **Notez "Livraison Express" sur la facilité d'emploi par rapport aux concurrents.**

4. **Notez "Livraison Express" sur son amabilité par rapport aux concurrents.**

Nous avons choisi de terminer ce chapitre par l'évaluation du taux de satisfaction du consommateur, parce que ce facteur est l'objectif principal de toute activité marketing. Cependant, lorsqu'on réalise des études, on a tendance à l'oublier. Il est clair que pour concevoir un plan d'action marketing ou diagnostiquer un problème particulier, vous aurez besoin de connaissances sur de nombreux autres sujets. Pourtant, tout ce que vous aurez appris ne vous sera pas utile s'il n'y a pas de liens avec l'objectif principal. Même si vous décidez de faire des études sur d'autres sujets, n'oubliez jamais que la satisfaction du consommateur est le test final de réussite de tout plan d'action marketing.

Troisième partie

Utiliser les éléments d'un plan d'action marketing

"A propos, qui est l'imbécile qui a décidé qu'on devait utilisé un acronyme ?"

Dans cette partie...

Toutes les analyses et stratégies sont dépourvues de sens à moins de les mettre en pratique. Dans cette partie, vous allez apprendre à utiliser les différents éléments d'un plan d'action marketing pour attirer de nouveaux clients et retenir les clients actuels.

Les choix sont nombreux et variés – Dieu merci ! – parce que la tâche est loin d'être simple ! Utilisez maintenant vos connaissances pour développer ou améliorer vos produits, pour fixer les prix, pour les positionner correctement et pour leur faire acquérir de la notoriété.

N'oubliez jamais qu'il existe des centaines de façons de communiquer avec le consommateur et des dizaines de façons de le convaincre. Pensez par exemple à : Internet, le publipostage ou mailing, la vente directe, la publicité sous toutes ses formes - à la télévision, à la radio, sur des affiches, dans les bus. Bref, tout ce dont vous avez besoin pour communiquer.

La même chose est valable en ce qui concerne les événements, les salons professionnels, les concours, les cadeaux promotionnels, les promotions spéciales, etc. Faites le nécessaire pour vendre vos produits et satisfaire le consommateur. Vous ne trouverez pas un menu aussi riche ailleurs – il ne vous reste plus qu'à lire cette troisième partie !

Chapitre 7
Marketing sur Internet

Dans ce chapitre :

Vous servir d'Internet comme d'un outil de votre plan d'action marketing.

Concevoir des pages Web.

Utiliser la publicité interactive.

Faire du marketing direct sur Internet.

Publier sur Internet.

*U*ne question qui revient souvent est de savoir comment faire du marketing sur Internet. Cette question m'a été posée si souvent pendant la rédaction de ce livre que j'ai décidé de laisser de côté toutes les règles classiques de marketing et d'aborder le sujet sans tarder. Avant même d'approfondir les aspects traditionnels d'un plan d'action marketing.

Internet et le Web contribuent à la création d'un merveilleux outil souvent délaissé pour le marketing direct. La plupart des gens ont déjà été en contact avec les médias électroniques (on en voit partout). Mais il est rare de rencontrer quelqu'un qui fasse des bénéfices sur le Web. Cela ne veut pas dire pour autant que ce ne soit pas possible. Internet, comme tous les moyens de communication de masse, possède un énorme potentiel pour les professionnels du marketing. Cependant, la plupart des gens sont un peu perdus lorsqu'ils sont confrontés à un nouveau moyen de communication. C'est pour cela que j'ai effectué des recherches considérables et consacré beaucoup de temps à l'élaboration de ce chapitre. Espérons que sa lecture vous évitera d'être pris dans la toile (Web) comme une vulgaire mouche !

Malheureusement, je crains que ce chapitre ne devienne très rapidement obsolète. L'évolution des médias électroniques est tellement rapide que chaque semaine nous offre une nouvelle découverte ou une nouvelle technique de marketing. Un conseil : pour être toujours à la pointe de l'actualité, abonnez-vous à *Net Marketing*. *Advertising Age* lance cette nouvelle publication au moment même de la parution de ce livre. Contactez-les (220 E. 42nd Street, New York, NY 10017) pour connaître les conditions d'abonnement. Pour l'instant, il s'agit d'un service gratuit pour les abonnés, mais cela risque de changer si cette nouvelle publication réussit à se faire une place sur le marché.

Ça va être géant !

Si vous additionnez la somme dépensée mondialement en publicité en ligne (sites Internet, courrier électronique E-mail et autres services) pour 1996, vous obtiendrez un montant d'environ 275 millions de dollars. Plutôt impressionnant quand on pense qu'il s'agit d'un nouveau moyen de communication ! Mais ce chiffre devient presque insignifiant quand on considère les milliards dépensés dans le monde entier en d'autres moyens de communication.

Cependant, lorsqu'on examine une année en prenant chaque trimestre séparément, on se retrouve devant un fait extraordinaire. Les dépenses de publicité en ligne sont d'abord modérées : 30 millions de dollars pour le premier trimestre de l'année. Ce chiffre augmente de 40 % au cours du deuxième trimestre et de 30 % dans les troisième et quatrième trimestres. En 1997, le taux de croissance a baissé pendant une courte période mais s'est stabilisé aux alentours de 10 % par trimestre. C'est tout de même incroyable. On assiste à la naissance d'un nouveau média. On peut donc facilement prévoir que les dépenses en publicité pour ce seul moyen de communication atteindront sans peine plusieurs milliards de dollars d'ici à la fin du siècle !

L'esprit d'entreprise et le Web

Supposons que vous disposiez d'un produit fabuleux mais que vous n'ayez pas accès aux circuits de distribution classiques. Vous pouvez alors faire appel au marketing direct pour trouver vos propres clients. Mais que faire si vous n'avez pas assez de moyens ou d'expérience pour lancer une campagne de publipostage à grande échelle ou de publicités à coupon-réponse (des publicités dont le but est de déclencher des ventes ou demandes immédiates) soutenues par un centre d'appels (conçu pour traiter des commandes téléphoniques) ? Dans ce cas précis, Internet peut devenir une solution moins onéreuse. Vous pouvez concevoir votre propre page Web et commencer à vous faire une clientèle avec peu de moyens. C'est une solution qui *a des chances* de marcher.

Une des premières histoires à succès sur le Web est celle de l'écrivain Nan McCarthy qui a publié un livre à compte d'auteur et l'a vendu directement à travers Internet. Le livre s'appelle "Chat" ("Papoter" en anglais) et parle de personnes qui passent leur vie à surfer sur Internet. Il raconte une histoire d'amour par courrier électronique. On peut donc facilement penser qu'il attire plus spécialement les fans d'Internet. L'histoire a commencé quand Nan McCarthy a décidé d'écrire une lettre drôle au comique Dave Barry. Ce dernier lui a répondu, et plusieurs forums de discussion ont demandé à publier cette correspondance. A partir de là, Mme McCarthy a été contactée par un éditeur (un vrai !) et a pu publier son deuxième livre. Lorsque celui-ci est sorti, l'écrivain a décidé d'envoyer un mailing à tous ceux qui avaient visité son site Internet : elle a eu 70 % de réponses positives. Pas si mal !

Cependant, il faut remettre les choses en perspective. Mme McCarthy a déclaré avoir vendu plus de 2 000 exemplaires de son premier livre sur Internet. Bien sûr, c'est mieux que de se retrouver avec des cartons entiers sur les bras, mais ce chiffre reste bien au-dessous de ceux qui auraient pu être réalisés par un éditeur à travers les canaux de distribution courants – librairies, clubs de livres et publipostage.

En conclusion, on peut se servir d'Internet pour trouver des clients lorsqu'on ne possède pas beaucoup de moyens. Mais ce n'est pas encore un moyen assez puissant pour remplacer un plan d'action marketing bien conçu qui utilise plusieurs médias et canaux de distribution.

Une des raisons pour lesquelles la publicité en ligne s'est développée en 1996 est l'élaboration de normes pour les annonceurs. Les normes sont un bon outil de travail pour la vente et l'achat d'espace publicitaire et de temps de publicité sur les médias électroniques. Par exemple, un accord général a été trouvé pour huit sortes de titres différents sur les publicités en ligne qui devraient simplifier leur production et leur présentation. (Si ces normes deviennent officielles, restez en ligne !). Si vous travaillez dans la conception de pages Web ou autres types de publicité en ligne vous vous rendrez compte que ces normes vous seront très utiles. Vous pourrez être à l'unisson avec le monde du Web, et vos publicités ne rencontreront pas de problèmes de taille. Ce n'est pas très compliqué : pensez simplement à demander à quelqu'un qui vend de l'espace publicitaire sur le Web de vous fournir les conditions requises. Au fur et à mesure que ces normes seront adoptées, vous vous rendrez compte que les conditions se généralisent de plus en plus et que les caractéristiques techniques d'une publicité conçue pour une page Web ou un service en ligne serviront à d'autres publicités sans subir de changements. C'est très pratique !

 Pour être au courant de ce qui se fait dans l'univers de la publicité en ligne, il faudrait se renseigner régulièrement auprès d'experts dans le domaine et de gens du métier. Le Web subit sans cesse des changements et c'est, en partie, ce qui le rend si intéressant. Vous apprendrez beaucoup rien qu'en explorant régulièrement le Web (essayez, par exemple, d'utiliser le mot clé : Etudes de marketing et publicité). Contactez le site http://www2000.ogsm.vanderbilt.edu. Vous trouverez une étude très complète et régulièrement actualisée sur le sujet, intitulée : "Programme de recherche sur le marketing dans un environnement informatique".

Elargir vos services à travers le Web

La façon la plus simple de tirer avantage du Web est vraisemblablement de l'utiliser pour l'acquisition de prospects au moyen de publicité directe. La publicité directe est ce que vous faites lorsque, en tant que professionnel du marketing, vous cherchez à créer et à gérer à distance des transactions avec le consommateur au moyen d'un ou de plusieurs médias. En d'autres mots, c'est la recherche individuelle de clients au moyen des médias. La publicité écrite, le publipostage et la publicité par téléphone seront traités plus loin dans ce chapitre.

L'objectif de la publicité directe est de faire en sorte que vous soyez contacté par des clients potentiels de façon à pouvoir les intégrer dans votre base de données et à établir ainsi une relation commerciale. Le Web est un moyen de communication qui devient de plus en plus intéressant pour réaliser ces actions. Le Web et les pages Web deviendront bientôt sans doute un des moyens les moins onéreux de faire de la publicité directe si on tient compte du coût par réponse.

Deux facteurs nous disent pourquoi (sans compter avec la croissance évidente du nombre d'utilisateurs) :

- **La structure des coûts de l'espace publicitaire sur le Web est différente de celle des autres médias.**

  Vous pouvez créer votre propre page Web (l'équivalent d'un stand d'information sur vos activités) ou bien distribuer une *publication virtuelle* (une version électronique d'un magazine ou d'un bulletin) sur le Web. Vous attirerez des clients potentiels à condition d'avoir un message intéressant à faire passer. Les frais de publicité sont radicalement différents de ceux des autres médias, puisqu'il s'agit de ce que les comptables appellent *frais fixes*. C'est-à-dire des frais qui ne varient pas en fonction de l'utilisation. Bien sûr, vous devrez payer le dessinateur ou l'informaticien qui vous aidera à créer votre page Web ainsi que votre abonnement à Internet, mais il s'agit néanmoins de frais fixes. Ils n'augmenteront pas avec l'accroissement de votre lectorat, et, au fur et à mesure que le nombre de lecteurs augmentera, vos frais par lecteur diminueront !

  Comparez maintenant ces frais avec des frais de publicité d'autres médias où les *frais variables* sont beaucoup plus importants que les frais fixes. Vous devez payer, par exemple, pour chaque lecteur d'un magazine, pour chaque nom sur une liste de publipostage, etc. Evidemment, les frais de production d'une annonce publicitaire ou d'une liste de publipostage sont des investissements fixes, mais il faudra leur ajouter des investissements variables significatifs. Autrement dit, vos frais ne diminueront pas aussi vite que le volume augmentera. Le Web est le seul moyen de gérer efficacement ces frais (parce que vous n'aurez pas plus de frais au fur et à mesure que le nombre de vos clients augmentera !). Ce qui signifie que le Web deviendra le moyen le moins cher d'élargir vos activités à travers la publicité directe. Le choix d'un média est toujours basé sur les frais et la diffusion dont il bénéficie. L'avantage du Web est un avantage économique si vous savez vous en servir de façon intelligente.

- **Il y a plus d'espace publicitaire sur le Web que ce dont vous aurez besoin.**

  L'avantage de cette grille de prix s'applique d'abord à tous ceux qui veulent créer (ou faire créer) une page Web, mais également à tous ceux qui souhaitent acheter de l'espace publicitaire sur d'autres sites. Le principal avantage de cette stratégie consiste à vous faire profiter de la popularité existante de ces sites. De la même façon que lorsque vous annoncez sur d'autres médias pour atteindre le spectateur, l'auditeur ou le lecteur. Comme dans tous les autres médias, les prix de l'espace publicitaire sur Internet sont calculés par rapport à l'audition qu'ils sont susceptibles d'obtenir. Vous paierez donc un prix assez élevé pour une bannière sur un écran principal d'AOL, étant donné le nombre de visiteurs.

  La croissance rapide du Web signifie certainement, du moins dans les années à venir, qu'il y aura plus d'espace publicitaire disponible que d'annonceurs. Restez donc attentif : vous pourrez faire des bonnes affaires !

Si vous n'êtes pas très à l'aise dans ce domaine, il est peut-être utile de consulter un spécialiste en la matière. Une agence de publicité ou un bureau spécialisé dans l'achat d'espace publicitaire possédant un peu d'expérience sur Internet saura vous aider. D'ailleurs, ce genre d'agences spécialisées poussent comme des champignons ces derniers temps.

Conception de bannières et de pages Web

Une bannière-annonce (des rectangles aux couleurs vives en haut d'une page Web) est l'équivalent sur le Web d'une annonce publicitaire dans la presse écrite ou d'une affiche. Les bannières doivent être conçues comme des affiches, c'est-à-dire proposer un message court, clair et attrayant, étant donné que les lecteurs n'ont probablement pas envie de lire un texte aussi long que sur une annonce dans la presse écrite. Une simple accroche accompagnée éventuellement d'un logo et d'un petit texte est largement suffisante. Une autre solution consiste à mettre le nom de la marque et une petite illustration. Dans les deux cas, l'annonce doit être simple et audacieuse de façon à attirer l'attention du lecteur. Mais ne comptez pas trop sur une bannière-annonce !

Si vous décidez d'utiliser le Web pour faire de la publicité directe, faites en sorte que l'annonce incite à l'action. La plupart des bannières Web ne fournissent pas suffisamment d'information sur le produit pour inciter à l'action. Elles ne facilitent pas non plus le passage à l'action. Dans le meilleur des cas, leur fonction se limite à faire accroître la notoriété d'une marque.

Comment concevoir une page Web : un entretien avec Arthur Torres

Il y a un monde entre les bons et les mauvais sites Internet et, évidemment, vous voulez que le vôtre soit considéré comme bon. Mais qu'est-ce qui fait leur différence ? Etant donné qu'il s'agit d'un média si nouveau, j'ai décidé de poser quelques questions à un concepteur expérimenté de pages Web. Vous trouverez ci-dessous la liste de ce qu'il faut faire et de ce qu'il ne faut pas faire selon Arthur Torres.

- Ne vous en chargez pas vous-même à moins de posséder une certaine dose d'expérience. Votre annonce ou page va être lue par des milliers de lecteurs. C'est donc votre intérêt que de créer quelque chose de bien. S'il s'agissait d'un spot publicitaire, vous le confieriez certainement à des professionnels, mais un grand nombre de personnes insistent en concevoir elles-mêmes leur site Internet.

- Proposez de l'information palpable et intéressante. Les visites à votre site doivent être utiles. Je suis premièrement un concepteur et deuxièmement un concepteur de pages Web ; les aspects techniques m'intéressent donc moins que le contenu de la page (les images et l'information). Même si le site doit fonctionner correctement d'un point de vue technique, cela ne suffit pas à sa réussite. Assurez-vous de la qualité du contenu et de sa présentation.

- N'imitez pas les sites à succès. Ce qui marche pour un site déterminé ne marchera pas forcément pour un autre. L'image et le contenu d'un site dépendent de son propriétaire. Un site consacré à un groupe de rock devrait comporter quelques-unes de ses chansons. C'est une information spécifique qui correspond à ce site mais qui n'intéresse pas forcément tout le monde. Un jeune acteur, par exemple, pourra y inclure des bandes vidéo de ses prestations. Un chantier de scierie pourrait proposer une liste de prix codifiés, étant donné que le prix varie en fonction du client. Les détaillants devraient signaler les promotions afin de pouvoir écouler leurs stocks.

- Insérez un lien avec votre courrier électronique de façon que l'on puisse vous contacter. Personnellement, je ne vois pas le Web comme un énorme marché. La plupart du temps on s'en sert pour trouver de l'information et, même, si le Web peut être considéré comme un hypermarché électronique, la plupart des gens préfèrent chercher directement et ensuite appeler ou se déplacer. Assurez-vous qu'on peut vous contacter facilement, sinon vous risquez de perdre beaucoup de clients.

- Insérez des *balises Meta*. Les balises Meta sont des chaînes de mots clés insérées dans les codes de logiciel. Vous pouvez utiliser des centaines de balises et, lorsque votre site est connecté à un serveur, le logiciel de navigation sera en mesure de les reconnaître et d'aller directement sur votre site.

- Limitez les liens avec d'autres sites. Il existe des sites comportant une quantité de liens impressionnante mais, en ce qui concerne le marketing, vous avez intérêt à limiter le nombre de "sorties" vers les options les plus utiles. Ces liens doivent donc être placés à la fin d'un texte pour éviter que vos lecteurs n'aillent voir ailleurs sans avoir eu le temps de visiter votre site. Si vous étiez chargé de la conception d'un magasin, vous ne mettriez pas non plus des sorties partout. Il est nécessaire de gérer la fréquentation de votre site.

La bannière d'une page Web n'est qu'une présentation publicitaire de haute technologie. Ce qui signifie que les règles à appliquer sont (ou devraient être) les mêmes que celles qui président à la conception d'une annonce publicitaire. Voyez le Chapitre 5 pour la démarche à suivre. Si vous êtes actif dans le domaine de la publicité directe (voir Chapitre 18 pour des suggestions), assurez-vous d'inclure plusieurs options de façon à pouvoir être facilement contacté par vos prospects. Donnez votre adresse électronique et incluez également un bouton ou un clic ayant un lien direct avec votre page Web. Même si vous ne disposez pas d'un site Internet régulièrement mis à jour, vous devriez proposer un *formulaire électronique* (une feuille constituée de cases à cocher) de façon que l'on puisse passer des commandes ou demander de l'information. En dernier lieu, n'oubliez pas d'indiquer votre adresse et vos numéros de téléphone et de télécopie pour tous ceux qui préfèrent les moyens de communication traditionnels.

N'oubliez pas d'*essayer* de réaliser une vente. Si votre produit est cher et complexe, la plupart des clients trouveront plus pratique de passer commande tout de suite au lieu d'attendre vos instructions. Il est donc important de leur laisser cette possibilité ! De nombreuses annonces sur le Web agissent comme des barrières entre vous et le consommateur désireux d'acquérir le produit alors qu'il est tellement facile d'éviter cette erreur.

Publicité interactive sur votre page Web

La *publicité interactive* est une forme de publicité qui incite le public à participer de façon créative, amusante ou éducative. C'est une forme de publicité peu usuelle : la plupart des publicités sont conçues pour être lues ou vues, pas pour être utilisées comme un jouet. Cependant la conception de publicités interactives est une réalité qui fait partie du Web puisque, de toute façon, le public est déjà face à son micro et dispose d'un clavier et d'une souris. La publicité sur Internet rend possible une forme de communication active, et non plus passive, avec le consommateur.

Coloriez-moi !

La meilleure façon de vous convaincre du potentiel de la publicité interactive est de fournir un exemple d'une publicité réussie sur Internet. La marque Crayola (une marque de crayons) a introduit une publicité interactive sur sa page Web. Cette publicité ciblait les ménages ayant des enfants, et sa conception est résolument innovatrice : l'organisation d'un concours de coloriage destiné aux parents et présidé par les enfants. Les juges eux-mêmes (les enfants) avaient également leur propre concours. Le vainqueur du concours, appelé "Big Kid Challenge", recevait la valeur de 25 000 dollars en argent et en or. Pas mal pour du coloriage !

> Le concours a connu un énorme succès et la page Web de Crayola a été visitée par un large public. D'autres options sur ce site expliquent le procédé de fabrication des crayons ou la meilleure manière d'enlever des taches de crayon.
>
> Ce site vaut la peine d'être visité (http://www.crayola.com) non pas pour le concours mais pour voir ce qui s'y fait. Cela sera certainement différent, puisqu'un des avantages des promotions sur le Web est qu'on peut sans cesse les renouveler. Le temps et les coûts de développement sont relativement bon marché en comparaison avec ceux d'autres médias (voir Chapitre 12).

Contrôlez la qualité de votre page Web

Voilà, vous avez une page Web impeccable (grâce à votre savoir-faire ou aux talents d'un concepteur). Maintenant il s'agit de savoir si elle est visitée et si elle fonctionne efficacement. Est-ce que les fichiers graphiques sont tellement longs à télécharger que les gens laissent tomber ? Ce genre d'information est essentiel pour évaluer et améliorer votre site.

Une façon de vérifier si votre page Web nécessite des améliorations consiste à vous adresser à un service d'évaluation gratuit (http://www2.imagiware.com// RxHTML). Les logiciels de cette entreprise sont conçus pour tester des pages Web, et ils seront ravis de tester la vôtre. Une des caractéristiques les plus utiles est, à mon avis, la *vérification de liens* qui permet de s'assurer de la qualité de ce qu'on ne voit pas. Il vaut mieux expliquer sans tarder la signification de ce terme, car vous en aurez besoin pour faire du marketing sur Internet. La vérification de liens (les liens sont des connexions informatiques qui permettent aux utilisateurs d'accéder à votre site) contrôle les liens de votre site vers d'autres sites. Le logiciel vérifie les erreurs d'orthographe ainsi que les erreurs de syntaxe. Et une analyse de l'image permet de déterminer la durée de téléchargement d'un fichier.

Ce que les statistiques de ces services d'évaluation sont incapables de nous dire, c'est si une page est trop agressive ou dissimule mal ses intentions d'obtention d'informations sur les utilisateurs. Ces résolutions peuvent parfois conduire à des procès, étant donné qu'il n'y a toujours pas de réglementation et que les grands groupes industriels discutent encore de ce qui est acceptable ou non. Pour l'instant, tenez-vous au courant des nouvelles réglementations et essayez d'agir de façon à ne pas blesser les susceptibilités. Un test classique d'éthique consiste à vous demander si vous seriez gêné si le journal local publiait un article sur vos activités.

Soyez particulièrement prudent si votre site est visité par des enfants. Ne confondez pas le contenu d'une annonce avec le contenu rédactionnel : vous ne voulez tout de même pas être accusé de tromper des enfants ! N'utilisez pas non plus les enfants pour obtenir des informations que leurs parents ne souhaiteraient pas vous confier. Ces pratiques ont d'ores et déjà engendré de la publicité négative. C'est une des raisons pour lesquelles les organismes compétents essaient de mettre au point des normes pour les publicités sur Internet destinées aux enfants.

Faites connaissance avec le public

Chaque fois qu'une personne visite un site Internet, elle démontre de l'intérêt pour vous et pour vos produits (ou elle s'y trouve par hasard, ce qui malheureusement arrive fréquemment !). Or, si elle s'intéresse à vous, elle est forcément intéressante pour vous. Assurez-vous donc que, quoi que vous fassiez, vous aurez accès aux informations concernant vos visiteurs.

Une entreprise de services devrait être en mesure de recueillir des informations sur les personnes visitant votre site. Sinon, faites appel à des services spécialisés.

Publier sur le Web : une occasion unique

Lorsqu'on surfe sur le Web, on est souvent déçu par le contenu. Les publications sur le Web sont encore une affaire d'amateurs. Mais en quoi cela peut-il intéresser un professionnel du marketing ? C'est simple : la publication sur le Web – la diffusion ou création de matériel didactique ou amusant qui intéresse beaucoup de gens – est essentielle à sa reconnaissance et valorisation par les annonceurs. La possibilité de publier sur le Web est un aspect intéressant qui attire un grand public. Et si le Web parvient à attirer le public, vous aussi vous pouvez l'attirer et en profiter pour faire passer votre message. Tout comme la presse, dont chacun sait que c'est le contenu rédactionnel qui détermine le nombre d'exemplaires vendus. Mais, pour l'instant, la plupart des pionniers d'Internet sont des professionnels du marketing. C'est une bonne chose ! Il est toujours agréable de voir que nos confrères sont sur le devant de la scène. Par contre, on peut constater que les professionnels du marketing ne font pas autant d'efforts pour développer un contenu attractif qu'ils le font pour créer ou vendre de l'espace publicitaire.

La plupart des sites Internet se résument à des promotions gigantesques ou à de la publicité interactive. Et, au bout d'un certain temps, même les annonces les mieux conçues finissent par lasser. Il faut réfléchir comme un éditeur et non pas comme un annonceur pour faire en sorte que les utilisateurs passent plus de temps sur votre site et qu'ils aient envie d'y retourner. Rédigez et diffusez des articles fascinants et actualisez-les régulièrement. Vous pouvez même aller jusqu'à les diffuser (sous forme de magazine virtuel) et devancer les utilisateurs d'Internet. Elaborez une liste de distribution d'adresses électroniques pour diffuser vos articles (et des publicités) et envoyez-les. L'édition est un domaine inconnu pour la plupart des professionnels du marketing, mais c'est un domaine qui leur convient parfaitement lorsqu'il s'agit de marketing sur Internet.

Jouez à l'éditeur pour élargir votre champ d'action sur Internet

Imaginez un monde dans lequel publier un livre et le vendre en librairie serait tellement facile que chacun voudrait publier. Que se passerait-il en ce qui concerne la qualité de ces manuscrits ? Ne cherchez pas plus loin, c'est ce qui se passe sur Internet. C'est la raison pour laquelle un grand nombre d'utilisateurs sélectionnent les informations contenues sur Internet, y compris des messages marketing qu'on souhaitera transmettre.

C'est là que réside tout le problème d'Internet : les obstacles sont tellement faciles à surmonter que chacun peut y mettre ce qu'il veut. En conséquence, le contenu laisse à désirer.

Lorsque vous n'arrivez pas à cerner un problème avec un moyen de communication, essayez toujours de le détourner et de le transformer en une *circonstance favorable*. Du moins, c'est ce qu'affirme Michael Dortch. Il publie actuellement une colonne électronique sur Internet, et sait attirer et retenir de nouveaux lecteurs en écrivant sur des sujets intéressants. Il écrit sur des sujets qu'il aime, et les contacts qu'il établit à travers son bulletin deviendront peut-être, un jour, des clients. Une autre façon d'établir des contacts est de créer un bulletin Web. C'est une formule efficace pour faire revenir les lecteurs sur un site et établir les liens "électroniques" que tout le monde rêve d'avoir.

Michael Dortch, un vieux renard de l'informatique qui a travaillé pour de nombreux géants de la branche, est actuellement consultant dans le domaine des stratégies de marketing et de communication sur Internet. C'est également un auteur et un journaliste expérimenté capable d'écrire des articles informatifs et intéressants. Et, bonne nouvelle, lorsque le contenu diffusé sur Internet est de qualité, il se détache du lot. *Un contenu de qualité est en mesure d'attirer et de retenir les lecteurs.*

Lorsque l'aspect de nouveauté d'Internet sera passé, la plupart d'entre nous réaliseront que ce moyen de communication ne diffère pas tellement des autres. Les mêmes règles s'appliquent :

> *Il faut avoir un contenu amusant pour parvenir à attirer des lecteurs vers un site !*

Une technologie performante et des images piquant la curiosité attirent des lecteurs vers un site, mais ce qui les retient est le contenu. Personne ne diffuse des vidéos amateur à la télévision pour faire de l'audience. Mais, actuellement, la plupart des entreprises et particuliers qui font de la promotion sur le Web ne semblent pas réaliser combien il est important de proposer un contenu de qualité sans cesse renouvelé. Et c'est là qu'il y a une opportunité. Faites comme Dortch : cherchez, écrivez et diffusez un contenu de qualité sous une forme conviviale. Vous verrez, vous aurez du monde sur votre site !

Mais comment appliquer cette stratégie ? Avant tout, il faut *changer* de contenu. Une grande partie de l'information que vous pouvez diffuser sur Internet perd de son actualité très rapidement. Exactement comme les journaux de la veille. Vous êtes essentiellement un éditeur qui diffuse un périodique. Peu importe que ce soit par Internet. Il s'agit du contenu, pas du moyen de communication ! Votre message doit se suffire à lui-même dans n'importe quel média ! Ne laissez donc pas de "vieilles" nouvelles sur votre site !

Ci-dessous, vous trouverez les recommandations de Michael Dortch concernant la rédaction d'une colonne, d'un bulletin ou simplement d'un texte capable d'attirer l'attention des lecteurs Internet. Elles ont été téléchargées à partir d'Internet avec l'autorisation de l'auteur.

1. **Sujet et contenu.**
   Commencez par chercher sur le Web les sujets qui vous intéressent de façon à avoir une idée du contenu des articles existants. Vous pouvez également demander à vos proches quels sont les sujets qui les intéressent sur le Web et la presse écrite (s'il ne manque pas d'informations sur les sujets en question, vous pouvez aussi vous contenter de proposer des résumés sur tous ces articles).

2. **Présentation et format.**
   Si vous envisagez de diffuser votre publication seulement à travers le courrier électronique, un texte classique suffit largement. Cependant, il faut vérifier que ce dernier est concis, grammaticalement correct, sans fautes d'orthographe et, de façon générale, lisible. Tout cela en dehors du fait qu'il doit être également amusant.

3. **Distribution.**

   Si vous êtes abonné à un service en ligne, commencez par chercher, sur l'annuaire de ce service, les membres potentiellement intéressés par votre publication. Cherchez l'adresse électronique de l'auteur de chaque article que vous lirez. Envoyez une copie de vos articles aux auteurs de vos sources (une petite lettre d'accompagnement ne ferait pas de mal non plus). Lorsque les sources proviennent d'autres publications, en ligne ou autres, proposez des échanges d'abonnements.

4. **Suivi.**

   Ecrivez à vos premiers lecteurs en leur demandant de commenter votre publication. Informez régulièrement vos lecteurs sur les droits de propriété de votre liste de distribution (on ne le répète jamais assez !). Vérifiez, à chaque envoi, les adresses électroniques de vos lecteurs pour vous assurer que vos publications sont envoyées aux intéressés à l'adresse de leur choix. (Conseil + : la plupart des gens semblent avoir une préférence pour les courriers envoyés par une autre personne plutôt que par un serveur.)

5. **Tout ce qui en découle.**

   Préparez-vous à répondre à toutes sortes de demandes : des noms à ajouter à la liste de distribution, d'autres à enlever, autorisation d'utiliser vos écrits, des lettres de réclamation de lecteurs furieux, etc. Pour bien vous préparer, faites des lettres standard, une biographie, un CV, une liste de références, etc. Quoi qu'il en soit, *n'arrêtez jamais* de publier sans en donner la raison à vos lecteurs et sans vous excuser auprès d'eux.

   Si vous avez besoin d'aide pour mettre en œuvre ces règles, surtout n'hésitez pas à me contacter.

   Michael Dorch

AOL – MEDortch.

Compuserve – 76711.1500

Internet - medortch@aol.com

Fax : 415-386-9854, San Francisco, Californie.

Visites guidées de votre site Internet

Une nouvelle de dernière minute : Lucent Technologies (http://www.lucent.com/internet) vient juste de proposer un nouveau service. Il s'agit de la mise à disposition (contre paiement, évidemment !) d'un centre d'appels proposant la visite guidée de votre site. Le client clique sur un bouton pour se connecter à ce service où il est accueilli par un employé également connecté au site, qui répondra à toutes ses questions et prendra des commandes. Ce service peut devenir un outil de travail très intéressant aussi bien pour vous que pour vos clients.

Dans le Chapitre 18, vous trouverez plus d'informations sur la mise en place et la gestion d'un centre d'appels, mais il est fort possible qu'Internet dépasse un jour les quelque 60 000 centres d'appels existant actuellement en Amérique du Nord.

Chapitre 8
Publicité écrite

*L*a publicité écrite (tout message marketing sur support papier) est un domaine très vaste. La plupart des départements marketing consacrent une plus grande partie de leur budget à cette forme de publicité qu'à aucune autre. Seule exception : les grandes marques nationales ou internationales, qui font surtout de la publicité à la télévision. Mais pour la plupart des annonceurs locaux et régionaux, la presse est le plus souple et le plus efficace de tous les médias.

Si vous faites du marketing pour des produits ou services destinés à d'autres entreprises (business-to-business), vous choisirez probablement en premier lieu la presse professionnelle comme support publicitaire. Etant donné la quantité de magazines et journaux destinés aux professionnels, il s'agit sans doute du meilleur choix. Par ailleurs, vous vous rendrez compte qu'un grand nombre de campagnes de publipostage direct sont basées sur des listes fournies par des magazines. Il est relativement facile de rassembler sous la même bannière une campagne de publicité et une campagne de publipostage direct (l'acquisition de listes et leur gestion sont décrites en détail au Chapitre 18).

La publicité écrite sur support papier s'intègre parfaitement avec d'autres formes de communication marketing. Des dépliants et autres matériels de support de vente (qui peuvent être considérés comme une forme de publicité) peuvent être utilisées comme matériel de support de la vente directe (voir Chapitre 17) ou du télémarketing (voir Chapitre 18). De la même façon, une publicité dans un magazine peut créer des liens avec le marketing direct (voir Chapitre 18). Les publicités imprimées sont efficaces pour annoncer des ventes promotionnelles ou pour distribuer des bons de réduction (voir Chapitre 13). En dernier lieu, je conseille souvent à mes clients de développer d'abord leurs publicités imprimées et d'adapter ensuite leur argument de vente (voir Chapitre 5) aux autres médias. La publicité écrite est bien souvent le meilleur choix, en tant que moyen de communication primaire lorsqu'il s'agit de marketing local ou de business-to-business (le moyen de communication par excellence des marchés de consommateurs nationaux est la télévision). Il est très important de commencer par la conception de votre publicité écrite lorsque celle-ci est la pierre angulaire de votre plan d'action. Une fois cette phase terminée, il devient possible d'intégrer d'autres formes de publicité à votre campagne de presse.

Bon nombre de professionnels du marketing démarrent leur campagne de presse en créant des publicités destinées aux magazines ou au journaux, et c'est à partir de là qu'ils travaillent leur argument de vente et leurs modèles de présentation pour d'autres formes de publicité.

Plusieurs formes de publicité telles que les dépliants, *feuilles à déchirer* (calendriers, descriptions de produits sur une page), affiches pour panneaux publicitaires, lettres de marketing direct, utilisent les éléments de base d'une publicité écrite sur support papier : un bon texte et un bon graphisme précédés d'une bonne accroche. C'est la raison pour laquelle la maîtrise de ce type de publicité est une partie essentielle des connaissances de base de tout professionnel du marketing. Vous trouverez dans ce chapitre les règles de base sur ce sujet.

Anatomie d'une publicité écrite

Avant d'expliquer comment créer des publicités fantastiques, il faut d'abord en *disséquer* une. Ci-dessous les principaux éléments d'une publicité écrite ainsi que leurs noms.

- **Titre** ou **accroche** : des gros caractères qui attirent d'emblée l'attention. Normalement, en début de texte.

- **Chapeau** : donne des détails supplémentaires sur le titre. Egalement en gros caractères, mais cependant moins gros que ceux du titre. Optionnel.

- **Corps de texte** ou **copy** : le texte principal. Caractères de taille normale équivalents de ceux qu'on trouve dans un livre ou magazine.

- **Graphisme** : une illustration porteuse d'un message. Peut être le centre de l'annonce (particulièrement lorsqu'il s'agit de montrer un produit) ou secondaire par rapport au texte. Egalement optionnel. Après tout, la plupart des annonces classées n'utilisent pas de graphisme. Elles sont, cependant, plus efficaces que d'autres formes d'annonces publicitaires par le simple fait que les gens les *recherchent*.

- **Légende** : texte attaché au graphisme pour mieux l'expliquer. Normalement placée sous l'illustration, mais elle peut également être mise sur le côté ou même sur l'illustration.

- **Marque déposée** : un symbole unique représentant la marque ou l'entreprise (comme le logo de Nike). Doit être brevetée (voir Chapitre 14).

- **Signature** : la version brevetée du nom de l'entreprise. La plupart du temps, les annonceurs utilisent un logo sur lequel figure le nom de la marque en caractères et style distinctifs. C'est l'équivalent écrit de l'identité visuelle de la marque.

- **Slogan** : un élément optionnel qui consiste (espérons-le) en une phrase courte évoquant l'esprit de la marque. Timberland, par exemple, utilise une série d'annonces imprimées avec le slogan suivant en bas à gauche de page : **Bottes, chaussures, vêtements, vent, eau, terre et ciel**. Ce slogan est placé au-dessous de la signature et du logo (présentés sur un morceau de cuir exactement comme sur leurs produits).

Ces éléments sont décrits sur la Figure 8.1 de façon à faciliter leur visualisation telle qu'elle apparaît sur une annonce publicitaire. Cette simple palette de conception d'une publicité écrite permet de nombreuses variations. Vous pouvez dire ou montrer ce que bon vous semble de façons très différentes. Regardons de plus près les choix qui nous sont proposés.

Assemblage des éléments : conception et présentation

La *conception* fait référence à l'apparence, au style et à l'esprit de l'annonce. C'est une notion esthétique ; il est donc difficile d'en donner une définition précise. Cependant, c'est une notion vitale car c'est grâce à la conception que l'argument de vente est matérialisé par une image sur papier (voir Chapitre 5 pour les techniques de développement de l'argument de vente). Concrètement, cela signifie que la conception doit résoudre le problème constant du professionnel du marketing : votre publicité n'intéresse personne. Raison pour laquelle la conception doit être en mesure d'*établir le contact* avec le lecteur, d'attirer son attention et de la retenir suffisamment longtemps pour transmettre le message et créer une association avec la marque dans l'esprit du consommateur.

Jay Schulberg, le directeur créatif de l'agence de publicité "Bozell Worldwide", a une vision très personnelle en ce qui concerne la conception de publicités. Selon lui, il s'agit d'une tâche créative dont l'objectif consiste à trouver "une façon créative de taper dans l'œil du public". Nombre de concepteurs pensent que, pour qu'une publicité soit attrayante et efficace, il faut fournir de l'information ou toute autre notion aussi ennuyeuse. Désolé, mais une bonne publicité doit ressortir de la page, établir le contact et taper à l'œil. Dans le monde désordonné de la publicité écrite, cet objectif de conception est le seul qui marche !

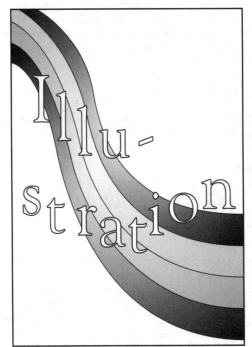

Figure 8.1 :
Les éléments
d'une
publicité
écrite.

Nike réalise ce concept dans une annonce publicitaire pour des chaussures appelées "Air Max", en utilisant une conception qui ressemble à un collage artisanal au lieu d'une publicité bien ficelée. L'annonce publicitaire 4-couleurs est essentiellement composée de noir et blanc ou, plus exactement, de gris (comme une photocopie) pour faire ressortir le blanc et lui donner une apparence artisanale. Le scotch transparent utilisé pour coller les mots et les illustrations à la page est nettement visible sur cette annonce, ce qui renforce l'impression d'un travail fait à la main.

Des chaussures pour les requins

La conception de l'annonce publicitaire pour "Air Max" de Nike utilise une nouvelle forme de présentation. La *présentation* est la façon dont les éléments décrits ci-dessus sont disposés dans le texte. Dans cette présentation, le regard du lecteur se fixe d'emblée sur le coin inférieur droit. C'est exactement *à l'opposé* de l'endroit où on commence à lire ! La conception est un outil capable de changer radicalement la notion de publicité écrite. Le point de départ pour le lecteur se situe, dans ce cas précis, sur le mot "REGARDEZ" écrit en majuscules rouges – les seuls caractères en rouge situés dans le coin inférieur droit. Le lecteur est obligé de tourner la page de 90° pour pouvoir lire "CECI EST :", qui le conduit finalement au nom du produit sur le coin supérieur droit : "AIR MAX". La chaussure est montrée à l'envers sur le côté droit de la page. Sa légende : "CECI N'EST PAS UN SOUVENIR". Cette conception a son propre style : une présentation artisanale, le texte qui commence sur le coin inférieur droit au lieu du coin supérieur gauche. Et c'est justement ce style que le concepteur a voulu associer au produit ! L'argument de vente de ce produit se veut rebelle, non conventionnel, avec un profil de combattant. Lorsque vous arrivez finalement au corps de texte (et la plupart des lecteurs iront jusque-là parce que cette publicité leur tape dans l'œil), la première ligne que vous lirez dit ceci : "Si nous faisions des cannes à pêche, vous nous verriez à des concours de pêche au requin." Et le corps de texte se termine de cette façon : "Mais nous faisons des chaussures pour les athlètes et c'est pour ça que nos associés sont des athlètes de haut niveau. Ainsi que tous ceux qui aiment se battre." Ce produit a une personnalité que la conception parvient à transmettre.

Conception d'un dépliant

Il est important de savoir comment réaliser un dépliant de qualité parce ce que c'est une des formes de publicité les plus populaires auprès de ceux qui font tout eux-mêmes. Vous pouvez réaliser un dépliant très correct à l'aide de votre traitement de texte, d'un logiciel graphique, d'une bonne imprimante laser et de la boutique de photocopie du coin.

Mais d'abord, une opinion personnelle que n'engage que l'auteur. Je considère que la plupart des dépliants sont une perte d'argent parce qu'ils ne réalisent aucun objectif marketing. Dans le meilleur des cas, ils sont agréables à regarder. Quoique... Avant de commencer, assurez-vous de bien connaître vos lecteurs, ce que son contenu peut leur apporter et par quel moyen ils vont le recevoir.

La plupart des professionnels du marketing commandent un dépliant sans avoir la moindre idée de l'objectif qu'il dessert. Ils pensent simplement que c'est une bonne idée. "On en a besoin pour les envoyer avec le courrier, pour que nos vendeurs puissent en avoir dans le coffre de leur voiture. Ou peut-être pour envoyer avec notre mailing-list ou pour les distribuer à l'occasion du prochain salon." Un dépliant destiné à autant d'emplois ne servira à rien. Ce sera juste un dépliant de plus, aussi ennuyeux que toutes les autres ! Son contenu se limitera à une description de l'entreprise ou du produit mais n'attirera pas particulièrement l'attention du lecteur.

Pour éviter cette invasion de dépliants, commencez par définir trois utilisations spécifiques du dépliant. Cependant, pas plus de trois, car la conception ne vous permettra pas d'atteindre effectivement plus de trois objectifs. En règle générale, un dépliant sert à :

- Présenter le produit et ses aspects techniques aux clients.

- Soutenir la vente directe en lui donnant de la crédibilité et en aidant à surmonter des objections éventuelles (voir le Chapitre 17 consacré à la vente).

- Générer des prospects potentiels au moyen de publipostage direct.

Supposons que le dépliant que vous voulez créer doive satisfaire ces trois objectifs. Premièrement, réfléchissez à l'élaboration du contenu. Quelles informations techniques et concernant le produit doivent être incluses ? Notez par écrit toutes les informations dont vous disposez ainsi que d'éventuelles illustrations de manière à avoir l'*argument de base* du dépliant.

Deuxièmement, établissez une liste *obstacles à la réalisation de la vente*, les raisons évoquées par les prospects pour ne pas acheter le produit. Etablissez la maquette du dépliant en fonction de ces objections. Comme si vous écoutiez vos clients et que vous ayez, pour chacune de leurs objections, la réponse appropriée. Vous pouvez créer des sous-titres du genre : "Notre produit ne requiert pas de service" ou toute affirmation du même genre pour permettre à votre force de vente et à vos clients d'écarter toute objection.

En dernier lieu, il faudra y ajouter un bon argument de vente (voir Chapitre 5) communiqué à travers une accroche puissante et quelques lignes de texte et, si possible, accompagné d'une illustration. Cet argument doit être inclus de façon que le dépliant devienne un outil de marketing à part entière lorsqu'il sera distribué aux prospects potentiels ou qu'un client le donnera à son tour à un autre client potentiel.

Il est important que les textes (et si possible les illustrations) soient élaborés spécifiquement pour répondre à *chacun* des trois usages auxquels le dépliant est destiné. L'argument de vente, avec son accroche alléchante, son texte et ses illustrations attrayants, sera placés au début du dépliant ou à l'extérieur de celui-ci lorsqu'il faut le plier pour envoi postal. Les obstacles à la réalisation de la vente seront mentionnés dans les sous-titres qui confèrent une structure au corps de texte dans les pages internes. L'argument de base, qui sert de référence, est incorporé dans le corps de texte et dans les illustrations. Si vous ne savez pas à quoi sert chaque partie du dépliant, cela signifie qu'il n'a pas été bien conçu. Vous avez dépensé du temps et de l'argent inutilement, car ce dépliant n'aura aucune utilité d'un point de vue marketing.

Dans la Figure 8.2 vous trouverez une maquette de dépliant ainsi que les dimensions requises pour les blocs de texte ou les illustrations. Evidemment, il existe plusieurs formats de dépliant, mais celui-ci a l'avantage d'être simple et peu onéreux. Le dépliant est imprimé sur une simple feuille de format A4 qui est alors pliée en trois et mise à l'intérieur d'une enveloppe. La présentation pose quelques problèmes mais rien d'insurmontable.

Le modèle de la Figure 8.2 est utile pour des publipostages directs visant les prospects potentiels, mais il peut également être utilisé dans la vente directe ou simplement distribué. Ce dépliant peut être réalisé à l'aide d'un simple logiciel de présentation, et imprimé et copié dans le magasin de photocopie du coin si un nombre élevé de copies ne se justifie pas.

Etapes de la conception

Les concepteurs d'annonces publicitaires font souvent plusieurs essais pour leurs publicités avant de choisir celle qui va finalement être développée. Un conseil : faites de même ou insistez pour que l'agence qui travaille pour vous le fasse. Plus votre choix de présentations est grand, plus grande est la possibilité d'avoir une "idée géniale" . Une de celles qui ne passent pas inaperçues ! Les croquis utilisés par les concepteurs pour décrire les concepts de présentation s'appellent *croquis sur le vif*. En règle générale, ce sont des petits croquis au crayon ou, plus récemment, réalisés à l'aide de logiciels tels que PageMaker ou Quark.

Les croquis sur le vif sont ensuite développés et deviennent des *brouillons* : des croquis en taille réelle comportant des titres et des sous-titres assez précis pour transmettre une police et un *style* particuliers. Ils comprennent également des croquis pour les illustrations. Le corps de texte est suggéré par des lignes (ou tout autre caractère si le croquis a été réalisé à l'aide d'un logiciel).

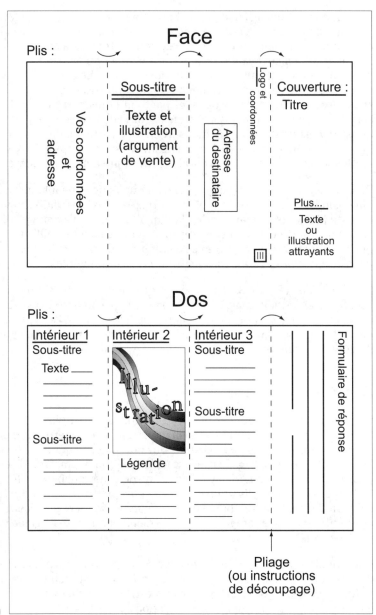

Figure 8.2 :
Une simple
présentation
pour une
brochure à
usages
multiples.

N'hésitez pas à demander à votre agence de vous montrer les brouillons. Cela évite les frais de développement avant la présentation. Si votre agence hésite à vous les montrer, insistez : une fois qu'ils auront compris que vous appréciez le processus créatif et que vous ne critiquez pas les brouillons parce que ce sont des brouillons, vous serez en mesure de les guider à travers ce processus.

Un croquis qui passe l'examen final est développé et devient une *composition*. Cette composition est très proche de la version finale de l'annonce, même si on utilise des collages ou des photocopies pour les illustrations.

Un *modèle* est une forme de composition qui simule non seulement l'aspect de l'annonce publicitaire, mais également la *réaction* qu'elle provoque. Toute annonce publicitaire devrait avoir une personnalité propre et, souvent, la meilleure personnalité pour une annonce publicitaire est celle du produit lui-même. Il est particulièrement important d'avoir des modèles lorsqu'il s'agit de dépliants ou d'annonces pour des magazines, pour lesquels le graphiste spécifie souvent le pliage et le type de papier à utiliser.

Les maquettes peuvent être envoyées à l'imprimeur selon deux méthodes :

- La méthode la plus simple est de réaliser la maquette en PAO et de l'envoyer par disquette à l'imprimeur. Même les séparations pour un travail utilisant 4 couleurs peuvent être incluses. Vérifiez d'abord auprès de l'imprimeur que votre logiciel est compatible avec son système. L'imprimeur réalisera ensuite des *clichés* pour pouvoir imprimer directement l'annonce publicitaire à partir de la disquette.

- La méthode traditionnelle consiste à fournir à l'imprimeur une version de l'annonce qui puisse être photographiée de façon à pouvoir générer des *clés de couleurs* (qui permettent de convertir les couleurs en utilisant des encres déterminées) et des *films* – un film pour chaque couche de couleur à imprimer. Cela est généralement fait sous forme d'un *collage* où tous les éléments de l'annonce publicitaire sont collés sur une planche à l'aide d'une machine à cire chaude.

  Une machine à cire chaude chauffe la cire et l'étale sur un rouleau, de façon que le dessinateur puisse appliquer une mince couche de cire au dos de chaque élément. Chaque élément est donc bien en place sur la planche mais peut également être enlevé sans problème.

Trouver la bonne police

Une *police*, ce sont des attributs et un format particulier pour les lettres, chiffres et symboles (les *caractères*) utilisés dans votre annonce publicitaire.

L'*œil de caractère* fait seulement référence au dessin distinctif des lettres, par exemple *Times New Roman.* La police, elle, fait référence à la taille et au style de l'œil de caractère, par exemple : Times New Roman, taille 10, gras.

La police qui s'adapte à tout document est celle qui est *la plus agréable à lire* et qui *s'harmonise* le mieux avec l'ensemble des éléments. En ce qui concerne le titre, là aussi la police joue un rôle important **car elle doit attirer l'attention du lecteur**. En ce qui concerne le corps de texte, il ne doit pas attirer l'attention de la même manière. En fait, si cela se produit, c'est aux dépens de la lisibilité. Si par exemple vous utilisez une police négative (c'est-à-dire des lettres blanches sur fond noir), ce sera certainement très bien pour un titre. Mais si vous faites la même chose pour le corps de texte, personne ne le lira.

Choisir l'œil de caractère

Quel sorte d'œil de caractère voulez-vous utiliser ? Le choix est impressionnant car, depuis que le processus d'impression a été inventé, on n'a pas cessé de développer de nouvelles sortes d'œils de caractère.

Une conception claire avec beaucoup de blanc et un contraste net demande un *œil de caractère sans serif*. "Sans serif" signifie que les caractères n'ont pas de traits aux extrémités des lettres. Les plus populaires sont Helvetica, Univers, Optima et Avant Garde. Vous trouverez des exemples de polices avec et sans serif dans la Figure 8.3.

Figure 8.3 :
Exemples de
polices avec
et sans serif.

Mais une publicité plus travaillée nécessite des caractères plus décoratifs tels que Century ou Times New Roman. Les œils de caractère avec serif les plus populaires sont : Garamond, Melior, Century, Times New Roman et Caledonia.

Vous trouverez dans le Tableau 8.1 un échantillon de polices pour comparaison.

Tableau 8.1 : Polices les plus utilisées en publicité.

Sans Serif	Serif
Helvetica	Century
Univers	Garamond
Optima	Melior
Avant Garde	Times New Roman

Dans les tests, Helvetica et Century figurent généralement comme *les plus lisibles* ; il est donc recommandé de choisir l'une ou l'autre pour le corps de texte. Les tests démontrent également qu'on lit 13 % plus vite les lettres en minuscule que les lettres en majuscule. Les lettres formant plus de contraste avec l'arrière-plan sont également plus faciles à lire. Helvetica taille 14 est probablement la police la plus lisible en ce qui concerne le corps de texte.

Il n'est pas facile de choisir la meilleure police pour le titre, étant donné que les dessinateurs font toujours beaucoup plus preuve d'imagination avec les titres qu'avec le corps de texte. Mais, en règle générale, vous pouvez essayer Helvetica pour le titre en combinaison avec Century pour le corps de texte et vice versa. Pour le titre, vous pouvez également utiliser la même police que pour le corps de texte, mais avec des caractères gras et de taille plus grande. Ou utiliser un arrière-plan noir. Ce qu'il faut savoir, c'est que le titre doit attirer l'attention du lecteur et le pousser à lire le corps de texte.

Les graphistes utilisent parfois une combinaison de polices différentes pour le corps de texte et le titre : une police avec serif comme Times New Roman pour le corps de texte, et une sans serif comme Helvetica pour les titres. Le contraste entre les lignes nettes et la grande taille du titre et les caractères plus travaillés du corps de texte est agréable à l'œil et incite le lecteur à passer du titre au corps de texte. Ce livre utilise cette même technique.

Choix de styles parmi les polices

Chaque police offre plusieurs choix à l'utilisateur et son choix n'est que le début d'un projet lorsqu'il s'agit de la conception d'une annonce publicitaire. Quelle taille de caractère utiliser ? Faut-il utiliser la version standard ou une version plus claire ou plus foncée ? Quel casse-tête !

Le processus est cependant plus simple qu'il n'en a l'air. Ce qu'il faut faire, c'est jeter un coup d'œil à des échantillons de taille de caractère standard (par exemple, 12 et 14 pour le corps de texte et 24, 36 et 48 pour les titres). Grand nombre de graphistes choisissent à l'œil un format facilement lisible : pas assez grand pour qu'on soit obligé de couper les phrases, et pas assez petit pour bombarder le lecteur avec un nombre énorme de mots par ligne. La lisibilité est le critère à respecter.

Vous trouverez des exemples de styles et de tailles de la police Helvetica dans la Figure 8.4. Comme vous pourrez le constater, la quantité d'options disponibles est énorme, même avec cette police si populaire.

N'oubliez pas que vous pouvez changer presque chaque aspect d'une police. Vous pouvez changer l'espacement entre les lignes, vous pouvez rapprocher les caractères ou, au contraire, laisser plus d'espace entre ces derniers. Tout est possible. Parlez-en avec votre imprimeur ou consultez un manuel de PAO.

Helvetica Light 14 point

Helvetica Italic 14 point

Helvetica Bold 14 point

Helvetica Regular 14 point

Helvetica Regular 24 point

Helvetica Regular Condensed 14 point

Helvetica Bold Outline 24 point

Figure 8.4 :
Voici
quelques
exemples de
choix
disponibles
de la police
Helvetica.

Maintenant qu'on a parlé des nombreuses possibilités existantes, il ne faut surtout pas oublier de mentionner que *l'œil du lecteur est très conservateur* lorsqu'il s'agit de caractères. Même si la plupart d'entre nous ne connaissent pas grand-chose à la typographie, nous sommes instinctivement attirés par les polices traditionnelles. L'espacement entre les caractères et les lignes, l'équilibre des caractères, etc., tous ces facteurs influent sur le plaisir et la facilité de la lecture. Il faut donc garder présent à l'esprit que, *même s'il est possible de tout changer, trop de changements risquent de rendre votre publicité moins lisible*. Vous trouverez deux exemples de présentation dans la Figure 8.5 : un qui est agréable à l'œil et un autre qui est désastreux.

Ne *jouez pas* avec les polices comme l'a fait le graphiste dans la version gauche de cette annonce classée dans la Figure 8.5. Utilisez des polices et des tailles standard, sauf lorsque vous voulez faire ressortir quelque chose. Le développement da la PAO a engendré une génération de publicités dans lesquelles une dizaine de polices se partagent la page, où le gras et l'italique rivalisent pour attirer l'attention et où la forme des mots devient un obstacle à la lecture au lieu d'une aide.

Choisir la taille du caractère

Lorsque les graphistes et les imprimeurs parlent de *taille du point,* ils font référence à la mesure traditionnelle de la taille des lettres (basée sur la partie supérieure et inférieure des lettres de plus grande taille).

Cela n'a pas la moindre importance. Ce qu'il faut savoir est que, lorsque les caractères sont trop petits, cela rend la lecture plus difficile. Il faut alors augmenter la taille du point. La taille 10, par exemple, est petite pour un corps de texte. Cependant, lorsqu'on est obligé d'insérer plusieurs mots dans un petit espace, elle est utile. Mais, quoi qu'il en soit, il est préférable de raccourcir le corps de texte et d'utiliser ensuite une taille plus grande.

Figure 8.5 : Quelle annonce préférez-vous lire ?

Lorsque la vie vous offre des citrons...

Que faire ? Un numéro de jongleur ?
De la limonade ? Ouvrir un stand bio ?
Abandonner et retourner chez maman ?

Qui sait ? Souvent il est difficile de prendre des décisions personnelles ou professionnelles. Souvent il difficile d'être objectif face à ses propres problèmes. Heureusement, **Jen le sait.** Jen Frederics à 20 ans d'expérience en tant que consultant, une maîtrise en sciences du travail et un agenda bien rempli dans la résolution de problèmes personnels. Appelez-la aujourd'hui pour savoir comment transformer vos problèmes en circonstances favorables.

Et la prochaine fois, lorsque la vie vous offrira des citrons, vous saurez quoi en faire : Prendre rendez-vous.

Lorsque la vie vous offre des citrons...

Que faire ? Un numéro de jongleur ?
De la limonade ? Ouvrir un stand bio ?
Abandonner et retourner chez maman ?

Qui sait ? Souvent il est difficile de prendre des décisions personnelles ou professionnelles. Souvent il difficile d'être objectif face à ses propres problèmes. Heureusement, Jen le sait. Jen Frederics à 20 ans d'expérience en tant que consultant, une maîtrise en sciences du travail et un agenda bien rempli dans la résolution de problèmes personnels. Appelez-la aujourd'hui pour savoir comment transformer vos problèmes en circonstances favorables.

Et la prochaine fois, lorsque la vie vous offrira des citrons, vous saurez quoi en faire : Prendre rendez-vous.

Placer votre annonce publicitaire

Admettons que vous vouliez lancer une campagne pour une ligne de produits alimentaires vendus par correspondance. La marque s'appelle "Bio cookies" et vend une ligne de petits gâteaux à base de produits naturels. Vous voulez faire de la publicité adressée aux mamans spécialement pendant le mois de décembre. Vous espérez que votre clientèle servira les petits gâteaux pendant les fêtes et en fera également des cadeaux de Noël.

Vous décidez de placer une annonce dans *Santé*, un magazine adressé à votre marché cible et dont le nombre de lecteurs ne cesse de croître. Vous appelez le magazine et demandez de l'information. La personne responsable de la vente d'espace publicitaire vous en envoie quelques jours plus tard. Il s'agit d'informations standard que tous les magazines et journaux envoient à leurs annonceurs potentiels.

- **Note de l'éditeur**

  Ce rapport fournit des données en ce qui concerne le tirage du maga-zine. Pour *Santé*, la moyenne du tirage est de 947 682 (ce qui devrait suffire à générer suffisamment d'affaires si l'annonce marche). En outre, comme vous pourrez le constater toujours d'après ce rapport, la plupart des abonnements sont des abonnement d'un an et la plupart des abonnés ont pris un abonnement sans attendre le cadeau tradition-nel. Ces deux données suggèrent que les lecteurs de *Santé* non seule-ment choisissent leur abonnement au tarif normal, mais lui restent fidèles. Ce magazine attire votre consommateur cible qui non seule-ment l'achète mais le lit vraiment ! Plutôt bon signe, non ?

- **Données certifiées dans la note de l'éditeur**

  Le cabinet d'audit qui a pour mission de recueillir les données concer-nant le tirage doit être mentionné en première page de la note de l'édi-teur. Quelques publications mineures n'ont pas recours au service d'un audit. Il est donc légitime de se poser quelques questions sur le sérieux de leurs données.

- **Pourcentage de lecteurs de votre marché cible**

  Les données du tirage d'un magazine sont souvent décomposées en catégories démographiques traditionnelles : sexe, âge, niveau d'études, niveau de revenus, etc. Par exemple, 70 % des lecteurs de *Santé* sont des femmes de 35 ans ou plus, ce qui fait de ce groupe une cible potentielle de "Vacances saines".

- **Numéro et date butoir**

  Chaque publication fournit un planning destiné aux annonceurs et vous avez intérêt à respecter les dates fournies si vous voulez que votre annonce soit publiée. Ci dessous, un petit exemple.

Numéro	1998 Date butoir Annonces nationales	Date de mise en circulation
Octobre	1/8/98	24/9/98
Nov./Déc.	30/8/98	5/11/98

- **Coûts**

  Les coûts de l'annonce dépendront de la taille et des couleurs que vous choisirez. Evidemment, le noir et blanc est ce qu'il y a de moins cher. Ensuite, vous aurez le choix entre deux couleurs (relativement bon marché) et quatre couleurs (plus cher, mais probablement néces-saire lorsqu'il s'agit de produits alimentaires).

Les coûts varient également en fonction du tirage du magazine. Vous pouvez vérifier ces chiffres en fonction des données fournies par le cabinet d'audit, qui fournit également un *chiffre minimum,* c'est-à-dire le tirage que tout numéro doit avoir.

Les coûts dépendent également de l'espace que vous achetez. Normalement, plus on achète d'espace, moins cher on le paie.

Santé, par exemple, offre une réduction de 5 % lorsque vous annoncez sur trois numéros ou plus, 8 % sur six numéros ou plus et 12 % sur douze numéros ou plus.

La réduction pour le placement de trois annonces vous semble intéressante, vous décidez donc d'organiser votre planning en conséquence. Vous ferez paraître trois annonces, une dans le numéro de septembre, la deuxième dans le numéro d'octobre et la troisième, dans le numéro de novembre/décembre. Vous pouvez donc déduire 5 % du tarif de base pour une annonce 4 couleurs.

Choisir la taille de l'annonce

Quelle taille choisir ? Le choix dépend en partie de la conception de votre annonce. Est-ce que son graphisme ou son titre parviendront à attirer l'attention, même si elle est placée sur un tiers de page ? Ou est-ce que ce type d'annonce publicitaire nécessite plus d'espace pour avoir de l'impact ?

Vous pouvez aussi, pour vous aider, consulter quelques données statistiques concernant le pourcentage de lecteurs qui *remarquent* une publicité en fonction de sa taille. Comme il était prévisible, le pourcentage augmente au fur et à mesure que la taille de la publicité augmente. Tous les autres facteurs restent inchangés, selon une étude de Cahners Publishing Co. (voir Tableau 8.2).

Tableau 8.2 : Choisir la bonne taille.

Taille de la pub	Pourcentage de lecteurs remarquant la pub (Médian)
Pubs sur une partie de page	24 %
Pubs sur une page	40 %
Pubs sur deux pages	55 %

En conclusion, plus grande est l'annonce publicitaire, plus grand est l'impact qu'elle obtient. Cependant, comme vous pouvez le constater, le pourcentage de lecteurs remarquant une pub *n'est pas proportionnel à l'augmentation de la taille*. Si vous doublez la taille de votre annonce, vous obtiendrez un quart de lecteurs supplémentaires, mais pas deux fois plus. C'est pour cela, en partie, que le tarif pour une pleine page n'est pas le double du tarif pour une demi-page. Encore la différence n'apparaît-elle pas complètement dans les tarifs.

Pour revenir au magazine *Santé*, une pleine page en couleurs coûte 59 % de plus qu'une demi-page. Mais il est fort probable que la même annonce publicitaire en format pleine page attireau mieux environ un tiers de lecteurs de plus que la même annonce en format demi-page. Conclusion, les coûts par lecteur seront plus élevés pour une page pleine que pour une demi-page.

Bien des annonceurs ne se posent pas la question de savoir si une publicité pleine page revient plus cher par lecteur parce qu'ils ont d'autres objectifs en vue. Un annonceur au niveau national risque de considérer qu'une fraction de page ne correspond pas à l'image qu'il veut donner de son entreprise. Ou que le corps de texte est trop long. Il se peut également que l'annonce ait un *objectif à atteindre*. En d'autres termes, l'annonce doit atteindre plus de lecteurs de *Santé* que ne pourrait le faire un quart de page.

Mais une PME comme celle de notre exemple cherche le meilleur rapport qualité/prix et effectue ses calculs en fonction des *coûts par millier d'expositions effectuées auprès du marché cible*. Pour simplifier les calculs, on utilise généralement une base de mille.

Comparaison des coûts par millier d'expositions

Ce calcul, qui peut être appliqué à n'importe quel cas, est fait de la façon suivante :

1. **Conversion des coûts du tarif de base au tarif du marché cible.**

   Etant donné que le marché cible "Bio cookies" est constitué par 70 % des lecteurs de *Santé* (femmes de plus de 35 ans), vous pouvez en déduire que, sur les 900 000 lecteurs garantis de ce magazine, 7 x 900 000 = 630 000 femmes de plus de 35 ans liront un des numéros dans lesquels votre publicité apparaît.

2. **Calculez une marge de personnes qui ne verront pas votre annonce.**

   Vous n'ignorez évidemment pas qu'un grand nombre de ces lectrices de *Santé* ne remarqueront pas votre annonce publicitaire. Ne les incluez donc pas dans le calcul de vos coûts par millier d'expositions. On peut estimer qu'une demi-page de publicité bien conçue attirera environ 30 % des lectrices, et une pleine page, 40 %. Lorsque j'enlève ces pourcentages du nombre de lecteurs appartenant au marché cible, je peux calculer le nombre de lectrices de plus de 35 ans qui remarqueront ma publicité. Si je choisis une pleine page, je peux espérer atteindre environ 252 000 lectrices appartenant à mon marché cible. Avec une demi-page, j'attindrais environ 189 000 lectrices.

Qu'est-il arrivé aux 900 000 lectrices restantes ? Quelques-unes n'appartiennent pas au marché cible et d'autres ne remarqueront pas la publicité. On ne peut donc pas les considérer comme des expositions utiles. Lorsqu'on achète de l'espace publicitaire, il faut savoir lire entre les lignes.

3.   **En dernier lieu, calculez les coûts d'exposition pour mille des lectrices de votre marché cible.**

Divisez le nombre de lectrices de votre marché cible qui verront la publicité par le prix d'une pleine page, ensuite multipliez ce chiffre par 1000, et vous obtiendrez le coût d'exposition pour mille. Bien sûr, vous pouvez appliquer les mêmes calculs pour une demi-page ou un quart de page.

Est-ce que votre annonce publicitaire sera payante ?

Voici une façon de calculer le retour sur investissement de l'annonce, car il faut toujours raisonner en termes de retour et pas seulement de coût.

Pour calculer le retour sur cette annonce directe, il faut d'abord faire une estimation sur le taux de réponse. C'est-à-dire le pourcentage de lecteurs qui répondront à l'annonce. Dans ce cas précis, la réponse consiste à appeler un numéro gratuit pour poser une question ou passer commande. Comme il s'agit d'un nouveau produit, nous ne possédons pas de données qui pourraient nous aider dans nos calculs. Nous nous contenterons donc d'un taux de réponse de 1,5 % pour nos prévisions. En outre, nous partons du principe que le taux de réponse s'applique seulement aux lecteurs cibles, les lectrices de plus de 35 ans, parce que c'est à ce groupe que l'annonce est adressée.

Selon nos calculs, il y aura environ 189 000 lectrices de plus de 35 ans qui verront la publicité sur une demi-page. Comme l'annonce va paraître trois fois, on calcule que le nombre de lectrices sera de 300 000, étant donné qu'environ 30 % des lectrices ne la verront pas ou ne réagiront pas. Cela paraît une estimation raisonnable.

Supposons maintenant que le taux de réponse est de 1,5 % sur 300 000. Si ce chiffre est exact, cela signifie qu'on recevra 4 500 appels en réponse à cette publicité. Combien faut-il payer pour recevoir ces appels ? Le prix de la campagne publicitaire, trois fois une demi-page et les frais de production de l'annonce elle-même.

Est-ce que cela est intéressant ? Cela dépend du bénéfice qu'on peut réaliser en moyenne par appel. Si 80 % des appels aboutissent à une commande, cela est intéressant puisque les frais auront été couverts et un petit bénéfice réalisé.

Il ne faut pas non plus négliger les possibilités qui nous sont alors offertes : un contact direct et la possibilité de construire une relation durable avec un grand nombre de ces clients, donc un bénéfice à long terme.

Si on veut réellement investir dans cette affaire et qu'on bâtit une entreprise à long terme, cette proposition commerciale est intéressante. C'est tout de même bien d'avoir couvert les frais de publicité et de pouvoir commencer à construire une base de données sur la clientèle. Par contre, si le but est de gagner de l'argent facilement, ce n'est pas la bonne méthode.

Pour "Bio cookies", il est plus intéressant de choisir une demi-page. Et les coûts mentionnés plus haut sont en fait inférieurs puisqu'on n'a pas déduit les 5 % de réduction pour trois numéros.

Tester et améliorer votre annonce écrite

Est-ce que votre annonce est lue ? En ce qui concerne les *annonces-presse*, des publicités qui demandent une participation du lecteur, son efficacité ou non peut être mesurée au bout de quelques jours seulement.

Pour une annonce-presse telle que celle publiée dans le magazine *Santé*, on s'attend à avoir des réactions dans la semaine qui suit. Si ce n'est pas le cas, c'est qu'il y a un problème. Que faire alors ?

Peut-être faut-il ajouter des espaces ou du temps de publicité à la campagne ? On peut par exemple appeler les stations de radio locales et parrainer des programmes dans lesquels le numéro gratuit de "Bio cookies" sera mentionné. Bien sûr, il n'est pas question de changer l'annonce-presse à paraître dans *Santé*, étant donné que la date butoir est déjà passée. Mais on peut très bien faire un publipostage de dernière minute adressée à quelques abonnés de *Santé* pour renforcer le pouvoir de l'annonce. Enfin, quelle que soit la mesure prise pour pallier le manque de réaction à l'annonce, il faudra adapter les prévisions de vente aux nouvelles données afin de ne pas se retrouver avec des stocks inutiles.

Que faire lorsqu'on souhaite en savoir plus sur les causes du manque de réaction à l'annonce-presse ? Ou que l'on veut étudier une *annonce publicitaire indirecte*, une publicité conçue pour renforcer ou consolider l'image d'un produit ou d'une entreprise afin de stimuler les ventes ? Une grand part de la publicité de marque est de la publicité indirecte et, dans ce cas, la vente se fait à travers une filiale ou un détaillant. Comment savoir alors si l'annonce a atteint son objectif ?

Pour obtenir ce genre d'information, il faut avoir recours aux services d'un cabinet d'études marketing qui se charge, entre autres, de tester des annonces publicitaires sur leur efficacité. Si vous avez l'intention de consacrer 200 000 francs à une campagne de publicité, il est clair que les 20 000 francs nécessaires pour payer les services d'un cabinet marketing seront de l'argent bien dépensé. Ces cabinets effectueront un *prétest*, c'est-à-dire que l'annonce sera exposée à un groupe de personnes dont les réactions seront notées et mesurées. Evidemment, si vous faites appel à une grande agence de publicité, ils vous proposeront sans doute de prendre en charge le prétest, mais il est toujours utile d'avoir des notions dans ce domaine, ne serait-ce que pour superviser le travail et prendre les décisions qui s'imposent.

Il existe également des entreprises spécialisées dans la conduite d'études publicitaires à grande échelle que vous pouvez évidemment consulter. Tout ce dont vous aurez besoin est de prendre un abonnement pour recevoir des données détaillées sur les réactions provoquées par vos annonces publicitaires (voir Chapitre 6 pour plus d'informations sur le sujet).

Vous pouvez également vous adresser à des entreprises encore plus spécialisées dans la conduite de ces mêmes études. Une des plus connues est Roper Starch Worldwide. Cette entreprise propose des services sur mesure moyennant un abonnement :

Selon Roper Starch, il existe trois catégories de lecteurs d'annonces.

- **Lecteur assidu.** Concerne tous ceux qui lisent la moitié de l'annonce ou plus.

- **Lecteur associé.** Concerne tous ceux qui ont remarqué l'annonce et qui ont suffisamment lu pour se souvenir de la marque.

- **Lecteur occasionnel.** Concerne tous ceux qui ont remarqué l'annonce mais qui ne l'ont pas forcément lue.

Les plus intéressants sont évidemment les "lecteurs assidus" et ceux qui nous intéressent le moins sont, bien sûr, les "occasionnels". Ils ont remarqué l'annonce, mais elle ne leur a pas fourni la moindre information utile ou, pire encore, ils n'ont même pas vu l'annonce.

Roper Starch fournit également des études comparatives concernant des annonces de taille similaire et publiées dans le même magazine. C'est une bonne méthode pour savoir si votre annonce attire plus ou moins de lecteurs que l'annonce moyenne.

Supposons que votre annonce attire moins de lecteurs que la moyenne et que, même si un grand nombre de personnes remarquent votre annonce, seule une minorité de gens la lisent suffisamment pour comprendre de quoi il s'agit ou simplement de quelle marque. Faut-il oublier cette publicité et tout reprendre de zéro ?

La réponse dépend de la cause de l'échec de la publicité. Et là aussi des entreprises spécialisées peuvent vous aider puisque les études prennent aussi bien en compte l'annonce publicitaire dans sa totalité que chacun des éléments qui la composent. On peut par exemple savoir combien de personnes lisent l'accroche (ou même le sous-titre). Ensuite, combien de personnes ont lu le premier paragraphe, remarqué la photo, le logo ou la signature.

Une bouffée d'air frais

Les professionnels du marketing sont persuadés que leurs publicités doivent être réalisées en quatre couleurs pour être remarquées. D'un point de vue statistique, ils ont raison. Mais ils oublient la force de la créativité. Parfois, une publicité réalisée en deux couleurs dépasse largement une autre en quatre couleurs. Prenons comme exemple l'annonce demi-page pour Altoids, "Les étranges bonbons à la menthe", vendus en boîte métallique avec les coins lisérés en rouge. Une demi-page, format vertical, est publiée dans un certain nombre d'hebdomadaires, imprimée seulement en rouge et noir. Pourtant, 90 % des lecteurs l'ont remarquée.

L'annonce est entièrement dominée par un personnage vêtu de métal argenté. Comme un astronaute. La tête et le visage sont entièrement cachés par un casque intégral. Dans les mains du personnage, qui porte des gants, une boîte d'Altoids, qu'il essaie d'ouvrir pour en prendre un.

L'annonce est d'une simplicité étonnante. Le nom du produit figure en bas de page en lettres capitales rouges et en relief. Le slogan de la marque apparaît en dessous (lettres blanches soulignées en noir) : "Les étranges bonbons à la menthe", suivi de l'adresse Internet. C'est tout ! Deux couleurs, quelques mots et un bonhomme a l'accoutrement bizarre. Cette annonce très simple et peu onéreuse est remarquablement efficace pour faire connaître la marque et créer une image de marque originale. La publicité écrite n'est pas nécessairement quelque chose de cher, il suffit qu'elle soit intelligente.

Parfois on rencontre des problèmes qui peuvent être résolus sans que l'on soit obligé de tout recommencer. Par exemple, lorsque votre titre et votre illustration sont remarqués par un grand nombre de lecteurs (toujours selon les études de Roper Starch) mais que le corps de texte ne l'est pas, vous pouvez réécrire le texte en le réduisant. Ou changer la présentation ou le choix de vos polices. Essayez de mettre des lettres noires sur fond blanc, c'est plus facile à lire !

Ce peut être une question de couleurs : essayez de passer à une annonce publicitaire de quatre couleurs au lieu de deux. Bien sûr, c'est plus cher, mais si cela suffit à augmenter votre score...

Chapitre 9
Publicité audiovisuelle

Dans ce chapitre, vous apprendrez comment :

Réfléchir sur le choix du support médiatique.

Concevoir des spots publicitaires.

Utiliser le pouvoir émotionnel de la télévision.

Acheter de l'espace publicitaire à la télévision.

Concevoir des publicités pour la radio.

Rédiger des scénarios pour la radio capables d'attirer et de retenir l'attention.

Quelques mots sur le choix du support médiatique

"Se coucher tôt, se lever tôt, travailler beaucoup et faire de la publicité." Tel est le mot d'ordre de Gertrude Boyle, la fringante directrice de la marque de vêtements de sports Columbia. On est d'accord. Mais comment faire ? Si au moins elle nous disait quel support médiatique choisir !...

La plupart des campagnes de publicité se focalisent sur un seul support. Encore faut-il savoir lequel ! En fait, il n'y a pas de secret : le meilleur support médiatique est celui qui marche !. Le support le mieux adapté sera tantôt la radio, tantôt la télévision. Il est donc essentiel que vous soyez capable de maîtriser tous les supports médiatiques dont vous pourrez avoir besoin. Dans le Chapitre 19, vous trouverez des critères de sélection plus rigoureux et conformes à vos objectifs marketing.

Même si la plupart des entreprises et plans d'action se focalisent exclusivement sur un média, il y a quelques exceptions. Quelquefois, il est nettement plus intéressant de faire une campagne publicitaire qui utilise plusieurs supports.

En règle générale, on choisit de multiples supports médiatiques *lorsqu'il est important d'obtenir le plus grand nombre et la plus grande variété d'expositions possible*. Lorsque vous voulez vraiment faire passer le message, il est plus prudent de mettre le paquet !

Cette approche vous permet non seulement d'exercer différentes formes d'influence, mais également de transmettre un message varié. Vous pouvez peut-être commencer par des annonces dans la presse écrite suivies d'une campagne à la radio et renforcer le tout par une campagne d'affichage, pour vous assurer que votre marque et son positionnement sont bien connus du public.

Que pensez-vous d'un site Web relié à un centre d'appels pour augmenter l'interaction avec vos clients et prospects ? Des plans d'action tels que celui-ci ont un grand impact et réussissent à atteindre plusieurs objectifs marketing. Mais il faut être souple et en mesure d'utiliser tous les médias à votre disposition.

Tous les moyens sont bons pour faire passer des messages marketing : la radio, la télévision, les affiches, la publicité sur les autobus et dans le métro, les T-shirts, les calendriers et même les bateaux à voile ! Dans les téléphériques des stations de ski on voit maintenant des petites affiches. Qu'en pensez-vous ? Faut-il y faire de la publicité pour des boissons chaudes ou plutôt pour une assurance accidents ? Ce que nous voulons dire, c'est qu'il y a de plus en plus de moyens et que votre imagination peut vous mener à de tout nouveaux médias moins encombrés que les médias traditionnels. Tous les médias sont bons à condition de savoir en tirer profit !

Dans ce chapitre, nous allons parler de publicité audiovisuelle. La publicité écrite est traitée au Chapitre 8. Les principaux supports médiatiques sont l'audiovisuel et la presse écrite. Et même si votre entreprise a les moyens d'utiliser ces supports, vous aurez tout de même besoin de télémarketing, d'annonces sur Internet, de points de vente, etc.

La plupart des supports médiatiques sont cependant des variations de la publicité écrite. Une affiche, une bannière, un mug ou un T-shirt, tous utilisent les éléments d'une bonne publicité écrite : texte et graphisme. La différence est qu'ils sont adaptés à la taille et aux contraintes du support en question. Réfléchissez à la durée pendant laquelle une personne regarde une publicité sur chaque support médiatique. Une durée très courte pour la publicité écrite, plus longue pour la radio et encore plus longue pour la télévision. Les principes d'une bonne conception, dont nous avons parlé au Chapitre 8, sont également valables pour ces médias. Ainsi que pour les pages Web et les publicités en ligne et les courriers de publipostage dont nous avons parlé au Chapitre 11.

Cependant deux supports médiatiques, la télévision et la radio, sont substantiellement différents et requièrent une conception particulière.

Conception de spots publicitaires

La télévision, c'est comme du théâtre. Un mélange de communication verbale et visuelle résultant en de l'action. C'est ce qui fait de la télévision un média aussi riche. Bien sûr, le texte doit être court et attrayant comme pour une publicité écrite, mais il faut également que les mots *sonnent juste et suivent l'image* pour que ce soit un vrai spectacle.

Les spots publicitaires doivent être du *grand spectacle :* de la comédie ou de l'art dramatique qui racontent une histoire en quelques secondes. Pensez à une scène d'un film particulièrement remarquable comme *To Have and to Have not* avec Lauren Bacall et Humphrey Bogart. Bacall dit à Bogart en quittant la chambre d'hôtel : "Tu sais qu'il ne faut pas jouer la comédie avec moi, Steve. Ne dis rien, ne fais rien. Rien. Oh si, tu peux peut-être siffler. Tu sais siffler, n'est-ce pas, Steve ? Tu joins tes lèvres et tu souffles."

Ces instants dramatiques semblent se graver à jamais dans la mémoire de tous ceux qui regardent le film. Pour quelle raison ? On n'en sait rien. Un bon film peut difficilement être résumé en une formule. Un bon scénario avec juste ce qu'il faut d'émotion. De bons acteurs. Du bon travail de caméra et un bon décor (vous vous souvenez des jeux d'ombre et de lumière des films en noir et blanc ?). Et le suspense d'une relation naissante entre deux personnages intéressants. Vous n'aurez pas besoin d'atteindre ce niveau de perfection pour réaliser un bon spot publicitaire, mais vous aurez besoin d'être meilleur que la moyenne. Et si vous êtes capable de réaliser de bons spots publicitaires, vous serez largement récompensé.

Lorsqu'on regarde la télévision, cela a l'air tout simple. C'est loin d'être le cas. N'hésitez pas à avoir recours aux services d'une société de production expérimentée pour vous aider dans la réalisation de votre spot. Une autre solution, qui n'est certes pas bon marché mais qui vous assurera un travail de qualité, est de charger une grande agence de publicité de la conception et de la supervision de la production du spot publicitaire.

Des folies vidéo

Les détails techniques sur la conception de spots publicitaires ne seront pas traités ici, parce que la plupart des lecteurs ne sont pas concernés par cet aspect de la publicité. Il est vrai que la production de spots publicitaires et de films promotionnels est quelque chose d'important en marketing ; cependant il s'agit d'une activité très onéreuse et techniquement difficile qui n'est pas à la portée de tout le monde. Ayant décidé récemment de produire un film promotionnel pour la formation de personnel, voici qui m'est arrivé. L'équipe technique a passé toute une matinée rien qu'à régler la lumière, avant que je puisse me mettre en face de la caméra et dire les quelques lignes de mon texte. J'ai failli perdre la tête et le porte-monnaie en attendant qu'ils trouvent le bon réglage ! En conclusion, j'aurais mieux fait de m'abstenir. Evidemment, il y a des PMI qui arrivent à produire leurs propres spots publicitaires ou films promotionnels. C'est donc possible. Simplement, il faut être tenace !

Il est plus facile de trouver des producteurs, des concepteurs et même des acheteurs d'espace publicitaire pour n'importe quel média que pour la télévision. Toutefois, il est important d'avoir de bonnes notions du fonctionnement de ce média de façon à pouvoir travailler avec une agence de publicité ou un producteur et obtenir des bons résultats. Car *c'est vous* qui prenez les décisions finales ; c'est vous qui décidez si le scénario a le potentiel nécessaire pour devenir un spot fantastique ou s'il ne s'agira que d'un spot comme beaucoup d'autres. Attendez d'avoir un bon scénario (quelque chose dans le genre d'un film d'Humphrey Bogart, par exemple), avant de commencer le tournage.

Si vous travaillez pour une PMI et que vous avez l'habitude des petits budgets, vous aurez des doutes en lisant ces paragraphes. Vous êtes persuadé que vous pouvez le faire tout seul. Vous pouvez faire appel à une télé locale ou à une petite société de production, et faire votre petit spot. Méfiez-vous ! On voit tout de suite que c'est du travail d'amateur, et ce serait dommage de faire mauvaise figure devant vos clients et de jeter (même un tant soit peu) de l'argent par les fenêtres ! Si vous êtes décidé à faire de la publicité à la télévision, faites ce qu'il faut. Soit vous devenez vous-même spécialiste, soit vous faites appel à un spécialiste. Même les meilleurs concepts ne serviront à rien si la production n'est pas bonne car, dans la plupart des pays, les gens regardent tellement la télévision qu'ils font la différence entre un bon et un mauvais spot publicitaire. Et ils ne regardent que les meilleurs ! Comme le dit si bien le *Kleppner's Advertising Procedure*, 13e édition, Prentice Hall, 1996 un ouvrage de référence en la matière, "Chaque spectateur est un spécialiste de spots publicitaires."

Voici maintenant un conseil contradictoire : si vous disposez d'un petit budget, vous pouvez envisager de réaliser vous-même un spot publicitaire. Vous pouvez, par exemple, ridiculiser un certain type de publicité tel que celui où un commercial stressé réalise une vente en 30 secondes. Comme il ne s'agit que d'une parodie, vous n'avez pas besoin d'une qualité hors pair. C'est la stratégie la plus simple si vous voulez faire vous-même votre spot publicitaire, mais cela ne vous empêchera tout de même pas de devoir recourir à du personnel expérimenté.

Vive l'émotion !

La télévision est un média différent des autres – c'est un mélange d'images, de sons et d'actions qui, évidemment, ne sont pas présents dans les autres supports médiatiques. Mais, tout comme le théâtre, c'est aussi un excellent moyen de *faire appel à l'émotion*. Si vous envisagez d'utiliser ce support médiatique, réfléchissez d'abord à l'émotion que vous voulez transmettre.

Choisissez un état émotionnel en accord avec votre argument de vente et avec le côté créatif de votre spot. Ensuite, utilisez l'image pour évoquer ces émotions.

Cette stratégie est valable aussi bien pour un argument rationnel qu'émotionnel. N'oubliez jamais d'utiliser le pouvoir émotionnel de la télévision pour faire passer le message. Des sensations comme la surprise, l'excitation, la compassion, l'anxiété, le scepticisme, la soif, la faim. Les instincts protecteurs des parents. Toutes ces émotions peuvent être créées en quelques secondes. Un bon spot publicitaire déclenche l'émotion correspondant à l'accroche.

Il y a un courant en marketing qui mesure les spots publicitaires en termes de *chaleur humaine*. C'est-à-dire, des sentiments tels que l'amour, le sens de la famille ou l'amitié.

Vous n'aurez peut-être pas besoin de plus de détails là-dessus, mais il est tout de même important de savoir *pourquoi* on mesure une publicité de la sorte. C'est simple : les émotions, les positives en particulier, font des messages publicitaires à la télé quelque chose dont on se souvient beaucoup mieux. Cet effet est beaucoup plus fort que certains ne le croient, mais il n'est pas mesurable à l'aide des méthodes de traditionnelles. Les tests du lendemain (des tests qui calculent dans quelle mesure on se souvient d'une publicité) démontrent qu'on se souvient aussi bien des publicités à caractère émotionnel que de celles à caractère rationnel. Mais des études plus approfondies démontrent que *les publicités avec une plus grande charge émotionnelle sont un meilleur véhicule pour le message et l'image de marque dans l'esprit des spectateurs.*

N'oubliez donc pas l'aspect émotionnel si vous envisagez de faire des publicités à la télé. La télévision peut faire pour votre produit ce qu'aucun autre média ne réussit, et l'émotion rend la communication plus efficace.

Regardez...

Un des grands avantages de la télévision est le pouvoir de l'image. Profitez-en ! Vous pouvez présenter certaines caractéristiques d'un produit, démontrer son utilisation, et ce n'est qu'un petit échantillon parmi tout ce que ce média vous offre comme possibilités.

En réalité, il faut toujours montrer et raconter (même à la radio, vous pouvez créer des images mentales qui montrent aussi bien qu'elles racontent. Plus loin dans ce chapitre, on expliquera comment). L'image et la parole se renforcent mutuellement. Et, parmi votre audience, il y a des personnes qui visualisent et d'autres qui raisonnent. Vous devez donc prendre en compte ces deux types de caractère et utiliser aussi bien pfi langage visuel que verbal. Cette règle s'applique de façon un peu différente lorsqu'il s'agit de la télévision. A la télévision, il faut *montrer* et raconter alors qu'à la radio il faut montrer et *raconter.*

L'importance de montrer est la raison pour laquelle les concepteurs font des scénarios plutôt visuels avec des sketches élémentaires pour indiquer l'apparence finale de la publicité. Il est essentiel de préparer des *storyboards* au fur et à mesure qu'on réfléchit sur les différents concepts possibles. Le storyboard est une façon simple de montrer la séquence d'images clés. Dans la plupart des storyboards, les images sont au centre, entourées d'indications techniques. A gauche, on retrouve des indications pour filmer chaque scène, choisir la musique, créer des effets de son, superposer texte et image, etc. A droite, on retrouve une version élémentaire du scénario : les mots que les acteurs doivent prononcer ou les commentaires pour chaque scène. Ci-dessous, vous trouverez un exemple de storyboard.

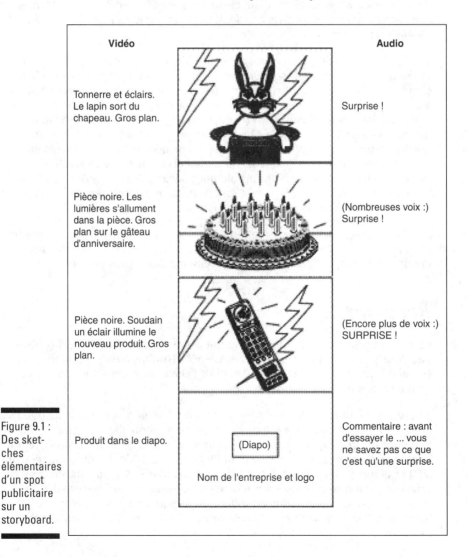

Figure 9.1 : Des sketches élémentaires d'un spot publicitaire sur un storyboard.

Une question de style

Dans la publicité audiovisuelle, vous pouvez utiliser une grande quantité de *styles*. Des fruits qui chantent et dansent ou des animaux dans la jungle dans une parodie de situation réelle. L'imagination et la caméra n'ont pas de limites, surtout avec les incroyables performances des images de synthèse et des effets spéciaux qu'on peut obtenir pour un prix raisonnable. Cependant, selon les tests d'efficacité, les styles traditionnels sont plus performants en moyenne que tous les autres. Le Tableau 9.1 vous donne un aperçu de styles plus ou moins efficaces.

Tableau 9.1 : Ça ne peut pas marcher quand il n'y a pas d'idées.

Styles plus efficaces	Styles moins efficaces
Spots humoristiques	Témoignages genre caméra cachée
Leaders d'opinion	Déclarations d'experts
Spots avec des enfants	Thèmes musicaux
Scènes de la vie réelle	Démonstrations de produits
Comparaisons entre	
Deux marques	

Une fois de plus, ce sont l'humour et les leaders d'opinion qui marchent le mieux en publicité. Essayez donc de trouver des moyens de transmettre le message à travers ces éléments. D'un autre côté, concevoir des publicités qui sont une exception à la règle est également une possibilité. Assurez-vous seulement que votre publicité est au-dessus de la moyenne.

Remarque à propos de l'achat d'espace publicitaire à la télé

Quelle est la meilleure chaîne de télé pour votre publicité ? Faut-il choisir une station câblée ou non ? Quelle est la meilleure heure pour passer un spot ? Quelle est le programme dont l'audience est la plus adaptée à votre publicité ?

Comme dans tous les autres médias, les acheteurs d'espace publicitaire se fondent sur des études démographiques pour savoir quels sont les pourcentages et les caractéristiques de l'audience. Vous pouvez donc faire appel à un bureau ou une agence spécialisés avant de choisir une chaîne de télé. Les études sont basées sur les données fournies par les ménages qui participent à l'étude et qui ont chez eux des appareils qui enregistrent quels programmes ils regardent. Les résultats sont supposés vous donner le pourcentage de spectateurs dont les téléviseurs sont branchés sur tel programme, dans n'importe quelle région géographique. Cependant, les annonceurs et les responsables des programmes ne sont jamais d'accord sur les chiffres. La plus petite différence représente une grosse différence de prix !

Les résultats des études fournissent les données suivantes par zone géographique :

- Nombre de téléviseurs sur le marché (ménages possédant un téléviseur = MPT).

- Combien de téléviseurs sont allumés (ménages utilisant un téléviseur = MUT).

- Pourcentage de MUT allumés sur un programme spécifique (part d'audience).

- Pourcentage de MPT allumés sur un programme spécifique (taux d'audience).

Supposons que dans une ville donnée il y ait 800 000 ménages possédant un téléviseur ; si 25 % de ces ménages regardent un programme en particulier, cela signifie que le programme a un taux d'audience de 25 %. Si seulement la moitié des téléviseurs sont allumés, cela signifie que le nombre de ménages utilisant leur téléviseur est de 400 000, et le pourcentage d'audience de ce programme est de 50 %.

Dans l'industrie de l'audiovisuel, *marché* signifie "ménages dont le téléviseur est allumé". Mais pour les annonceurs, la signification de ce terme peut être radicalement différente. Pour eux, le marché correspond à des acheteurs potentiels, donc les taux d'audience sont plus importants que les parts d'audience.

Le *point d'audience brut* est la somme totale des points d'audience obtenus par votre planning média. Le planning média est le nombre de fois que votre spot publicitaire passe dans une période donnée. Lorsque les acheteurs d'espace publicitaire achètent des plages horaires, ils additionnent les taux de chaque fois/endroit où votre annonce passe et vous donnent le total – le nombre de points total. C'est un chiffre élevé, mais cela ne veut pas dire grand-chose.

Une partie du problème réside dans le fait que ce chiffre ne fait pas la distinction entre le nombre de nouvelles expositions (le nombre de gens qui regardent le spot pour la première fois = *portée*) et les expositions répétées (= *fréquence*). Il se peut que votre spot soit regardé par 10 millions de ménages, mais s'agit-il de dix fois le même million ou de 10 millions de ménages ? La réponse se trouve probablement entre les deux. L'obtention de données concernant la portée et la fréquence est important pour vous aider à interpréter le point d'audience brut.

Une règle générale très utile nous apprend que la répétition renforce l'image que le spectateur a de votre spot. Planifiez donc quelques répétitions s'il vous semble nécessaire de renforcer l'image. Mais une ou deux répétitions devraient suffire à former une attitude initiale. Et lorsque vous pensez que le spectateur comprendra tout de suite le message et qu'il n'aura pas à s'en souvenir, vous n'avez pas besoin de beaucoup de répétitions.

Un autre détail important concerne les données sur l'audience. Ces données sont décomposées en catégories par âge, sexe, etc., pour faciliter la tâche du département marketing qui cherche quel est le pourcentage du marché cible qui regarde un programme donné. Nous vous conseillons de convertir les taux d'audience en un chiffre représentant *votre propre marché cible*. Bien sûr, le chiffre obtenu sera moins élevé, mais votre cible ne représente qu'une toute petite partie des spectateurs. Cela signifie que les coûts par millier d'expositions seront plus élevés.

En réalité, la variable pour déterminer si c'est intéressant d'acheter de l'espace publicitaire pendant une émission donnée est le nombre de spectateurs appartenant à votre marché cible qui regardent l'émission. Les taux d'audience sont focalisés sur la taille de l'audience du programme, pas sur le pourcentage d'audience appartenant à votre marché cible. Alors convertissez les chiffres dont vous disposez en un pourcentage correspondant à votre marché cible et laissez tomber tous les autres. Lorsque vous prendrez ces éléments en considération, vous ne vous limiterez plus à acheter de l'espace publicitaire pour un programme mais pour plusieurs. Vous ne le feriez jamais si vous basiez vos décisions seulement sur les pourcentages d'audience.

Conception de publicités pour la radio

La radio est également une forme de théâtre et a donc plus de points communs avec la télé que n'importe quel autre support médiatique. La plupart des professionnels du marketing ne prennent pas en compte cette particularité, car ils pensent que l'absence de visuel limite fortement la radio. Rien n'est moins vrai !

Récemment, mon fils de douze ans m'a fait découvrir des vieux enregistrements de feuilletons radio. J'ai pu alors constater que si, à un moment donné, ces feuilletons ont rencontré un tel succès c'est bien dû au fait que le public est capable de *visualiser* l'action. Les effets sonores (SF ou SX en jargon technique) créent une série d'images puissantes dans l'esprit de l'auditeur au fur et à mesure que l'histoire est racontée (ces effets sont mentionnés sur le scénario pour bien s'assurer qu'on les "voit"). "Oh, non ! Il y a un énorme chat noir qui nous poursuit ! Mon Dieu ! Ses yeux brillent !" (SF : miaou).

Vous voyez ce qui se passe, n'est-ce pas ?

Traditionnellement, vous ne disposez que de trois éléments pour travailler avec la radio : la parole, les effets sonores et la musique. Littéralement, c'est vrai. Mais vous n'aurez pas une bonne pub radio si vous ne tenez pas compte du fait que ces éléments sont utilisés pour générer des *images mentales* chez l'auditeur. Cela signifie que vous pouvez utiliser le même argument de base que pour la télé. La radio n'est pas un média aussi limité qu'on peut le croire, mais il est rarement utilisé au maximum de ses capacités depuis qu'il a été détrôné par la télé et le cinéma.

Voici quelques conseils, adaptés d'une liste créée par un professeur de marketing, Courtland Bovee, pour concevoir de bonnes publicités radio :

- Faites travailler l'imagination de l'auditeur en évoquant des images par les mots et les effets sonores.

- Trouvez et utilisez des sons mémorables : un son d'eau fraîche, une voix intéressante, une petite musique qui accroche. Il y a une telle diversité dans les sons !

- Utilisez une idée puissante. La radio étant souvent considérée comme musique de fond, il est indispensable qu'une annonce sur ce média soit focalisée sur un point bien précis pour pénétrer dans la conscience de l'auditeur. Dans de nombreux pays, les gens consacrent plus de temps à la radio qu'à n'importe quel autre média, mais ils ne l'écoutent pas nécessairement !

- Identifiez immédiatement vos auditeurs cible. Pour qu'une pub ait du succès à la radio, il faut atteindre le public intéressé.

- Si, par exemple, vous ciblez un public qui cherche un coiffeur, adressez-vous à lui. Vous pouvez par exemple commencer par un bruit de verre qui se casse (un miroir ?), suivi de la voix du narrateur : "Pas une mauvaise journée de plus pour mes cheveux !" Maintenant les auditeurs qui pensent qu'ils ont besoin d'une bonne coupe de cheveux sont intéressés.

- Préférez ce média pour des objectifs directs plutôt qu'indirects. Evidemment, parfois vous voudrez utiliser la radio pour créer une notoriété de marque (publicité *indirecte*), mais il n'est pas moins vrai que ce média se prête mieux à la publicité *directe*.

- *Venez dans nos magasins. Appelez notre numéro vert. Participez à notre tirage au sort. Achetez des billets pour ce spectacle. Regardez ce programme ce soir à la télé.* Tous ces slogans sont particulièrement adaptés à la radio. C'est vrai que l'audience réagit souvent à ce genre d'instructions en appelant au cours d'une émission pour participer ou pour demander une chanson, etc. Les grands auditeurs – le noyau du marché de la radio – sont des personnes d'action. N'ayez donc pas peur de donner des instructions !

- Mentionnez le nom de votre marque ainsi que son avantage principal. Faites-le tout de suite et souvent. Les études démontrent qu'un plus grand nombre d'auditeurs se souvient de la marque lorsqu'elle est mentionnée en début de pub. La répétition marche également, car il ne faut pas oublier qu'une grande partie de l'audience écoute la radio sur la route ou en travaillant. Même si les objectifs principaux sont des objectifs directs, il faut également inclure les objectifs indirects.

- Mentionnez le nom de la marque tout au début et fréquemment sans tenir compte du scénario. Si vous ne réussissez pas à générer l'action directe souhaitée, vous pouvez au moins augmenter la notoriété de la marque, ce qui correspond à d'autres points de votre plan d'action marketing. La radio est un support idéal pour d'autres médias, même si on l'oublie souvent. Alors comblez le vide avec *votre message* !

Effets sonores

Assurez-vous que *tous les effets sonores* sont identifiés sur le scénario. Les effets sonores sont un élément merveilleux et très suggestif, mais en réalité ils se ressemblent tous un peu. Sans le contexte, le son de la pluie crépitant sur un toit pourrait être le même que celui des lardons grésillant dans une poêle. Il est donc important que ces effets soient correctement identifiés sur le scénario soit en y faisant une référence directe, soit par le contexte.

Le contexte peut être fourni par le scénario, l'argument ou tout simplement par un autre effet sonore. Le choc d'œufs qui se brisent contre une poêle, le bruit du café qui coule dans la machine et quelqu'un qui aide à identifier ces sons comme ceux du petit déjeuner plutôt que de la pluie sur un toit.

Remarque à propos de l'achat d'espace publicitaire à la radio

J'incite souvent les professionnels du marketing à faire appel à la radio au lieu de leurs choix médiatiques habituels. Alors que la radio est souvent utilisée par les commerçants locaux, la plupart des professionnels du marketing n'y pensent même pas. Ils oublient l'immense pouvoir de la radio et son énorme portée. Aux Etats-Unis, par exemple, 96 % des gens écoutent la radio au moins de temps en temps et 81 % l'écoutent tout le temps. Ça fait tout de même beaucoup de monde, et je parie que votre marché cible se trouve dans cet auditoire.

Sur le Tableau 9.2, on peut voir le pourcentage de portée de la radio aux Etats-Unis.

Tableau 9.2 : Tendez le bras et touchez quelqu'un.

Média	Portée journalière (% de la population américaine de + de 18 ans)
Radio	81 %
Télévision	76 %
Presse	69 %

En théorie, la radio peut atteindre un public plus nombreux que la presse ou la télévision. C'est sans aucun doute le média idéal pour des objectifs de large portée.

En outre, vous pouvez cibler très précisément votre public : soit par type d'audience, soit par zone géographique, ce qui en fait un excellent média. Le manque d'appréciation générale dont ce média fait l'objet maintient les prix bas. Sur le Tableau 9.3, vous pourrez comparer les coûts de la portée pour mille individus (au-dessus de 14 ans) avec ceux d'autres médias.

Tableau 9.3 : Le coût des affaires.

Pays	Radio	TV	Journaux	Magazines
U.S.A.	$1.53	$ 6.66	$11.26	$4.91
Allemagne	$2.20	$13.31	$ 7.41	$6.91
Italie	$3.24	$11.62	$ 5.80	$4.89

Aux Etats-Unis, les publicités à la radio sont 77 % moins chères que celles à la télévision et 86 % moins chères que celles de la presse. Une différence considérable selon ces statistiques qui sont le résultat d'une étude universitaire. Dans les autres pays, la radio est également moins chère. Cette différence est une conséquence du fait que les gens mettent la radio en musique de fond sans écouter vraiment. Mais une publicité bien conçue est en mesure d'attirer l'attention pendant quelques secondes. Sans compter que ce problème n'est pas un apanage de la radio. Il n'est pas certain non plus que tous les téléviseurs allumés soient vraiment regardés. Lorsque les gens lisent un journal, ils sont généralement plus attentifs. Mais seulement pour les articles qu'ils ont envie de lire. Il n'est donc jamais certain qu'une annonce sera remarquée. Une autre forme de publicité très efficace est celle dont on parle au Chapitre 10 (l'affichage).

Publicité ciblée à la radio

Le fait que les stations de radio fassent des efforts pour cibler un certain type d'audience est quelque chose d'appréciable. C'est ce que font, en fin de compte, les annonceurs. Vous pouvez obtenir des données concernant l'audience d'une émission précise, qu'il s'agisse de données démographiques ou de comportement social. Et il n'est pas impossible non plus de trouver une station radio avec un public très particulier, parmi lequel se trouve le type de consommateur que vous ciblez.

Voici une autre option pour la publicité à la radio à laquelle on ne pense pas souvent. Pourquoi ne pas faire de la publicité dans les émissions internationales ? C'est un excellent moyen de cibler une audience particulière. Et pour la dernière fois, histoire de vérifier que vous avez bien compris : *ne négligez pas la radio !* Elle vous donnera une meilleure portée et une meilleure idée de votre marché cible. Sans mentionner que les coûts par millier d'expositions sont plus bas que dans n'importe quel autre média. Comme à la télévision, la radio peut aussi bien *montrer* que parler, il suffit de faire travailler l'imagination de l'auditeur pour créer des images. Si vous avez un bon scénario, vous pouvez être certain d'attirer et de *captiver* votre public.

Chapitre 10

Publicité extérieure : panneaux, affiches, bannières, enseignes et autres

Dans ce chapitre, vous apprendrez comment :

Concevoir des publicités extérieures.

Utiliser des panneaux publicitaires : formats et options.

Utiliser des objets : parapluies, auvents et autres.

Reconnaître les enseignes gagnantes pour votre activité.

Utiliser des drapeaux et des bannières.

Utiliser la publicité sur les transports publics.

*L*a *publicité extérieure* utilise une large gamme de supports publicitaires de grand et très grand format, dont les panneaux qu'on voit au bord des routes. Ce média est également appelé *externe* par quelques professionnels du marketing. Cette désignation ne comprend pas les enseignes, les drapeaux et les bannières. Mais on se demande bien pourquoi (à part le fait qu'habituellement ils sont conçus et réalisés par le département marketing lui même).

En ce qui me concerne, tout affichage d'un message publicitaire dans un espace public ou semi-public, à l'intérieur ou à l'extérieur d'un bâtiment, appartient à la catégorie "Publicité extérieure", qu'il s'agisse d'un énorme panneau au bord de l'autoroute ou d'un minuscule autocollant sur le pare-brise d'une voiture.

Pourquoi ? Parce que toutes ces méthodes sont des *moyens de communiquer* : à travers une affiche, une enseigne *ou* quelque chose d'analogue. C'est la raison pour laquelle on parle dans ce chapitre de panneaux d'affichage traditionnels mais également de drapeaux, de bannières, d'autocollants et même de T-shirts. Ces supports médiatiques sont beaucoup plus puissants que ne le croient beaucoup de professionnels du marketing. Après tout, beaucoup de sociétés réussissent en se contentant de ce type de publicité ! Dans ce chapitre, vous apprendrez comment concevoir et utiliser la publicité extérieure et les différentes possibilités existantes. Ce qui vous permettra de ne pas négliger ce support médiatique important dans votre plan d'action marketing.

Exigences liées à la conception de publicité externe

Voilà un exercice simple pour vous aider à comprendre les exigences de la conception graphique. Sur une feuille de papier, à l'aide d'une règle, tracez un rectangle de 10 cm de large sur 3 cm de hauteur. Ce sont les proportions habituelles d'une affiche publicitaire (une grande affiche collée sur un panneau ou un immeuble). Bien que l'affiche soit plus grande, elle aura le même aspect que si vous tenez la feuille à bout de bras (voir Figure 10.1). Maintenant, tenez votre feuille à bout de bras et imaginez ce que vous pourriez y inscrire pour être facilement lisible à cette distance. Ça ne fait pas beaucoup, n'est-ce pas ? Faites attention à limiter votre message à quelques images et quelques mots en gras, sinon votre message sera incompréhensible.

Figure 10.1 :
De loin, une affiche comme celles qu'on voit sur le bord de la route ne sera pas plus grande que ça.

Pouvez-vous lire ça
Pouvez-vous lire ça
Pouvez-vous lire ça
Pouvez-vous lire ça
Pouvez-vous lire ça
Pouvez-vous lire ça

Le problème avec les publicités extérieures en général est qu'elles doivent être lues en vitesse et souvent de très loin. En conséquence, la publicité doit rester simple. Pourtant, la même publicité sera sans doute vue et revue par des gens qui empruntent tous les jours la même route ou le même trottoir (ou prennent le même ascenseur ou le même bus). Elle doit donc continuer à intéresser tout en restant simple… c'est dur !

La publicité externe est analogue à la publicité écrite, mais doit utiliser beaucoup moins de mots et des images plus simples. Elle doit aller droit au but. Mais, dans l'idéal, avec un support beaucoup plus accrocheur. Avec toutes ces contraintes, il n'est pas facile de concevoir des publicités externes efficaces.

Format des panneaux extérieurs

Il existe plusieurs formats standard pour la publicité extérieure suivant l'éloignement du spectateur moyen.

- Vous pouvez utiliser un présentoir géant, souvent de la taille d'un immeuble, comme celui qu'on peut voir sur Times Square à New York. Vu le prix, ce type de publicité est considéré comme un investissement à long terme destiné à améliorer l'image de marque. Si vous voulez montrer comment votre nouveau spray insecticide tue un cafard géant, vous pouvez envisager de placer un spray géant en haut d'un immeuble, pulvérisant périodiquement un jet vers un cafard en train de ramper. Beau ? Non. Accrocheur ? Oui. A part la loi de la gravitation universelle (et quelques aspects techniques), peu de règles limitent ce genre de publicité.

- Vous pouvez choisir l'affiche traditionnelle *30 feuilles* (même si, grâce aux techniques d'impression actuelles, on n'a plus besoin de 30 feuilles séparées). La taille habituelle de cette affiche est de 7 m de large sur 3 m de haut.

- On peut également choisir un format *grande affiche* de 15 m sur 5. Cette affiche peut être agrandie en ajoutant des panneaux supplémentaires en haut, en bas ou sur le côté (voir Figure 10.2). Ce format est 4 fois plus grand que le précédent, ce qui le rend incroyablement agressif. Ce format permet également de rendre le texte lisible d'une distance plus grande, ce qui en fait un excellent outil le long d'une autoroute, là où on ne le voit pas assez longtemps pour s'intéresser à une image requérant une lecture attentive.

- Vous pouvez aussi la réduire à la taille d'une *mini-affiche* (3,3 x 1,5 m). Cela représente une surface de 1/6 de l'affiche standard, mais se révèle parfois plus efficace lorsqu'elle est placée près de l'observateur. C'est ce que pensent les annonceurs, en tout cas, car ce format est de plus en plus utilisé.

La Figure 10.2 nous donne un aperçu des proportions et des tailles relatives aux formats d'affiches standard.

Vous pouvez également expérimenter les variations de plus en plus nombreuses basées sur ces standards. Vous pouvez par exemple afficher votre publicité dans le hall d'entrée d'un immeuble de bureaux, sur un kiosque dans un centre commercial ou à côté des panneaux d'information d'un club de sport. Ou pourquoi pas des panneaux autour de stades à l'occasion d'événements sportifs ? Toutes ces possibilités et d'autres encore vous sont proposées soit directement par les entreprises qui louent ces espaces publicitaires, soit par l'intermédiaire d'une agence de publicité ou d'une agence spécialisée en espace publicitaire, qui peuvent vous proposer une gamme de services plus étendue.

Rentabiliser les retombées de la publicité extérieure

Les coûts d'une affiche sont très variables ; pour donner un ordre de grandeur, un panneau le long d'une voie express dans une ville de taille moyenne comme celle de Denver, au Colorado, coûte environ 14 000 F de location mensuelle. Pour le même panneau à Colorado Springs, ville plus petite avec un trafic plus réduit sur la voie express, le coût de location descend à 11 000 F par mois.

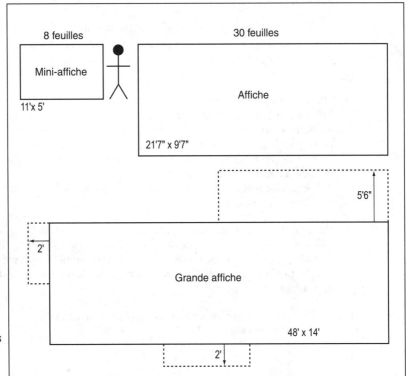

Figure 10.2 :
Les trois tailles standard des affiches extérieures.

Compte tenu de l'intensité du trafic sur beaucoup de voies express, c'est un prix très intéressant si on se base sur le coût pour mille expositions. Par exemple, une affiche à Denver va être vue 31 200 fois (le nombre de personnes effectivement touchées est inconnu, mais on peut supposer que les gens qui empruntent régulièrement ce trajet sont comptés plusieurs fois). Cela fait un prix unitaire de 14 000/31 200, soit 43,00 F pour mille expositions. Même si les prix varient, et nous avons pris un exemple particulièrement bon marché, le prix d'un panneau publicitaire est en général très bas sur la base du prix d'exposition pour mille.

Une étude réalisée par l'agence marketing "Simons Market Research Bureau" estime que le prix d'exposition pour mille, par adulte de 18 ans et plus, est de 8,60 F pour une affiche standard aux Etats-Unis. C'est beaucoup plus que notre estimation rapide basée sur l'affiche de Denver, mais ça reste beaucoup moins cher que la plupart des autres médias (la moitié d'une pub à la radio et une toute petite fraction d'une pub à la télé ou dans les journaux).

Bien sûr, les tarifs que nous avons calculés et ceux de Simons ne sont que des point de départ pour un chef de projet marketing. Vous avez besoin de les rapporter à la sous-population qui constitue votre marché cible et qui peut être faible, compte tenu du fait qu'il s'agit d'un média de masse. Dans ce cas, le dénominateur de l'équation diminue et le coût d'exposition pour mille augmente. Simons estime, par exemple, que le coût d'exposition moyen pour mille pour une cible de femmes de 25 à 43 ans avec une affiche standard est de 36 F, soit 4 fois plus qu'une cible aléatoire.

Vous devez également tenir compte du fait que la vision qu'une personne a de votre affiche quand elle la voit plusieurs jours d'affilée a moins d'impact et n'a donc pas la même valeur. Est-ce que la dixième observation du même panneau a la même efficacité que la première ou la deuxième ? Est-ce que les gens regarderont encore le même panneau plusieurs fois d'affilée ? La plupart du temps, la réponse est négative. En matière de publicité dans les lieux publics, les professionnels du marketing parlent de *taux de réobservation,* c'est-à-dire de la moyenne du nombre de fois où l'observateur voit la même pub. Les meilleurs panneaux ont, bien entendu, les taux les plus élevés, car les gens les trouvent assez intéressants pour les voir et les revoir.

Vous devez également garder à l'esprit le faible contenu du message publicitaire par affiche, ce qui signifie que ce que vous pouvez transmettre avec peu de moyens financiers est assez limité.

Cela dit, le rapport qualité/prix est excellent. Si vous voulez faire connaître votre marque ou avertir le consommateur d'une offre de dernière minute, l'affichage reste la forme de publicité la moins chère. Et, en ce qui concerne la plupart des marchés urbains, il est assez facile d'acheter suffisamment d'espace publicitaire pour couvrir l'ensemble du marché (du moins théoriquement). Cette pratique est couramment appelée *100 % d'exposition* dans l'industrie publicitaire. Cela signifie que 100 % de votre marché cible lit votre message (de manière similaire, *50 % d'exposition* vous donne un taux de couverture de 50 % maximum).

De la même manière que dans la publicité écrite, les coûts varient en fonction de la taille de la pub et de son public. Une affiche grand format coûte 4 fois plus cher qu'une affiche standard, car elle est 4 fois plus grande. Une mini-affiche coûte le quart d'une affiche standard et est six fois plus petite.

Cependant, l'efficacité d'une affiche n'est pas proportionnelle à sa taille comme c'est le cas dans la publicité écrite pour deux raisons, chacune pouvant être utilisée à sa guise par un professionnel avisé.

Premièrement, lorsque vous lisez un magazine, votre œil est à la même distance des pubs, quelle que soit leur taille. Par contre, dans les publicités extérieures, les formats les plus petits sont situés plus près du flot de trafic que les formats les plus grands. Cela signifie qu'une mini-affiche peut être aussi grande et lisible qu'une affiche standard malgré la différence de taille, car elle est placée bas et près de la route. Même si une mini-affiche est moins impressionnante, c'est en réalité une bonne affaire en comparaison.

Secondement, l'affichage extérieur est différent de la publicité écrite car la vitesse d'observation du lecteur n'est pas constante. Vous pouvez partir du principe que les gens feuillettent les pages d'un magazine à la même vitesse, qu'il s'agisse d'un quart ou d'une demi-page. C'est pourquoi une page pleine capte plus facilement l'attention du lecteur. Elle saute aux yeux pendant la fraction de seconde durant laquelle on parcourt la page avant de la tourner.

Les tarifs des affiches publicitaires sont établis sur l'idée que les comportements sont les mêmes. Ils supposent que le trafic est constant, car ils sont basés sur un comptage de trafic (nombre de voitures par jour, ou nuit et jour s'il s'agit d'une affiche lumineuse x nombre d'occupants du véhicule). Mais il y a une grande différence entre voir une affiche à 100 à l'heure sur une autoroute, à 70 à l'heure sur une nationale ou pendant 10 minutes dans les embouteillages. Si vous ou la personne en charge de l'achat de votre espace publicitaire vous donnez la peine de vous renseigner autour de vous (et d'attendre certainement votre tour), vous pourrez trouver des emplacements où le trafic est lent et dense et avoir un panneau qui sera lu plus lentement et attentivement par un plus grand pourcentage de lecteurs.

En conclusion, toutes les formes d'affichage ne se valent pas. L'emplacement conditionne l'efficacité de votre publicité. Un acheteur astucieux peut trouver de bons emplacements qui seront plus rentables que l'affiche moyenne. C'est la raison pour laquelle quelques spécialistes en publicité extérieure mettent la main sur les meilleurs emplacements, au point de s'engager pour des années afin de pouvoir les contrôler.

8 feuilles pour gagner

La mini-affiche (ou affiche huit feuilles) est de plus en plus populaire. Introduite assez récemment aux Etats-Unis pour rendre l'affichage accessible aux PME, les mini-affiches intéressent maintenant tous les annonceurs et se développent mondialement. La raison du succès de ce format est qu'il peut être placé à proximité immédiate du flux de trafic, surtout sur les nationales où le trafic est plus lent.

Le reste de l'histoire de la mini-affiche correspond à l'émergence d'une taille standard de 3,3 m x 1,5 m, sur un support de 3,5 m x 1,80 m. C'est à l'association pour la mini-affiche qu'on doit cette normalisation qui a transformé la production et la planification de ces affiches en quelque chose d'aussi facile que le travail sur les anciennes 30 feuilles.

Partout les études démontrent que ce format est *trois fois plus efficace en termes de coût* que l'ancien format 30 feuilles. Les études portant sur la visibilité et la lisibilité de ce format démontrent également son efficacité.

Alors, si ce format est disponible, n'hésitez pas !

	8 feuilles	**30 feuilles**
Visibilité	30 %	37 %
Lisibilité	29 %	29 %
Réobservation	1.3	1.5

Circonstances défavorables à l'utilisation de publicité extérieure

Un quart du budget publicitaire aux Etats-Unis est consacré à l'alcool et au tabac (beaucoup moins dans les pays où la publicité pour ces articles n'est pas interdite à la télé). En conséquence, la plupart des professionnels de marketing aux Etats-Unis pensent tout de suite à ces produits lorsqu'ils veulent tirer profit de la publicité extérieure. Malheureusement, ils finissent par avoir une idée erronée sur la publicité extérieure, étant donné que ces publicités font un mauvais usage de ce support médiatique.

La publicité extérieure n'est pas adaptée aux publicités pour l'alcool ou le tabac parce que, d'un point de vue démographique, il s'agit d'un *mass médium* (même si géographiquement il s'agit d'un support très ciblé). Les produits tels que l'alcool ou le tabac ne devraient pas utiliser un mass médium (on va vous dire tout de suite pourquoi). En outre, l'exposition massive causée par la publicité extérieure est inadaptée à ces produits, étant donné que ces publicités seront exposés à des segments de la population qui ne devraient pas être exposés à ce type de publicité.

La publicité extérieure est *spécifiquement géographique*, puisque vous pouvez choisir des panneaux par ville ou par route. Rien de mieux pour l'annonceur local possédant un produit dont l'argument de vente est essentiellement basé sur la région. Admettons par exemple que vous proposiez toutes sortes de services pour les voitures (nettoyage, vérification, etc.) dans cinq villes différentes. On peut facilement conclure que toute personne de chacune de ces cinq villes passera à un moment ou un autre à côté de votre affiche publicitaire. Conclusion : les affiches doivent être considérées comme un mass médium.

Vous ne pouvez pas être sûr que les gens qui ne boivent pas d'alcool ne passeront pas par là ou vice versa. La population qui passe par les routes est très diverse et, selon une étude de "American Demographics", seulement 55 % de la population d'adultes en âge de boire aux Etats-Unis dit avoir consommé de l'alcool pendant les six derniers mois. Un chiffre surprenant ! Lorsqu'on considère qu'une grande partie de la population n'est pas légalement autorisée à boire, cela signifie que beaucoup moins que la moitié de la population est une cible adaptée à une campagne publicitaire pour de l'alcool. Cependant, la publicité extérieure proportionne également une exposition égale à cette majorité qui n'appartient pas au marché cible. De la même manière, seulement 20 % d'adultes fument des cigarettes, alors que la grande majorité des non-fumeurs est tout de même exposée à des publicités extérieures pour des cigarettes. Voilà qui est un terrible gâchis financier !

Ce que nous voulons dire, c'est que l'utilisation de la publicité extérieure est inutile à moins de pouvoir atteindre l'audience ciblée. Sinon, tout ce que vous faites, c'est d'adresser un message à des milliers de gens qui ne sont pas du tout concernés… et vous le faites à grande échelle !

Apprendre la modération

La publicité extérieure est souvent quelque chose d'assez agressif. Beaucoup de gens trouvent exaspérant d'avoir la vue coupée par des grands panneaux publicitaires ! Vous devez absolument garder cela à l'esprit lorsque vous envisagez d'utiliser ce support médiatique.

Nous sommes de nouveau confrontés à une vague d'interdictions. L'exemple nous est donné par la ville de Baltimore qui a récemment interdit toute publicité extérieure pour la plupart des alcools et tabacs. Même si juridiquement cette bataille est loin d'être terminée, il est fort possible que cette tendance s'exporte au-delà des Etats-Unis.

Mais, que votre produit soit considéré comme dangereux ou pas, l'utilisation de publicité extérieure est inutile à moins de bien cibler votre audience.

> Si les professionnels du marketing veulent continuer à jouir de la liberté de concevoir leurs publicités à leur gré, il faut bien qu'ils apprennent à respecter le public.
>
> Lors de vos campagnes de publicité extérieure, essayez de n'offenser personne. Suivez un conseil : attiser le feu pour telle ou telle interdiction ne vaut pas la peine. Il y a des médias qui sont beaucoup mieux adaptés à ce genre de messages. Vous pourrez sans aucune difficulté trouver un journal, une station de radio ou une liste de publipostage qui vous amèneront à votre marché cible sans offenser personne.

De retour à l'essentiel : l'enseigne de base

En écrivant ce livre, j'ai découvert une chose étrange : les *enseignes* n'apparaissent dans aucun index ou table des matières de la plupart des ouvrages de marketing. Vous connaissez les enseignes, ces petits panneaux sur lesquels figure la marque ou le nom de l'entreprise et, parfois, un petit message marketing ou des informations pour le client.

Partout, on retrouve des enseignes. Si en ce moment même vous êtes dans un bureau, jetez un coup d'œil à l'entrée la plus proche et vous en verrez quelques-unes tout de suite. Les enseignes sont quelque chose d'important ; même si elles ne servent qu'à indiquer un bureau ou un magasin, elles remplissent un rôle en marketing. Si vos client n'arrivent pas à vous retrouver, vous ne ferez pas d'affaires. (Plus loin, vous trouverez des conseils pour d'autres utilisations.) Alors pourquoi est-ce que la plupart des professionnels du marketing, les experts qui écrivent des livres, ne se donnent pas la peine d'en parler ?

Vous ne trouverez pas de normes nationales ou internationales pour les enseignes ou d'association chargée de les mettre en place. On ne peut pas non plus vous conseiller des spécialistes comme c'est le cas pour les autres médias. Vous serez donc obligé de spécifier vous-même les tailles et autres spécifications.

Grand nombre de villes ont des réglementations concernant les enseignes et panneaux sur les lieux publics. Si vous avez loué des bureaux ou un commerce, il est possible que votre bail comporte également des restrictions. Vérifiez bien tout cela avant d'investir en enseignes ou panneaux ! Si vous pensez que ces restrictions peuvent devenir source de problèmes, consultez un avocat avant de faire quoi que ce soit.

Une enseigne pour le temps

Beaucoup d'enseignes sont des signes publics. Par exemple, les panneaux pour les passages cloutés, qui n'ont rien à voir avec le marketing mais qui ont le même objectif.

Ces panneaux nous donnent des indications pour la conception d'enseignes. Regardez comme ils sont simples et clairs. La simplicité est essentielle étant donné leur petite taille et les emplacement auxquels ils sont destinés. *On regarde les panneaux très vite et de loin,* et les enseignes commerciales sont soumises aux mêmes contraintes ; ne l'oubliez pas lorsque vous les concevez. Les enseignes ne sont pas des supports médiatiques très parlants. Après tout, si les enseignes avaient le même pouvoir de communication, on n'aurait jamais inventé les affiches !

Mais lorsque vous réfléchissez à tous les éléments qui constituent les points d'impact sur vos clients et prospects, vous ne pouvez pas négliger les enseignes. Elles jouent un rôle important dans l'acheminement de la clientèle vers vos locaux. Et les enseignes internes jouent également un rôle important sur les points de vente (voir Chapitre 16). Les panneaux et enseignes sont plus importants que vous ne le croyez, n'oubliez donc pas de les inclure dans votre plan d'action marketing.

En ce qui concerne la conception proprement dite de votre enseigne, commencez par consulter les pages jaunes de votre région. Sinon, vous pouvez toujours demander autour de vous ou vous adresser à un cabinet de dessin réputé.

Vous pouvez également envisager de recourir aux services d'un ébéniste, d'un artiste peintre ou de tout autre professionnel pour réaliser votre enseigne. La plupart des panneaux commerciaux sont des exemples typiques d'art commercial : en somme, pas très artistiques ! Si vous faites appel à un artiste, vous pouvez être sûr que vous aurez quelque chose d'original. Et les enseignes originales démontrent combien votre entreprise est originale. En réalité, un tel panneau bien exposé dans un endroit de grand passage a plus d'impact pour bâtir une image ou attirer des prospects que n'importe quelle autre forme de publicité locale.

Ce que peut faire une enseigne

Les enseignes sont des moyens limités d'atteindre des objectifs marketing, mais peut-être pas aussi limités qu'on pourrait le croire. Robert Bly, consultant en marketing et auteur du livre *Guide de publicité du manager* (édité par Prentice Hall), nous explique quelques-unes des fonctions remplies par les enseignes.

- **Les enseignes peuvent guider le public vers vos locaux.** Bly explique très bien cette notion en disant : "Les enseignes sont comme des index de l'entourage." Grand nombre de professionnels du marketing réalisent l'importance des enseignes parce qu'ils ont l'habitude de mettre des panneaux sur les autoroutes pour diriger les clients vers des magasins. Le problème c'est qu'ensuite, une fois sorti de l'autoroute, il n'y a plus de panneaux. Ne sous-évaluez pas la capacité du client moyen à se perdre. Assurez-vous que vos panneaux indexent tellement bien l'entourage, qu'il est impossible pour vos clients de s'égarer.

  Les enseignes sont aussi un bon moyen de faire ressortir votre emplacement. Vous connaissez certainement un vieux dicton à propos des trois règles de la réussite d'un commerce : emplacement, emplacement et emplacement ! Eh bien, vous pouvez utiliser des enseignes pour bien indiquer votre emplacement et vous démarquer par rapport au concurrent. Dans un centre commercial, par exemple, si vous placez des enseignes, il y aura plus de clients chez vous que chez le concurrent !

- **Les enseignes peuvent fonctionner comme de la publicité extérieure.** Elles sont, après tout, la forme originale des premières publicités extérieures. Elles sont plus petites et plus localisées que les énormes affiches utilisées actuellement dans la publicité extérieure. Mais cela ne les empêche pas d'être parfois plus efficaces. Elles annoncent votre présence, elles devraient donc être un reflet de votre personnalité. (voir Chapitre 5 concernant la personnalité du produit en marketing). Les enseignes devraient être utilisées pour rendre votre emplacement aussi visible que possible pour toute personne se trouvant dans les parages. Et elles doivent le faire de façon aussi cohérente que possible avec votre *image de marque* – cette personnalité que vous voulez montrer à vos clients et prospects.

- **Les enseignes peuvent bâtir une image.** La qualité d'une enseigne en dit long sur un produit ou service. Il est essentiel de surpasser tous vos concurrents dans ce domaine de façon à transmettre une image de qualité. En marketing, la perception est la réalité, et pour beaucoup d'entreprises les enseignes sont un facteur de perception important !

- **Les enseignes peuvent fournir des informations utiles.** Quels sont les produits ou services que vous proposez ? Comment vous comportez-vous en affaires ? Quel est le secret de votre différence ? Quel genre d'affaires ou de clients recherchez-vous ? De telles questions restent souvent sans réponse parce que le client ne connaît pas les particularités de votre commerce. Mais elles peuvent être partie intégrante de vos enseignes et lorsqu'elles fournissent les réponses, tout devient plus clair pour le client. Soyez critique envers vos enseignes : sont-elles assez informatives ? Assurez-vous que vos enseignes informent sur vous-même, votre activité et votre type de clientèle.

Rédaction de textes pour les enseignes

La rédaction de textes pour les enseignes est un art difficile, mais on peut apprendre à le maîtriser. Souvent, le langage des enseignes est un langage ambigu, étant donné que l'enseigne n'est pas assez précise pour entrer dans le vif du sujet. Vérifiez le texte avant d'approuver toute épreuve pour être certain que le message est clair ! Essayez de mal interpréter les mots. Est-ce que l'enseigne peut être lue et interprétée d'une autre façon que celle que vous voulez ? Essayez de poser quelques questions idiotes auxquelles votre enseigne ne répond pas. Certaines personnes, par exemple, n'ont aucun sens de l'orientation et un panneau dans un magasin ne leur servira à rien, à moins d'avoir une flèche qui indique clairement l'entrée.

La plupart des enseignes sont conçues pour transmettre le minimum d'information, par exemple des instructions ou des renseignements. Souvent, elles sont trop concises et trop longues en même temps. Le corps de texte et la présentation devraient faire l'objet de deux parties distinctes :

- La première partie est l'équivalent du titre dans une publicité écrite : son objectif est d'attirer l'attention de loin et de faire en sorte que le spectateur se rapproche. Compte tenu de ces objectifs, la concision et de gros caractères ou illustrations sont essentiels.

- La seconde partie doit transmettre l'information essentielle de façon précise et complète. Si la première partie est bien conçue, le public se dirigera tout de suite vers l'enseigne pour lire l'information qui s'y trouve, ce qui signifie que, dans cette partie, les caractères peuvent être plus petits. Par contre, le style doit être clair, lisible et compréhensible.

La plupart des enseignes ne sont pas conçues en deux parties, en conséquence l'objectif n'est pas réellement atteint. Elles ne réussissent pas à attirer l'attention ni à informer le public. Malheureusement, la plupart des professionnels ont tendance à rédiger la totalité du texte en utilisant la même taille de caractère. Et, lorsqu'on insiste, ils consentent à faire le titre deux fois plus grand que le corps de texte, mais il ne faut pas leur en demander plus. Seulement voilà, pour obtenir une bonne enseigne il faut insister et, comme dans beaucoup d'autres domaines, savoir nager à contre-courant.

Un autre problème courant avec le corps de texte de la plupart des enseignes est le fait que la rédaction est de très mauvaise qualité. Contrairement à tout autre outil marketing, on pense qu'une enseigne doit simplement informer de façon directe et sans aucune créativité. Le dictionnaire devrait donner l'exemple d'"'enseignes créatives" comme illustration de l'oxymoron, tant la "créativité" et les "enseignes" se mélangent aussi bien que l'huile et l'eau...

Une des raisons pour lesquelles les enseignes ne sont pas quelque chose de très créatif est que la plupart des professionnels du marketing pensent que le public *lit* les enseignes.

Sur n'importe quelle rue du centre-ville d'une agglomération moyenne, on trouve une centaine d'enseignes. Essayez de retenir toutes celles que vous voyez en marchant le long d'un pâté de maisons. Quelques-unes vous saute-ront aux yeux ("Priorité piétons", par exemple), mais je parie que vous serez incapable de vous souvenir de toutes celles que vous avez vues.

Je n'aime pas être porteur de mauvaises nouvelles, mais l'idée que tout le monde lit les enseignes est un mythe. En réalité, seules les meilleures ensei-gnes réussissent à attirer l'attention. Ce support médiatique prête plus à confusion qu'aucun autre et, pour réussir, il faut appliquer les règles de conception et de rédaction passées en revue au Chapitre 5. Il est également très important d'oublier les méthodes traditionnelles et d'utiliser une appro-che créative de façon que vos enseignes attirent l'attention du public (voir Chapitre 4, pour plus de détails concernant les concepts créatifs).

La mauvaise nouvelle, c'est que nous ne croyons pas dans le pouvoir des enseignes. La bonne nouvelle, c'est que lorsque vous vous rendez compte des erreurs de vos collègues, vous pouvez toujours en profiter pour faire mieux et saisir vos chances. Les enseignes permettent l'innovation en deux domaines : le corps de texte et les illustrations. Mais vous pouvez également innover sur la forme de l'enseigne elle-même. Soyez créatif avec les matériaux, les formes, les lumières et les façons de présenter vos enseignes, et trouvez des nouvel-les idées pour leur conférer de l'impact. Les enseignes doivent être quelque chose de créatif et d'amusant (comme d'ailleurs tout le reste en marketing).

Voici quelques variations sur une enseigne :

- Utiliser des lettres et des illustrations en vinyle (méthode rapide et peu onéreuse mais très précise).

- Peint à la main (personnalisation).

- Bois (apparence traditionnelle ; travaillé à la main, renforce l'impact).

- Métal (résistant et permettant beaucoup de précision, pas très joli).

- Des lettres sur les fenêtres (peintes à la main ou application de lettres vinyle).

- Boîtes lumineuses (avec des lettres éclairées par-derrière ; très visibles la nuit).

- Lettres ou signes en néon.

- Enseignes magnétiques.

- Présentations électroniques.

T-shirts, parapluies et autocollants

N'oubliez pas qu'il est également possible de faire passer votre message au moyen d'enseignes sur les véhicules ou les clients eux-mêmes. On a déjà parlé de T-shirts dans le Chapitre 11 à propos des cadeaux promotionnels (qui sont une autre façon de faire passer le message). Vos clients considèrent vraisemblablement le T-shirt comme un cadeau sympa, mais on peut le voir comme une affiche sur jambes ! C'est quand même génial que le public soit prêt à porter votre message, non ? Ne négligez pas cet aspect de la publicité extérieure.

Les parapluies (utilisés également comme cadeaux promotionnels, voir Chapitre 11) peuvent transmettre votre logo et votre nom sur un slogan court ou un titre – on a seulement besoin d'un peu de pluie !

Ne négligez pas non plus les autocollants pour voitures : s'ils sont drôles ou originaux, le public sera prêt à se battre pour en obtenir un. Ne demandez pas pourquoi. Mais puisque ça marche et que ce n'est pas très cher, pourquoi ne pas faire quelque chose d'original et distribuer des autocollants comme cadeaux parmi le marché cible ?

Vous pouvez également inclure des autocollants dans un mailing et leur faire remplir une double fonction : attirer l'attention de sorte que le lecteur lise le courrier et servir de publicité extérieure. (Pour la fabrication des autocollants, contactez des fabricants de T-shirts ou autre entreprise spécialisée.)

C'est dans la poche

Puisqu'on est dans le vif du sujet, pourquoi ne pas parler tout de suite des poches en plastique ? Les grands magasins trouvent que c'est un important moyen publicitaire (voir polémique au Chapitre 15). Par contre, la plupart des entreprises oublient le fait que le public porte partout ses courses dans des poches en plastique ce qui assure une énorme diffusion à votre marque ou message publicitaire.

Pour utiliser efficacement ce support médiatique, il faut le rendre lisible et plus original que la poche en plastique courante. Rappelez-vous, il ne s'agit pas seulement d'une poche en plastique mais d'une forme de publicité extérieure ! Appliquez donc les mêmes principes que pour d'autres formes de publicité ! Essayez de trouver une accroche : une image ou un slogan capable d'attirer l'attention. Essayez également d'utiliser des couleurs ou des formes différentes de celles qu'on utilise habituellement. (A propos, la plupart des fournisseurs sont capables de fournir des poches en plastique sur mesure.)

Si vous proposez la plus grande et la plus solide poche en plastique de tous les commerces des environs, vous pouvez être sûr que tout le monde utilisera votre sac pour transporter toutes les autres courses et vous assurera ainsi une grande diffusion publicitaire. Bien sûr, des poches en plastique plus grandes et plus solides sont plus chères, et c'est la raison pour laquelle la plupart des poches en plastique se déchirent en un clin d'œil. Mais si vous les utilisez comme support pour transmettre votre message, le coût d'une poche devient dérisoire en comparaison avec d'autres médias.

Si vous n'êtes pas commerçant, vous pensez sans doute que cette idée ne vous concerne pas. Faux ! Grand nombre de responsables de magasins considèrent la poche en plastique comme une dépense inutile, plutôt qu'un outil marketing. Pourquoi ne pas proposer de leur fournir des poches plus solides en échange du droit d'imprimer votre message sur la poche ? Voici un nouvel outil pour votre plan d'action marketing.

Auvents et marquises

N'oubliez pas également les auvents et marquises (vous trouverez des fabricants et fournisseurs dans les pages jaunes). Pour les commerçants, les auvents et les marquises représentent souvent une des formes les plus attrayantes de publicité extérieure, mais on peut également les utiliser pour des bureaux.

Les auvents allient la valeur structurelle à la valeur commerciale en apportant de l'ombre à l'intérieur d'une pièce, et en prolongeant le magasin lui-même sur le trottoir. Ils peuvent remplir des fonctions similaires à celles d'une enseigne et plus encore, d'une façon très visible mais pas agressive. D'énormes auvents n'ont pas un aspect aussi commercial que d'énormes panneaux ; ils ne sont pas différents, mais l'œil humain ne les perçoit pas de la même façon.

Pourquoi les drapeaux et les bannières ne sont-ils pas considérés comme de vrais supports publicitaires ?

A propos de créativité et d'amusement, jetons un coup d'œil rapide à ces deux supports publicitaires, car ils sont des alternatives aux enseignes et à d'autres formes de publicité extérieure.

Le Metropolitain Museum of Art de New York (MOMA) utilise des énormes bannières de tissu coloré comme moyen de promotion de certaines expositions. Ces bannières offrent un joli contraste avec l'immeuble en pierre et attirent considérablement l'attention des passants. Grand nombre d'entreprises se sont spécialisées dans la fabrication de drapeaux et bannières sur mesure. Je ne fais pas référence, bien entendu, à ces bannières en papier qu'on voit souvent dans les supermarchés lorsqu'il y a des promotions. Ce dont je parle, ce sont des énormes drapeaux en tissu flottant dans le vent ou d'une bannière de grande taille suspendue à la fenêtre d'un bureau ou d'un salon professionnel. Ou d'une bannière façon nappe qui transforme une table en message publicitaire.

Réfléchissez à l'utilisation d'un drapeau ou d'une bannière pour votre magasin ou bureau. C'est un des outils de publicité les plus amusants, surtout parce qu'il est très peu utilisé en marketing. Un drapeau ou une bannière est beaucoup moins statique et monotone qu'une enseigne. Le tissu est quelque chose de *beaucoup plus excitant* parce que c'est une matière qui bouge. Et même lorsqu'il ne bouge pas, on sait qu'il peut bouger. Il y a aussi l'aspect décoratif et joyeux parce qu'on associe les drapeaux et bannières avec les festivités, les occasions où ils sont utilisés. Si vous ne respectez pas la tradition, vous pouvez tirer avantage de leur aspect attrayant et attirant beaucoup plus l'attention qu'avec les enseignes ou les panneaux.

Leur taille plus petite et leur aspect décoratif en fait des outils publicitaires beaucoup moins agressifs que ces énormes affiches qu'on voit le long des autoroutes. Aux Etats-Unis, plusieurs communautés et Etats ont interdit, du moins partiellement, les affiches et les panneaux, mais aucun Etat n'a interdit les drapeaux et les bannières. Cependant, contactez la mairie de votre ville pour être sûr qu'il n'y a pas de problèmes. Dans les endroits où la polémique sur les affiches bat son plein, essayez les drapeaux et les bannières. Vous aurez besoin de trouver des emplacement plus proches et plus bas par rapport au lecteur, puisqu'ils sont plus petits, mais une petite entreprise locale est certainement capable de vous trouver des propriétaires prêts à suspendre vos drapeaux et bannières à leurs immeubles. Essayez tout de même !

Toutes ces options et d'autres vous seront expliquées plus en détail par les fabricants de drapeaux. Ils ont l'habitude de travailler avec de grosses quantités de tissu et fournissent également des câbles et autre matériel nécessaire à leur suspension. Depuis quelques années, l'innovation dans le domaine du textile a provoqué une apparition de matières synthétiques très résistantes qui facilitent l'usage de ces outils pour des fins publicitaires. Vérifiez !

La Figure 10.3 illustre les modèles les plus courants et la terminologie d'usage dans le domaine des drapeaux et des bannières.

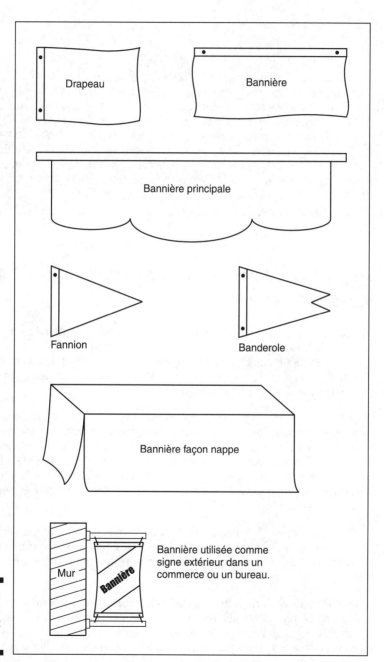

Figure 10.3 :
Modèles de
drapeaux et
bannières.

YMCA

La bannière de la colonie de vacances de la YMCA est un excellent exemple d'une bonne utilisation de ce support médiatique. Les deux tiers supérieurs de cette bannière, plus large que haute, sont remplis par une série de silhouettes d'enfants jouant au basket, au base-ball, sautant à la corde, nageant, etc. Tous ces sports sont illustrés très simplement par ces figures. Le dernier tiers inférieur est rempli par le texte en lettres capitales : YMCA et, juste en dessous, le logo sur une ligne surmontant l'inscription COLONIE DE VACANCES. Avec cette conception minimale, la bannière transmet le nom de la marque et de l'information sur les activités qu'elle propose. Et comme la bannière est fabriquée dans un tissu brillant, les lecteurs sont séduits par le côté attirant et original du message.

La publicité sur les transports publics : des messages en mouvement !

La *publicité sur les transports publics* est toute publicité affichée sur les moyens de transport. Cela comprend les autobus, le métro, les taxis, les trains de banlieue ainsi que toute publicité dans un aéroport, à l'intérieur d'un train, etc. Peut-être qu'un jour la NASA louera de l'espace publicitaire sur l'extérieur des navettes spatiales...

La publicité sur les transports publics est considérée par l'industrie publicitaire comme une forme de publicité extérieure. Cette classification n'est pas tout à fait exacte puisqu'il peut s'agir également de publicités affichées à l'intérieur d'un aéroport ou d'une station de métro. On a donc décidé d'utiliser le terme *publicité externe* qui convient mieux à la publicité sur les transports publics puisque la cible est constituée par les passagers et non les gens dans leur habitat.

Les options standard, celles qu'on obtient le plus facilement par les agences de publicité et les entreprises spécialisées en achat d'espace publicitaire, comprennent des panneaux sur les Abribus et des signes extérieurs sur les taxis.

Les *panneaux des Abribus* sont de taille variable. Il est préférable de les couvrir d'une plaque de plastique transparent de façon à les protéger des graffiti. Dans grand nombre de villes, ces panneaux sont illuminés pour être également visibles la nuit. Le prix d'un affichage d'un mois varie selon la ville et le pays. Vous aurez peut-être besoin de 100 à 300 panneaux pour atteindre suffisamment de lecteurs et d'une exposition de 100 % selon la taille de la ville.

Les *affiches sur les bus* ont des standards communs dans toute l'Amérique du Nord, même si actuellement quelques compagnies proposent également une couverture totale du bus. Ci-dessous vous trouverez les tailles standard des affiches utilisées sur les bus.

- Affiche grand format. Une affiche mesurant 76,2 x 365 cm collée sur un côté du bus. Cette affiche peut être présentée soit côté rue, soit côté trottoir. Elle est appelée également affiche *King size*.

- Affiche format moyen. Une affiche mesurant 30 x 223 cm spécialement conçue pour le côté trottoir. Si vous voulez vous assurer que les passagers du bus et autres piétons à proximité de l'Abribus voient votre affiche, choisissez ce côté ! Cette affiche est parfois appelée *Queen size*.

- Affiche petit format. Une affiche mesurant 53 x 111 cm affichée sur le côté du bus et quelquefois appelée *présentoir mobile*. Si vous avez un message simple et un budget restreint, ce format devrait vous suffire.

- Présentoirs frontaux et postérieurs. Ces affiches mesurent 53 x 177 cm et sont visibles par des automobilistes conduisant à proximité du bus. Une affiche postérieure est très visible par les voitures suivant le bus, mais si le pot d'échappement ne fonctionne pas correctement, il vaut mieux ne pas le faire.

- Combinaisons. Quelquefois les annonceurs utilisent un présentoir frontal avec une affiche côté trottoir pour augmenter l'impact sur les piétons. Ajoutez une affiche sur l'Abribus, et vous ne pouvez pas disposer de meilleure couverture. Ces combinaisons peuvent être efficaces si vous pensez que votre pub est attirante ou si vous voulez afficher des publicités complémentaires.

Si vous annoncez en Europe ou dans un autre pays que les Etats-Unis, ces standards ne seront peut-être pas applicables. La publicité extérieure en général, et plus particulièrement sur les transports, n'est pas standardisée partout. Renseignez-vous auprès des personnes qualifiées.

Un avantage de la publicité sur les transports publics est le fait que le *taux de diffusion* est énorme en très peu de temps. Les transports publics empruntant souvent la même route, il est naturel qu'une publicité finisse par être vue.

Ne négligez pas ce facteur lorsque vous réfléchissez à la conception d'une publicité pour les transports en public : vérifiez que votre publicité n'est pas monotone et irritante lorsqu'on l'a vue de nombreuses fois.

Envisagez de transgresser la règle qui dit que la publicité extérieure doit être simple et claire. Dans les publicités sur les transports publics, il vaut mieux avoir un texte simple et clair au premier abord, et une conception plus élaborée pour tous ceux qui la voient pour la deuxième fois. Vous pouvez également cacher un caractère drôle ou proposer un puzzle ou une devinette. Le lecteur découvrira du nouveau chaque fois, et la pub continuera à être intéressante. Laissez libre cours à votre imagination pour trouver des idées, et vous obtiendrez une publicité particulièrement efficace.

Cette idée est sans doute plus évidente, mais rares sont ceux qui y pensent. Est-ce que votre entreprise possède ses propres véhicules ? Si c'est le cas, est-ce que vous les utilisez pour faire de la publicité extérieure ? La plupart des départements marketing répondent par "non" ou "plus ou moins", lorsqu'on leur pose cette question. Les petites enseignes magnétiques sur les portières ne comptent évidemment pas. Pas plus qu'un nom sur une portière. Si tout cet espace était payant, vous n'hésiteriez pas à recourir à une agence de publicité ou à un illustrateur pour transmettre un message efficace. En réalité, cet espace est payant. Seulement vous ne le voyez pas sur votre budget. Alors pourquoi ne pas essayer de rentabiliser cet espace sur vos véhicules en faisant comme si c'était de l'espace publicitaire payant ? Collez des affiches ou louez les services d'un professionnel pour peindre vos véhicules.

Lorsque j'ai dit que vos propres véhicules offraient de l'espace publicitaire gratuit, j'ai menti. Vous devriez dépenser de l'argent au moins pour une chose : nettoyer vos voitures régulièrement de façon que vos publicités soient toujours présentables.

Chapitre 11

Communication promotionnelle, objets promotionnels et bouche à oreille

. . . .

Dans ce chapitre :

Créer et entretenir les contacts presse.

Rédiger un communiqué de presse de choc.

Maîtriser le pouvoir du bouche à oreille.

Utiliser les objets et les cadeaux promotionnels pour attirer les clients et motiver la force de vente.

Dénicher et sélectionner les bons objets et cadeaux promotionnels.

. . . .

*V*ous vous demandez certainement pourquoi la communication et les objets promotionnels sont traités dans ce même chapitre. Tout simplement parce que ce sont deux moyens de communication marketing sous-utilisés.

En effet, beaucoup de professionnels du marketing ne savent pas amener la presse à servir leur cause, alors que cette tactique se révèle souvent très efficace. De plus, la façon dont les entreprises utilisent les objets et les cadeaux promotionnels laisse pour le moins à désirer. Que celui qui n'a jamais proposé comme objet promotionnel un stylo à deux francs six sous marqué au nom de sa société jette la première pierre...

Dans ce chapitre, vous apprendrez donc comment utiliser ces deux moyens de communication à bon escient. Vous verrez aussi comment devenir maître de la réputation que l'on vous fait...

On peut en effet considérer que le bouche à oreille est le moyen de communication le plus efficace ; le conseil d'un ami a plus d'influence sur une décision d'achat que n'importe quelle campagne de publicité magistralement menée. Pourtant, beaucoup de responsables marketing s'en soucient comme d'une guigne et justifient leur attitude en invoquant le caractère incontrôlable et volatile de "ce qui se dit". Il ne faut pas sous-estimer le pouvoir du bouche à oreille. Mieux : il devrait toujours être partie intégrante de tout plan d'action marketing. En tout état de cause, il faut au moins tenter de s'en servir.

Voici donc quelques conseils pour réparer l'injustice faite à ces trois moyens de communication marketing souvent délaissés.

Faites parler de vous

Nous entendrons ici par *communication promotionnelle* tous les articles ou *communiqués de presse* consacrés à un produit ou à un service. Par exemple, quand *Que choisir ?* présente dans un de ses articles votre produit comme étant le meilleur de sa catégorie, c'est de la promotion pour vous. En d'autre termes, cela vous fait de la "bonne pub". Au contraire, si, au journal télévisé de 20 heures, le journaliste laisse entendre que votre produit est soupçonné d'être à l'origine de beaucoup d'accidents, on peut parler de "mauvaise pub".

A travers ces deux exemples, nous voyons quels sont les deux cas dans lesquels les journalistes parlent de certains produits : quand le produit est de très bonne qualité et quand il est mauvais. Retenez donc bien ceci : dans les deux cas, *c'est la qualité – bonne ou mauvaise - du produit qui est à l'origine de l'intérêt qu'on lui porte.*

La meilleure façon de générer de la "bonne pub", c'est bien sûr de concevoir un produit de qualité vraiment supérieure. Et la meilleure façon de se faire une "mauvaise pub", c'est de commercialiser un mauvais produit. A travers le produit, c'est toute l'entreprise qui est mise en cause, du processus de développement à l'organisation de la livraison, en passant par le produit lui-même, mais aussi l'organisation et la gestion. La "bonne pub" commence donc par un processus de qualité irréprochable.

Voici une règle très simple : si personne ne s'occupe de vos produits, en tant que professionnel du marketing, la faute vous revient ! Votre job impose que vous bougiez dans ce sens. Toutefois, si le produit est quelque peu malmené par la presse, c'est souvent la gestion de l'entreprise qui est en cause. C'est pourtant vous qui écoperez et qui devrez faire face au problème. Mais impliquez la direction aussi vite que possible puisque c'est elle qui est responsable de la gestion.

Les activités de *relations publiques* consistent à assurer la communication promotionnelle des produits à des fins marketing. Les professionnels du marketing ont pour tâche de générer de la "bonne publicité". Ils peuvent le faire à travers les relations publiques et les *relations de presse*. Ils peuvent communiquer des informations intéressantes aux journalistes qui les intégreront dans un papier, une émission d'information ou de divertissement. Voilà de la "bonne pub", de la promotion !

Le dirigeant d'une P.M.E. ou le responsable marketing d'une entreprise moyenne ont bien souvent une double casquette et cumulent leurs responsabilités avec celles d'un chargé de relations publiques. Au contraire, les grandes entreprises ont souvent une personne, voire un service, dont l'activité est consacrée à la promotion de l'entreprise à travers les relations de presse et les relations publiques. Il existe une autre formule : s'offrir les services d'une *agence de publicité* ou bien d'une *société de relations publiques* qui emploie des consultants ou des chargés de relations publiques freelance.

Pour ce qui est de la "*mauvaise pub*", il faut tout faire pour la contrer et en supprimer les causes, si c'est possible. Cela fait aussi partie de la fonction marketing !

Bien sûr, un responsable marketing ne cherche pas la "mauvaise pub" mais il peut la trouver. Elle peut être due à une mauvaise gestion de l'entreprise (les symptômes sont alors de piètres résultats financiers ou un produit de mauvaise qualité), être le résultat d'une mauvaise décision (telle qu'accepter de commercialiser un produit que l'on sait être potentiellement dangereux, car on est pris par le temps), ou bien tout simplement être le résultat d'un malencontreux hasard. Dans ce cas, il faudra vous étendre en explications et adopter une attitude consternée jusqu'à ce que l'orage soit passé !

Quand quelque chose va réellement de travers et que les médias se déchaînent, on parle de *crise de communication*. La première chose à faire pour résoudre une crise de communication, c'est de "coincer" un dirigeant pour lui extorquer des explications. Une fois que la presse a mis la main sur l'affaire, elle ne lâchera pas le morceau et puisque tôt ou tard on saura le fin mot de l'histoire, il vous faudra convaincre cette personne de s'expliquer en public sur ce qui s'est vraiment passé et sur ce qui sera fait pour remédier au problème. Si vous n'arrivez pas à le convaincre, laissez tomber ! Vous ne pourrez pas endiguer le flot de "mauvaise pub" qui déferlera. Mieux vaut vous munir de votre plus beau CV et chercher tout de suite un autre job.

(Allez, quoi, c'était pour rire !)

La gestion de crise n'est pas une partie de plaisir, mais consolez-vous en pensant que vous n'aurez fort heureusement sans doute pas l'occasion de vous y frotter.

Séduire la presse

Tout ce qui peut attirer de potentiels lecteurs, spectateurs ou auditeurs intéresse les journalistes. C'est sûr, un bon article sur l'industrie plastique intéressera les professionnels de ce secteur. Mais n'oubliez pas que ce n'est pas l'article que vous devez vendre, mais votre produit.

En tout état de cause, voici ce qui n'intéresse pas la presse :

- Les articles ou communiqués concernant votre nouveau produit et décrivant ce qui le distingue par rapport à vos produits précédents ou aux produits concurrents (sauf si le journaliste est spécialisé dans ce secteur).

- Les raisons pour lesquelles vous pensez que vos produits sont géniaux.

- Votre version d'un événement passé et déjà couvert.

- Tout ce qui est ennuyeux ou qui pourrait servir les intérêts de quelqu'un ne faisant pas partie de votre entreprise.

Et pourtant, les journalistes sont abreuvés de ce genre d'informations. De fait, les chargés de relations publiques ne sont pas de bons journalistes. Ils n'essayent pas non plus de se mettre à leur place. C'est pourtant ce qu'il faut faire. Vous devez flairer la bonne histoire, l'étayer avec des informations concrètes, trouver un scénario qui sera directement exploitable par votre journal préféré. Bref, mettez-vous dans la peau d'un journaliste.

Trouver l'accroche

Si vous vous demandez comment faire, voici un exercice très simple. Parcourez votre journal préféré, choisissez cinq articles ou communiqués qui vous intéressent et classez-les par ordre de préférence. Maintenant, analysez chacun d'eux et essayer d'identifier l'élément qui a déterminé votre choix. Cet élément, que nous appellerons l'*accroche*, sera probablement différent à chaque fois, mais en tout cas il y en aura un ! Ces accroches ont tout de même des points communs :

- Elles vous apportent des informations nouvelles (quelque chose que vous ne saviez pas ou dont vous n'étiez pas sûr).

- Elles rendent l'information pertinente par rapport à votre activité ou à vos centres d'intérêt.

- Elles attirent l'attention du lecteur avec un élément surprenant ou inattendu.

- Elles vous font des promesses : vous aider à mieux comprendre le monde qui vous entoure, vous éviter des ennuis ou tout simplement vous amuser.

Il faut conclure de l'exercice précédent qu'un message marketing doit lui aussi comporter une accroche ayant les mêmes caractéristiques que celles qui vous ont attiré, plus une : être en rapport avec votre message. Dans l'accroche, introduisez brièvement le nom de votre marque, votre nouveau produit et/ou l'information que vous voulez transmettre. Ainsi, le journaliste pourra utiliser votre accroche dans son papier et incidemment votre idée.

Les journalistes n'ont pas la moindre intention de vous aider à communiquer avec votre marché cible. En revanche, ils sont prêts à se servir de tout ce que voudrez bien écrire d'intéressant à leur place. Le fait que votre produit ou le nom de votre directeur marketing soient cités ne leur pose généralement pas de problème de conscience. Voici donc le secret d'une promotion efficace : envoyez des communiqués intéressants, pourvus d'une bonne accroche, à des journalistes débordés. Ils ne refuseront jamais le petit coup de main que des "bonnes volontés" (vous par exemple) peuvent leur donner !

Vendre un communiqué aux médias

L'enseignement des écoles de communication et de relations publiques commence ici. Elles s'occupent de la forme, non du fond. A notre avis, la bataille se joue pourtant à 90 % sur le fond et seulement à 10 % sur la forme. Pour cette raison, nous n'avons pas suivi l'approche traditionnelle. Mais la forme a tout de même son importance. Pour qu'un journaliste puisse se servir facilement de votre travail, il a besoin d'un papier répondant à certain critères.

Le modèle de base pour communiquer une information promotionnelle est le *communiqué de presse*. C'est un court document écrit comportant : un titre, un contenu s'appuyant sur des faits et des citations, quelques informations sur l'entreprise et les produits concernés, la date ainsi que les coordonnées d'une personne à contacter pour de plus amples informations.

Cette définition est plus longue et plus complexe que toutes celles que vous pourrez trouver dans les manuels. Mais ce faisant, il n'y a plus grand-chose à ajouter pour comprendre comment rédiger un communiqué de presse. Soyez attentif à ce que votre communiqué comporte bien tous les éléments cités, trouvez une bonne accroche et le tour sera joué !

La Figure 11.1 est un modèle qui introduit tout les éléments essentiels, y compris la présentation.

Désolé de vous décevoir, mais autant vous le dire tout de suite, les chances que votre communiqué soit choisi pour servir de base à un article sont bien minces. A peu près 90 % des communiqués parvenant aux agences de presses et autres éditeurs vont tout droit à la poubelle. Vous devez donc absolument rédiger un communiqué qui ressorte du lot. Pour ce faire, appliquez les techniques de marketing direct (voir Chapitre 18 – *Les techniques de marketing direct*).

---

31 mars 98
Pour publication immédiate

Pour toute information
complémentaire contacter :
Alexander Hiam 001 (413) 253-3658

Un auteur fou écrit des ouvrages pour les nuls

Le premier ouvrage de marketing de terrain

Ahmerst, Massachussetts, USA – Nous y sommes presque. Plus qu'un petit chapitre sur les relations publiques et ça part à l'impression. Peut-être cet ouvrage entrera-t-il dans l'histoire, qui sait ? Car il est particulier. Il redéfinit le marketing et tente de rester en phase avec la dure réalité du monde commercial. L'auteur s'est efforcé de combler l'écart existant entre les écoles de commerce, isolées dans le confort douillet de leur tour d'ivoire, et la pratique plus prosaïque du marketing de terrain.

"Ce qui est enseigné dans les écoles de commerce est de la pure fiction", s'emporte Alexander Hiam, auteur du *Marketing pour les Nuls* (Sybex, 1998). "Tout est basé sur de la réflexion purement académique et non sur la pratique". Après avoir mis au feu tous ses manuels, Alexander Hiam a entrepris de visiter ses anciens clients et ses confrères, avant de se mettre à écrire ce nouveau livre. C'est ainsi que...

Figure 11.1 :
Exemple de
communiqué
de presse
qui tue.

Pour vaincre les statistiques, creusez-vous la tête pour le contenu (trouvez une information intéressante, etc. cf. plus haut).

De plus, voici quelques écueils à éviter :

- **N'envoyez pas de communiqué mal ciblé ou en retard.** Cibler le bon contact et le bon média. Un journaliste gastronomique n'aura rien à faire d'un communiqué sur une nouvelle usine de production de robots. L'affaire n'intéressera pas plus les correspondants de presse chargés de l'industrie si l'usine est entrée en activité il y a un mois.

- **Constituez-vous un fichier de contacts presse**. Un petit truc pour le garder à jour : envoyez de temps à autre vos communiqués de presse par courrier recommandé. Si l'adresse d'un correspondant a changé, vous en serez averti. Les journalistes travaillant dans des délais très serrés, vous pouvez faxer vos communiqués ou même les envoyer par e-mail. Pensez à réserver des colonnes pour les numéros de fax et les adresses e-mail dans votre liste de contacts. Essayez d'identifier les articles qui vous plaisent ou qui ont un air de famille avec vos communiqués et leurs auteurs. La liste sera plus courte, mieux ciblée et sans doute plus efficace. Vous pouvez constituer votre fichier à partir de listings de publipostage vendus par les sociétés de courtage spécialisées.

- **Vous n'avez pas droit à l'erreur, à aucune erreur** : les typographes ne se posent pas de question ! Vérifiez ce que vous avancez. Si vous voulez que le journaliste utilise votre travail, il doit avoir confiance en ce que vous écrivez.

- **Donner les coordonnées complètes des personnes contacts de votre entreprise**. Vérifiez que tous les noms, adresses et numéros (téléphone, fax, etc.) mentionnés sont à jour. Informez la ou les personnes concernées du moment où elles doivent se rendre disponibles et de ce qu'elles doivent dire. Rendez-les coopératives ! Dans vos communiqués, mentionnez les numéros de poste de ces personnes contacts. S'il y a lieu, incluez une brève explication sur la façon d'utiliser la messagerie vocale d'accueil. Et n'oubliez pas de briefer les standardistes ! Ce serait quand même dommage d'échapper à une demande d'entretien à cause d'un barrage téléphonique malvenu !

- **Tenez compte des besoins d'information des journalistes**. Plus vous leur donnez d'informations vérifiables susceptibles d'apporter de l'eau au moulin, plus il sera facile pour eux d'exploiter votre communiqué. Dans le cas d'un envoi par courrier, s'il y a lieu, joignez les photos prises par l'expert que vous avez mentionné, avec toutes les coordonnées de celui-ci au dos des photos ainsi que dans la marge du communiqué. Pensez à proposer des visites d'usine, des créneaux de disponibilité pour d'éventuels entretiens, des échantillons, etc. En bref, proposez tout ce qui peut aider un journaliste dans son travail.

- **N'enquiquinez pas les journalistes en leur demandant de vous envoyer leur article**. Ne vous donnez pas cette peine, car de toute façon ils ne le feront pas. De même, n'essayez pas de leur extorquer des explications sur leurs choix rédactionnels (pourquoi n'avoir pas cité M. Truc ou choisi l'histoire de Mme Machin ?). Ils sont déjà sur leur prochain papier. D'ailleurs, vous devriez être aussi sur le vôtre !

- **N'oubliez pas que les journalistes vivent à 100 à l'heure**. Quand l'un d'entre eux cherche à vous joindre, rappelez-le (ou faites-le rappeler) dans l'heure et non le lendemain. Ne lui laissez pas le temps de trouver autre chose à se mettre sous la dent !

Peut-on se servir de la vidéo et du Net ?

Il existe effectivement d'autres supports pour la communication promotionnelle. Faites un communiqué vidéo avec des séquences utilisables dans une émission de télévision. Vous pouvez aussi faire paraître un communiqué dans le support papier ou la page Web d'une revue spécialisée dans les relations publiques, ou la presse, moyennant finances bien sûr. Nous ne traiterons pas ici de ce choix, qui est encore marginal. Mais sachez que c'est possible et que, si cela vous intéresse, vous devrez vous adresser à un professionnel (agence de publicité, chargé de relations publiques, ou concepteur de pages Web).

Les objets promotionnels, ces grands inconnus

On appelle *objet promotionnel* et *cadeau promotionnel* (ou bien encore *primes*) tout objet comportant un message et qui est offert. C'est vrai, ils ne sont pas toujours offerts. En tout cas, on s'arrange toujours pour qu'ils puissent être obtenus facilement : le but du jeu reste quand même de répandre le message au maximum. Les objets et les cadeaux promotionnels les plus courants restent les T-shirts imprimés, mais aussi les cendriers, stylos, calendriers et casquettes avec le nom ou le logo de l'entreprise. Ne vous sentez surtout pas obligé d'en rester là : ce sont souvent de mauvais choix !

En effet, on en a trop vu. Savez-vous seulement combien de stylos de ce genre sont passés entre vos mains ces derniers mois ? Si vous êtes incapable de le dire, c'est qu'il y en a eu trop. Un de plus ne fera qu'ajouter à la confusion et ne changera rien à vos habitudes de consommation.

Utiliser un "scénario d'impact" pour concevoir vos objets

La mission d'un cadeau promotionnel est de changer les habitudes de consommation des individus. Autant dire que c'est mission impossible avec un cendrier ou un stylo bon marché. Avec un *scénario d'impact*, vous allez pouvoir réfléchir sur la façon dont le cadeau promotionnel peut influencer le comportement d'achat de son utilisateur.

Imaginons que vous vouliez lancer de nouveaux produits bancaires destinés aux petites entreprises et que vous vouliez en faire la promotion auprès de vos clients actuels concernés. Concrètement, vous voulez leur faire savoir qu'une nouvelle gamme de produits leur est spécialement destinée, puis les amener à prendre rendez-vous avec le directeur de leur agence pour obtenir plus d'informations.

Voilà le point de départ du scénario : une liste exhaustive de ce que le client doit apprendre et de ce qu'il faut l'amener à faire. Ensuite, imaginez les différentes façons dont votre cadeau promotionnel peut agir pour y parvenir.

Admettons que votre choix se soit porté sur un stylo comportant le nom de votre société accompagné du slogan "*Des services plus efficaces pour la petite entreprise*", que vous enverrez à tous vos clients avec leur prochain relevé de compte. C'est facile et pas cher, mais imaginez un peu la scène. Notre petit entrepreneur ouvre donc le courrier contenant son relevé de compte. Le stylo tombe de l'enveloppe. Il le ramasse et ses yeux tombent sur le slogan. Piqué par la curiosité, notre client téléphone aussitôt à son agence. Après quelques minutes passées sur une ligne d'attente, il a enfin quelqu'un en ligne et lui dit :"J'ai bien reçu votre stylo ! Allez-y, dites-moi tout sur vos services aux petites entreprises."

Quelque chose vous chiffonne ? Quelque part, effectivement, ce scénario n'est pas réaliste. En fait, le stylo atterrit bien souvent dans un tiroir, peut-être même directement à la poubelle, sans que le message ait seulement été lu ! Réfléchissez bien et vous verrez que la plupart des cadeaux promotionnels sont, comme ce stylo, les élément d'improbables scénarios. Certes, ça ne coûte pas cher et c'est donc tentant. Mais c'est surtout d'un efficacité douteuse !

Mais ne perdez pas espoir. Vous finirez par trouver un scénario qui marche, une façon d'utiliser un objet qui fasse que vos clients recevront effectivement le message concernant cette nouvelle gamme de services aux petites entreprises et qu'ils vous appelleront.

Il est probable qu'un *mug* – sorte de grande tasse à une seule anse dans laquelle les Américains boivent leur café et les Anglais leur thé – ferait beaucoup mieux l'affaire. L'espace utilisable est plus important et l'information peut donc être plus importante. Le message pourrait comporter cette première ligne en gros caractères :"LE SAVIEZ-VOUS ?", suivie de la liste des problèmes que les services de votre banque pourraient résoudre. Par exemple : "Avec la Banque Flouze, payez par prélèvement automatique", etc. Un client qui boit son thé ou son café dans ce mug est beaucoup plus susceptible de s'intéresser aux services proposés et de demander des informations lors de sa prochaine visite à la banque.

Une entreprise américaine a imaginé trois modèles d'objet promotionnel support, à mi-chemin entre l'abaque et la table de correspondance. Chacun d'eux met en rapport un problème que peut rencontrer une petite entreprise avec la solution apportée par la banque. Avec ce système, on peut mettre en regard des questions et des réponses, de potentielles demandes d'information avec les contacts appropriés, etc. L'un est rond : on le fait pivoter pour la lecture. Le second est constitué d'une réglette qui coulisse dans son support ; on lit les réponses dans une fenêtre. Le dernier se déplie en trois dimensions et peut se mettre sur un bureau. On peut y adjoindre d'autres documents, par exemple un volet de demande d'informations ou de souscription à détacher et à renvoyer. Personnellement, je trouve cette idée très intéressante. C'est nouveau, interactif... et vous pourrez l'envoyer à vos clients avec leur prochain relevé !

Voici maintenant le scénario d'impact de cet abaque interactif : votre client sort cette étrange chose de l'enveloppe, la regarde, se demande ce que c'est (la nouveauté rend curieux), s'aperçoit que l'objet parle de résoudre certains problèmes. Il s'amuse un instant avec, choisit un problème qui l'intéresse et lit la solution dans la fenêtre ménagée à cet effet. Il apprend que l'un de vos nouveaux services peut régler le problème en deux temps trois mouvements. Il va peut-être même prendre un stylo (sans s'apercevoir qu'il est marqué du nom d'un concurrent) pour renseigner le volet de demande d'informations à détacher et le mettre au courrier.

Ce objet promotionnel sera-t-il efficace ? Peut-être. En tout cas le scénario est plausible. Toutefois, vous devrez faire vos calculs pour en être sûr. Si vous estimez, par exemple, que sur vingt personnes ayant reçu votre abaque interactif une au moins demandera des informations, cela sera-t-il suffisant pour justifier les coûts de frais de production et d'envois de ces abaques ?

En tout cas, vous tenez le bon bout avec ce scénario : votre objet promotionnel ne sera pas de l'argent gaspillé et il a des chances de pouvoir affecter le comportement d'achat de vos clients.

Choisir votre objet promotionnel

Lors de votre réflexion sur les objets promotionnels et leurs scénarios, essayez d'envisager plusieurs possibilités (cf. Tableau 11.1). Observez autour de vous. C'est ainsi que vous découvrirez d'autres abaques interactifs.

Tableau 11.1 : Type d'objet promotionnel.

Classiques vieux jeu	Classiques dans le vent
Crayon, stylo	Montre, réveil
Calendriers	Tapis de souris
Porte-clés	CD-ROM
Bloc-notes	Couteau suisse
Règles	Lampe de poche
Cendrier	Calculatrice
Casquette	Balle anti-stress
T-shirts	Frisbee
Thermomètre	Agendas, portefeuille en cuir
Sous-verre	Jouets pour enfant

Classiques vieux jeu	Classiques dans le vent
Ballon	Sac fourre-tout en toile
Parapluie	Calendrier magnétique
Balles de golf	Paquets de bonbons
Pin's	Gourde de sport
	Livre avec couverture personnalisée
	Presse-papiers
	Kaléidoscope

En fait, il existe un grand choix d'objets promotionnels. Il est donc préférable d'appréhender chacun d'entre eux comme un support particulier plutôt que globalement.

La stratégie qualité

Les professionnels du marketing sont obnubilés par le message, c'est-à-dire pour eux le message écrit et l'illustration. Ils en oublient que *l'objet lui-même est porteur d'un message puissant.* Cet objet, c'est un cadeau que vous faites à vos clients. Il en dit long sur la façon dont vous les considérez, et c'est bien ainsi qu'ils le percevront. Un cadeau de pacotille peut sembler intéressant du point de vue de votre tiroir-caisse, mais pour votre client c'est autre chose ! Pourtant, avouons que la plupart des cadeaux promotionnels sont de moyenne ou mauvaise qualité. Ils ont rarement la qualité d'un article qu'on achèterait pour soi.

Le simple fait de choisir un cadeau promotionnel d'une qualité hors du commun suffit pour qu'il se distingue. Un cadeau de bonne qualité donne une image plus forte, plus positive de l'entreprise et a toutes les chances d'être conservé et utilisé plus longtemps. Evidemment, c'est plus cher. Toutefois, ce choix se justifie dans la mesure où son impact sera plus important. Pour réduire les coûts, il vous est possible de n'en faire bénéficier qu'une partie de votre clientèle que vous aurez triée sur le volet.

Voici un exemple :

Cadeau A (Cadeau bon marché accompagnant une offre publipostée)

Coût du cadeau A = 10 F soit 10 000 F pour 1 000 unités

Taux de remontée (client répondant à l'offre dans le mois suivant) = 1,5 % soit 15 pour 1 000.

Si le bénéfice est de 2 000 F pour chaque commande, le bénéfice brut est de 30 000 F.

Retour sur investissement = bénéfice brut de 30 000 FF – coût de 10 000 F pour les 1 000 unités = 20 000 F pour 1 000.

Cadeau B (Cadeau de qualité accompagnant une offre publipostée)

Coût du cadeau B = 50 F soit 50 000 F pour 1 000 unités.

Taux de remontée (client répondant à l'offre dans le mois suivant) = 12 % ou 120 pour 1 000.

Si le bénéfice est de 2 000 F pour chaque commande, le bénéfice brut sera de 240 000 F.

Retour sur investissements = bénéfice brut de 240 000 F – coût de 50 000 F pour les 1 000 unités = 190 000 F pour 1000 unités.

Si le cadeau qui vous coûte 50 F est vraiment de bonne qualité, il aura un bon impact sur vos clients. Vous pourrez aussi espérer un taux de remontée encore plus important. Ainsi, les retours sur investissement sont souvent beaucoup plus importants avec les cadeaux promotionnels de qualité, à condition de cibler les bons clients : ceux qui sont susceptibles d'agir selon votre scénario.

Beaucoup de responsables marketing ont bien du mal à se décider à offrir un cadeau cher. Ils tergiversent, s'énervent et finissent par se décider pour le cadeau à 10 F. Encore une fois, n'allez pas croire que le moins cher sera le mieux. Faites vos calculs et vous verrez que très souvent la stratégie qualité paie. Vous en tirerez des bénéfices matériels (le retour sur investissements sera plus important), mais aussi d'autres bénéfices plus immatériels et peut-être encore plus précieux : une meilleure image de marque et la fidélité de vos clients. Un dernier conseil : si vous avez du mal à évaluer l'impact de votre cadeau, essayez-le sur un petit nombre de clients avant de prendre la décision finale.

Cadeaux et objets promotionnels sont aussi des centres de profits

La société d'équipements de sports et de maillots de bain Speedo utilise les T-shirts pour promouvoir sa marque d'une façon très efficace. Pour créer ses T-shirts, tous plus attrayants les uns que les autres, l'entreprise n'hésite pas à payer les services d'excellents designers qui intégreront le nom et le logo de la marque dans leurs créations. Ces T-shirts marchent très fort, à tel point que certains sont même en vente dans les magasins de sports.

Imaginez un peu ! Ces cadeaux promotionnels sont d'une telle qualité que les gens payent pour les avoir. Speedo n'a pas à distribuer ses T-shirts pour que les gens les portent : ce sont eux qui payent pour avoir le privilège de faire de la publicité pour la marque Speedo.

De la même façon, la réputation de certaines marques est telle qu'elles vendent des licences aux entreprises qui désirent utiliser leur marque pour des vêtements, des sacs, etc. Ces entreprises sont disposées à reverser une partie de leurs bénéfices à la marque, car elles savent que ce nom les aidera à vendre.

Un bonne équipe sportive peut gagner de l'argent en vendant des licences, c'est-à-dire à être payée pour se faire de la publicité et non plus l'inverse ! Ainsi, certaines marques, comme Coca-Cola ou Caterpillar, gagnent des millions grâce aux revenus des licences.

Quand votre marque sera plus affirmée, vous pourrez peut-être vendre des licences, et tous les produits qui porteront le nom de votre marque seront pour vous autant d'objets promotionnels pour lesquels vous serez rémunéré !

Louanges aux T-shirt...

En même temps, un T-shirt bon marché fait parfois l'affaire. Vous-même en avez certainement un tiroir plein. Beaucoup d'entre eux portent sans doute le nom d'une marque ou d'une entreprise. C'est facile à porter. Donc, si un T-shirt est un support qui convient à votre entreprise, surtout ne vous gênez pas ! Choisissez-le pour objet promotionnel. Pour voir si vous pouvez sérieusement y penser, lisez tout de même l'encadré ci-dessous

Un T-shirt, même d'excellente qualité, est plutôt bon marché. Il n'est donc pas difficile d'appliquer la stratégie qualité avec les T-shirts : un beau coton épais, un motif original conçu par un vrai designer et le tour est joué !

"Encore des T-shirts, s'il vous plaît !"

Pourquoi donc vous parler de T-shirts en long et en large ? Simplement parce qu'une étude menée récemment a montré que les habitudes d'achat et d'utilisation concernant cet article nous ont convaincus que c'est un marché encore sous-estimé. En effet, les consommateurs ne considèrent pas les T-shirts comme ils considèrent les autres vêtements. Aux Etats-Unis, par exemple, les jeunes adultes (jusqu'à 20 ans) en ont en moyenne une douzaine, et les accros plus de 50. Les adultes (de 20 à 50 ans) en possèdent au moins cinq, ceux ayant une activité physique dans le cadre de leur travail ou de leurs loisirs en ont plus de 20. Allez-y, faites le calcul !

De plus, si vous demandez à quelqu'un combien de T-shirts il a acheté le mois passé et combien il compte s'en acheter pendant le mois qui vient, on voit que ce sont ceux qui en ont le plus qui en achètent aussi le plus ! Ce qui signifie que le marché des T-shirts ne sature pas : ceux qui les aiment sont toujours prêts à compléter leur collection !

Les fans de T-shirts sont souvent déçus par ceux qu'ils peuvent trouver dans les magasins. Ce qui les retient d'en acheter de nouveaux, c'est davantage le manque d'originalité des modèles plutôt que le manque de place dans leurs armoires ! Alors pour mettre les enfants, les ados et les adultes dans votre poche, vous savez ce qu'il vous reste à faire... Voilà un objet promotionnel dont les gens ne se lassent pas. Franchement, avoir un autre stylo de pacotille, on s'en fiche. Alors qu'un nouveau T-shirt fait toujours plaisir. Et tenez, on est même prêt à le payer !

Encore une chose. Il vous faut un professionnel digne de ce nom, expérimenté et consciencieux, pour imprimer le motif sur votre T-shirt. Pour dénicher les entreprises qui font ce genre d'article, consultez les pages jaunes de l'annuaire ou le *Kompass* à la rubrique "sérigraphie".

Beaucoup d'entreprises de sérigraphie, grandes ou petites, offrent aussi des services de création et de design. Malgré tout, elles n'ont pas souvent le designer génial qui vous transformera un T-shirt en un produit promotionnel béton... Aussi mieux vaut vous offrir les services d'un vrai professionnel de la création.

Le bouche à oreille

De nombreuses enquêtes de consommation ont montré qu'une attitude de consommation positive était neuf fois sur dix due aux conseils d'un ami, plutôt qu'à la publicité. On ne peut sans doute pas affirmer que les messages de bouche à oreille concernant votre produit soient plus nombreux que les messages publicitaires, mais une chose est sûre : quand un consommateur parle, un autre l'écoute.

A part l'expérience personnelle directe, il n'est pas de source d'information plus crédible pour un consommateur que le *bouche à oreille* (abrégé en BAO). Ce que les consommateurs disent sur votre produit a une grande importante pour gagner de nouveaux clients, mais aussi pour les fidéliser.

Comment pouvez-vous contrôler ce que les consommateurs disent de votre produit ? Il est difficile de faire en sorte qu'ils parlent de votre produit en bien, ou de les empêcher de le dénigrer. Beaucoup de professionnels du marketing considèrent que c'est même impossible. Toutefois, il est possible de les influencer. En tout cas, c'est ce que vous devez vous efforcer de faire...

Voici quelques idées sur la façon de gérer le bouche à oreille autour de votre produit :

- **Rendez votre produit "spécial".** Un produit qui surprend par sa qualité exceptionnelle est assez rare pour qu'on en parle.

- **Faites quelque chose qui se remarque au nom de votre produit.** Si le produit lui-même n'a rien de particulièrement remarquable ni de surprenant, faites quelque chose de sympa pour associer l'image au produit : soutenez l'action d'une association de votre quartier (cf. Chapitre 10), organisez un spectacle pour enfants, laissez vos employés prendre quelques jours de disponibilité pour participer à la vie du quartier, etc. Ces stratégies ont déjà fait leurs preuves pour générer de la bonne publicité. Soyez imaginatif, pensez à quelque chose d'utile pour les gens, qui améliore leur vie, quelque chose qui les surprendra et les rendra heureux de ce que vous faites au nom de votre produit.

- **Faites de la promotion des ventes originale, choisissez des cadeaux promotionnels qui sortent de l'ordinaire.** Un bon de réduction de 1 F ne vaut même pas la peine qu'on en parle. En revanche, une tombola dans laquelle l'heureux gagnant pourra passer une journée avec la célébrité de son choix, c'est plus original. Voilà qui sera bon pour les relations publiques et générera beaucoup de bouche à oreille positif. Si vous distribuez stylos et bloc-notes, les gens ne parleront pas de votre entreprise à leurs connaissances. Si, en revanche, vous leur offrez quelque chose qui sort de l'ordinaire, cela devient un bon sujet de conversation, surtout si ce quelque chose peut se porter ou s'exposer, car leur entourage ne manquera pas de poser des questions.

- **Identifiez et chouchoutez les influenceurs.** Ce sont les prescripteurs, les préconisateurs, les leaders d'opinion. En effet, sur beaucoup de marchés, l'avis de ces personnes compte plus que les autres. En marketing industriel, il est souvent facile de les identifier : ce sont la poignée de dirigeants influents, une poignée d'éditeurs travaillant pour des revues commerciales, quelques personnes travaillant pour des associations commerciales et qui exercent probablement une grande influence sur ce que pensent les autres. Il y a aussi des influenceurs identifiables pour le marché des biens de consommation. Sur le marché du football, par exemple, il s'agit des entraîneurs, des responsables de ligues, des propriétaires de magasins d'articles de sport indépendants, etc.

L'honnêteté paie

Une semaine après avoir acheté une voiture neuve, j'ai reçu un courrier du concessionnaire : un mot d'explication et d'excuse du vendeur, accompagné d'un chèque destiné à réparer une petite erreur de comptabilité.

Le montant en jeu représente un infime partie du prix de la voiture. Néanmoins, dans mon souvenir, c'est du remboursement dont je me souviens, du fait que le vendeur se soit dérangé pour me rembourser cette petite somme. De fait, cet incident va à l'encontre de ma méfiance viscérale envers les concessionnaires automobiles. En tout cas, j'ai souvent raconté cette histoire, et finalement, plusieurs de mes amis ont acheté une voiture chez ce concessionnaire...

Pour utiliser le circuit des influenceurs, il faut commencer par les identifier. Mettez ensuite au point un plan d'action pour les approcher et cultiver vos relations. Essayez de voir pour chacun d'eux qui, parmi vos collaborateurs, aura le plus d'atomes crochus avec eux et aura les meilleures occasions de les emmener au spectacle, au restaurant, en dehors des occasions particulières. Le but de la manœuvre est de vous assurer que vos gens fassent parti des réseaux de relations personnelles de ces influenceurs. Pensez à concocter une série de lettres d'information, à leur donner ou à leur envoyer. Distribuez des échantillons, etc. Une fois que vous aurez identifié les émetteurs et les récepteurs, il sera plus facile de concentrer vos efforts de communication vers les émetteurs.

Chapitre 12

Se faire connaître grâce à la communication événementielle et aux salons professionnels

---

Dans ce chapitre :

Comment utiliser la communication événementielle dans votre plan d'action marketing.

Comment parrainer un événement.

Comment «mettre en scène» votre événement.

Comment participer aux salons, le "must" des rencontres entre professionnels.

Comment préparer une démonstration – et ne pas la gâcher !

Votre équipe de développeurs produit se réunit dans la salle de conférence tandis que vos ingénieurs et le staff du département marketing se mêlent aux équipes de vos fournisseurs et à celles de vos principaux clients. Les conversations sont plutôt sérieuses et confidentielles. Pendant ce temps, de petits groupes préparent dans leur coin le programme de la journée : tout d'abord, une activité visant à développer la cohésion de groupe, puis une pause détente et le déjeuner. Suivront dans l'après-midi : le briefing du responsable produit, une autre activité de cohésion de groupe et le dîner. Tôt le lendemain matin, ceux qui sont apparus comme les leaders des petits groupes qui se sont spontanément formés auront droit à une séance de formation au leadership. Après le petit déjeuner, chaque leader prendra en charge son groupe pour entamer le processus de création.

A propos, vous a-t-on dit que le premier exercice de cohésion de groupe dont il est question consiste en un "paint ball survival game" – simulation de combat au pistolet à peinture – et le second en une sortie en canoë sur la Wye, que l'exercice de formation au leadership est une leçon de pilotage d'hélicoptère, que les activités de détente prévues comprennent de la conduite rallye et une séance de tir au pigeon d'argile à Baskerville Hall ? Tout cela se passe dans une grande propriété de la très belle région des Marches, au Pays de Galles. Tout a été pris en main par une entreprise spécialisée dans ces opérations d'un type nouveau : organisation d'événements, de conférences et de séminaires d'affirmation de la personnalité. La combinaison des facteurs d'environnement naturel, d'équipements et d'activités rendra certainement cette réunion très particulière. Ce sera sans doute, pour les participants, la plus mémorable de toute leur carrière !

Les *événements* sont beaucoup utilisés dans le marketing et les activités commerciales. On regroupe sous ce terme tout ce qui peut contribuer à rendre une expérience inoubliable. Dans ce chapitre, vous apprendrez à vous approprier la magie d'un événement pour la mettre au service de votre entreprise.

Le pouvoir d'un événement

On peut appeler "événement" tout ce qui permet d'attirer l'attention du public et, par transfert, d'attirer l'attention sur votre message et votre produit. L'événement doit avoir en lui-même un grand intérêt pour le public. Son rôle est de divertir, amuser, stimuler, etc.

C'est le type même du principe marketing de terrain que vous devez appliquer le plus souvent possible. Dans la course à la promotion, vous devez souvent offrir au public une prestation, artistique ou autre, intéressante pour capter son attention en retour. C'est le principe qu'a appliqué l'entreprise américaine TNN en organisant toutes les semaines des courses automobiles (cf. l'encadré ci-dessous "A vos marques !"). C'est ce que vous devez faire vous aussi. Mais que choisir ? Une soirée ou un concert ? Ou bien un week-end de golf pour vos principaux clients, assorti d'un prix pour le meilleur d'entre eux – et des cadeaux pour tout le monde ? Un gala de bienfaisance ? Un atelier de création ou un spectacle pour les enfants du quartier ? Une foire-exposition destinée aux professionnels de votre secteur d'activité ? Une représentation de la dernière création d'une grande compagnie de danse contemporaine ? Les possibilités sont variées et peuvent s'étendre à l'infini. Seul impératif : attirer le public et le captiver. Car en tant que professionnel du marketing, c'est bien de l'attention du public dont vous avez besoin pour communiquer et convaincre.

Evénement exclusif ou partagé?

Tout est possible. Vous pouvez choisir non seulement l'événement qui vous convient, mais aussi le niveau et la nature de votre participation. Vous pouvez choisir d'être à l'origine de cet événement, comme TNN. C'est une solution longue et coûteuse, mais elle peut s'avérer payante au bout du compte, en particulier si vous tenez absolument à éviter que les autres entreprises participantes ne vous volent la vedette. Mais vous pouvez aussi choisir un événement organisé par d'autres et intervenir en tant que sponsor ou mécène. Cette solution est moins chère et moins compliquée. Elle est aussi moins payante en termes d'audience et d'impact marketing.

A vos marques !

TNN, The Nashville Network, du groupe Gaylord Entertainment Company, est une entreprise américaine de télévision par câble. Tout comme ses concurrents du câble, TNN doit se battre farouchement pour capter l'attention du public. Elle doit en particulier résister aux trois plus importantes chaînes de télévision câblées du pays, ainsi qu'à un nombre croissant de chaînes concurrentes plus modestes. La stratégie adoptée par TNN pour faire face à cette concurrence est remarquable. Ses résultats affichent un taux de croissance à deux chiffres en ce qui concerne les revenus tirés de la publicité et ceux générés par les abonnements (les deux revenus les plus importants, pour une chaîne de télévision par câble).

Son secret ? Brian Hugues, directeur des programmations chez TNN, nous confie que l'entreprise s'est efforcée d'utiliser certains événements pour sensibiliser les utilisateurs du réseau câblé. Chez TNN, on sait par exemple que le public cible de l'entreprise compte beaucoup d'amateurs de courses automobiles. C'est ainsi qu'en 1996, TNN a organisé 69 courses automobiles, précisément pour couvrir ces événements sportifs en direct pour ses clients ! C'est ce qu'on pourrait appeler renforcer la branche sur laquelle on est assis !

Choisir son public : professionnels ou grand public?

Vous aussi vous devrez décider de votre public. Vaut-il mieux vous adresser au grand public (à l'exemple de TNN) ou bien à un public de professionnels ?

Les salons professionnels sont intéressants car ils drainent un public de professionnels mandatés par leurs entreprises respectives. Vous pouvez aussi décider d'organiser un événement pour vos clients, ou pour vos employés. Organiser un événement pour les employés est souvent un bon moyen pour les motiver et pour vous assurer de leur soutien actif dans votre plan d'action marketing.

Quel que soit le type d'événement destiné aux professionnels que vous aurez choisi, gardez bien en tête que l'objectif est toujours le même : susciter l'intérêt des personnes. Oui, des personnes ! (et non des entreprises). Car ce sont bien les personnes qui prennent les décisions d'achats. Ce sont elles qui font la vie de l'entreprise. Aussi, pour chaque événement professionnel que vous organisez, assurez-vous de pouvoir susciter leur intérêt.

Il est très facile de se complaire dans un style ennuyeux et pseudo-professionnel, mais croyez-vous vraiment que vos clients aient envie de se farcir deux journées entières de cours magistral sur l'impact des nouvelles technologies sur leur secteur d'activité ? Mieux vaut leur proposer de petits forums de discussion sur plusieurs sujets au choix, largement entrecoupés d'activités sportives de plein air et autres jeux de rôle amusants, qui contribueront par la même occasion à renforcer la cohésion du groupe

Faites "original"

C'est un lieu commun du marketing que de dire que vous devez être créatif et original, mais ce conseil s'applique encore plus, si c'est possible, aux événements. Si donc vous ne retenez qu'un seul conseil, parmi tous ceux qui vous sont dispensés ici concernant le marketing événementiel, ce doit être celui-ci :

Ce n'est jamais aussi bien que la première fois !

C'est rentré ! Bien. Il ne reste plus qu'à appliquer. En conséquence de quoi, ne sponsorisez pas deux fois le même événement sous prétexte qu'il a fait un tabac l'année dernière. Ne faites pas deux fois la même démonstration, sur le même stand, à trois salons différents dans la même année. Cherchez toujours ce qui est nouveau, différent, amusant. Vos clients auraient l'impression de voir le même film pour la énième fois. Offrez-leur quelque chose de nouveau, de passionnant.

Je parie que vous êtes en train de vous dire : "Mais c'est évident, voyons !" Un comique digne de ce nom ne refait pas la même blague deux fois de suite. C'est évident pour tout le monde, sauf pour les petits enfants. Quand ils commencent à savoir raconter des histoires drôles, ils sont tellement ravis de l'effet produit qu'ils la racontent dix, vingt, trente fois au même interlocuteur sans se lasser. Par contre l'interlocuteur, lui, se lasse très vite de l'entendre ! Il faudra attendre que l'enfant comprenne finalement que la répétition n'est pas favorable à l'effet recherché.

Paradoxalement, certaines entreprises ne le comprennent jamais. Certaines – la vôtre en fait peut-être partie ! – reproduisent inlassablement les mêmes événements, comme on accomplit un rite. Il n'existe rien de plus ennuyeux pour les employés que ces sacro-saints dîners de remise de récompenses ou ce discours (fleuve) du président censé motiver les troupes ! Essayez de réfléchir au nombre de fois où vous imposez les mêmes choses à vos clients.

De nombreuses entreprises – et c'est peut-être le cas de la vôtre - utilisent toujours le même stand, la même décoration, les mêmes personnes distribuant inlassablement les mêmes documents. D'autres organisent tous les ans le même dîner de bienfaisance pour la même association. Dans les deux cas, elles ne font pas mieux que les petits enfants dont il était question plus haut !

Finalement, l'option choisie importe peu, il suffit que ce soit nouveau. Votre événement doit être un cadeau pour vos clients, alors ne leur offrez pas tous les ans la même chose !

N.B. : Peut-on parrainer plusieurs fois le même événement ? Si vous décidez de ne pas appliquer la règle du "toujours nouveau", il vous faut une vraie bonne raison. Il se peut qu'un événement soit parfaitement adapté à votre entreprise, à votre message, et que le divertissement soit toujours renouvelé. Ce peut être le cas pour un tournoi annuel de golf ou de tennis. Un événement passionnant peut avoir lieu une fois par an sans que le public s'en lasse. Ce choix est d'autant plus intéressant qu'il amène petit à petit le public à associer complètement la marque à l'événement.

Comment parrainer un événement

Certains pensent que les événements ne peuvent s'envisager que si de gros investissements, en temps et en argent, sont justifiés. Non pas. Comme nous le verrons plus loin, il est toujours possible de monter de petits événements, ou bien de profiter de ce qui est organisé par d'autres pour y participer.

Après tout, pourquoi vous acharner à monter un événement alors qu'il en existe déjà de très intéressants ? C'est en tout cas le point de vue des nombreuses entreprises qui choisissent de parrainer plutôt que d'organiser.

Prenons l'exemple de Verite, une association à but non lucratif qui se bat pour faire cesser, en Europe et aux Etats-Unis, l'importation de produits de consommation fabriqués grâce au travail des enfants et des ateliers clandestins. Pour collecter des fonds, Verite a organisé un dîner au Hampshire College, Amherts, Massachusetts. Le repas était suivi d'un concert jazz donné par Montenia, l'un des chanteurs de jazz les plus en vue du moment. Beaucoup d'entreprises commerciales ont participé en tant que sponsors. L'école a prêté les installations, la nourriture a été préparée et donnée gracieusement par plusieurs restaurants locaux, les musiciens et chanteurs ont donné de leur temps, et beaucoup d'autres petites entreprises ont participé financièrement, simplement pour avoir leur nom sur le programme. Ils ont été cités en tant que sponsors, mais comme par magie, l'image positive que le public se fait de

Verite et de sa cause "déteint" aussi sur eux. Les centaines de personnes qui soutiennent ce projet, ainsi que celles qui ont participé à l'événement, celles qui ont lu un tract, une lettre ou vu une publicité se sont sans doute fait une image très positive de ces sponsors. Il ne leur en a coûté qu'un peu d'argent – certes, durement gagné – pour parvenir à ce résultat !

Si cela vous intéresse, vous pouvez chercher des partenaires à travers les chambres de commerce locales, ou encore en étant à l'affût de ce qui se fait à travers les journaux et les radios locales. Les associations peuvent aussi vous mettre en contact avec d'autres associations travaillant dans le même domaine, y compris dans d'autres pays, car elles travaillent souvent en réseau.

Le soutien à une cause

L'événement organisé par Verite est le type même de l'événement de soutien à une cause, une possibilité parmi tant d'autres pour qui veut parrainer un événement. Rien qu'au Canada et aux Etats-Unis, les entreprises dépensent la somme incroyable de 485 millions de dollars par an (soit environ 3 milliards de francs) dans ce type de parrainage ! Cette tendance s'accentue d'année en année : les sommes dévolues aux "causes" augmentent actuellement de 15 % par an ! Le soutien à une cause rend les gens bien disposés à votre égard, ce qui rend ce type de parrainage très profitable, si tant est que l'événement choisi corresponde bien à votre marché cible.

Car c'est bien là que le bât blesse ! Une trop grande partie de cet argent est jetée aux orties, s'il a été investi dans une cause qui plaît... au responsable marketing (par exemple) de l'entreprise sponsor, mais qui ne plaît pas à ses clients ! C'est un piège dans lequel il ne faut pas tomber. Faites en sorte de porter votre choix sur une cause qui vous plaise, à vous et à vos associés, mais qui plaise aussi à votre public cible. Avez-vous interrogé vos clients pour savoir quelles sont les causes qu'ils soutiennent ? Beaucoup de marques automobiles sponsorisent des événements sportifs susceptibles de plaire à un profil type de client : un homme, cadre. Ils oublient simplement que la majeure partie de leurs clients sont des femmes. Oui messieurs, plus de la moitié des acheteurs de voitures sont des acheteuses ! A quand la participation à une campagne d'information sur le cancer du sein au lieu du sempiternel soutien au club de football du coin ?

Le soutien à une cause peut aussi avoir un redoutable effet boomerang car vos clients potentiels peuvent être choqués par vos choix. Ne vous amusez pas à parrainer un mouvement anti-avortement si les sondages montrent que, dans votre pays (ou celui qui vous intéresse), la population est globalement contre ce genre de mouvement et n'approuve pas leurs méthodes. De multiples causes sont susceptibles de rassembler tout le monde. Qui peut être en faveur du travail des enfants ? Toutefois, beaucoup de causes ne seront pas convaincantes pour tout le monde (certains les trouveront racistes, sexistes, etc.). Le mieux est encore de faire un sondage sur un échantillon représentatif de la population.

Il existe une manière simple de savoir si une cause enthousiasme les gens ou non. Faites circuler une feuille reprenant vos propositions de causes à soutenir (avec choix pour/contre) parmi vos employés - s'ils sont assez nombreux - et/ou les personnes de votre entourage. Si une majorité déclare être favorable à une cause, c'est qu'elle aura toutes les chances d'être populaire. De façon générale, toutes les causes se rapportant à la santé, aux enfants, à la prévention des maladies et de la toxicomanie, à la sauvegarde des animaux et de la nature auront la faveur du public. A moins que l'organisation que vous souhaitez parrainer ait une approche controversée.

Vous pouvez aussi insérer un questionnaire dans la page Web de votre entreprise. C'est une autre façon pas chère de tester l'attitude du public face à une cause. Mentionnez plusieurs causes en les décrivant (pas de noms). Demandez aux gens de donner leur avis, de commenter et d'argumenter leurs choix. Ensuite, à vous de jouer... En tout cas, évitez tous les sujets qui touchent la sensibilité ou ceux qui donnent lieu à de méchants commentaires. Evitez-les comme la peste !

Pondérez vos objectifs d'impact

N'oubliez pas que l'événement que vous avez choisi doit atteindre efficacement votre public cible. Comme toute communication marketing, il faut que vous puissiez atteindre votre objectif pour un coût raisonnable. Demandez-vous combien de personnes sont susceptibles d'avoir connaissance de votre participation en tant que sponsor, combien sont susceptibles de participer ou d'assister directement à l'événement. Enfin, quel pourcentage de cette population constitue votre public cible ? Le voilà votre objectif d'impact. Divisez le montant des dépenses prévues par ce chiffre, multipliez-le par 1 000 et vous obtiendrez votre coût d'impact pour mille. Vous pouvez comparer ce résultat avec les coûts d'impact que vous aurez calculés pour un publipostage, pour une publicité dans la presse ou à la radio, par exemple.

Si vous considérez que parrainer un événement est plus crédible et plus convaincant qu'une publicité, vous pouvez intégrer cette considération dans le calcul de vos coûts. On appelle cela *pondérer les objectifs*. Prenons un exemple : vous pensez que, pour votre entreprise ou votre marque, une expérience de soutien à une cause est deux fois plus intéressante et valorisante qu'une campagne publicité directe. Pour comparer les coûts, multipliez le nombre de personnes concernées par deux avant d'entreprendre le calcul des coûts. De cette façon, vous comparerez les dépenses qui devront être engagées pour toucher 2 000 personnes à travers le parrainage avec celles qui seront nécessaires pour toucher 1 000 personnes à travers la publicité.

L'expérience prouve qu'un événement bien choisi peut être beaucoup plus efficace que la publicité. Voici comment trouver l'événement qu'il vous faut...

Evaluer une opération de parrainage

Si vous envisagez une opération de parrainage, sachez que vous n'êtes pas seul. Selon l'International Events Group (IEG), un organisme américain de conseil et d'information sur le parrainage (mécénat et sponsoring) basé à Chicago, l'ensemble des dépenses mondiales de parrainage représente plus de 12 milliards de dollars. Dans son rapport *IEG Sponsorship Report*, l'IEG montre qu'en Amérique du Nord les plus grosses opérations de parrainage se font pour des événements sportifs, suivis par les spectacles, les tournées d'artistes et les parcs d'attraction (cf. Tableau 12.1).

Tableau 12.1 : Dépenses de parrainage en Amérique du Nord, par catégorie d'événement.

Catégorie	Pourcentage/Total	Dépenses engagées (USD)
Sports	66 %	3,54 milliards
Spectacles, tournées d'artistes, parcs d'attraction	10 %	566 millions
Festivals, foires, événements ayant lieu tous les ans	9 %	485 millions
Grandes causes	9 %	485 millions
Art	6 %	323 millions
Total		5,4 milliards

(Source : IEG Sponsoship Report, Chicago, 1996)

Les chiffres bruts indiquent que ce sont les événements sportifs qui rapportent le plus pour une opération de parrainage, suivis des spectacles. A l'inverse, parrainer le domaine de l'art ne semble pas intéressant. Tout cela *pourrait* s'avérer exact… mais il y a fort à parier que ce ne soit pas le cas car, dans le domaine du parrainage, les décisions sont rarement le résultat d'un réflexion systématique. Elles se prennent plutôt à l'instinct ou par habitude. Pour éviter ce piège, appliquez l'infaillible processus de sélection en trois étapes expliqué ci-dessous.

Première étape : Scanner toutes les solutions possible.

Nombre d'entreprises sont submergées par les demandes de parrainage, elles n'ont plus qu'à choisir : certaines reçoivent en moyenne une demande par jour. Même si vous avez autant de choix, certains peuvent vous avoir échappé. Ils sont nombreux dans le monde entier. Renseignez-vous. Plus vous aurez d'informations, mieux ce sera.

L'IEG publie une liste d'événements ressources (le *IEG Sponsorship Sourcebook*) qui reprend l'essentiel des possibilités, y compris les gros événements. Sinon, contactez les chambres de commerce des villes où vous souhaiteriez investir. Elles ont souvent à disposition la liste des manifestations locales. Tout le gratin du coin s'y précipite peut-être, même si vous-même n'en avez jamais entendu parler. Contactez les organismes dont le profil correspond à l'image de votre produit, de votre entreprise ou de vos clients. Demandez-leur ce qu'ils pensent des différentes manifestations qui existent. Peut-être organisent-ils eux-mêmes les leurs.

Ne négligez pas les écoles et les universités. Les communautés estudiantines sont assez homogènes. De plus, les associations d'anciens élèves et autres équipes sportives sont autant de relais possibles. Demandez directement aux établissements concernés quelles sont les manifestations que vous pourriez parrainer.

Sachez aussi que l'impact de votre participation en tant que sponsor sera plus profond et plus durable dans le cas d'une manifestation de portée locale, par rapport à une manifestation de portée nationale. Dans un cas, vous allez toucher une communauté réduite mais bien ciblée, dans l'autre un grand nombre de personnes appartenant à des communautés très diverses. Quel est le bon choix pour un sponsor ? Pour le savoir, passez à l'étape suivante.

Deuxième étape : A vos calculettes !

Analysez l'impact marketing de vos candidats au parrainage. Commencez par éliminer tous les événements dont le public cible n'aura pas d'atomes crochus avec votre produit ou votre entreprise. Ecartez tous ceux qui vous paraissent sujets à polémique, qui peuvent induire des attitudes négatives. Supprimez tous ceux qui ne véhiculent pas d'image réellement positive. A quoi bon en effet parrainer un événement qui ne passionnerait pas vos clients ? Enfin, pour départager les candidats, calculez pour chacun d'eux le prix de revient pour 1 000 contacts (ou impacts).

Il se peut que cette étude vous amène à écarter les formes de parrainage les plus courantes. Une manifestation aussi populaire qu'une coupe du monde de football pourrait faire connaître votre marque à des millions de personnes. Mais parmi toutes celles-ci, combien font réellement partie de votre public cible ? Et quel sera le prix à payer pour les atteindre ?

En vous servant de la formule de pondération dans le calcul des coûts, vous trouverez probablement que les dépenses engagées pour atteindre mille personnes de votre public cible sont plutôt élevées. Les sports très populaires et les grands spectacles coûtent très cher aux sponsors, en raison du très grand nombre de personnes qu'ils peuvent atteindre sans efforts autres que financiers. Néanmoins, le jeu n'en vaut pas la chandelle. On peut très bien avoir le même impact en déboursant moins d'argent, en sponsorisant plusieurs événements plus modestes. Tout compte fait, vous verrez qu'il est plus rentable de parrainer plusieurs petites manifestations spécialisées, plutôt qu'une seule manifestation importante, car elles vous permettent de cibler plus efficacement votre public.

Troisième étape : Faire le meilleur choix

On peut dire que, de votre point de vue, un événement est adéquat quand il a un rapport étroit avec votre produit ou son usage. Ce doit être sa caractéristique majeure, et pourtant c'est celle qui est la moins prise en considération ! Les exemples qui suivent contribueront à vous convaincre de l'importance que vous devez accorder à cette adéquation.

Le sport le plus sponsorisé, en Amérique du Nord, est le sport automobile. D'après IEG, il draine 38 % du budget consacré au parrainage par les entreprises. Du point de vue de l'adéquation entre l'événement et les produits, une partie seulement de ces dépenses est justifiée. Quand tel constructeur d'automobiles sponsorise des courses automobiles, on veut bien croire que cette entreprise tente de faire passer au public un message concernant ses propres automobiles. Mais que dire des plus gros sponsors de ces courses que sont certains fabricants de cigarettes et brasseurs ? La relation entre les courses automobiles et le fait de fumer n'est pas tout à fait évidente. Et s'il existe bel et bien une relation entre le fait de boire de la bière et de rouler vite, elle n'est pas positive. Si on applique le test d'adéquation, ce n'est pas le type de manifestation que ces entreprises devraient parrainer. (Il est vrai que la tradition joue un rôle dans cet état de fait : aux Etats-Unis, par exemple, brasseurs et fabricants de cigarettes ont toujours parrainé les courses automobiles, et leurs clients – qui boivent et fument pendant ces courses – ne trouvent pas cela bizarre.)

Bien entendu, leurs agences de publicité ne sont certainement pas de mon avis. Elles rétorqueraient sans doute que les fans de courses automobiles sont, dans d'autres contextes, des fumeurs et des buveurs de bière potentiels. Ces agences espèrent que l'attitude positive manifestée pour les courses va en quelque sorte rebondir sur les sponsors de l'événement. Du moins, c'est ce qu'elles souhaitent. Si l'événement était plus en adéquation avec les produits, cela ne manquerait pas d'arriver et les retours sur investissements seraient beaucoup plus importants.

Voici un autre exemple de parrainage réussi. Un restaurant italien de mon quartier a été sollicité pour parrainer l'inauguration d'une galerie d'art s'installant juste à côté de son établissement. Cette inauguration a attiré nombre d'amateurs d'art, dont beaucoup habitent le quartier. Les gens sont venus. Ils ont regardé les tableaux, ont mangé les amuse-gueule, ... puis se sont rendus au restaurant en question, car la dégustation les avait convaincus d'essayer ce nouveau restaurant le soir même. Beaucoup sont devenus des clients réguliers.

On peut dire que cette opération de parrainage a réussi haut la main. Les amateurs d'art apprécient souvent la bonne chère. La dégustation leur a permis de juger de la qualité de la cuisine et de se rendre au restaurant sans se poser plus de questions. Pour ce patron de restaurant, quoi de plus adéquat comme événement que cette inauguration qui lui permit de toucher directement de potentiels clients dans un lieu très agréable ? En partant du même principe, un constructeur d'automobiles ferait peut-être mieux de parrainer un centre de diagnostic automobile, ce qui serait certainement plus parlant que de voir sa marque écrite en long et en large au bord d'une piste de circuit automobile. L'événement adéquat, c'est celui qui permet au client potentiel d'utiliser le produit, ou tout au moins de le voir. Plus l'événement est adéquat, plus l'impact est important. Il vaut mieux choisir de dépenser cinq ou même dix fois plus, pour un même nombre de personnes touchées, si vous êtes sûr que l'événement aura un impact important.

Organiser un événement

Il se peut que vous n'ayez pas d'autre solution que d'organiser vous-même l'événement, soit parce qu'aucune option de parrainage ne vous convient, soit parce que vous avez vraiment besoin d'un événement qui vous soit exclusif, d'une manifestation dans laquelle les messages de vos éventuels concurrents ne viendraient pas se superposer au vôtre.

Il y a quelques années, une grande entreprise commercialisant des logiciels m'a contacté pour me proposer de faire une série de conférences dans plusieurs villes des Etats-Unis. J'ai surtout parlé du travail que j'étais en train de faire sur la démarche de qualité totale et j'ai distribué un exemplaire de mon livre à chaque participant. Ensuite, il leur a été offert un déjeuner somptueux. Après ce «tour de chauffe», différents responsables de l'entreprise sont intervenus pour évoquer des problèmes concrets de management que leurs logiciels ont permis de résoudre. Quelques personnes se sont éclipsées après le repas, mais beaucoup de participants étaient ravis de passer une journée ailleurs que dans leur bureau et sont restés pour en savoir plus sur l'entreprise et ses produits. Ces conférences et les techniques de marketing avancé qui ont été déployées ont coûté très cher : quelques centaines de millions de dollars ! Pourtant, quelques mois plus tard, j'ai appris de la bouche même du directeur marketing de l'entreprise, que le montant des ventes générées par ces conférences aurait permis de couvrir, en moins d'un an, plusieurs fois les frais engagés.

Vendez vos droits de parrainage

Pour que votre événement soit rentable en lui-même, essayez de trouver d'autres entreprises qui seraient intéressées pour parrainer cet événement avec vous. Bien sûr, ne choisissez pas vos concurrents ! Beaucoup d'entreprises peuvent être intéressées par le même événement, et chacune pour une raison différente. C'est avec ces entreprises que vous devez vous entendre. Si l'événement leur paraît original, et qu'il colle bien à leur image ou à leur produit, qu'il est susceptible d'attirer leur public cible, vous avez vos chances ! Il ne vous reste qu'à faire des propositions aux entreprises susceptibles d'être intéressées. N'hésitez pas à faire connaître votre événement à travers la presse professionnelle de votre secteur d'activité, de la mentionner dans la page Web de votre entreprise, ou d'envoyer l'information par mail directement aux entreprises qui vous intéressent. Vous pouvez aussi confier ce travail à une entreprise spécialisée dans la gestion et l'organisation d'événements (mais attention : toutes ne proposent pas ce service de recherche de co-sponsors).

VH1, une chaîne câblée musicale américaine, a gagné pas mal d'argent en vendant des droits de parrainage pour sa soirée de récompenses, la VH1 Fashion Awards. La chaîne cherchait un moyen d'augmenter les ressources publicitaires venant de ses sponsors œuvrant dans le domaine de la mode, de la beauté et de la santé. Les thèmes des récompenses mettaient en rapport la musique et la mode (exemple de récompense : Quel est le chanteur le plus élégant ?). Tout le gratin du show-business (et du reste) était là ! L'une des récompenses était attribuée par les spectateurs : ceux-ci avaient pu faire parvenir leurs votes durant le mois précédent. La participation des spectateurs donne tout de suite plus d'impact, plus de valeur à l'événement. Les sponsors ne s'y sont pas trompés et les deux plus importants ont payé 7 milliards de dollars ! Alors surtout, n'hésitez pas à faire des propositions, ça peut marcher très fort !

Si vous avez besoin d'un coup de main pour gérer l'événement...

Certaines entreprises de consulting sont spécialisées dans la gestion d'événement. Elles s'occupent de tout, de la conception à la réalisation. Elles s'assureront que tous ceux qui sont conviés soient bien présents et que tout se passe pour le mieux. Nous ne saurions trop vous recommander de faire appel à un spécialiste lorsqu'il s'agit de concevoir et gérer un événement qui fait intervenir beaucoup de gens, où il faut concevoir et coordonner plusieurs activités : spectacles, interventions orales, divertissements, repas, conférences, nuits d'hôtel, transports, service de sécurité, etc. Cette personne ou cette entreprise se chargera de coordonner tous les petits détails qui doivent s'enchaîner parfaitement, sous peine de voir votre événement se transformer en désastre.

Voici le test de vérité pour voir si votre événement fait partie de ceux qui sont "promis au désastre". Vous seriez d'ailleurs surpris du nombre d'événements qui entrent dans cette catégorie ! En effet, le moindre pépin et c'est le retard, la déception ou même l'incident diplomatique qui guettent ! Certains incidents laissent une impression négative qui pourrait venir gommer la partie positive de l'événement. Pour savoir si votre événement est du genre "promis au désastre", posez-vous les deux questions suivantes :

- Le bon déroulement de l'événement dépend-il de la bonne coordination de multiples petites activités devant être menées à bien par de nombreuses personnes qui ne sont pas sous votre responsabilité ? Si vous dépendez d'un hôtel, d'une location de voiture avec chauffeur, d'un service de restauration ainsi que d'un service de sécurité spécialisé, il y a fort à parier qu'au moins l'un d'entre eux va vous donner du fil à retordre. Les spécialistes ont l'habitude de ce genre d'ennuis et savent où le bât va blesser. Ils peaufinent l'organisation de chaque service pour être sûr que tout se déroulera comme prévu.

- Les personnes présentes seront-elles du genre sensible au moindre petit écart par rapport au programme ? S'il pleut, votre week-end de golf sera-t-il complètement à l'eau ? Sans aucun doute. De même, si les croissants et les fruits ne sont pas livrés avant le début de la première conférence, les participants seront-ils déçus ? Certainement. Chaque fois qu'un emploi du temps minuté s'impose, faites appel à un spécialiste qui supervisera tout dans le moindre détail. Pour certains événements, un peu d'improvisation ne fait pas de mal. Pour d'autres, cela ne passe pas du tout. Alors soyez sûr de la catégorie à laquelle appartient votre événement !

Participer aux salons professionnels et aux expositions

Devez-vous participer aux salons professionnels ? Si vous travaillez avec un public de professionnels, cela s'impose, ne serait-ce que pour empêcher vos concurrents de vous y voler vos clients ! Effectivement, en Europe, les entreprises consacrent un quart de leur budget aux salons (source : *Journal of Marketing*, juillet 1995).

Selon d'autres sources, la proportion moyenne des ventes conclues pendant les salons atteint 18 % du total annuel. Ce qui signifie que les salons rapportent encore plus qu'ils ne coûtent. De fait, aucun autre élément du plan d'action marketing ne génère autant de retours sur investissement, ce qui suggère un moyen d'évaluer le budget que vous pouvez consacrer à un salon. Essayez de mettre en regard le pourcentage de votre budget consacré aux salons et celui des ventes qui y sont générées, ajustez ensuite le pourcentage de budget, jusqu'à ce que vous tombiez sur le niveau d'investissement qui vous donne le meilleur retour sur investissements.

A vos calculettes !

Imaginons que vous puissiez investir 10 % de votre budget dans la participation à un salon et que ce faisant vous parveniez, pendant ce salon, à un chiffre d'affaires atteignant 15 % de votre total de ventes annuelles. Que par la suite, vous décidiez d'investir 20 % de votre budget dans cette participation et que vous réussissiez à faire 70 % de votre chiffre d'affaires annuel pendant le salon. L'expérience vous montre qu'en investissant une part de budget plus importante, les retours sur investissements sont bien supérieurs. Vous pouvez être tenté d'investir encore plus dans votre participation l'année suivante, jusqu'à 25 % pourquoi pas ? Vous finirez par atteindre le plafond d'investissement maximal réellement intéressant et par ajuster vos dépenses de participation. Vous pouvez aussi estimer le chiffre d'affaires réel généré grâce à la participation au salon (dépenses) et calculer le retour sur investissement pour plusieurs niveaux de dépenses de participation, jusqu'à trouver le retour sur investissement le plus favorable.

Ce que les salons peuvent vous apporter

Les salons sont des lieux magiques pour recevoir des commandes, se faire de nouveaux clients, mais aussi pour maintenir ou améliorer l'image que vos clients ont de votre entreprise. Vous pouvez profiter d'un salon pour lancer un nouveau produit ou appliquer une nouvelle stratégie. Ce sont aussi de bonnes occasions pour présenter à vos clients le personnel sédentaire ou le staff du siège, ceux qu'ils ne rencontrent habituellement pas : assistants commerciaux, ingénieurs, etc., sans oublier le directeur général !

Les salons sont une bonne occasion pour constituer un réseau dans votre secteur d'activité. Les meilleurs vendeurs et représentants participent aux salons. Alors si vous souhaitez renforcer vos rangs avec un excellent vendeur, observez. Efforcez-vous de parler autant que possible avec les visiteurs, avec des exposants non concurrents, histoire de sentir les nouvelles tendances du marché, mais aussi de vous informer sur ce que font vos concurrents. Quand bien même, lors des salons, vous ne feriez que récolter des informations sans obtenir la moindre commande, le jeu en vaudrait encore la chandelle. Alors, de grâce oubliez la vente et surtout discutez !

Vous l'avez compris, les salons sont partie intégrante - et essentielle – d'un plan d'action marketing. Même si vous pensez que vous allez perdre de l'argent dans l'immédiat, à plus long terme un salon est toujours un investissement. Mais une participation bien faite porte souvent ses fruits immédiatement.

Poser les fondations d'un stand efficace

Quand il s'agit de participer à un salon, les professionnels du marketing résonnent souvent en termes de stand. En fait, le fameux stand n'est qu'une partie de la stratégie marketing à établir dans le cadre de cette participation.

Quels éléments doivent entrer dans cette stratégie ? Pour vous aider, répondez aux questions suivantes :

- Comment attirer les personnes qu'il faut au salon et sur le stand ?

- Que voulons-nous que les visiteurs viennent faire sur le stand, au salon ?

- Une fois que les visiteurs sont sur le stand, comment allons-nous communiquer avec eux, comment allons-nous les motiver ?

- Quel profil ont nos clients ? Comment les prendre ?

- Comment obtenir des informations les concernant, sur ce qu'ils sont, sur leurs centres d'intérêt, sur leurs besoins ?

- Comment établir un vrai contact avec les visiteurs et comment assurer la continuité du contact ainsi établi ?

La première règle est d'attirer un maximum de clients et de prospects. Pour ce faire, il faut "faire comme tout le monde" : mettre sur pied une animation qui plaira d'emblée à un client potentiel. Demandez-vous ce qui pourrait retenir l'attention de vos clients. Pour choisir votre salon, demandez-vous quels sont ceux où vos clients types se rendraient le plus facilement. Réfléchissez à la portée géographique que vous recherchez (régionale, nationale, internationale) ? Avant de prendre une décision, renseignez-vous auprès des comités d'organisation des salons qui vous intéressent pour vous procurer la liste des exposants et visiteurs des années passées et de ceux qui sont déjà inscrits pour l'année en cours. Pour qu'une participation soit valable pour vous, ne choisissez que les salons dans lesquels vous avez des chances de rencontrer un grand nombre de vos clients cibles. Si ce n'était pas le cas, votre participation serait une perte de temps et d'argent.

Vous pouvez demander à quelques visiteurs leurs impressions sur votre stand. La façon la plus simple de procéder est d'utiliser ce que les professionnels appellent «l'entretien qualitatif informel», plus communément appelé "conversation" ! Ne questionnez qu'un nombre restreint de personnes, de préférence au moment de l'animation. Voyez ce qu'ils en disent. Vous pouvez aussi utiliser les «entretiens captés», toujours pendant l'animation. Un "entretien capté" consiste à aller vers les personnes alors qu'elles passent devant votre stand et de leur demander si elles peuvent répondre à quelques questions. Par exemple : "Appréciez-vous tel ou tel stand ?" ou encore "Comment appréciez-vous la conception de ce stand ?" (pour voir comment structurer un tel questionnaire, cf. Chapitre 6).

Entreprise attrayante cherche salon professionnel...

Comment avoir connaissance des salons auxquels vous pourriez participer ? Si vous êtes abonné à certains journaux ou magazines professionnels, ce seront certainement les salons qui vous trouveront ! En effet, les magazines vendent souvent leurs listings d'adresses aux organisateurs de salons. Mais ne vous contentez pas de ce qui arrive dans votre boîte aux lettres, vous pourriez manquer un rendez-vous important. Renseignez-vous auprès du circuit classique : chambre de commerce et d'industrie de votre région et chambre de commerce internationale à Paris.

Une autre source d'information est aussi à votre disposition, et c'est certainement la plus fiable : vos clients. Participer à un salon ne sert qu'à une chose : trouver des clients. Alors demandez aux vôtres où vous devriez exposer. Appelez vos meilleurs clients, rencontrez-les et demandez-leur conseil : ils sauront vous indiquer les meilleurs salons du moment.

Concevoir le stand parfait

Vous devez maintenant décider d'un emplacement pour votre stand. Les meilleures places sont situées près des entrées principales, ou encore près de la cafétéria, du restaurant ou sur le chemin des sanitaires, en bout d'allée ou à tout autre emplacement susceptible de regrouper des gens. Quant à la taille du stand, c'est très simple : le plus grand sera le mieux (seule limite : vos moyens financiers).

Même si vous écopez d'un stand minuscule situé en plein milieu d'une allée, il ne faut pas désespérer pour autant. Beaucoup de visiteurs s'efforcent de parcourir méthodiquement toutes les allées. Ces emplacements peuvent donc aussi très bien marcher, à condition que le salon draine le type de visiteurs qu'il vous faut. Pour tout dire, beaucoup de détaillants qui ont de la suite dans les idées s'intéressent aux petits stands qui ne paient pas de mine, espérant trouver auprès d'un petit fournisseur qui démarre des produits intéressants et innovants.

Ici aussi, les professionnels peuvent vous aider à concevoir et à construire votre stand, à gérer le programme du salon et également les commandes qui vous aurez reçues. Certaines entreprises s'occupent aussi de l'aménagement des points de vente, des parties d'accueil ainsi que des *showrooms*. Elles peuvent aussi se charger de trouver des prestataires de services : pour la conception et la production graphique, la logistique transport, etc. ; en bref, pour tout ce que vous ne pouvez pas faire vous-même. Epluchez les pages jaunes de l'annuaire téléphonique et le Kompass, ou encore surfez sur Internet pour trouver leurs coordonnées. Certaines agences de publicité proposent aussi ces services en plus de leurs services «classiques», dans le cadre d'un programme de communication global.

Les démonstrations

L'adage qui dit "voir c'est croire" fait preuve de sagesse : si votre produit se prête aux démonstrations, n'hésitez pas ! C'est souvent la meilleure façon de présenter un nouveau produit, ou de présenter un produit existant à de nouveaux clients. C'est le genre de chose que vous pouvez faire n'importe quand et n'importe où, même si vous ne faites que participer financièrement à un événement organisé par d'autres. Si vous prévenez suffisamment à l'avance, on vous trouvera bien un petit créneau pour cela. Si c'est vous qui gérez l'événement, vous avez toute latitude pour organiser la chose comme vous l'entendez. Voici quelques idées pour vous aider.

Démonstrations sur les points de vente

Dans tous les lieux de vente, la démonstration est la forme de promotion la plus efficace. On vous voit venir ! Vous pensez sans doute aux démonstrations rasoirs du supermarché du coin : tout au fond du magasin, sur un coin de table plutôt branlant, une personne sans visage vous tend une assiette en carton contenant un minuscule morceau de pain grossièrement beurré de rillettes ou autre pâté. Pas de panique ! Une vraie démonstration, ça n'a rien à voir ! Voici ce qu'elle doit être :

- **Réaliste :** Montrez le produit dans un contexte d'utilisation naturel, ce qui implique de servir des portions de nourriture de taille normale ou encore, si le produit se consomme plutôt au dîner, de s'arranger pour que les démonstrations se fassent à ce moment de la journée.

- **Intéressante :** La démonstration doit être intéressante à regarder, divertissante. Une démonstration de cuisine doit être pleine d'action, et non se limiter à une micro-dégustation. Faites un concours de saveurs avec des prix à gagner, une démonstration sous forme sketch, etc.

- **La démonstration doit être une priorité marketing.** C'est une chance de pouvoir vendre votre produit directement au client final. Ayez dans la tête l'idée du candidat aux élections qui doit serrer la main de tout le monde, habillé de son plus beau costume et arborant son plus large sourire ! Malheureusement, ce sont trop souvent des intérimaires mal informés sur le produit que l'on envoie faire les démonstrations. Qui vaut-il mieux envoyer ? Celui qui saura mettre le produit en valeur, ou celui à qui vous n'auriez certainement pas envie de parler si vous étiez assis côte à côte dans le métro ?

En suivant ces trois règles, vous pourrez faire des démonstrations dignes de ce nom. Notez tout de même qu'elles reviennent plus cher que les plates démonstrations couramment pratiquées. Mais elles valent le coût car elles sont aussi plus efficaces. Utilisez-les, si besoin, avec plus de parcimonie mais investissez-vous dans chacune. Vous en serez récompensé !

Les démonstrations dans les salons professionnels

Dans un salon professionnel très couru, une bonne démonstration peut attirer des visiteurs qui, sans elle, ne seraient jamais venus sur votre stand. Voici les conseils des pros :

- **Ne faites jamais de démonstrations qui durent plus de 10 minutes, y compris le temps consacré aux questions-réponses.** Dans un salon, c'est le laps de temps maximum durant lequel vous pourrez retenir vos visiteurs. Entre deux démonstrations, il vous restera du temps pour en répéter la teneur et la rendre encore plus efficace.

- **Concentrez-vous sur les avantages produit qui concernent directement votre public cible.** N'essayez pas de trouver des arguments pour tous, vous n'y arriverez pas.

- **Choisissez un seul message à faire passer pendant cette démonstration et restez-en là.** Assurez-vous tout de même que celui-ci "colle" bien avec le message global du stand.

- **Pensez à l'accueil des visiteurs.** Prévoyez un espace libre pour les spectateurs de la démonstration, un espace pour circuler dans le stand, et pourquoi pas un endroit où les visiteurs pourront s'asseoir. Assurez-vous que le stand soit assez spacieux. Si ce n'est pas le cas, essayez d'obtenir l'accord de l'organisation et de vos voisins pour empiéter sur l'allée.

- **Former des membres de votre personnel au lieu de louer les services d'un démonstrateur professionnel.** Leur travail, leur connaissance du produit les désignent tout naturellement pour le faire. Ce sont les mieux placés pour répondre aux questions mais aussi pour faire le suivi des contacts.

- **Répétez et entraînez-vous, comme les acteurs et les artistes.** Avec un peu d'entraînement, le démonstrateur (ou la démonstratrice) pourra se contenter d'une trame composée des points principaux à aborder au lieu de réciter un texte appris par cœur. Il (ou elle) sera plus à l'aise pour répondre aux questions de l'assistance, ce qui contribuera à rendre la démonstration plus vivante.

- **Prévoyez vos séquences "Avant" et "Après".** Comment allez-vous annoncer et promouvoir vos démonstrations pour qu'elles attirent un maximum de personnes appartenant à votre public cible ? Comment obtenir les noms et adresses des prospects qui assisteront à la démonstration ? Souvenez-vous que le but d'une participation à un salon, c'est de vendre. Prévoyez des formulaires de demande d'informations ou de participation à un tirage au sort qui seront à remplir sur le stand. Prévoyez du personnel en renfort, pour répondre aux questions et s'occuper des ventes. Facilitez la tâche de vos prospects en leur proposant de déposer leur carte de visite dans une boîte prévue à cet effet pour recevoir une documentation.

Evénements et cadeaux

Les objets promotionnels, comme on les appelle dans le métier, sont des cadeaux destinés aux clients ou aux employés. Ce ne sont pas des pots-de-vin, mais bien des cadeaux ! Ils doivent servir de récompense une fois les résultats obtenus, et non d'incitation pour les obtenir. Les cadeaux sont souvent une perte de temps et ils mettent à rude épreuve la bonne volonté du client. Qui voudrait d'un calendrier bon marché, décoré sur chaque page du nom de sa compagnie d'assurances22,04+24,17 ? Alors qu'un cadeau de nature appropriée, donné au bon moment, devient digne d'attention. Pour éviter les banalités, pensez ces objets en termes de théâtre, de représentation et de choix. Avec un peu d'effort, vous réussirez même à attirer l'attention et à susciter la bonne volonté de vos clients !

Chapitre 13
Prix de vente et offres promotionnelles

Dans ce chapitre :

Comprendre la perception client du prix et de la valeur d'un produit.

Démystifier trois idées toutes faites sur la politique de prix.

Etablir ou modifier le prix de vente de vos produits.

Vous servir des offres spéciales (rabais, bons de réduction, etc.).

Rester dans la légalité (ce qui n'est pas toujours facile !)

"*L*e client a toujours raison." "Donnez aux gens ce qu'ils veulent." "Trouvez un besoin et comblez-le." "Le client d'abord et toujours."

Les professionnels du marketing adorent servir ce genre d'adages. Ils en couvrent les murs du département marketing et du reste, ceux-ci font parfois leur effet. Il existe néanmoins une exception qui confirme la règle : dans le domaine des prix, ce n'est pas le client qui décide. Le prix est la contrepartie du travail que vous faites pour qu'il soit content. C'est à ce stade que vous devez vous assurer que l'entreprise reçoit tout ce à quoi elle peut prétendre. Personne ne paiera plus que ce que vous demanderez, alors ne vous sous-estimez pas !

Avant de nous plonger dans les aspects techniques de la chose, voici une petite anecdote. La scène se passe à New York. Un journaliste, John Tierney, s'est livré à une petite expérience pour voir jusqu'où peut aller le légendaire professionnalisme des chauffeurs de taxi new-yorkais. Habillé en noir, affublé d'un masque de ski, un sac de jute imprimé du mot "Banque" sur le dos, il s'est posté devant une banque pour héler un taxi. Trois fois sur cinq, il n'a eu aucun problème pour en faire stopper un. Quand il racontait au chauffeur qu'il venait de voler 25 000 dollars (soit environ 130 000 francs) et lui demandait s'il avait eu tort, John Tierney n'a reçu que des paroles d'encouragement. Quand il confiait qu'il avait peur d'être suivi, le chauffeur appuyait volontiers sur le champignon ! Mais, la courtoisie et la serviabilité ont des limites, même pour les chauffeurs de taxi new-yorkais ! Aussi, à la demande de notre pseudo-voleur de s'arrêter devant une autre banque et de l'attendre, la réponse a toujours été un non catégorique. Du coup, son chauffeur demandait a être payé illico !

Ces chauffeurs de taxi connaissent et appliquent une règle que tout le monde devrait faire sienne : le client a toujours raison, tant qu'il paie. Et tant que vous appliquerez cette philosophie (du moins en partie : ne vous amusez pas à cautionner des actes illégaux !), vous serez un professionnel du marketing heureux ! L'objectif premier de la fonction marketing, c'est que le client paie, de bon gré et (il faut l'espérer) rapidement. Pour cela, évitez de faire vôtres trois idées toutes faites sur la politique de prix.

Trois idées toutes faites (et à ne pas appliquer) sur la politique de prix

Beaucoup de professionnels du marketing supposent, à leurs risques et périls, que ces idées sont valables ! Assurez-vous de ne pas succomber à leur charme, car si vous les écoutez ces sirènes ne vous apporteront que des ennuis.

Idée fausse n° 1 : Le prix est le premier critère d'achat des consommateurs

Beaucoup d'entreprises en sont persuadées et fixent leurs prix de vente à un niveau trop bas. De même, lorsqu'elles veulent augmenter leurs ventes, elles le font en proposant des rabais ou en offrant des produits. Comme vous pourrez le voir plus loin, si vous vendez sur le critère du prix, vos clients aussi achèteront sur ce critère. Pourtant, il est souvent possible de faire autrement. Faites-vous une image de marque (voir Chapitres 3 et 14), améliorez la qualité des produits, utilisez la technique du prix "de prestige" (dont il sera question plus loin dans ce chapitre), ou encore apportez un "plus" en termes de service ou d'implantation de point de vente (voir Chapitres 6 et 17). Il est clair que le prix de vente d'un produit est important mais il ne fait pas tout, sauf si le responsable marketing veut le croire.

Idée fausse n° 2 : Moins cher, un produit se vend mieux

Les professionnels du marketing hésitent souvent à augmenter les prix. Pourtant, surtout n'hésitez pas ! N'imaginez pas que les consommateurs vont tout à coup vous bouder et les ventes chuter à tel point que cette augmentation ne vous rapportera rien. De plus, on peut constater que les professionnels du marketing pensent souvent pouvoir régler un problème de volume de ventes en diminuant le prix. Ces deux facteurs cumulés engendre une tendance générale à la baisse du prix d'un produit tout au long de son cycle de vie. Que de bénéfices possibles qui s'envolent en fumée ! Souvenez-vous qu'une augmentation du prix de vente peut se soigner par une baisse : il est beaucoup plus facile de diminuer un prix qui a été augmenté plutôt que d'augmenter un prix qui a été diminué.

Même si une augmentation de prix engendre une baisse du volume des ventes, les bénéfices peuvent augmenter. Prenez l'exemple d'un produit dont la marge brute est actuellement de 30 %. Dans le cas d'une augmentation de prix de 5 %, même si les ventes chutent de 14 %, les bénéfices seront plus importants. Il en faut moins que ça pour y gagner. De même, une augmentation du prix de 10 % peut supporter une baisse du volume des ventes de 25 % (rien que ça !) et rester intéressante. *A contrario*, une baisse de prix de 5 % doit générer une augmentation du volume des ventes de 20 %, uniquement pour maintenir le niveau des bénéfices - scénario peu plausible pour beaucoup de produits, tandis qu'une baisse de 10 % du prix de vente devrait entraîner une augmentation des ventes de 50 % en compensation, pour le même bénéfice final – scénario encore moins plausible ! Alors ne tombez pas dans le piège du "moins cher, un produit se vend mieux". Faites vos calculs pour savoir ce que seront vos bénéfices. Voyez aussi comment vont réagir vos clients (pour savoir comment évaluer les réponses, reportez-vous à l'analyse de sensibilité au prix, présentée plus bas).

Il se pourrait bien que vos clients ne soient pas aussi sensibles au prix que vous pourriez le croire. Il se peut qu'ils puissent tolérer une augmentation beaucoup mieux que vous le pensez, tout comme réagir à une baisse de prix sans l'enthousiasme qui vous serait nécessaire pour faire des bénéfices. Il se peut même qu'ils fassent une corrélation entre le prix et la qualité et qu'ils n'achètent plus le produit jusqu'à ce qu'il soit assez cher ! Si vous voulez augmenter vos bénéfices, commencez par tenter une augmentation plutôt qu'une baisse du prix de vente. C'est souvent la solution qui marche !

Maths appliquées à l'élasticité de la demande par rapport au prix

Un peu de technique s'impose. Un peu seulement, promis ! Il vous faut évaluer le degré de sensibilité au prix de votre clientèle. En d'autres termes, il faut déterminer quel sera l'impact d'un changement de prix sur le niveau des ventes. Vous pouvez le faire par la résolution d'une équation mathématique, en utilisant le modèle économique de l'élasticité de la demande (qui est égale au pourcentage de changement en quantité demandée, divisée par le pourcentage de changement de prix). Si le prix de vos produits a déjà évolué et que vous avez des chiffres de vente fiables, vous pouvez les utiliser dans ce calcul. On utilise cette formule pour prévoir la réaction de la clientèle face à une nouvelle évolution.

Ce modèle implique effectivement que les clients répondent de la même façon pour la même variation de prix. Vous savez que ce ne sera pourtant pas le cas. Par exemple, si vous augmentez le prix de 5 % et observez 1 % de baisse du volume des ventes, et si on applique la formule, vous obtenez une élasticité négative de 2. Ce qui signifierait qu'une nouvelle augmentation de prix conduirait à une baisse des ventes de 2 seulement, c'est-à-dire 1/5 de l'amplitude. En d'autres termes, si vous augmentez les prix de 20 %, les ventes ne baisseraient que de 4 %. Si c'était vrai, on ne ferait qu'augmenter les prix, puisque cela ne toucherait que modérément le volume des ventes et que les bénéfices seraient beaucoup plus importants. Mais voilà, ça ne marche pas. Il ne faut jamais croire une formule ! Le problème, c'est que les clients deviennent de plus en plus sensibles à l'augmentation d'un prix au fur et à mesure que celui-ci augmente, et aussi probablement au fur et à mesure qu'il descend. La relation n'est pas une fonction simple représentable par une droite, mais une fonction complexe représentée par une courbe (la courbe de demande) qui fait correspondre un volume de demande à différents niveaux de prix. Vous aurez donc besoin d'un grand nombre de données concernant autant de prix possibles, mais aussi d'effectuer beaucoup de calculs indépendants, pour avoir une idée sur la façon dont vont réagir vos clients à différents niveaux de prix.

Vous n'avez probablement pas assez de données concernant l'évolution du volume des ventes en réponse à une augmentation ou à une diminution de prix - indépendamment de tout autre facteur - pour tel ou tel niveau de prix. Même si vous avez accès aux données réunies aujourd'hui grâce aux lecteurs optiques, celles-ci ne sont peut-être pas adéquates. Tout dépend de la catégorie de votre produit et de son histoire. Les lecteurs optiques ont souvent été mis en place à cet effet, mais le procédé est complexe et les résultats encore douteux. Si vous compter l'employez, adressez-vous à un spécialiste.

Comment s'y prendre pour évaluer la sensibilité au prix des acheteurs lorsqu'on manque d'informations ? La liste suivante vous donne une série d'*indicateurs qualitatifs* de la sensibilité aux prix. Vous devez vous poser un ensemble de questions sur votre client type, votre produit et votre marché. Faites la synthèse et voyez de quel côté penche la balance. Ce n'est pas tout à fait scientifique, mais c'est mieux que d'ignorer le problème.

**Questions pour estimer/deviner l'élasticité de la demande
par rapport au prix de votre produit**

Mode d'emploi : cochez les cases des questions dont la réponse est affirmative.

❑ **Est-ce le prix attendu ?** A l'intérieur d'un certain intervalle de prix, les clients ne seront pas trop sensibles au prix. Ils le seront si le prix est en dehors de cet intervalle.

❑ **Le produit est-il disponible à (presque) n'importe quel prix ?** Certains produits sont difficilement remplaçables et les clients savent bien qu'ils devront se fatiguer beaucoup avant de trouver un substitut moins cher. Ce facteur diminue l'élasticité de la demande par rapport au prix.

❑ **Le produit est-il indispensable ?** Quand on se présente aux urgences d'un hôpital avec un bras cassé, on ne cherche pas à discuter le prix des soins. De même, si on a besoin d'être dépanné et de faire remorquer sa voiture, de nuit sur une autoroute, on ne pense en général ni à discuter le prix, ni à comparer. Ces produits répondent à une urgence. Mais si votre produit n'est pas indispensable (le client le veut mais n'en a pas un besoin urgent), il sera plus sensible au prix.

❑ **Existe-t-il des substituts ?** Si le client est dans un contexte où les produits de substitution ne sont pas disponibles, l'élasticité de la demande par rapport au prix sera moins forte. Comparer les prix avant d'acheter implique qu'il existe plusieurs produits comparables à des prix différents (par exemple, si une entreprise est la seule de sa ville à offrir un service de dépannage plomberie le week-end, les clients ne rechigneront pas à payer le prix fort pour le service rendu).

❑ **Les clients savent-ils qu'il existe des substituts ?** Les clients paient les infos qu'ils n'ont pas. Le comportement d'achat est un comportement complexe qui est aussi fonction de l'information dont on dispose. Par exemple, les biens d'équipement sont moins chers en ville qu'à la campagne, simplement parce qu'à la campagne, les clients ne peuvent pas choisir entre plusieurs fournisseurs et qu'ils ne connaissent pas ou mal les prix généralement pratiqués pour ces produits. S'ils avaient le choix, ils seraient plus sensibles aux prix.

❑ **Est-il difficile pour le client de comparer les différentes possibilités qui s'offrent à lui ?** Même quand le choix existe, il peut être difficile de comparer pour certaines catégories de produits. Qu'est-ce qui fait qu'un médecin est meilleur qu'un autre ? Allez donc savoir ! Si l'on considère la complexité de leur travail, ajoutée au fait que l'on ne peut "consommer" les soins médicaux qu'après les avoir "achetés", on comprend qu'il soit très difficile de comparer les services et de choisir. Tous ces facteurs rendent les consommateurs de soins médicaux peu sensibles au prix, et rendent par la même occasion les médecins plus riches !

❑ **Le produit *est-il* bon marché aux yeux des consommateurs ?** Les clients se soucient peu du prix quand ils sont sûrs de faire une bonne affaire ; dans le cas contraire, ils y font très attention. C'est pour cela que nous négocions lors de l'acquisition d'une voiture ou d'une maison. Même quand il s'agit de produits beaucoup moins onéreux, leurs prix peuvent sembler élevés quand ils se situent parmi les plus chers de leur gamme. Vous serez certainement plus sensible au prix d'achat d'un ordinateur portable dernier cri qu'à celui d'un ordinateur de bureau de base. En effet, le portable vous coûtera 50 à 100 % plus cher, ce qui le rendra comparativement très cher.

Plus vous avez coché de cases, moins vos clients sont sensibles aux prix. Si vous avez répondu "oui" à plusieurs de ces questions, cela signifie que vous pourrez probablement augmenter les prix sans affecter les ventes de façon significative. C'est plutôt une bonne nouvelle !

Pour affiner votre estimation de la sensibilité aux prix de vos clients (faite à partir des questions ci-dessus), vous pouvez aussi faire des tests : par exemple, si vous croyez qu'une hausse de prix de 5 % ne changera rien aux ventes, essayez cette augmentation sur un *marché témoin* (ou *marché testVoir* marché témoin) ou sur une petite période, sans rien changer ailleurs. Aviez-vous raison ? Si c'est le cas, étendez l'augmentation à tout votre marché, national ou local, selon l'envergure de votre entreprise. Essayez de demander aux consommateurs ce qu'ils en pensent. Bien sûr, ils ne savent pas toujours comment ils vont se comporter. Il ne faut pas faire confiance aux consommateurs quand il s'agit de prévoir précisément leur comportement face aux prix. Des enquêteurs sont là pour leur demander de faire un choix parmi différentes combinaisons de prix et d'avantages produits. Ce procédé est appelé *analyse trade-offVoir* analyse conjointe ou encore *analyse conjointe* (reportez-vous au Chapitre 6 sur la façon de conduire une recherche marketing).

Idée fausse n° 3 : Le prix est l'élément le plus important de l'action marketing

Quand on pense à une politique de prix, on se focalise trop souvent sur le prix lui-même. Pourtant, les liquidités et les bénéfices de votre entreprise dépendent de nombreux facteurs, pas seulement du prix de vente des produits. Si nous reprenons l'exemple de nos chauffeurs de taxi, nous voyons qu'ils ne se préoccupaient pas de savoir combien notre pseudo-voleur allait les payer (de toute façon, le tarif est fixé par la législation), mais bien de savoir quand ils seraient payés. Si votre directeur vous demande de trouver le moyen d'augmenter le prix de vente de vos produits, arguant du fait que les bénéfices sont trop bas, faites votre petite enquête. Cherchez à savoir comment se passent les encaissements. Vos clients vous paient-ils à 60 jours par exemple ? Si c'est le cas, il suffirait de ramener ce délai à 30 jours pour obtenir l'effet escompté, et ce sans aucune augmentation de prix.

Les bénéfices de l'entreprise sont aussi affectés par les rabais consentis ou par le manque de rigueur sur les délais de paiement. Intéressez-vous à ces éléments avant de décréter ces pôôôôvres prix coupables ! Les clients achètent peut-être de grandes quantités de produits en période d'offres spéciales pour les stocker et attendre la prochaine offre avant d'acheter. Si c'est le cas, le problème vient de la politique de promotion des ventes plutôt que des prix de vente eux-mêmes. Si vous travaillez dans le secteur des services et que votre facturation s'établit à partir d'un prix de base auquel viennent s'ajouter la facturation de services complémentaires, vérifiez la façon dont ceux-ci sont évalués. Il se peut que certains services ne soient pas systématiquement facturés. Ou encore votre grille de facturation est ancienne et ne reflète plus la structure de coûts. Prenons l'exemple d'une banque qui facture peu de frais de gestion pour un compte courant ordinaire mais perçoit des frais de traitement pour chaque chèque. Ses bénéfices vont s'effondrer au fur et à mesure de l'extension de l'utilisation des titres interbancaires de paiement (TIP) et des virements automatiques, simplement parce que les frais pour ce type de service ont été fixés très bas afin de pousser les clients à les essayer. Dans ce cas, le problème ne vient pas du prix mais bien de la conception de cette grille de facturation.

Signalons d'ailleurs que l'idée fausse n° 3 s'applique aussi aux clients. Les responsables marketing pensent souvent que le coût que doit assumer le client se résume au prix qu'il paie à l'achat du produit. C'est faux car d'autres coûts viennent souvent se superposer au prix d'achat et parfois même le dépasser ! Prenons un exemple. Vous avez peut-être une voiture et si c'est le cas il est probable que vous ne vous souvenez pas du prix auquel vous l'avez achetée. Par contre, vous avez certainement en tête le montant des mensualités de remboursement du prêt que vous avez dû contracter, de ce que vous a coûté votre dernière visite chez le garagiste ou du montant de votre prime d'assurance. Vous savez aussi combien vous coûte un plein d'essence ainsi que le prix d'une heure de parking. Quand on additionne tous ces frais annexes, en y ajoutant encore la TVA et le prix de la vignette, etc., vous avez peut-être déjà dépensé autant, sinon plus, que le prix de vente de la voiture.

Ce que l'on paie en tant que propriétaire est toujours beaucoup plus élevé que le prix d'achat, et dans le cas d'une voiture la note est vraiment salée ! Et que dire s'il vous arrivait un accident grave ? Vous devriez payer les soins médicaux (au moins en partie) ainsi qu'une partie de la réparation du véhicule (les assurances prévoient une franchise) et en "prime" votre bonus descendrait en flèche !

Cela sans compter le fait que vous ne pourriez plus accomplir certaines obligations ou faire ce qui vous tenait à cœur, parce que vous n'avez plus de voiture ou parce que vous êtes blessé. C'est un *coût d'opportunité*, car vous auriez pu avec cet argent vous offrir un voyage ou payer une formation. Les clients n'y font pas forcément attention, bien que ces coûts d'opportunité soient parfois importants.

L'idée fausse n° 3 ne peut-elle s'appliquer au moins aux produits simples et bon marché ? Même pas ! Prenons un produit très simple, tel que la lessive. Admettons qu'un consommateur sache qu'il peut acheter sa marque habituelle à 25 % moins cher en allant dans un magasin de coopérative qui se trouve à une demi-heure de voiture de chez lui. Il y a peu de chance pour qu'il y aille car le temps et l'argent qu'il va dépenser pour cela font que le jeu n'en vaut pas la chandelle. La seule façon de comprendre ce comportement d'achat est d'analyser tous les coûts, et pas seulement le prix de vente.

Efforcez-vous toujours d'évaluer le *coût total du produit* pour le consommateur, y compris ces coûts induits, en y réfléchissant dans un premier temps mais aussi en interrogeant ou en observant un échantillon de consommateurs. Le Tableau 13.1 peut vous aider à identifier les coûts induits de votre produit. Après cela, vous ne pourrez plus juger un prix de vente sur sa mine !

Tableau 13.1 : Quel est le prix réel d'un produit, pour le consommateur et pour le responsable marketing ?

Coût réel pour le consommateur	Quels coûts viennent en réduction du prix de vente final, pour le responsable marketing
Coût total réel pour le consommateur = Prix d'achat, plus :	*Prix réel pour le responsable marketing = Prix de vente final :*
Taxes (à la consommation, de propriété, etc.)	Non-respect de votre prix par les grossistes et détaillants
Frais pour services particuliers	Marge des détaillants
Frais de transport	Marge des grossistes
Dépenses d'achat (temps, argent, ou frustration)	Remises sur quantité
Dépenses de mise en route (temps, argent, ou frustration)	Escomptes pour paiement comptant
Mise au rebut de l'emballage	Coûts de mise sur le marché (référencement, etc.), remises aux grossistes et aux détaillants
Mise au rebut du produit (en fin de vie)	Echantillons gratuits

Coût réel pour le consommateur	Quels coûts viennent en réduction du prix de vente final, pour le responsable marketing
Frais de financement de l'achat	Coûts directs de vente
Frais de maintenance	Coûts de service client et de service après-vente
Frais de fonctionnement	Coûts de garantie de paiement
Frais d'assurance	Retours de produit
Risques inhérents à la propriété	Créances en retard ou non recouvrables
Coût d'opportunité (qu'aurait-on pu faire d'autre avec cet argent ?)	Coûts de stockage (le produit vous reste-t-il sur les bras ?)
Tous les types de frais qui peuvent vous venir à l'esprit	Coûts de "publicité coopérative" (prise en charge des frais de publicité des détaillants)
	Coût d'opportunité (l'argent de l'entreprise aurait-il pu être utilisé plus judicieusement ?)
	Rebut ou retraitement des produits de qualité non conforme
	Rebut des invendus
	Tous les types de frais qui peuvent vous venir à l'esprit

Etablir ou modifier un prix de vente

Vous voici confronté au problème le plus épineux qu'il puisse y avoir dans le domaine commercial : établir un prix de vente ! Les enquêtes montrent que cette tâche difficile est la bête noire de tous les directeurs commerciaux et responsables marketing. Alors, allons-y calmement, pas à pas. Si vous le faites bien, fixer un prix ne devrait pas vous donner de soucis.

Première étape : Déterminer qui va fixer le prix de vente final

Ce n'est vraiment pas évident ! En tant que responsable marketing, il vous revient de fixer vos prix de vente. Mais il faut penser que ce prix ne sera pas celui payé par l'acheteur final. Vous allez d'abord vendre votre produit à un grossiste ou à un distributeur, qui lui-même le revendra à un détaillant, chacun de ces intermédiaires prenant une marge de bénéfice. De plus, le producteur ne peut pas légalement imposer le prix de vente, sauf cas spéciaux (en France : médicaments, journaux et magazines, cigarettes, automobiles, etc., sont des produits dont les prix de vente finaux sont imposés par les fabricants). Le plus souvent, c'est donc le détaillant qui fixe le prix de vente final. Le prix que vous fixerez ne sera qu'une suggestion et non un ordre. Si le détaillant veut vendre à un prix différent, il le fera.

Votre première tâche consiste donc à déterminer qui d'autre que vous pourra décider du prix. Faites participer ces intermédiaires à votre décision en leur demandant leur avis sur le prix de vente final (pour cette raison, ce doit être votre première démarche). Ils vous feront part d'éventuelles restrictions à prendre en compte et dont vous devez avoir connaissance avant de commencer.

Vous êtes chargé de fixer le prix d'un nouveau livre. Vous vous apercevrez qu'aux Etats-Unis par exemple, les grands distributeurs s'attendent à un rabais de 50 % ou plus par rapport aux prix tarif. Sachant cela, vous devez fixer vos prix assez haut pour qu'un rabais de 60 % vous laisse encore une marge bénéficiaire. Mais si vous ne vous rendez pas compte que les rabais que ces distributeurs demandent sont beaucoup plus élevés que ceux pratiqués couramment par les libraires, vous pouvez faire un mauvais choix.

Les entreprises qui travaillent dans ou avec une filière de distribution comportant plusieurs niveaux (grossistes, distributeurs, sous-traitants, détaillants, agents ou autres intermédiaires) doivent établir la structure des *marges commerciales*. Les *marges commerciales* (aussi appelées *marges fonctionnelles Voir* marge commerciale) sont celles que vous consentez à ces intermédiaires. Il faut les considérer comme des coûts. Avant d'aller plus loin, assurez-vous que vous connaissez la structure des marges commerciales de votre produit. On peut la matérialiser par une série de nombres représentant la marge de chaque intermédiaire. N'oubliez pas que chaque marge vient en déduction du montant qui reste de la marge précédente et non en déduction du prix de vente final.

Déterminez la structure des marges commerciales

Un peu perdu peut-être ? Voyons donc comment déterminer les prix et les marges dans une chaîne de distribution complexe. Imaginons que vous ayez découvert que sur le marché qui vous concerne la structure de marge typique est 30/10/5. Cela signifie que si votre prix de vente de départ est de 100 F, le détaillant bénéficie d'une marge brute de 30 % sur le prix de base (100 F x 30 % = 70 F). Le détaillant paie donc le distributeur 70 F, vend le produit à 100 F et en tire un bénéfice de 30 F.

D'après la structure, il existe d'autres intermédiaires. Un distributeur revend probablement le produit à ce détaillant. La marge brute du distributeur est de 10 % sur son prix de vente au détaillant (soit 70 F x 10 % = 7 F de marge brute pour le distributeur). Nous pouvons aussi en déduire qu'il a acheté ce produit 70 F – 7 F soit 63 F à un autre intermédiaire (peut-être un représentant de l'entreprise ou un grossiste). C'est à cet intermédiaire que l'entreprise vend son produit. La structure de marge 30/10/5 nous apprend que cet intermédiaire prend une marge de 5 % (soit 63 F x 5 % = 3,15 F de bénéfice).

Nous trouvons donc que l'entreprise vend son produit à cet intermédiaire à 63 F – 3,15 F = 59,85 F. Donc, en tant que responsable marketing, il vous faut savoir que votre entreprise ne verra la couleur que d'à peine 40 % de ce prix final de 100 F si votre marché applique cette structure 30/10/5. Votre bénéfice devra donc être calculé à partir des coûts qui viendront en déduction de votre bénéfice net qui sera de 59,85 F.

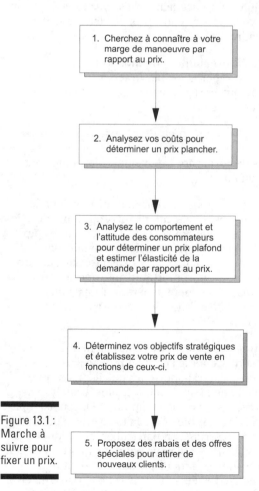

1. Cherchez à connaître à votre marge de manoeuvre par rapport au prix.

2. Analysez vos coûts pour déterminer un prix plancher.

3. Analysez le comportement et l'attitude des consommateurs pour déterminer un prix plafond et estimer l'élasticité de la demande par rapport au prix.

4. Déterminez vos objectifs stratégiques et établissez votre prix de vente en fonctions de ceux-ci.

5. Proposez des rabais et des offres spéciales pour attirer de nouveaux clients.

Figure 13.1 : Marche à suivre pour fixer un prix.

Deuxième étape : L'analyse des coûts

Regardez à nouveau le Tableau 13.1, en particulier la deuxième colonne reprenant les différents éléments qui viennent en réduction du prix de vente final de votre produit. Il faut aussi prendre en compte le prix actuel de votre produit si celui-ci est déjà sur le marché. Essayez d'estimer l'importance de chaque élément, pour chaque prix de vente que vous pourrez proposer. Le calcul des marges commerciales, tel qu'il est présenté dans l'encadré ci-dessus, est utile. Toutefois, vous serez peut-être amené à réduire encore le prix que vous avez obtenu avant de fixer votre prix de vente net.

Maintenant, il vous faut calculer combien vous coûtent la fabrication et la commercialisation de votre produit. Heureusement, vous avez sans doute un large volant de manœuvre entre vos coûts et votre prix de vente net. Si ce n'est pas le cas, il faut tout reprendre à zéro.

Mais comment calculer vos coûts ? C'est simple – du moins en théorie. En effet, en théorie, tous vos coûts sont répertoriés par le service comptabilité sûrement très performant de votre entreprise. Il vous suffit de demander pour qu'on vous les apporte sur un plateau.

En pratique, c'est beaucoup plus compliqué, pour deux raisons. Première-ment, les coûts sont différents selon les niveaux de vente, ce qui rend les prévisions de coûts dépendantes des prévisions de ventes. Mais comment prévoir les ventes de l'année prochaine ?

Puisqu'il faut travailler à partir de prévisions de ventes, donc des données incertaines, la meilleure chose à faire est de calculer le prix par unité de produit à différents niveaux de vente. Vous pourrez vous baser par exemple sur trois niveaux de prévisions de ventes : une prévision minimale, une prévision de niveau moyen et une prévision maximale. Ensuite, fixez un prix de vente qui puisse vous laisser une marge confortable quel que soit le niveau des ventes effectivement réalisé. On peut espérer qu'ainsi vous dormirez sur vos deux oreilles, même si les choses ne se passent pas tout à fait comme prévu !

Le second facteur qui rend l'analyse des coûts particulièrement ardue, c'est qu'il est très difficile de répartir et d'évaluer les coûts. Prenons l'exemple d'une entreprise de transport routier. Le transporteur voulait savoir quel était son parcours le plus rentable et celui qui l'était le moins. L'analyse des comptes, telle qu'elle était faite pas le service de comptabilité ne suffisait pas. En épluchant les dossiers, on a pu dégager plusieurs faits auxquels personne n'avait jamais prêté attention. On a remarqué, en particulier, des réductions sur prix tarif accordées à certains clients – qui payaient donc moins cher que d'autres pour le même service. De même, certains parcours étaient plus demandés que d'autres. Finalement, le bénéfice brut de l'entreprise a dû être recalculé pour chacun d'eux. Il s'est avéré qu'une fois déduits les frais de personnel, d'entretien des camions, etc., certains parcours faisaient perdre beaucoup d'argent. Cette entreprise étant d'une taille importante, avec des centaines de clients et de parcours différents, ce ne fut pas une petite affaire que de remettre tout cela d'aplomb. Finalement, avec un peu d'aménagement dans les tarifs – mais sans augmentation sensible pour le client – la rentabilité de tous les parcours a pu être rétablie.

La morale de cette histoire, c'est qu'en matière de coûts, il ne faut pas toujours prendre ce qu'on vous dit pour argent comptant. Assurez-vous que la répartition des coûts et le calcul des prix nets soient fait d'une façon qui, d'un point de vue marketing, vous semble raisonnable. Si ce n'est pas le cas, vous n'aurez pas d'informations exploitables concernant les coûts.

Une fois que vous aurez conduit une minutieuse analyse de coûts, vous devriez avoir une vision assez claire de ce que doit être votre prix de vente minimal. Celui-ci doit couvrir au moins vos coûts. Effectivement, il se peut que vous soyez tenté de vendre temporairement un produit pour moins cher que son prix de revient, et ainsi pousser les clients à l'essayer. En tout cas, n'employez jamais ce procédé pour récupérer les clients de la concurrence, on pourrait porter plainte contre vous pour dumping ! Sachez qu'en règle générale, en France, la loi interdit aux distributeurs de *vendre à perte* ou de vendre à des *prix abusivement bas* (ce qui était parfois le cas pour certains produits fabriqués par des sous-traitants pour le compte d'un distributeurs). Le prix de vente doit couvrir vos coûts et vous rapporter une marge comprise entre 20 et 30 %. Les coûts représentent donc 80 à 70 % du prix, auxquels vient s'ajouter la marge de 20 à 30 % dont vous avez besoin pour faire tourner la boutique.

Le total Coûts + Bénéfices représente votre prix plancher (cf. Tableau 13.1). Voyons maintenant si vos clients vous permettront d'établir votre prix à ce niveau, ou pourquoi pas encore plus haut !

Troisième étape : Evaluation de l'élasticité de la demande par rapport au prix client final

Si vos coûts et votre marge vous imposent une limite inférieure de prix, la perception que les clients ont du prix vous impose une limite supérieure. Vous devrez définir les deux, puis arbitrer entre ces deux limites, inférieure et supérieure. La prochaine étape consiste donc à définir le prix que les clients sont prêts à payer pour votre produit.

La Figure 13.2 représente, entre autres, le prix de préférence client. Notez que le prix maximal pour votre produit ne correspond pas forcément à ce prix de préférence, mais qu'il peut être plus élevé. Si vos clients ne sont pas trop sensibles au prix, il se peut que leur comportement d'achat ne soit pas affecté par un prix de vente légèrement plus élevé (cf. ci-dessus, section consacrée à l'élasticité de la demande par rapport au prix).

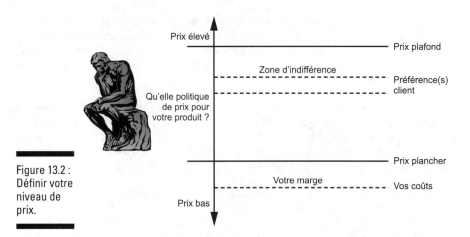

Figure 13.2 :
Définir votre
niveau de
prix.

Earl Naumann, consultant marketing à Boise (Idaho), appelle la différence entre
le prix de préférence du client et un prix sensiblement plus élevé la *zone d'indifférence*. A l'intérieur de cette zone d'indifférence, une augmentation ou une diminution de prix n'affecte pas le comportement des consommateurs. Sachez toutefois
que plus le prix du produit est élevé, plus la zone d'indifférence est réduite, en
termes de pourcentage. Et pour votre produit, quelle est l'étendue de cette
zone ? Reprenez la grille d'analyse de l'élasticité de la demande par rapport au
prix. Votre zone d'indifférence est réduite si vos clients sont très sensibles au
prix de vente ; elle est plus importante s'ils ne le sont pas. Pour l'instant, faites les
suppositions les plus réalistes possibles. Ce n'est certes pas facile. On est effectivement plus près du jeu de devinette que du calcul scientifique. Mais mieux vaut
répartir la décision importante de la fixation d'un prix en plusieurs décisions plus
petites et plus facile à prendre, plutôt que de prendre une décision globale qui ne
reposerait sur rien. Faute de mieux, vos petites erreurs d'appréciation seront
dues au hasard et vous pouvez espérer qu'elles se neutraliseront les unes les
autres. En tout cas, c'est ce que vous pouvez dire à votre patron.

Vous pouvez aussi demander directement aux clients. Bien sûr, ils vous
diront qu'il préfèrent un produit bon marché. En les travaillant un peu, ils
finiront par avouer le prix qu'ils seraient réellement prêts à payer pour un
type de produit donné.

Vous pouvez aussi faire des tests de simulation pour essayer différents
niveaux de prix, en utilisant des techniques allant de l'*analyse trade-off* jusqu'aux *marchés témoins simulés*. La technique des *marchés témoins simulés*
peut inclure l'utilisation d'un modèle de magasin – ou de catalogue ou encore
de tout autre point de vente habituel pour votre produit - comportant des
linéaires reconstitués avec les produits déjà présents sur le marché, plus le
vôtre. On recrute ensuite des clients qui sont chargés d'y faire leurs achats.
On regarde quelle est la part de votre produit parmi ceux-ci pour différents
niveaux de prix. (Pour ces services, adressez-vous à une société d'étude

marketing.) Vous pourrez voir que les ventes chutent rapidement au-dessus d'un certain seuil : il représente votre prix de vente maximal.

Il arrive que l'on obtienne des résultats étonnants à l'issue de ce genre de test. On observe parfois que les ventes chutent brusquement au-dessous d'un certain prix, car les clients font souvent la corrélation entre prix et qualité. Ne soyez donc pas surpris de trouver, non seulement un maximum, mais aussi un minimum au prix de préférence client. De plus, n'oubliez pas que ces tests supposent que les prix des produits concurrents soient stables. Quand votre produit entrera sur le marché, les autres producteurs pourront baisser sensiblement leurs prix ou proposer des offres alléchantes pour vous empêcher de pénétrer le marché. Ces réactions viendront modifier le prix de préférence client qui se situera alors plus bas. (C'est dur à vivre, mais le marketing n'a rien d'une science exacte !)

Il est possible de définir le prix de préférence client en analysant la structure des prix de votre marché. Combien paient les clients pour un produit similaire ? Pour ce type de produit, les prix sont-ils plutôt en hausse, en baisse ou stables ? Faites vous-même les magasins pour relever la structure de prix de votre marché. Cela vous donnera une excellente idée de l'attitude des clients pour tel ou tel niveau de prix.

Toutes ces recherches vous ont sans doute donné une idée du prix de préférence des clients et du niveau que peut atteindre votre prix de vente sans que cela affecte leur comportement d'achat. Voici donc établi votre prix plafond.

La façon la plus simple de fixer le prix de vente consiste à le fixer au niveau du prix plafond. En tout cas, tant que le prix de vente dépasse le prix plancher - c'est-à-dire que le prix de préférence client plus la zone d'indifférence est supérieur ou égal à vos coûts, plus la marge requise -, tout va bien !

Mais il n'est pas toujours possible de fixer le prix de vente à ce niveau. L'étape suivante vous apprendra comment déterminer votre prix de vente final.

Quatrième étape : Analyse des influences secondaires

Vos coûts et ce que le client est prêt à payer au maximum pour votre produit sont les deux premiers éléments à prendre en considération. Ils vous donnent une idée de la gamme de prix dans laquelle le produit devra évoluer. Toutefois, d'autres facteurs sont à prendre en considération, qui peuvent parfois vous pousser à adopter un niveau de prix moyen ou plus près du prix plancher que du prix plafond.

Pensez aux produits concurrents. Avez-vous besoin de grignoter des parts de marché à un concurrent direct ? Dans ce cas, votre prix de vente doit être légèrement (mais sensiblement) inférieur au prix du produit concurrent. Pensez aussi aux futures tendances de votre marché. Les prix sont-ils plutôt à la hausse ? Auquel cas, il vaut mieux tout de suite ajuster vos chiffres dans ce sens pour rester en phase avec vos concurrents. De la même façon, les fluctuations des cours du change peuvent affecter vos coûts et donc vos prix de vente. Si vous craignez que l'évolution des taux de change ne vous soit pas favorable, mieux vaut prendre les devants et fixer votre prix de vente au plus près du plafond. Enfin, vos chefs de produits peuvent vous imposer une légère augmentation ou une baisse par rapport au prix que vous avez fixé. Par exemple, un produit phare dans sa gamme devra conserver un prix de vente plus élevé que les autres produits de cette gamme.

Cinquième étape : Formulez vos objectifs

Vos objectifs peuvent être autres que simplement l'optimisation des profits. Beaucoup de responsables marketing fixent leurs prix au plus prrè du prix plancher de façon à gagner un maximum de parts de marché. Ils font ce choix car une part de marché plus importante permettra, à terme, d'augmenter leurs bénéfices. C'est donc un investissement stratégique (cf. Chapitre 3).

Cette stratégie de prix bas ne marche que si l'élasticité de la demande par rapport au prix est importante pour ce type de produit ! Si ce n'est pas le cas, vous jetez par les fenêtres un bénéfice possible sans gagner une seule part de marché. Dans ce cas, mieux vaut fixer votre prix de vente au niveau du prix plafond et utiliser ces bénéfices supplémentaires pour investir dans la qualité du produit ou pour promouvoir la notoriété de votre marque, et augmenter ainsi votre part de marché (cf. Chapitre 3 pour plus d'informations sur cette stratégie et sur les autres stratégies de positionnement possibles).

Dans d'autres cas, les responsables marketing choisissent d'adopter une _politique de pénétration_ du marché. Dans cette perspective, les objectifs sont fixés en termes de volume : il faut vendre assez d'unités de produit pour que l'usine tourne à sa pleine capacité. On fixe alors le prix de vente au prix plancher de façon à maximiser le nombre de ventes, même si ce faisant on ne maximise pas le profit unitaire (répétons-le, une baisse de prix entraîne une augmentation du volume des ventes en rapport avec l'importance de l'élasticité de la demande par rapport au prix pour le produit considéré).

Dans certains cas, les responsables marketing préfèrent même limiter le volume des ventes lors de l'introduction sur le marché d'un nouveau produit. Il se peut que l'entreprise n'ait pas la capacité de vendre ou de produire ce produit en masse et décide de pratiquer une politique d'écrémage, c'est-à-dire de vendre le produit à un prix élevé pour que seuls les ménages les plus riches ou les acheteurs les moins sensibles aux prix puissent l'acheter. Le prix sera diminué seulement après avoir engrangé un bénéfice maximal grâce à ces clients "haut de gamme" et augmenté la capacité de production. Cette stratégie a été utilisée pour la commercialisation en Europe et aux Etats-Unis des lecteurs CD, des fax et des antennes paraboliques pour la télévision par satellite. (Attention ! N'utilisez cette stratégie d'écrémage que si vous êtes certain d'être à l'abri de la concurrence sur le court terme.)

Comment les clients perçoivent et mémorisent les prix

Si votre prix plafond pour un jouet est de 100 FF, vous penserez sans doute le fixer plutôt à 99 FF. En supposant que les clients soient sensibles au prix, les ventes seront beaucoup plus importantes alors que la différence ne sera que de 1 F, simplement parce qu'un prix finissant par 9 est perçu comme étant de 3 à 6 % moins cher, dans le souvenir du client, qu'un prix rond. C'est seulement une question de perception dont vous pouvez tirer parti.

Le seul problème avec les prix finissant par 9, qu'on appelle *prix psychologiques*, est que parfois les clients les associent avec des produits de qualité moindre. Ne les utilisez donc pas si vos clients sont plus sensibles à la qualité d'un produit qu'à son prix. Par exemple, un prix psychologique ne peut s'appliquer à un tableau qui serait à vendre dans une galerie car il semblerait avoir moins de valeur. Mais en général, ça marche.

Il se peut aussi que vous vouliez intégrer le prix de vente d'un nouveau produit au prix des autres produits de la même gamme, ou bien à la gamme de produits vendue par vos distributeurs ou vos détaillants. L'idée est de trouver un créneau pour votre produit et de le positionner clairement. C'est une stratégie de positionnement qui répond alors à une *contrainte de gamme*.

Peut-être désirez-vous fixer le prix de vente de votre produit par rapport au prix d'un ou de plusieurs produits concurrents. Cette stratégie répond à une *contrainte de concurrence*. Si vous évoluez sur un marché très compétitif, c'est la stratégie que vous aurez intérêt à appliquer. Essayez de voir quel sera le produit que l'acheteur percevra comme étant le plus proche du vôtre et fixez votre prix de vente sensiblement plus haut ou plus bas de façon à différencier votre produit. Cette différenciation va dépendre de la taille de la zone d'indifférence de l'acheteur (voir ci-dessus).

Le prix de votre produit doit-il être plus haut ou plus bas que celui du ou des produits concurrents ? Cela va dépendre de la qualité de votre produit et de son bénéfice client (c'est-à-dire l'avantage que le client retirera du produit) par rapport au produit concurrent. Si le bénéfice client et la qualité se valent, décidez-vous pour un prix sensiblement plus bas que celui du produit concurrent, de façon que le vôtre paraisse d'un meilleur rapport qualité/prix. Si le bénéfice client de votre produit est au contraire plus important que celui du produit concurrent, son prix pourra être légèrement plus élevé pour signaler ce fait, mais pas trop car il doit toujours paraître comme étant d'un meilleur rapport qualité/prix.

Si vous souhaitez positionner votre produit bien au-dessus de vos concurrents, faites en sorte que votre prix soit aussi nettement supérieur. Prenons un exemple parlant sur le marché américain. Tiffany est une marque de bijoux prestigieuse aux Etats-Unis. Quand la société Avon a racheté Tiffany, elle a essayé d'étendre le marché de Tiffany en commercialisant des bijoux bon marché sous ce nom. Du même coup, la marque a perdu son prestige et Avon a perdu des millions de dollars. Tiffany a aujourd'hui retrouvé son indépendance et son panache grâce à ses prix, qui sont redevenus tout aussi inabordables qu'auparavant !

Vous pouvez aussi adopter exactement le même prix que le produit concurrent. Cela peut s'avérer payant si le positionnement de votre produit, par rapport au produit concurrent, se fait sur la base d'un détail. Dans ce cas, l'attention du client pourra se focaliser sur ce détail et non sur le prix.

Enfin, certaines entreprises tentent de convaincre l'acheteur que leur produit est non seulement mieux que les produits concurrents mais aussi moins cher ! Par contre, pour les convaincre, il faut avancer des preuves. Si vous réussissez à les convaincre, c'est gagné pour vous. Après tout, nous aimons tous en avoir pour notre argent ! Prenons l'exemple d'un PC équipé d'un nouveau microprocesseur. Celui-ci est peut-être à la fois vraiment plus rapide et moins cher que les autres. Une nouvelle crème antirides peut effectivement s'avérer plus efficace et moins chère grâce à une nouvelle formule. De même, un détaillant peut réussir à vendre ses produits moins cher parce que sa surface et son volume de vente sont plus importants. Si vous avez un argument plausible pour prouver ce que vous avancez, et que les clients l'acceptent, il n'est pas impossible que vous puissiez couper l'herbe sous les pieds de vos concurrents, avec un produit de meilleure qualité et moins cher que le leur. Faute de preuve ou d'argument, les acheteurs interpréteront un prix moins élevé comme un indice de qualité moindre.

Vous ne voulez pas décider du prix ? Laissez faire le client !

Une vente aux enchères peut s'avérer être une bonne solution pour vendre vos produits. Il est vrai que, hors certains secteurs particuliers, les ventes aux enchères sont plutôt rares : les œuvres d'art sont souvent mises aux enchères alors que les meubles sont le plus souvent vendus à prix fixe, sauf dans le cas d'une saisie immobilière. Si vous vendez des meubles au détail, pourquoi ne pas innover en tenant une vente aux enchères chaque mois par exemple ? Cela vous permettrait de faire parler de vous mais aussi d'obtenir une rotation des stocks plus rapide. Et si vos articles plaisent, ils seront peut-être achetés plus cher que ce que vous auriez pu en demander !

Encore mieux ! Pourquoi ne pas organiser des enchères sur Internet ? C'est ce que fait la compagnie aérienne American Airlines en vendant aux enchères ses billets d'avion sur un site Web (http://www2.amrcorp.com/cgibin/aans). D'autres compagnies sont déjà en train d'en faire autant. L'avantage d'une vente aux enchères "online" est que le suspens du "direct" reste intact, tout en rendant l'événement accessible aux clients du monde entier (pour dénicher d'autres ventes aux enchères sur Internet, utilisez "vente aux enchères" comme clé de recherche).

Par contre, autant vous prévenir tout de suite : les clients ayant connaissance de votre vente aux enchères mensuelle attendent cette occasion pour acheter. En conséquence, les ventes peuvent baisser d'une façon spectaculaire pendant le reste du mois. Assurez-vous que vous ne risquez pas de ruiner votre entreprise avant de mettre sur pied un tel projet !

Jongler avec réductions et autres offres spéciales

Les *offres spéciales* sont des incitations temporaires à l'achat pour les clients qui achètent sur le critère du prix ou d'autres critères s'y rapportant. Elles permettent aux consommateurs (ou aux intermédiaires) d'obtenir le produit à moindre prix pendant la période de validité de l'offre.

Pourquoi baisser temporairement le prix ? Quand on pense que le prix devrait être plus bas, pourquoi ne pas le baisser pour de bon ?

Tout simplement parce qu'une baisse de prix est facile à faire, mais très difficile à rattraper. Une offre spéciale vous permet de baisser le prix de façon temporaire sans pour autant changer le prix de vente. Quand l'offre est finie, le produit est de nouveau vendu à son ancien prix. Le fait de ne pas toucher au prix de vente est très important dans les cas suivants :

- Quand les raisons pour lesquelles vous voulez réduire votre prix de vente sont du domaine du court terme, par exemple pour répondre à l'offre spéciale d'un concurrent ou contre-attaquer la sortie d'un nouveau produit concurrent.

- Quand vous voulez expérimenter un autre niveau de prix (pour mieux observer l'élasticité de la demande par rapport au prix par exemple), sans pour autant vous engager dans une véritable baisse de prix avant d'avoir les moyens d'en mesurer les résultats.

- Quand vous voulez inciter les consommateurs à essayer votre produit, parce que vous êtes convaincu que l'essayer, c'est l'adopter et qu'ils le rachèteront ensuite au prix normal.

- Quand le prix de vente est volontairement élevé en signe de qualité pour le consommateur et qu'il ne peut donc être baissé (politique de prix de prestige), ou bien quand il doit être cohérent avec le prix des autres produits de la gamme (contrainte de gamme).

- Quand vos concurrents font de même et que vous n'avez pas le choix, car les consommateurs en sont venus à attendre systématiquement les offres spéciales.

Cette dernière raison est de loin la plus mauvaise. Le comble, c'est que ce sont les professionnels du marketing eux-mêmes qui en sont responsables : ils ont mal "éduqué" leurs clients en les habituant aux offres spéciales que ceux-ci attendent pour acheter. Blague à part, ce phénomène est vraiment absurde. C'est sans doute la plus grossière erreur qu'aient pu faire les professionnels du marketing, et ils ne cessent de la refaire, encore et toujours. Aujourd'hui, beaucoup de produits sont achetés sur le critère du prix et non sur des critères de qualité ou de bénéfice produit. En conséquence de quoi, aux Etats-Unis, au Canada ainsi que dans beaucoup de pays européens, les taux de remontée des bons de réduction n'ont jamais été aussi élevés. Les ventes faites pendant les périodes d'offres spéciales sont de plus en plus importantes et viennent chaque année (inutilement) grever un peu plus les budgets marketing.

Quand tous les concurrents du marché font des offres spéciales et se surveillent les uns les autres, ils finissent par submerger les acheteurs d'offres promotionnelles. Réductions et autres cadeaux commencent à peser plus lourd que les messages d'image de marque et concentrent l'attention de l'acheteur sur le prix plutôt que sur le bénéfice produit. Le but des offres spéciales est bien de sensibiliser les acheteurs au prix. Elles séduisent les acheteurs occasionnels, ceux qui ne sont fidèles à aucune marque en particulier mais achètent le produit le moins cher. Les offres spéciales encouragent ce "butinage", finissant par réduire à la portion congrue le noyau de la clientèle fidèle. Autant dire que les offres spéciales ont le redoutable pouvoir d'éroder la notoriété, de faire diminuer la fidélité à la marque et par conséquent de réduire vos profits. La pente est très glissante et le mieux est encore de ne pas s'y risquer !

Les responsables marketing de chez Procter & Gamble sont récemment arrivés à la même conclusion et ont décidé de stopper net toutes les promotions par les prix. Plus de bons de réduction, ni de rabais, un point c'est tout ! Mais ils n'ont pas pu faire machine arrière. Les détaillants se sont plaints. L'administration américaine a pensé que cela créait un dangereux précédent de tentative d'entente de prix (l'entreprise souhaitait que ses concurrents aussi cessent d'utiliser ce type de réductions) et donc que cette décision venait en violation des lois anti-trust. Procter & Gamble continue donc de glisser sur cette pente dangereuse sans pouvoir s'arrêter...

Vous voilà donc prévenu des méfaits de ce que les dirigeants de la General Food appellent la "fièvre des bons". Mais il vous reste encore tout un tas de bonnes raisons pour utiliser les offres spéciales (cf. liste plus haut). Il se peut aussi que vous n'ayez pas les cartes en main pour changer les pratiques du marché – après tout, même Procter & Gamble n'y est pas parvenu ! – et vous devez donc suivre le mouvement. Si c'est le cas sur votre marché, vous devez absolument les utiliser. Voici comment vous y prendre...

Concevoir offres spéciales et opérations de couponing

Plusieurs possibilités s'offrent à vous. Vous pouvez utiliser les bons de réduction, les remboursements, les cadeaux promotionnels, les volumes supplémentaires de produit, les échantillons d'essai gratuits, les loteries ou autres jeux promotionnels, ou encore toute autre offre spéciale ou promotion à laquelle vous pourriez penser. Assurez-vous auprès de vos conseillers juridiques ou avocats que le type de promotion que vous avez choisi reste bien dans le cadre autorisé par la loi. En effet, il existe des contraintes légales car vous ne pouvez pas tromper les clients sur ce que vous leur promettez. Sachez aussi que les loteries et les concours doivent être ouverts à tous, sans obligation d'achat.

Si vos promotions s'adressent aux professionnels (aux intermédiaires), vous pouvez utiliser les volumes de produits gratuits, les reprises des invendus, les participations aux frais de mise en rayon et de publicité sur le lieu de vente, ou contribuer à leurs frais de publicité promotionnelle (c'est ce qu'on appelle la *publicité de coopération*).

Beaucoup d'offres spéciales se font aujourd'hui sous la forme d'*opérations de couponing*. C'est donc sur elles que nous concentrerons notre attention. Un bon de réduction est un certificat qui permet à son détenteur d'obtenir une réduction sur le prix de vente. Cette définition est très générale, ce qui laisse la part belle à l'imagination. Effectivement, dans ce domaine tout existe. La meilleure façon de recenser les possibilités est de collecter un ensemble de bons de réduction, sur votre marché ou sur d'autres.

Quelle réduction offrir ?

Quel montant offrir en réduction au client, que ce soit pour des bons de réduction ou d'autres types d'offres spéciales ? La réponse dépend en fait du degré d'attention que vous voulez qu'on vous prête. La majorité des offres spéciales ne réussissent pas à motiver les acheteurs. Pour vous aider dans votre évaluation, sachez que l'offre spéciale moyenne est donc peu efficace et qu'une bonne campagne de publicité aurait sans doute un meilleur impact.

Vous pouvez beaucoup améliorer l'impact de votre offre en la rendant simplement plus généreuse (c'est encore plus efficace quand la sensibilité client au prix est importante). Pour les produits de consommation courante, que ce soit le dentifrice ou le potage en *brick*, les recherches montrent que vous devez offrir au minimum une réduction d'environ 3 FF si vous voulez que votre offre spéciale ne passe pas inaperçue. A moins que ça, vous n'intéresserez que les plus consciencieux des accros des bons de réduction : les enquêtes montrent que moins de 10 % des consommateurs y sont attentifs. Mais au-delà de ce seuil de 3 FF, ces mêmes études montrent que l'intérêt des consommateurs augmente très rapidement pour atteindre parfois les 80 % ! Parmi tous ces acheteurs, il n'y aura pas seulement des acheteurs occasionnels mais aussi les clients fidèles à votre marque, ainsi que les clients fidèles (habituellement !) aux marques concurrentes. Et ces acheteurs-là sont mille fois plus intéressants que ceux qui "butinent" d'une offre spéciale à l'autre.

De ce point de vue, je pense (n'en déplaise à la majorité des responsables marketing de la planète) qu'il vaut mieux utiliser les offres spéciales avec plus de parcimonie et faire en sorte qu'elles offrent des réductions substantielles, plutôt que de distribuer une multitude de bons donnant droit à de (très) chiches réductions ! En effet, pourquoi ajouter encore à la cacophonie générale alors qu'il suffit de quelques bons de réduction efficaces pour parvenir au même résultat !

Prévoir le taux de remontée (Bonne chance ! Vous en aurez besoin !)

Concevoir le bon de réduction est une chose. Estimer le nombre des bons qui seront utilisés en est une autre ! Les enjeux sont encore plus importants pour le type de réduction que nous vous avons conseillé, ce qui rend les prévisions encore plus risquées. Ce taux de remontée dépend de plusieurs facteurs : de la façon dont chaque acheteur va considérer la réduction dont il pourra bénéficier ; il doit découper le bon, il doit aussi le mettre de côté, ne pas l'égarer, et enfin s'en servir en respectant les conditions d'utilisation spécifiées sur le bon. Si par hasard le nombre des personnes réussissant à franchir toutes ces étapes est beaucoup plus important dans la réalité que dans vos prévisions, cela pourrait vous coûter votre job ou même entraîner la faillite de votre société ! Alors mieux vaut ne pas (trop) se tromper !

Prenons l'exemple des Etats-Unis : en moyenne un peu plus de 3 % des bons de réduction sont présentés au remboursement (précisons par la même occasion qu'un bon offre en moyenne environ 2,5 FF de réduction). Cela vous donne quand même l'ordre de grandeur d'un taux de remontée pour une opération de couponing. Toutefois, les écarts sont grands d'une opération à l'autre. Certains coupons sont si faciles à utiliser que le taux de remontée atteint 50 % ; dans d'autres cas, ce taux avoisine zéro ! Quel sera donc le taux de remontée de votre opération ?

Affinez ensuite votre estimation en comparant votre offre aux autres, aussi bien aux offres déjà proposées par votre entreprise qu'à celles de vos concurrents. Votre offre est-elle plus généreuse ou plus facile à utiliser par rapport à celles-ci ? Si c'est le cas, vous pouvez vous attendre à un taux de remontée sensiblement plus important que le taux moyen, peut-être deux fois plus important, ou même plus encore.

N'hésitez pas, s'il y a lieu, à consulter les chiffres de vos précédentes offres : si votre entreprise en a déjà fait, vous trouverez certainement de précieuses informations. Comparez scrupuleusement les offres, dans le détail. Assurez-vous que celles que vous choisissez comme référence soient bien du même type que la vôtre avant d'en déduire votre taux de remontée.

Souvenez-vous de ce que nous avions vu à propos de la sensibilité au prix. Retournez au début de ce chapitre et appliquez la formule de l'élasticité de la demande (encadré "Maths appliquées à l'élasticité de la demande par rapport au prix") si vous avez des chiffres à votre disposition, et reportez-vous à son analyse qualitative. L'effet concret de votre offre est de proposer temporairement votre produit à un prix inférieur. Toutefois, cette réduction a un prix pour le consommateur car il doit faire l'effort de présenter son bon pour l'obtenir. Il faut donc considérer que la réduction réelle est d'un montant inférieur à celui indiqué sur le bon. Pensez aussi à ajuster le montant de l'offre pour couvrir les frais de remontée. Maintenant, demandez-vous si la réduction réelle est assez importante par rapport au prix de vente normal pour avoir des répercussions sur la demande. Le prix se situe-t-il en dehors de la zone d'indifférence des acheteurs potentiels ?

Beaucoup d'offres promotionnelles ne font que ramener le prix légèrement en deçà de la zone d'indifférence. Pour cette raison, elles n'attirent généralement que les acheteurs occasionnels (dont le critère principal d'achat est le prix), et non les acheteurs réguliers des produits concurrents. C'est pourquoi les taux de remontée sont aussi bas. Toutefois, si votre offre est assez généreuse pour que le prix promotionnel se situe largement au-dessous du seuil de la zone d'indifférence, le taux de remontée peut être très supérieur à la moyenne, au point qu'il en a coûté leur job à certains responsables marketing ! Au vu des connaissances que vous avez maintenant de la perception et de la sensibilité client au prix, assurez-vous que vous n'êtes pas en train de le faire descendre au point que tous les clients de France et de Navarre vont se bousculer pour utiliser leurs coupons !

Estimer les coûts d'une offre spéciale

Une fois que vous avez réfléchi au taux de remontée, supposons que vous évaluiez ce taux à 4 % pour votre offre, sachant que ce bon donne droit à une réduction de 10 % sur le prix normal. Pour estimer le coût de votre opération de couponing, vous devez d'abord voir s'il faut considérer que ces 4 % d'acheteurs vont acheter l'équivalent de 4 % du total des ventes durant la période de validité des bons. On peut supposer que ce ne sera pas le cas et que ceux-ci vont sans doute profiter de l'offre pour faire des stocks. Il faut donc estimer le volume de ces achats supplémentaires.

Si vous estimez qu'ils achèteront deux fois plus de produit (ce qui est beaucoup, mais ce n'est qu'un exemple), doublez le volume d'achat moyen. Nous avons donc 4 % des clients, achetant deux fois plus de produit pendant un mois (si c'est la durée de votre opération). A combien estimez-vous ce volume de vente ? Multipliez maintenant la réduction accordée par ce volume et vous obtiendrez ce que va vous coûter cette opération de couponing. Pouvez-vous vous le permettre financièrement ? Le jeu en vaut-il la chandelle ? Là, c'est à vous de décider : c'est plus une question de jugement et de flair que de mathématiques.

Certains responsables marketing font leur beurre avec ces offres spéciales. Ils utilisent ce qu'on appelle les primes (ou cadeaux) *auto-finançables*Voir prime autofinançable, qui à terme ne leur coûtent pas un rond. Un cadeau promotionnel est un objet que vous offrez au client ou que vous vendez avec remise, pour le récompenser d'acheter votre produit (cf. Chapitre 11, sur les mille et une façons d'utiliser les cadeaux et objets promotionnels). Une prime auto-finançable est un cadeau que le client finit par payer lui-même. Dans ce cas, le problème des coûts est réglé pour vous ! Imaginons que vous organisiez un jeu dans lequel certains acheteurs, en ouvrant le produit, apprennent qu'ils peuvent bénéficier d'un cadeau. Pour le recevoir, ils doivent envoyer leur ticket (ou une preuve d'achat) accompagné d'un règlement de 30 FF. Si vos coûts directs pour cet objet sont de 30 FF, alors vous ne perdez pas d'argent et votre client bénéficie d'un objet utile et amusant.

Respecter la législation

Attention ! Pour tout ce qui concerne les prix, vous êtes en terrain miné ! Fixer un prix de vente ou décider d'une offre spéciale sont des décisions délicates, tout au moins dans les pays à économie de marché (pays de l'Union européenne, Etats-Unis, etc.). En effet, à travers les prix, c'est la réalité du marché concurrentiel qui est en jeu. Bien souvent, tout un arsenal législatif (qui peut être très confus) est là pour empêcher les pratiques déloyales.

Par "pratiques déloyales", il faut entendre par rapport aux concurrents et aux consommateurs. Prenons l'exemple d'une entreprise commercialisant de petits bricks de lait destinés aux écoles. Imaginons que cette entreprise s'entende avec son principal concurrent pour augmenter les prix de 10 % ! Ce serait très injuste pour les consommateurs. En tout cas, ce serait complètement illégal. C'est ainsi que quelques responsables d'entreprise de par le monde purgent des peines de prison... De la même façon, si une banque impose des taux d'hypothèque plus élevés aux personnes à revenus très modestes par rapport à ses autres clients, c'est injuste. En tout cas, quand cela se saura, il y aura du grabuge ! Et que dire d'un magasin de matériel informatique qui afficherait sur sa vitrine : "Votre IBM PC dernier cri à - 75 % !" Rien, tant qu'il est possible d'acheter les ordinateurs en question. Mais si, par un malencontreux hasard, le dernier vient d'être vendu et que le vendeur essaie de vous appâter avec d'autres machines plus chères, il s'agit aussi d'une pratique déloyale. Enfin, que se passe-t-il quand une chaîne de magasins d'alimentation baisse ses prix dans ses points de vente situés à proximité d'un petit commerce traditionnel, et ce jusqu'à ce que celui-ci finisse par faire faillite ?

En fait, pas besoin d'être un pro de la législation pour savoir ce qui est illégal. Chaque fois qu'un client ou qu'un concurrent est en droit de se plaindre pour concurrence déloyale ou prix d'appel mensongers, votre cas peut être réglé ! Pour ne pas trop faire dans le flou artistique, voici une courte énumération des pratiques déloyales les plus courantes et les plus graves. Surtout lisez bien ce qui suit, c'est **ce qu'il ne faut** surtout **pas faire** !

- **Entente sur les prix :** Ne vous entendez pas sur les prix (et n'en parlez même pas) avec d'autres entreprises. Sauf s'il s'agit d'un de vos revendeurs bien sûr. Notez toutefois que vous ne pouvez pas l'obliger à vendre votre produit à un prix que vous aurez vous-même fixé.

- **Entente sur les prix déguisée :** Il y a eu toutes sortes de tentatives dans ce domaine. Ne vous faites pas d'illusion : aucune ne marche. Si votre concurrent le plus direct veut que vous demandiez à vos clients la même somme que lui en acompte, ou que votre prix de départ soit le même que le sien, que vous adoptiez les mêmes contrats de vente avec extension de financement, ou vous propose un joint-venture pour distribuer tous vos produits (au même prix), dites-vous bien que toutes ces propositions ne sont que des formes d'entente déguisées. Refusez sans appel ! Ne prenez même plus les communications.

- **Entente des acheteurs :** Croyez-le ou non, mais même les responsables marketing sont protégés contre les pratiques déloyales ! Si les acheteurs s'entendent entre eux pour imposer des prix à leurs fournisseurs, cela peut s'apparenter à une entente. Si on veut vous appliquer un tel projet, appelez tout de suite votre avocat qui y mettra bon ordre.

- **Echange d'informations sur les prix :** C'est bien simple, vous ne devez échanger aucune information concernant les prix avec vos concurrents. Si on découvre qu'un de vos employés fait sortir des informations et qu'il en reçoit en retour, vous allez au devant des ennuis, même si vous n'avez jamais agi par rapport à ces informations. Alors, pas de blague ! (A propos, le fait de prévenir les clients d'une prochaine augmentation de prix est parfois considéré comme un échange d'information illégal. Le problème de ce genre de pratique étant que certains le font effectivement pour signaler à leurs concurrents qu'ils doivent en faire autant...)

- **Réponses à appels d'offre truquées :** Si vous répondez à un appel d'offre, le paragraphe précédent s'applique. Ne confiez aucune information à qui que ce soit. Ne comparez pas votre "copie" avec une autre entreprise participante. Ne vous mettez pas d'accord pour proposer la même offre. Ne vous répartissez pas le travail en vous mettant d'accord pour ne pas répondre à une offre si votre concurrent ne répond pas à telle autre. Surtout n'essayez pas de manigancer dans le domaine des appels d'offre.

- **Prix parallèles :** Dans certains cas, on peut vous accuser d'entente, même si vous ne vous êtes pas arrangé dans ce sens avec vos concurrents. Il suffit par exemple que votre structure de prix soit parallèle car, après tout, le résultat est le même. Dans d'autres cas, on considère qu'il est normal d'avoir le même prix. La législation est très complexe à ce sujet. Il n'est pas question ici d'entrer dans les détails, c'est pourquoi nous nous contenterons d'énoncer une règle générale : ne copiez pas les prix du voisin, sauf s'il est évident que ce sont ces prix que vous devez choisir, en particulier quand cela implique une augmentation du prix de vente pour vous.

- **Compressions de prix, prix d'attaque, prix limites et vente à perte :** Pour le responsable marketing moyen, toutes ces pratiques se valent. Elles impliquent toutes l'utilisation du prix de vente pour écarter un concurrent ou l'empêcher d'entrer sur le marché. Le procédé le plus simple consiste à fixer les prix distributeurs trop hauts pour les petites commandes. Les produits sont alors inabordables pour les petits commerçants, ce qui renforce l'avantage de la grande distribution qui, elle, peut faire de grosses commandes et profiter des réductions sur quantité. La technique du prix d'attaque consiste, au niveau d'un marché local, à baisser suffisamment les prix de façon que les concurrents ne puissent plus suivre. Cette technique est couramment pratiquée par les chaînes de distribution et autres multinationales pour écarter les commerçants locaux. Si vos prix se situent au même niveau que vos coûts ou même au-dessous, vous pratiquez la technique du prix d'attaque. De la même façon, même si vos prix sont supérieurs à vos coûts, mais qu'ils sont si agressifs qu'ils tiennent vos concurrents en respect, vous êtes coupable de pratiquer des prix limites. La vente à perte (ou *dumping*) est une variante qui consiste à pénétrer un marché en vendant d'importantes quantités de produit à un prix artificiellement bas. A proscrire.

La législation sur les pratiques de prix est si tatillonne qu'on peut se sentir pieds et poings liés. Alors que faire ? En fait, on peut seulement essayer de faire pencher la balance d'un côté ou d'un autre. Il est permis de proposer des remises sur quantité, tant que cela n'écarte pas certaines entreprises du marché. Vous ne pouvez pas imposer de prix à vos détaillants, mais vous pouvez très bien les y "aider" en indiquant un prix conseillé dans votre campagne de publicité ou bien en marquant ce prix sur les articles ! Il vous est aussi possible d'offrir aux acheteurs de vraies réductions, grâce aux bons de réduction ou à toute autre offre spéciale. Les détaillants sont souvent d'accord pour participer à ce genre d'opération (voyez avec une agence de publicité, les détaillants et éventuellement un juriste pour voir comment s'établit ce genre de contrat). Toutefois, si c'est aux détaillants que vous décidez d'offrir une remise, vous ne pouvez pas les obliger à en faire profiter les clients. Ils peuvent tout aussi bien mettre l'argent à la banque et continuer à encaisser le prix fort. Aucune pitié dans ce métier !

Chapitre 14

Développer, nommer et gérer vos produits

Dans ce chapitre :

Développer de nouveaux produits.

Organiser vos produits dans une gamme.

Trouver un nom approprié pour votre produit.

Construire et protéger l'identité de votre marque.

Eliminer les idées et les produits non porteurs.

Savoir quand supprimer un produit.

---

*L*e produit est au cœur de tout plan d'action marketing. Si le produit est bon, que les clients concernés en sont vraiment contents, le plan d'action marketing a de grandes chances de porter ses fruits. Si le produit est moyen, qu'il n'a rien de particulier au yeux des consommateurs, à terme le meilleur plan d'action marketing n'y changera rien. Il y a de fortes chances pour que ce ne soit jamais un produit gagnant. Ce constat est difficile à accepter pour les gens de marketing ainsi que pour ceux qui travaillent dans le domaine commercial en général : dans ces milieux, on a tendance à sous-estimer les consommateurs et parallèlement à surestimer le pouvoir du marketing. Tout plan d'action marketing doit être sous-tendu par un bénéfice produit tangible : ce produit (bien, service, idée, personne) doit avoir des avantages aux yeux d'un potentiel acheteur.

Dans ce chapitre, vous verrez comment concevoir et développer de tels produits, comment les organiser en gammes et trouver un nom valorisant et représentatif du produit.

Evaluer les choix possibles

Dans le domaine de la politique de produit, les manuels et le discours des professeurs de marketing sont en accord. L'approche courante consiste à apprendre aux étudiants qu'il existe trois possibilités d'action : introduire un nouveau produit sur le marché, modifier ou faire évoluer un produit déjà existant, enfin retirer un produit du marché.

Voyez avant tout si vous pouvez choisir l'une ou l'autre de ces possibilités. Voici plusieurs critères susceptibles de vous aider dans votre choix. En effet, si vous décidez qu'il vous faut introduire un nouveau produit sur le marché, lequel choisir ? Comment trouver des idées de produits géniales ? Quelles possibilités s'offrent à vous si vous décidez d'améliorer un produit existant ? Quand et comment arrêter la commercialisation d'un produit ? Certaines approches sont-elles plus intéressantes que d'autres ?

Ce dont les praticiens du marketing ont désespérément besoin, c'est bien d'une multitude de petites informations essentielles. Voici donc une présentation des principales options, plus quelques bonnes idées et des techniques pour les appliquer.

Quand et comment introduire un nouveau produit sur le marché ?

J'aimerais beaucoup vous affirmer que le développement d'un nouveau produit ne cause pas trop de soucis. Rassurez-vous, il n'en est rien ! Sur de nombreux marchés – et le vôtre en fait sans doute parti – l'innovation est à l'origine d'avantages concurrentiels énormes. Quand une entreprise concurrente introduit un produit comportant une innovation majeure, c'est la face de tout votre marché qui s'en trouve changée ! Quand cela arrive – c'est-à-dire une ou deux fois en dix ans – tout est chamboulé, de vos prévision de vente aux bénéfices futurs escomptés ! Ce qui signifie aussi que vous ne pouvez absolument pas vous permettre de ne pas développer de nouveaux produits.

Il faut donc introduire de nouveaux produits sur le marché aussi souvent que votre capacité de développement le permet. La contrainte majeure reste le budget que votre entreprise peut ou souhaite investir pour le développement et l'introduction de nouveaux produits, car ces activités sont très coûteuses.

Chaque trimestre, vous devez prévoir un budget et un planning consacré au développement des nouveaux produits. Mais combien investir dans cet effort qui est capital pour l'entreprise ?

Beaucoup d'experts en marketing préconisent d'adapter les efforts de développement au marché considéré et aux concurrents. Si les autres entreprises consacrent à peu près 5 % du montant de leurs ventes en recherche et dévelop-pement de nouveaux produits, vous devez en faire autant si vous voulez suivre.

Mais voilà, il faut gagner et non suivre ! Ma règle d'or (dont vous avez la primeur) consiste à *augmenter sans arrêt le budget consacré au développement de nouveaux produits* jusqu'à ce que les retours sur investissements commen-cent à diminuer. De plus, je vous conseille de considérer les retours sur investissements en termes de croissance des ventes des nouveaux produits par rapport aux ventes totales. Le but du jeu est d'augmenter le pourcentage de vente de nouveaux produits, jusqu'à un seuil de stabilisation naturel qui correspond au moment où vos clients ne peuvent plus "absorber" de nou-veaux produits.

Si vous consacrez actuellement 5 % de votre chiffre d'affaires au développe-ment, essayez de passer à 10 %. Supposons que l'année suivante la part des nouveaux produits dans le total des ventes passe de 15 % à 23 %, et que ce faisant votre chiffre d'affaires augmente de 53 %. Le fait qu'il y ait autant de répondant indique que vous êtes encore loin du seuil de saturation. Conti-nuez d'augmenter le part de budget du développement. Faites-le jusqu'à ce que vous sentiez qu'il ne sera bientôt plus possible de pousser plus loin. Revenez un poil en arrière, et vous aurez atteint le *seuil de saturation* de vos clients par rapport aux nouveaux produits. A ce moment-là, ce sont les concurrents qui devront s'aligner, c'est vous qu'ils vont essayer de rattraper. Votre entreprise sera leader sur son marché, elle aura la part de marché la plus importante et les plus gros bénéfices en termes de marges (mais... gardez tout ça pour vous, sinon vos concurrents pourraient mettre mon secret en pratique avant vous !).

Comment trouver des idées produit géniales ?

C'est décidé, il vous faut un nouveau produit. Mais comment trouver l'idée géniale dont vous avez besoin pour mettre ce projet sur pied ? Commencez par revoir les principales méthodes de créativité traitées au Chapitre 4. Vous y trouverez tout un tas de techniques de brainstorming et de génération d'idées. Si vous et vos collègues du service marketing séchez sur le sujet, appelez en renfort les gens du terrain : vendeurs, personnel de la production, du service après-vente ou de l'entretien courant, ou pourquoi pas de poten-tiels clients pour une petite séance de brainstorming. Peu importe l'approche que vous choisirez, du moment qu'elle est originale. *C'est avec une approche et des procédés originaux que l'on trouve des idées originales.*

N'oubliez pas deux sources d'idées nouvelles qui (d'après le spécialiste développement produit de l'entreprise Rosenau Consulting, implantée à Houston, Texas et à Santa Monica, Californie) ne coûtent pas cher mais sont de grande valeur : les idées anciennes et les idées des autres. Et à propos de bonnes idées, n'oubliez pas de questionner vos clients !

Faire du neuf avec du vieux

Nous appellerons "vieilles idées" les concepts dont l'exploitation a été abandonnée par vous-même ou par les autres entreprises. Puisque tout le monde s'est décarcassé pendant des années pour trouver de nouveaux concepts de produit, il y en a forcément beaucoup qui dorment et qui ne demandent peut-être qu'à être réveillés. Les entreprises ne prennent pas forcément la peine de les consigner. Pour les retrouver, il vous faudra peut-être interroger les plus anciens employés ou fouiller dans des dossiers poussiéreux. Ces vieilles idées sont de vraies mines d'or, car il arrive souvent que les raisons pour lesquelles elles n'ont pas été exploitées ne soient plus opposables aujourd'hui. Les avancées technologiques ou l'évolution des goûts des consommateurs font qu'une idée qui semblait farfelue hier peut s'avérer exploitable aujourd'hui. Même si vous ne pouvez pas les utiliser telles quelles, elles vous feront voir les choses sous un jour différent, ou bien encore mettre le doigt sur un besoin client auquel vous n'aviez jamais songé.

Remarquez bien que certains produits, anciens sur un marché, peuvent être novateurs sur d'autres. Les vieilles caisses enregistreuses manuelles se vendent très bien dans certains pays, alors même qu'ailleurs on les a presque toutes remplacées par des caisses électroniques. En effet, l'utilisation des caisses enregistreuses électroniques est liée au développement plus ou moins important de l'économie locale, mais aussi à l'extension géographique et au degré de fiabilité du réseau électrique. Pour peu que vous trouviez un distributeur local, vos invendus, démodés pour l'Europe ou les Etats-Unis, peuvent retrouver une seconde jeunesse sur d'autres marchés...

Voler – euh... pardon, emprunter ! – des idées

C'est souvent à travers les brevets et les licences d'exploitation que l'on cherche à exploiter les idées des autres. L'inventeur d'un concept de produit génial peut avoir déposé un brevet, mais ne pas avoir la carrure financière ou marketing nécessaire pour l'exploiter. Vous pourrez le faire à sa place moyennant 5 à 10 % des bénéfices bruts pour l'inventeur.

Certaines entreprises font aussi des trouvailles qu'elles ne veulent ou ne peuvent exploiter car cela impliquerait pour elles de sortir de leur secteur d'activité habituel, ce qu'elles ne souhaitent pas forcément faire. Dans ce cas, elles cherchent souvent à céder leurs droits d'exploitation à des sociétés connaissant bien le marché cible concerné.

Nous venons de voir la façon officielle d'exploiter des idées "exogènes". Il existe toutefois une solution non officielle, certainement plus commune et plus utilisée par les professionnels du marketing. Il s'agit tout simplement de voler des idées. Par voler, je n'entends pas prendre quelque chose qui n'est pas à vous. Les brevets sont là pour protéger les innovations industrielles, le dépôt d'une marque ou d'une enseigne en assure l'exploitation exclusive, tandis que les copyrights protègent les droits des auteurs (textes, illustrations, musique et logiciels). Vous devez respecter les droits afférents à l'expression de ces créateurs. Mais il faut aussi savoir que, dans beaucoup de pays, les idées sous-jacentes ne sont pas protégées par la loi.

Si des idées viennent à vos oreilles (ou à vos yeux) par une voie de communication publique et légale, rien ne vous empêche de les exploiter. (Mais ne mettez pas vos concurrents sur écoute, ne faites pas leurs poubelles et ne faites pas boire leurs ingénieurs pour leur extorquer des informations, ce serait bafouer la sacro-sainte règle de confidentialité des affaires ! Demandez l'avis de votre conseiller juridique avant d'entreprendre toute recherche douteuse.)

Quand bien même votre concurrent s'arracherait les cheveux après s'être aperçu que vous avez achevé ou amélioré sa dernière trouvaille, légalement, rien ne peut vous arrêter du moment que votre source est publique (en tout cas non secrète) et que vous ne violez pas un brevet, une marque déposée ou un copyright, ce que précisément vous ne faites pas en développant une idée déjà divulguée. Ces pratiques sont courantes sur de nombreux marchés. Vous pouvez faire encore mieux en élargissant la liste des sources possibles. Observez les entreprises travaillant dans d'autres secteurs d'activité. Le voleur de bonnes idées est ouvert et curieux : on ne sait jamais où on peut les trouver !

Mettez le cerveau de vos clients en bouteille (c'est plus utile que d'y mettre Paris !)

Les consommateurs peuvent aussi être à l'origine d'idées de produits nouveaux. Le seul problème, c'est qu'ils ne le savent pas ! Essayez donc de demander à un client quel produit formidable vous pourriez développer pour lui, vous verrez qu'il vous regardera avec des yeux ronds ! Pourtant, les produits existants engendrent toutes sortes de frustrations, de mécontentements et de besoins auxquels vous pourrez peut-être répondre.

Comment exploiter le filon de cette mine de besoins dont beaucoup gisent, inconscients ou latents, dans l'esprit de vos clients ? Interrogez-les pour savoir ce qu'ils pensent. Parlez-leur et prenez des notes ou enregistrez leurs propos. Faites-les parler au maximum, et même digresser, pour leur faire dire des choses inattendues. Regardez-les acheter et utiliser votre produit. Vous observerez peut-être des efforts, une perte de temps ou d'autres problèmes auxquels ils sont tellement habitués qu'ils ne les remarquent même plus, mais dont ils seraient sans doute ravis d'être soulagés.

Les entretiens de groupes et les entretiens qualitatifs sont deux techniques très utiles dans la recherche des besoins des consommateurs. De nombreuses sociétés d'études marketing peuvent vous aider à utiliser ces deux grands classiques. Juste un mot de mise en garde tout de même : la plupart de ces sociétés d'études ne poussent pas les recherches assez loin pour trouver autre chose que les besoins les plus évidents, qui ne sont pas ceux qui vous seront utiles. Essayez d'étudier les besoins des consommateurs de façon plus poussée.

Une étude très intéressante sur ce sujet montre que trois ou quatre séances d'entretien de groupe sont indispensables pour révéler 75 % des besoins des consommateurs. Une ou deux séances ne permettent d'en révéler qu'une faible moitié. Il faudra peut-être sept ou huit séances pour parvenir à un taux de 90 %. Je vous conseille d'étudier la question plus en profondeur que ne le font vos concurrents. Ainsi, vous serez sûr d'appréhender certains besoins que les autres auront oubliés.

Différencier votre produit

A propos, vous ai-je dit quel est le problème avec les nouveaux produits ? Non ? Eh bien, c'est que presque tous les lancements de nouveaux produits échouent : entre 75 et 95 % d'entre eux, selon le secteur d'activité et la définition que l'on donne au mot "échec". En ce qui nous concerne, "échec" se définira par : a) le fait de ne pas obtenir suffisamment de retour sur investissements, et b) de ne pas convaincre les clients. Compte tenu de cet important taux d'échec, il faut que votre produit soit l'exception qui confirme la règle, donc qu'il soit meilleur que les autres. Voici comment vous y prendre...

Le sens commun ainsi qu'un grand nombre de rapports de recherche affirment que les nouveaux produits s'en sortent mieux - c'est-à-dire rapportent plus d'argent plus longtemps – quand ils sont vraiment novateurs aux yeux des acheteurs. Arpentez les linéaires de votre supermarché préféré et prêtez attention au nombre de produits se présentant comme nouveaux... Il y a fort à parier que si cela n'avait pas été écrit en grand sur le paquet, vous ne l'auriez pas deviné.

Pour qu'un produit obtienne un réel succès, il ne lui faut pas seulement comporter un élément nouveau, mais paraître *nouveau et original sur votre marché*. Il faut qu'il se différencie nettement des autres produits. Les innovations qui sont facilement visibles pour l'acheteur sont les plus intéressantes pour un responsable marketing. Ceux qui étudient les succès des nouveaux produits appellent ce phénomène l'*intensité*. Plus la différence entre votre nouveau produit et les anciens est intense, plus ce nouveau produit a des chances de bien marcher.

Quand et comment modifier un produit

Certains produits sont si bien pensés qu'ils sont presque en symbiose avec leurs acheteurs et n'ont pas besoin qu'on s'occupe d'eux. Et pourtant, quand je cherche un exemple, aucun produit ne me vient à l'esprit... En fait, aucun produit n'est parfait. En tant que responsable marketing, il vous faut remettre chaque produit en cause et essayer d'améliorer ses performances et sa qualité de saison en saison.

Le marché est un terrain changeant. Vos concurrents s'efforcent sans cesse d'améliorer leurs produits. Vous devez donc en faire autant. Soyez à l'affût du moindre progrès réalisé par vos concurrents et répondez par l'offensive en allant encore plus loin. Et adressez-vous à vos "consultants" marketing favoris, vos clients, pour vous donner des idées d'amélioration.

Les deux sections qui suivent vous présentent les étapes tests que doit passer un nouveau produit pour rester viable. Si votre produit n'y "survit" pas, il vous faudra l'améliorer ou le modifier d'une façon ou d'une autre.

Les consommateurs ne voient plus ce que votre produit a de particulier

Votre produit doit pouvoir se différencier facilement sur le point de vente, là où le consommateur prend sa décision d'achat. Le produit doit toucher au moins une partie des consommateurs. Il doit se démarquer par certaines caractéristiques intrinsèques qui le rendent meilleur que les autres. Ou, s'il n'est pas réellement meilleur en lui-même, il doit au moins être d'un meilleur rapport qualité/prix. Il peut aussi être le meilleur produit de sa catégorie tout simplement... parce qu'il est le seul !

Si vous vendez des aiguilles à coudre, par exemple, les vôtres seront probablement d'aussi bonne qualité que les autres, mais il sera sans doute difficile d'affirmer qu'elles sont meilleures. Par contre, si vous êtes le seul fournisseur d'aiguilles pour le petit rayon couture d'une chaîne de supermarchés, vous avez un avantage de distribution.

N'imaginez pas non plus que votre produit ne peut pas se démarquer parce qu'il n'a pas de caractéristiques particulières : le simple fait d'être distribué là où les clients en ont besoin suffit. De votre point de vue de responsable marketing, le simple fait qu'un produit vous permette de conserver un avantage de distribution est suffisant pour le conserver. Mais pour qu'à terme il puisse générer de bons retours sur investissements, il doit absolument être visible sur le point de vente. Si ce n'est pas le cas, il sera perdu dans la masse et relégué dans les parties les moins accessibles du linéaire.

Si les clients ne trouvent rien de particulierà votre produit, vous pouvez décider de l'éliminer. Mais faites-le doucement, à petit feu...Voyons quand même s'il n'y a pas moyen de le différencier d'une façon satisfaisante...

Votre produit manque de clients "accros"

Nous entendons ici par clients "accros" ceux qui apprécient vraiment votre produit, qui l'achètent à l'exclusion de tout autre et qui incitent leur entourage à faire de même. Autant vous dire que les vrais "accros" sont plutôt rares. Voyons si votre produit a les siens.

Ce test est encore plus impitoyable que le test de différenciation : peu de produits ont leurs "accros", même parmi ceux qui sont très rentables pour leur entreprise. Mais quand un produit réussit l'exploit d'être vraiment apprécié par les clients à tous les niveaux de la chaîne de distribution, on peut lui prédire une vie exceptionnellement longue et rentable. En tant que responsable marketing, c'est cette implication du client que vous devez rechercher, tout au long du cycle de vie de votre produit.

Un produit qui a ses irréductibles bénéficie d'un bouche à oreille très positif, ce qui fait progresser régulièrement ses parts de marché. Mieux encore : les "accros" rachètent régulièrement le produit. Ces ventes répétées sont pour vous beaucoup plus rentables et plus économiques que ne le sont des premières ventes. (Si vous avez déjà lu le Chapitre 1, consacré aux principes d'un marketing efficace, ceci n'est qu'un rappel.)

Pour faire d'un acheteur occasionnel un acheteur régulier puis un "accro", il faut le convertir à votre produit et qu'il y croie dur comme fer. Si ce n'est pas le cas, vous devrez considérer chaque vente comme une première vente, qui vous reviendra aussi cher que si vous aviez affaire à une personne n'ayant jamais utilisé le produit.

Comment savoir si un client est un "accro" ou un acheteur régulier ordinaire ? Il suffit de l'écouter parler. S'il est enthousiaste et ne tarit pas d'éloges sur le produit, pas de doute : il est "accro". "Je n'ai conduit que des Volvo. Ce sont des voitures confortables et solides. Elles tombent rarement en panne et durent plus longtemps que les voitures américaines." A peu de chose près, c'est le discours habituel que tiennent ceux qui ont une voiture de cette marque. De fait, Volvo s'est constitué une clientèle fidèle. C'est aussi la raison pour laquelle les modèles de cette marque changent peu d'une année sur l'autre. Le fait que Volvo ait ses "accros" fait que cette entreprise s'offre le luxe de vendre quasiment la même voiture plusieurs fois aux mêmes clients. Pendant ce temps, d'autres constructeurs automobiles tels que General Motors ou Ford sont obligés de remanier leurs modèles (et donc leurs usines) presque tous les ans.

Quand éliminer un produit ?

Contrairement aux personnes ou même aux entreprises, les produits ne meurent pas spontanément (ils ne connaissent ni l'arrêt cardiaque ni la faillite !). Un responsable marketing doit donc avoir la sagesse d'éliminer les produits qui n'ont plus d'avenir de façon à pouvoir engager les ressources financières dans de nouveaux produits.

Pourtant de nombreux produits peu rentables encombrent le marché. En dépit d'une performance de vente de moins en moins glorieuse, certains produits sont maintenus sur le marché par des producteurs, grossistes ou autres détaillants qui n'osent pas affronter la réalité. Pire : on voit même certains responsables marketing engloutir des fortunes en dépenses de publicité ou de promotion pour relancer un produit ou une marque sur le déclin. Si ce produit a déjà un pied dans la tombe, mieux vaut utiliser ces ressources financières pour développer et introduire sur le marché une version très améliorée de ce même produit, ou bien un produit de remplacement.

Ne nous voilons pas la face : beaucoup de produits devraient être "achevés" et remplacés par des produits nouveaux. "Mais, me direz-vous, comment reconnaître le moment où un produit atteint ce point de non-retour ?"

Dans les sections ci-dessous, nous verrons quels sont les éléments indiquant qu'il est temps de remplacer un produit.

Le marché est saturé et votre part de marché est faible ou en déclin

On dit qu'un marché est saturé quand les ventes faites sur ce marché ne font que remplacer les produits anciens. Il n'y a plus beaucoup de clients à décider. La croissance ralentit, se limitant au taux de renouvellement du produit sur le marché auquel vient s'ajouter l'éventuelle croissance du marché cible.

La saturation d'un marché n'est pas une raison suffisante pour décider d'éliminer un produit (en fait, beaucoup de marchés sont saturés). C'est le cas par exemple du marché de l'automobile en France : on trouve très peu de personnes qui n'ont pas de voiture, si l'on considère celles qui en ont l'utilité et les moyens. Les constructeurs automobiles se battent donc sur un marché de renouvellement, pour les ventes aux jeunes automobilistes. Cela peut être rentable pour certains constructeurs, mais les places sont trop chères pour que tous puissent y trouver leur compte. Disons que si votre produit a une part de marché équivalant à 75 % de celle du produit leader et qu'elle se fait lentement grignoter, vous êtes sur la mauvaise pente : celle du déclin, lent mais irréversible.

Mieux vaut alors introduire un nouveau produit sur le marché et éliminer l'ancien avant d'attendre son agonie. Tôt ou tard vous devrez de toute façon remplacer le produit : plus tôt vous le ferez, moins votre part de marché et votre réputation en souffriront. Quelle que soit la suite des événements, votre entreprise ne peut se permettre d'être considérée comme "has-been", encore moins si votre marché est saturé !

N'oubliez pas que le terme "produit" est employé dans cet ouvrage dans son acception marketing qui inclut tout ce qu'une entreprise peut offrir : bien, service, idée ou même personne (un candidat aux élections ou une star...). Souvenez-vous que, comme les biens, les services, les idées et même les personnes doivent aussi parfois être retirés du marché !

Plusieurs améliorations successives n'ont pas porté leurs fruits

Les entreprises tentent parfois une série de "Nouvelle[s] version[s]" ou de "Nouvelle[s] formule[s]", un nouvel emballage, une opération de couponnage, des jeux ou autre campagne de promotion sur le lieu de vente, destinés à donner un second souffle à certains produits dont les ventes déclinent d'année en année. Il arrive que ce stratagème marche et que les ventes soient relancées. Mais pas toujours. Ma règle personnelle, je l'ai empruntée aux règles du base-ball et elle semble marcher : accordez-vous trois essais maximum. Au quatrième, laissez tomber : l'adversaire a intercepté le ballon et est déjà parti en contre-attaque !

Quelque chose cloche dans votre produit

Il arrive – hélas trop souvent ! – que les responsables marketing découvrent que leur produit présente un défaut majeur susceptible de porter préjudice à leur marque ou comporte un danger pour les utilisateurs. Si vos ingénieurs découvrent que le réservoir de carburant de l'un de vos petits véhicules utilitaires peut exploser lors d'un accident, vaut-il mieux : a) retirer immédiatement ce modèle de la vente et lancer une version respectant les règles de sécurité, ou b) continuer à le vendre tel quel et mettre le rapport technique à la déchiqueteuse ? Il n'y a pas si longtemps, une grande entreprise a choisi l'option *b*. Quelques clients carbonisés plus tard, elle a dû retirer ses véhicules du marché, entreprendre une campagne d'information pour avertir le public qu'elle prenait en charge les dommages, le tout couronné par plusieurs procès.

L'image de marque de l'entreprise et les bénéfices en prennent un coup, souvent proportionnel à celui pris par les clients. Malgré cela, beaucoup de responsables marketing n'ont pas le pouvoir ou le courage d'éliminer un mauvais produit, même lorsque ce produit peut tuer.

Je me suis toujours demandé comment il était possible de faire ce genre d'erreur. Espérons en tout cas que vous ne le ferez pas. Si vous découvrez qu'un produit peut présenter des risques de cancer ou d'électrocution pour un utilisateur, d'étouffement pour un bébé, ou même seulement qu'il ne fonctionne pas comme il le devrait, retirez immédiatement le produit du marché. Posez des questions plus tard. Rédigez un communiqué de presse qui informera le public de votre décision de retirer le produit du marché pour garantir la sécurité de vos clients au cas où... En prenant cette décision sans tarder, vous ferez preuve d'intégrité – ce qui n'est pas le cas de tout le monde. Votre image de marque n'en sortira pas amoindrie, mais au contraire renforcée. Croyez-moi, retirer un produit du marché n'est certes pas une décision facile à prendre, mais c'est la meilleure solution pour éviter de douloureux retours de manivelle. Et si vous suivez mes conseils –toujours investir l'énergie et l'argent dans le développement de produits nouveaux –, vous aurez toujours quelque chose de mieux à proposer !

Eliminer un produit

Vous débarrasser des anciens produits invendus est sans doute le cadet de vos soucis. Les entreprises de liquidation tournent probablement autour de votre entreprise comme des vautours. Sinon, contactez votre syndicat professionnel pour obtenir quelques références. Quelqu'un peut certainement gagner de l'argent en liquidant votre stock pour moins cher que ce que vous feriez vous-même !

Il existe toutefois une stratégie plus élégante – une stratégie qui évitera à vos clients de voir vos produits soldés pour le dixième de leur valeur – qui consiste à mettre sur pied une opération de promotion pour écouler vos anciens produits en utilisant le circuit de distribution habituel. Cette stratégie est grandement préférable, d'autant plus qu'elle permet par la même occasion de faire connaître le nouveau produit aux consommateurs. Toutefois, cette méthode ne peut être appliquée que si vous vous y prenez avant que l'ancien produit ne perde tout attrait aux yeux des consommateurs. Alors n'attendez pas que le marché élimine vos produits : faites-le vous-même (reportez-vous aux Chapitres 12 et 13 concernant respectivement les événements et les offres promotionnelles). Les sections qui suivent vont vous livrer quelques astuces qui devraient permettre à vos produits de tirer élégamment leur révérence.

La stratégie du "sillage"

La stratégie du sillage consiste à utiliser l'ancien produit pour introduire le nouveau. Les utilisations possibles de cette stratégie sont multiples. Vous pouvez offrir un échantillon d'essai du nouveau produit avec l'ancien. Vous pouvez proposer un package composé des deux produits et faire une promotion du type "deux pour le prix d'un". Faites une offre publipostée ou une opération de télémarketing auprès des acheteurs de l'ancien produit. Si les produits sont relativement proches d'un point de vue fonctionnel, vous pouvez donner le même nom à votre nouveau produit et le présenter comme étant une version améliorée de l'ancien, plutôt que quelque chose de complètement nouveau.

En d'autres termes, il s'agit de draper le nouveau produit dans les habits de l'ancien et non plus simplement de l'introduire dans son sillage. Cette stratégie opportuniste doit pouvoir se justifier d'un point de vue pratique, sous peine de voir vos clients mécontents. Si vous pouvez arguer du fait qu'ils auront dorénavant à leur disposition un produit "meilleur et moins cher", cette stratégie devrait marcher.

Les constructeurs de matériel informatique emploient volontiers cette stratégie. Prenons l'exemple du Macintosh PowerBook. Les composants de ce modèle d'ordinateur sont maintenant complètement différents et il est beaucoup plus performant qu'il y a cinq ans. Mais il s'appelle toujours PowerBook car ce nom a une très bonne image sur le marché et Macintosh ne veut pas prendre le risque de perdre.

La stratégie du sillage peut être un outil promotionnel formidable. Utilisez-la sans vergogne chaque fois que vous voudrez éliminer un ancien produit pour laisser la place à un nouveau. Il faut faire de la place à la fois dans l'esprit du consommateur, dans le linéaire, dans le catalogue du distributeur, mais aussi dans votre propre gamme de produits. Car les produits prennent de la place, physiquement et mentalement, et la place et l'espace ont aussi une valeur. Mais le risque – et il est de taille – est qu'un produit concurrent s'engouffre dans la place laissé vacante. Comment ? Tout simplement parce que les acheteurs de l'ancien produit, y compris les "accros", se trouvent obligés de reconsidérer leurs choix de consommation et peuvent à cette occasion choisir un produit concurrent au lieu de votre nouvelle version du produit. De la même façon, les détaillants, distributeurs ou autres maillons de la chaîne de distribution peuvent choisir d'allouer l'espace désormais disponible à un autre produit. Alors, surtout, accrochez-vous à votre espace. Pour cela, évitez toute interruption dans la disponibilité des produits.

La stratégie de l'espace gamme

Utilisez les gammes de produit pour y ménager des niches dans lesquelles pourront s'insérer les produits de remplacement. Bien sûr, les prix doivent être en accord avec le positionnement des produits dans leur gamme.

Prenons l'exemple d'une banque offrant plusieurs produits d'épargne à sa clientèle de particuliers : compte d'épargne classique, compte courant à intérêts, fonds communs de placement ou dépôts à terme de durées variées. La banque peut attribuer un nom à ces différents produits et les organiser de façon logique, les présenter dans une même brochure dans un ordre allant du produit le moins risqué présentant un moindre rapport au plus risqué ayant le plus de rapport. Cela revient à organiser ces produits de façon claire, au sein d'une gamme cohérente dans laquelle chaque produit a sa place définie. (Assurez-vous que les produits ne se font pas concurrence entre eux. Pas de double emploi, s'il vous plaît !)

Quand cette banque voudra introduire un nouveau produit, il lui suffira de substituer ce nouveau produit à l'un des anciens, ce qui ne choquera aucunement les clients, pour peu que ce nouveau produit occupe la même place dans la gamme. La banque peut aussi décider d'étendre sa gamme dans un sens ou dans l'autre, ou encore de la compléter en comblant le vide existant entre deux produits. Quelle que soit la décision de l'entreprise, la gamme peut faciliter l'introduction des nouveaux produits sur le marché. (Pour plus d'information sur les gammes de produits, voyez le laïus ci-dessous à propos des marques).

La politique de marque et les noms des produits

Quel nom allez-vous donner à votre nouveau produit ? Vaut-il mieux le lancer sous un nom de marque déjà connu ou sous un nouveau nom ? Vaut-il mieux lui donner de la valeur – qui sera répercutée sur le prix – en lui construisant d'emblée une image de marque, ou faire des économies sur le budget de publicité en se contentant de le distribuer ? Ce sont des décisions importantes et difficiles à prendre. Voyons comment vous décider en connaissance de cause.

Concevoir une gamme de produits

Une gamme est un ensemble de produits regroupés de façon logique et commercialisés sous la même marque (rappel : un produit peut être un bien, un service, une idée ou une personne). En général, une gamme de produits est identifiée par une marque produit (ou marque de gamme), ou elle peut comporter une double marque (marque produit et marque ombrelle, par exemple : Bio de Danone).

La gamme d'ordinateurs Compaq comporte de nombreux produits, mais ils portent tous la marque Compaq et sont assez distincts les uns des autres pour offrir un large choix aux acheteurs potentiels. Vous pouvez assimiler une gamme de produits à une famille au sein de laquelle les relations entre produits sont à la fois proches et clairement définies.

Vous devez savoir qu'une gamme de produits a deux caractéristiques principales :

- **Une gamme de produits a une *profondeur*.** Quelle va être l'étendue des possibilités que va avoir le client à l'intérieur d'une même catégorie de produits ? Par exemple, si vous commercialisez des T-shirts, allez-vous proposer seulement la taille XL, XXL ou bien aussi des tailles plus petites ? Pourquoi ne pas proposer plusieurs coloris ? Toutes ces possibilités augmentent la profondeur de la gamme, car elles offrent plus d'opportunités d'achat pour un même client.

  L'avantage de concevoir une gamme suffisamment profonde, c'est que vous augmentez ainsi les chances d'avoir un produit adéquat pour votre client. Vous ne voudriez pas risquer de perdre une vente parce qu'un client ne trouve pas la taille qu'il lui faut. L'inconvénient est que cela ne conduit pas pour autant votre client à acheter plusieurs produits. Il pourra simplement choisir entre plusieurs tailles celle qui lui va le mieux. La profondeur de la gamme vous évite de perdre des ventes mais ne permettra pas de générer beaucoup de ventes supplémentaires.

  En conclusion, disons que vous devez augmenter la profondeur de la gamme si vous voyez que vous perdez des ventes alors même que votre concept de produit plaît au client mais que vous n'avez pas le produit qui lui convient. Une gamme profonde vous permettra de ne pas frustrer un client potentiel.

- **Une gamme de produits a une *largeur*.** C'est à ce niveau que vous pourrez générer de nouvelles ventes. Dans l'exemple des T-shirts qui précède, vous pourrez choisir de proposer plusieurs motifs dans cette même gamme : ainsi le même client pourra acheter plusieurs T-shirts dans la même taille. En ajoutant quelque chose que le client verra comme un autre choix et non comme une variante du même choix, vous augmentez la largeur de la gamme. Une gamme de T-shirts étendue peut comporter des dizaines de motifs différents. Une gamme à la fois large et profonde offrira des T-shirts imprimés avec ces différents motifs disponibles en plusieurs tailles et en différents coloris.

Essayez d'élargir la gamme chaque fois que vous pensez qu'un nouveau produit pourrait s'y intégrer harmonieusement, c'est-à-dire que la relation avec les autres produits de la gamme peut être évidente pour le consommateur. Ne regroupez jamais des produits sans rapport les uns avec les autres : ils ne pourraient former une gamme cohérente aux yeux des consommateurs. Par contre, n'hésitez pas à étendre au maximum une gamme qui rencontre un réel succès, cela vous permettra de faire de nouvelles ventes auprès des anciens clients. Bien sûr, la gamme elle-même peut gagner de nouveaux clients, mais les ventes faites aux anciens clients sont des ventes plus faciles (comprenez moins chères), et c'est avec eux qu'il faut essayer de travailler au maximum.

Quand changer une gamme ?

Le secret d'une bonne gestion des produits c'est de *ne jamais laisser un bon produit sans compagnie*. Evidemment, on ne peut pas étendre une gamme de produits à l'infini. Au bout d'un certain temps et d'un certain nombre de produits, vous allez finir par vous heurter à une limite. Y a-t-il des indices qui puissent vous renseigner sur le moment où il devient nécessaire de faire le grand ménage de printemps ?

Il faut diminuer la profondeur et/ou la largeur de la gamme lorsqu'il devient impossible pour les distributeurs de disposer tous les produits de la gamme sur le linéaire. La distribution est souvent un goulot d'étranglement qui limite le nombre de produits qu'il est possible d'inclure dans une même gamme.

Lorsque j'ai travaillé pour la société Kellogg Brush en tant que consultant, il y a quelques années de cela, j'ai été très impressionné de savoir qu'ils produisaient plusieurs centaines de produits différents. Malgré cela, chaque magasin distributeur n'en proposait au maximum qu'une vingtaine. Je leur ai conseillé soit de mettre sur pied leur propre chaîne de distribution (avec un catalogue comme support de vente), soit de réduire leur gamme aux 20 ou 30 produits les plus demandés par les détaillants et de les produire à meilleur coût tout en améliorant leur qualité (cette seconde solution a été finalement adoptée).

Vous pouvez vous aussi réduire votre gamme de produits si vos clients ne la cernent pas. Procter & Gamble a récemment réduit sa gamme de produits de moitié, pour cette même raison. Des enquêtes avaient démontré que les consommateurs étaient déroutés par la variété des produits et n'avaient pas d'idée précise sur ce que proposait l'entreprise. Trop de choix finit par frustrer le consommateur et le conduit à confondre les produits et les marques, ce qui rend la décision d'achat difficile au lieu de la simplifier.

La solution consiste à "calibrer" vos gammes de produits en fonction de la chaîne de distribution mais aussi de la clientèle. Ne submergez pas vos clients avec une gamme trop large. Ne les frustrez pas avec une gamme trop étroite. Restez en contact avec eux et observez leur comportement pour savoir s'il faut élargir ou réduire votre gamme de produits.

Nommer un produit ou une gamme

Donner un nom à un nouveau produit n'est pas chose facile. Il existe plusieurs techniques à votre disposition. Vous pouvez choisir un mot ou une combinaison de mots représentatifs de la *personnalité* de votre produit. Cela se rapproche de ce que l'on fait parfois quand on cherche un nom pour un animal de compagnie. Vous commencez par le regarder évoluer pour cerner un peu son caractère et lui donner un nom qui lui aille bien. On peut nommer un caniche nain très joueur Coquin, mais probablement pas un basset artésien normand !

Ford Mustang, grande marque à succès, a utilisé cette stratégie. La voiture était assimilée au petit cheval mustang des grandes plaines américaines dont il porte le nom. Le conducteur devait donc s'identifier au cow-boy des temps modernes, un descendant des vrais cow-boys, ceux qui dressaient les mustangs et travaillaient avec eux. Cette stratégie est très intéressante, car beaucoup de termes existants peuvent sans doute s'appliquer à votre produit.

Une autre solution consiste à inventer un terme complètement nouveau. Cette approche présente l'avantage de donner quelque chose de plus facilement défendable devant un tribunal. Toutefois, le terme ne sera pas aussi efficace pour communiquer la personnalité de votre produit. Vous devrez investir beaucoup de temps et d'argent avant que les consommateurs puissent donner un sens à cette appellation.

Mais il est possible de contourner ce problème en créant des termes qui soient composés de morphèmes, que la société NameLab définit comme les "noyaux sémantiques des mots". Pour prendre un exemple, NameLab est parti du mot anglais "accurate" (signifiant juste, exact et venant du latin *accuratus*) pour en extraire un morphème et former le nom d'une voiture : Acura. NameLab est aussi à l'origine de noms de marques tels que Compaq, Autozone, Lumina ou encore Zapmail. Chaque nom est un nouveau mot, mais en même temps ce nom dit quelque chose sur le produit car les parties qui le composent ont un sens.

Cette technique, appelée linguistique constructionnelle, est en général appliquée par des experts linguistes. Ils travaillent à partir de bases de données de morphèmes très élaborées. Pour en savoir plus, vous pouvez contacter NameLab (San Francisco, Californie au 001-415-563-1639).

Protéger légalement les enseignes et les noms de marques

Vous pouvez protéger légalement l'enseigne d'un seul produit, celle d'une gamme de produits, mais aussi celle qui représente tout ou partie des activités de votre entreprise. Il est possible de protéger légalement les *noms de marques*, les *logos*, les *jingles*, les *symboles visuels*, ainsi que les expressions courtes accompagnant certaines marques (on les appelle *signatures de marque*). Tous ces emblèmes représentent le produit auquel ils se rapportent. Le nom de marque d'un produit protégé est une *marque déposée*. Il est aussi possible de protéger une *dénomination sociale* (le nom de l'entreprise, tel qu'il est enregistré au registre du commerce et des sociétés), un *nom commercial* (le nom sous lequel les produits de l'entreprise sont connus du public), ou encore une *enseigne* (le symbole visuel qui la représente).

Selon les pays, c'est l'usage ou le dépôt de marque qui protègent légalement le nom de marque et l'enseigne. En France, c'est le dépôt de marque qui fait foi, l'usage seul ne donnant en règle générale aucun droit. A l'inverse, aux Etats-Unis c'est plutôt l'usage qui protège légalement le nom de marque et l'enseigne, même s'il faut faire un dépôt auprès de l'administration compétente (auprès du Patent and Trademark Office). Le mieux est de vous renseigner auprès des autorités compétentes des pays qui vous intéressent ou auprès de juristes connaissant bien le domaine de la propriété intellectuelle, ou encore auprès de conseillers en propriété industrielle (voir encadré ci-dessous).

Pour obtenir plus de renseignements concernant l'établissement et le renforcement d'une marque, contactez votre conseiller juridique, les agences de publicité ayant l'expérience du marketing des marques ou encore des entreprises comme NameLab.

Dépôt de marque, d'enseigne ou de dénomination sociale

Pour faire un dépôt de marque, d'enseigne ou de dénomination sociale pour la France, adressez-vous à l'INPI, Institut national pour la propriété industrielle, 26 *bis*, rue de Saint-Pétersbourg, 75800 Paris Cedex 08– tél. : 10.53.01.53.04. Si vous souhaitez exporter, l'INPI peut aussi servir d'intermédiaire pour déposer votre marque, votre nom commercial ou votre enseigne auprès de l'Organisation mondiale de la propriété intellectuelle (OMPI), située à Genève. Ce dépôt permet d'étendre aux 51 pays membres de l'arrangement de Madrid (au 1er janvier 1997) les effets d'un dépôt effectué en France. Si c'est le territoire de l'Union européenne qui vous intéresse, une procédure de dépôt unique peut être faite auprès de l'Office de l'harmonisation dans le marché intérieur, dont le siège est à Alicante (Espagne). L'INPI peut vous informer sur les modalités de ce dépôt. En ce qui concerne les Etats-Unis, contactez directement la Bibliothèque du Congrès, Washinghton D.C. (au 703-557-INFO) qui vous fera parvenir toutes les informations nécessaires. Vous pouvez toujours vous adresser à un conseil en propriété industrielle pour vous assister dans ces démarche de dépôt (liste de ces personnes à demander auprès de l'INPI).

Chapitre 15

Packaging et étiquetage : la tenue de séduction de vos produits

··

Dans ce chapitre :

Comment concevoir des produits qui se feront remarquer sur le point de vente.

Comment évaluer la conception d'un packaging.

Comment utiliser le modèle AIDA.

Comment appliquer des stratégies qui rendent le packaging plus efficace.

Comment éviter les bombes à retardement légales en matière de packaging.

··

Dans tout plan d'action marketing, il existe un moment où le produit prend la relève et doit se vendre tout seul. Ce moment est celui où le produit rencontre le consommateur, le moment et le lieu où la décision d'achat se prend – ou ne se prend pas ! Le consommateur peut entrer dans un supermarché, jeter un œil sur les produits, faire son choix, mettre le ou les produits choisis dans son caddie et passer à la caisse pour payer. Il peut aussi ouvrir un catalogue, en parcourir les pages, sélectionner un article et appeler le numéro vert pour passer une commande. Il lui est possible d'acheter un billet d'avion ou de réserver une chambre d'hôtel avec Internet. Dans tous ces points de vente, de responsable de marketing il n'est point question ! Le produit doit se vendre seul. Et pour cela, il doit se faire remarquer. Il doit être attirant, séduisant, et paraître de meilleure qualité (et d'un meilleur rapport qualité/prix) que les produits concurrents.

C'est beaucoup demander à un produit, d'autant plus qu'en général les consommateurs ne peuvent pas l'essayer avant d'acheter. On ne peut pas goûter un aliment déjà emballé, ni essayer un pantalon présenté sur un catalogue, encore moins essayer le lit d'une chambre d'hôtel dans un pays lointain avant de décider de louer la chambre.

Pour préparer votre produit au grand solo de séduction (capital pour sa carrière) qu'il devra interpréter sur la scène du point de vente, vous devrez beaucoup travailler sur la façon dont il sera disposé et présenté. Vous ne pouvez pas tenir ce rôle à sa place, mais vous pouvez choisir la scène et concevoir décors et costume. Votre scène, c'est le magasin, le catalogue ou tout autre lieu de rencontre entre le consommateur et le produit (voir Chapitre 17). Le décor se compose des étalages, des linéaires et de tout autre aménagement du point de vente (a ce sujet, passez en revue le Chapitre 16). Quant au costume, il est matérialisé par le packaging de votre produit (sujet du présent chapitre).

Quand tous ces supports sont étudiés et conçus avec soin, le produit se vend bien. S'ils sont négligés, le meilleur des produits peut rester en plan, dans les entrepôts et sur les linéaires. Dans ce chapitre, nous nous intéresserons aux deux vedettes de notre spectacle : le produit et son costume, qui à eux deux composent le packaging.

Votre packaging fera-t-il vendre ?

On peut dire que c'est souvent le packaging qui "conclut la vente" - le packaging, aidé des différents moyens utilisés dans un point de vente pour attirer l'attention des clients sur le produit (voir le chapitre suivant). Le packaging joue donc le premier rôle dans le plan d'action marketing.

Oui ! Malgré toute l'attention et le temps que vous avez pu consacrer aux autres éléments du marketing mix et les sommes investies (en publicité, recherche marketing, etc.) tout nous ramène au packaging. Un potentiel acheteur repérera-t-il le produit parmi les autres, arrêtera-t-il son choix sur lui ? Des études sur le processus d'achat ont révélé que les gens ne savent pas ce qu'ils vont acheter avant d'arriver sur le point de vente. La présence physique du consommateur sur le point de vente marque LE lieu et LE moment où se prennent les décisions d'achat. La plupart des consommateurs sont non seulement prêts à se laisser tenter, mais ils n'attendent que cela ! C'est ce que nous enseigne le tableau ci-dessous (résultat d'une étude menée par le Point-of-Purchase Advertising Institute).

Tableau 15.1 : Processus de décision d'achat sur le point de vente.

Nature de la décision d'achat	en % d'achats faits en supermarchés	en % d'achats faits chez les grossistes
Non préméditée	60 %	53 %
Achat d'un substitut au produit recherché	4 %	3 %
Généralement préméditée	6 %	18 %
Total = Décisions d'achat prises en magasin	**70 %**	**74 %**

Comme le montre le Tableau 15.1, les achats non prémédités sont les plus nombreux. Les achats vraiment planifiés (qui ne sont pas inclus dans ce tableau) représentent moins du tiers du total. On peut en conclure qu'il est possible d'influencer le reste (c'est-à-dire deux tiers) des décisions d'achats, au moins partiellement, grâce au packaging ou aux autres techniques de communication utilisées sur le point de vente. C'est ce qui rend le packaging si important pour la plupart des produits. Je vous vois venir ! Vous êtes certainement en train de vous demander si dans ce cas vous ne pourriez pas vous dispenser des autres formes de communication marketing pour investir le temps et l'argent dont vous disposez uniquement sur le packaging et la promotion sur le lieu de vente. Si c'est à cet endroit que vos clients sont les plus susceptibles de prendre leurs décisions d'achat, cette solution extrême peut s'envisager. (À propos, si vous n'avez pas encore défini le profil de vos clients, consultez le Chapitre 3.) Si vous décidez de miser toutes vos billes sur le point de vente, à terme vous serez sûrement capable de faire mieux que les autres sur ce terrain. Cette idée vaut peut-être la peine d'être étudiée : elle est si radicale que vos concurrents n'y penseront sans doute jamais !

Qu'est-ce que le packaging ?

Lorsque vous emballez un cadeau d'anniversaire, en le recouvrant de papier décoratif, en l'entourant d'un joli ruban, que vous le mettez dans une boîte d'expédition pour l'envoyer à votre meilleur ami, vous avez conçu et utilisé un packaging. D'un point de vue marketing, la partie la plus intéressante du packaging est celle qui fait vendre le produit. On considère qu'elle comporte deux niveaux d'emballage : l'emballage primaire (contenant de chaque unité de produit, un pot de yaourt par exemple) et l'emballage secondaire (qui regroupe plusieurs unités de consommation pour faire une unité de vente : le carton regroupant six pots de yaourt). Comme le ruban et le papier cadeau, il permet de rendre l'objet offert spécial et mémorable aux yeux de celui qui le reçoit. Il est très intéressant pour nous, car il représente bien le concept de cadeau et contribue à rendre l'objet particulier. De même, il est très important d'habiller joliment votre produit à l'attention des consommateurs, comme un cadeau, avec une différence de taille tout de même : le packaging ne doit pas cacher le produit (ce qui est l'une des fonctions du paquet cadeau) mais au contraire le révéler. Il existe encore un troisième niveau d'emballage, appelé emballage tertiaire ou de manutention, qui permet de transporter le produit de l'usine au dépôt ou au point de vente (palettes, boîte d'expédition dans l'exemple du cadeau). Ce dernier emballage a des fonctions logistiques plutôt que marketing. C'est donc aux deux premiers types d'emballage que nous nous intéresserons.

L'exemple du cadeau d'anniversaire nous apprend plusieurs choses sur le packaging. Jusqu'à ce qu'il soit déballé, l'objet, le papier cadeau et le ruban ne font qu'un dans l'esprit de celui qui le reçoit. De même, votre produit et son packaging ne font qu'un. La fonction du packaging n'est donc pas seulement de contenir le produit, mais de constituer avec son contenu une nouvelle entité. Vous me le copierez cent fois : "Le packaging fait partie intégrante du produit. Le packaging fait partie intégrante du produit. Le packaging..."

Ça y est, c'est rentré ? Cela peut vous sembler de la pure rhétorique, pourtant cette idée est vraiment très importante. En marketing, le produit n'existe en lui-même qu'une fois déballé et utilisé. Avant ce stade, dans l'esprit du consommateur le produit n'existe qu'emballé. L'entité produit/packaging plante le décor du drame qui va se jouer : la décision d'achat. Le packaging révèle la personnalité du produit. Bien souvent, il introduit le produit auprès des consommateurs. En effet, nous avons vu que la plupart des acheteurs arrivent sur le lieu de vente – endroit où ils sont hors d'atteinte des influences marketing à l'exception de celle du packaging – sans idée précise sur le ou les achats qu'ils vont effectuer. De fait, ils prennent leurs décisions d'achats en fonction du packaging, de la connaissance des marques qu'ils ont pu acquérir, ainsi qu'en fonction des éventuelles influences exercées sur le point de vente par le producteur ou le distributeur (voir Chapitres 13 et 16). Sachant que les opérations de promotion sur le lieu de vente sont une source de dépenses supplémentaires et qu'elles sont rarement appropriées pour une utilisation à long terme, le packaging se révèle être votre principale arme dans la guerre que doivent se livrer les produits pour séduire et retenir les consommateurs.

Tous les produits ont un packaging

Si vous travaillez dans la banque ou l'immobilier, si votre entreprise fabrique des joints de pare-brise pour l'industrie automobile, si vous commercialisez vos produits par correspondance et non directement dans un commerce, pouvez-vous vous dispenser des conseils de ce chapitre ? Même pas ! Souvenez-vous que l'entité produit/packaging correspond au produit tel qu'il est présenté pour la première fois au client. Dans un sens moins restrictif, cette définition signifie que tout produit a un packaging, même si cela heurte la conception traditionnelle du conditionnement. Un responsable marketing se doit d'accorder une grande importance à la conception du packaging, quel que soit le produit (bien, service, idée ou personne).

 Supposons acquise l'idée que tout produit doit avoir un packaging. Comment mettre cette notion en pratique ? Concevoir le packaging d'un produit aussi immatériel qu'un service ou une idée n'est pas facile, mais votre job consiste aussi à déterminer en quoi consistera le packaging. C'est en le travaillant que vous pourrez exercer une influence sur l'impression que donne votre produit. En examinant ces produits, vous découvrirez que non seulement ils ont bel et bien un packaging, mais encore que plus il est difficile de l'appréhender, plus il est complexe et présente de multiples aspects ! Prenons l'exemple d'un service destiné aux professionnels, tel que la gestion de fonds d'investissement. Beaucoup d'éléments s'ajoutent les uns aux autres pour lui constituer une sorte de packaging psychologique. Si vous réussissez à appréhender tous ces éléments et à les utiliser d'une façon judicieuse, vous pourrez constituer un packaging très attirant pour votre clientèle. Cela vous aidera beaucoup à vendre votre produit ainsi qu'à rendre l'expérience de vos clients très positive. Dans le cas où vous n'y réussiriez pas – ce qui arrive apparemment assez souvent –, il vous serait impossible de contrôler la première impression, pourtant essentielle, du client face au produit ou d'influencer sa façon d'en percevoir la personnalité. Assurez-vous donc que votre plan d'action marketing comporte un budget de temps et de ressources financières suffisant, y compris si votre produit n'est pas à proprement parler "conditionné". Reportez-vous au Tableau 15.2 qui vous aidera à identifier le packaging de produits qui semblent à première vue ne pas en avoir !

Tableau 15.2 : Le packaging caché ?

Type de produit	Eléments du packaging
Services destinés aux professionnels	
	Apparence du lieu de délivrance du service (si les clients viennent à vous)
	Apparence physique des personnes délivrant le service (s'il y en a)
	Présentation des courriers publipostés, rapports, bilans et autres supports écrits (on peut les assimiler à votre papier cadeau !)
	Personnalité du produit se dégageant des interfaces téléphoniques ou informatiques entreprise/clients

Tableau 15.2 : Le packaging caché ? (suite)

Type de produit	Eléments du packaging
Produits achetés par téléphone ou par e-mail (On peut considérer que ces produits ont deux points de vente : celui de la décision initiale, influencée par le "packaging" du catalogue, et celui du premier "face à face client/produit", influencé par l'emballage d'expédition du produit.)	Couverture du catalogue ou du magazine dans lequel apparaît le produit
	Publicité dans laquelle apparaît une photo du produit
	Apparence/image/personnalité se dégageant des illustrations représentant le produit
	Personnalité du produit véhiculée par l'interface téléphonique entreprise/client
	Personnalité et qualité de service de l'entreprise assurant transport et livraison, apparence de l'emballage de transport du produit.
	Emballage intermédiaire (à l'intérieur de l'emballage de transport)
Candidats (mandat politique ou emploi)	Apparence vestimentaire du candidat
	Relations personnelles du candidat
	Lieux et situations où apparaît le candidat
	Expressions du visage (présence physique, en photo ou à la télévision ; les expressions du visage peuvent être considérées comme le "packaging" de la pensée)
	Personnalité transparaissant au travers des supports de campagne électorale, des bureaux et du personnel (ou au travers du curriculum vitae et de la lettre d'accompagnement)
Produits en gros destinés à être revendus	Personnalité de l'entreprise ou de la marque, véhiculée par les commerciaux
	Présentation des catalogues, des échantillons, de la correspondance, etc. (Ils peuvent être assimilés à un papier cadeau.)
	Personnalité et qualité du service de l'entreprise assurant transport et/ou livraison, apparence de l'emballage de transport du produit

Type de produit	Eléments du packaging
Pièces de rechange et fournitures industrielles	
	Personnalité de l'entreprise ou de la marque véhiculée par les commerciaux
	Présentation des catalogues, des échantillons, de la correspondance, etc. (Ils peuvent être assimilés à un papier cadeau.)
	Personnalité et qualité du service de l'entreprise assurant transport et/ou livraison, apparence de l'emballage de transport du produit
	Rapports internes à la direction concernant la qualité des produits et les délais de livraison (Dans une grande entreprise, vous n'avez probablement pas de contrôle direct sur ces éléments, mais efforcez-vous de les mettre en valeur. Renseignez-vous pour savoir comment les responsables évaluent votre produit : ces évaluations sont votre packaging.)
Produits vendus au détail, en vrac, sans marque ou sans emballage (chaussures sans leur boîte par exemple)	
	Aspect extérieur du produit lui-même (Nike met son emblème sur ses chaussures, Coca-Cola sur ses canettes.)
	Présentation sur le lieu de vente (La façon dont est disposée la chaussure dans le magasin est son packaging ; consultez le Chapitre 16 pour les stratégies d'action sur le point de vente.)

Evaluer la conception d'un packaging

Quels éléments contribuent à rendre un packaging efficace ? C'est la question que vous devez vous poser pour évaluer un plan d'action marketing, lorsque vous cherchez à améliorer le marketing mix d'un produit ou d'une gamme de produits.

De même, lors du lancement d'un nouveau produit sur le marché, d'un produit amélioré ou dont le packaging a été modifié, vous devrez choisir parmi plusieurs projets présentés par une agence de publicité ou par une société spécialisée dans la conception de packaging. Si vous décidez de concocter un packaging "maison", vous devrez déterminer quelle est l'idée que vous allez retenir. Si vous avez choisi une bonne agence de publicité, il y a de fortes chances pour que les projets qui vous seront présentés répondent aux critères de base : respect des exigences légales, protection du produit pendant le transport, le stockage et l'utilisation, cohérence visuelle avec votre image de marque. Mais certains designs feront plus vendre que d'autres. Comment débusquer le meilleur projet parmi tous ceux qui vous seront présentés ?

Même en dehors de tout lancement de produit, profitez d'un moment de (relative) tranquillité pour consacrer une demi-journée à reconsidérer votre packaging (pour ce faire, utilisez le processus d'évaluation décrit par la Figure 15.1). Est-il encore efficace ? Peut-il être encore amélioré ? Les concurrents ont-ils changé leur packaging, en conséquence de quoi celui de votre produit a maintenant moins d'impact (aspect moins attirant, image moins positive) ? Rappelons que, le packaging ne faisant qu'un avec le produit tant que l'acheteur ne l'a pas déballé, vous devrez aussi en passer par là si vous avez décidé d'améliorer votre plan d'action marketing.

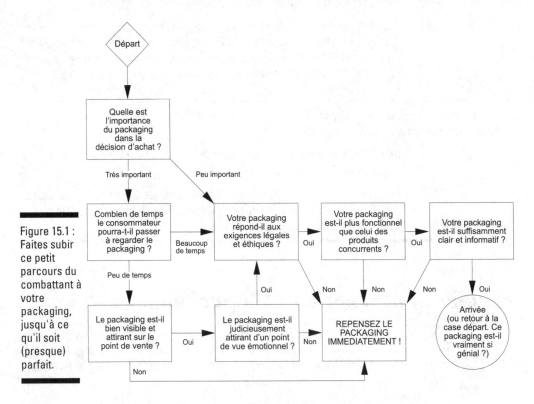

Figure 15.1 : Faites subir ce petit parcours du combattant à votre packaging, jusqu'à ce qu'il soit (presque) parfait.

Une approche très répandue parmi les professionnels du marketing consiste à analyser le packaging en utilisant la méthode AIDA (attirer l'Attention – provoquer l'Intérêt – susciter le Désir – faire Agir). Cette méthode consiste simplement à vous assurer que le packaging est aussi efficace que vous le souhaiteriez dans les quatre domaines concernés. Les quatre grandes fonctions assurées par le packaging sont décrites ci-dessous, accompagnées de quelques astuces. Lors de votre lecture, attardez-vous sur les passages qui concernent vos produits et faites-en une rapide évaluation. Vous allez forcément tomber sur une faiblesse ou un point à améliorer ! (Si ce n'est pas le cas, mon job s'arrêtera là, car vous méritez déjà le diplôme du Petit Génie du Packaging !)

Attirer l'attention

Attirer l'attention du consommateur est plus difficile encore que ce que vous pouvez imaginer. Les recherches ont montré que dans un supermarché les consommateurs passent en moyenne environ 10 secondes à regarder les produits avant d'en choisir un. Au milieu de tous les produits concurrents, mais aussi des produits non concurrents qui attirent incidemment l'œil du consommateur, le packaging doit se battre pour bénéficier d'un minimum d'attention. Le nombre de produits concurrents ou "distrayants" peut aller d'une dizaine à plusieurs centaines. Dans ces conditions, le temps passé à regarder un produit avant de décider de l'achat peut se limiter à une fraction de seconde.

C'est précisément pour cette raison que Nabisco a modifié le packaging de ses cookies en 1996. Ce fut le premier changement intervenu depuis la lancement du produit en 1951. Le nom du produit est deux fois plus grand et les lettres blanches sont plus épaisses pour suggérer la crème à l'intérieur du cookie. Qu'est-ce qui n'allait pas dans l'ancien packaging ? Rien de particulier – les clients appréciaient encore beaucoup les cookies de Nabisco –, si ce n'est que les linéaires réservés aux biscuits sont beaucoup plus encombrés qu'en 1951 et qu'il fallait donc trouver le moyen pour qu'il attire l'attention !

Espionner vos clients

Vous pouvez déterminer le temps que passent les consommateurs à faire leur choix sur le point de vente pour la catégorie de produits qui vous intéresse. A cette fin, rendez-vous dans plusieurs magasins représentatifs du marché et chronométrez les acheteurs ! Ensuite, comptez le nombre de produits qu'il leur faut regarder, c'est-à-dire tous ceux présents sur le linéaire (produits concurrents, ainsi que ceux susceptibles d'attirer l'attention). Finalement, divisez le temps total consacré au choix par le nombre de choix possibles, pour obtenir le temps moyen d'arrêt du regard sur un produit, dans la catégorie de produits qui vous intéresse. Ce temps moyen peut varier énormément d'un produit à l'autre, c'est pourquoi vous avez tout intérêt à récolter vos propres données. Les produits complexes, chers, ceux pour lesquels les acheteurs se sentent très impliqués, ou encore ceux qui ont peu de concurrents sont ceux qui bénéficient du temps d'observation le plus long. Voici quelques données relevées en espionnant dans plusieurs magasins.

Tableau 15.3 : Informations relevées par espionnage des acheteurs.

Type de produit	Temps d'observation	Nombre de choix possibles	Temps d'observation par produit
Céréales pour petit déjeuner	25 secondes	65	0,38 seconde
Pâte dentifrice	10 secondes	25	0,40 seconde
Plantes d'intérieur	6 minutes	650	0,55 seconde
Vêtements sur un catalogue	8 minutes	700	0,69 seconde
Climatiseur	7 minutes	8	52,50 secondes
Votre produit :			

Maintenant, placez tous vos produits à l'autre bout de la pièce et disposez autour de votre produit des éléments divers qui simuleront les distractions visuelles présentes dans un magasin ou un catalogue. Regardez le produit pendant le temps moyen d'observation que vous avez trouvé pour votre produit. Que voyez-vous ? De quoi manquez-vous ? Le produit ressort-il parmi les autres, attire-t-il l'œil ? Vous verrez ! Cette petite expérience révèle que la plupart des packagings sont mal conçus !

Se faire mieux voir

Pour que votre produit attire l'attention, n'hésitez pas à utiliser des couleurs vives, ou des couleurs peu utilisées pour la catégorie de produit considérée. Utilisez des caractères gras pour le texte et les dessins. Essayez de concevoir des formes et des tailles de paquets originales. Retenez que le fait qu'un packaging attire l'attention ou non est une donnée très relative et dépend surtout des packagings qui côtoieront le vôtre sur le linéaire. S'il ressemble aux autres, il se fondra dans la masse. Alors innovez ! Essayez de donner un vrai look à votre produit. Par exemple, une petite boîte noire rectangulaire se fait difficilement remarquer, mais si elle se trouve entourée de grandes bouteilles très colorées, au contraire, on ne verra qu'elle !

Tout cela peut sembler tomber sous le sens, mais il y a un hic ! En effet, la créativité dont vous pourrez faire preuve se trouve entravée par une contrainte majeure, une contrainte qui vous empêchera de ne concevoir que des packagings orange ou à paillettes, c'est que le packaging doit aussi être le reflet de l'identité de la marque, de son image et de son positionnement. Un emballage brillant rendrait certainement une serviette de cuir fin plus voyante, mais ce packaging serait en contradiction avec l'image du produit.

Une chose est certaine : il serait remarqué, mais les acheteurs potentiels s'en détourneraient aussitôt. L'astuce est d'optimiser l'attrait du produit, tout en respectant l'identité de sa marque.

Pour reprendre un exemple utilisé précédemment, Nabisco a choisi la couleur verte pour le packaging de ses cookies, ce qui contraste avec les couleurs adoptées par les concurrents. Le vert a deux avantages : il attire beaucoup l'attention et il représente bien l'image saine et "verte" (écologique) de Nabisco.

La nécessité de garder une certaine cohérence entre le packaging et l'image de l'entreprise peut sembler un problème. Mais on peut aussi le voir comme une opportunité. Au moment de choisir le nom de marque (traité au Chapitre 14), pensez à l'attrait que devra exercer le packaging. Un nom de marque qui frappe ou le symbole d'une marque connue – tel que "Intel Inside" (sur les ordinateurs équipés d'un processeur Intel) – peuvent suffire pour que le produit soit remarqué sur un point de vente. Vous avez travaillé dur pour construire l'identité de votre marque et la faire connaître au public, alors essayez de faire d'une pierre deux coups : utilisez-la pour rendre votre produit plus attrayant.

Provoquer l'intérêt

"Votre packaging apporte-t-il des informations qui s'avèrent essentielles pour l'acheteur potentiel ?" Le packaging se doit au minimum d'être clair sur la nature du produit, d'expliquer en quoi la marque ou la version de produit se distingue des autres, en quoi elle est supérieure aux autres. Il existe une réglementation précise concernant les mentions à porter obligatoirement sur les emballages et les étiquettes (reportez-vous au Chapitre 14). Toutefois, vous pouvez décider de les faire figurer en partie ou en totalité au dos du produit, de façon que le consommateur puisse la lire (ou non !). En tout état de cause, focalisez-vous sur les informations clés, celles qui feront qu'un acheteur sera attiré par le produit et le déposera dans son caddie. Ces informations essentielles doivent être disposées sur le devant du packaging de façon qu'elles soient bien visibles sur le point de vente.

Tout d'abord, un message marketing simple doit figurer sur le devant du packaging. La simplicité du message s'impose, car la plupart des packagings sont de petit format. Sur le point de vente, ils sont plutôt aperçus quelques instants que réellement vus. Imaginez que vous deviez écrire un message à une personne lui expliquant pourquoi elle devrait changer de comportement. Par exemple, vous souhaitez signaler à un collaborateur d'éviter de vous interrompre pendant vos interventions en réunion, et pour ce faire vous n'avez qu'une solution : épingler un message sur un énorme tableau d'affichage déjà saturé de messages. Ajoutons que le support du message n'est pas plus grand qu'une carte à jouer. Quelle probabilité avez-vous de l'amener à modifier son comportement ? Pas beaucoup ! Cet exemple est représentatif de la mission d'un packaging (à laquelle s'ajoutent plusieurs autres). Le packaging doit amener un éventuel acheteur à s'arrêter, il doit se faire remarquer, puis se faire acheter. Il est donc essentiel de ne retenir que la substantifique moelle de l'information que souhaitez transmettre, et de le faire de la façon la plus claire et la plus efficace qui soit. Une image ou encore un seul mot représentant l'information essentielle dans sa globalité. Pensez aux bouteilles de Coca ou aux paquets de Post-it commercialisés par la société 3M. Vous voyez ! C'est difficile, mais c'est possible !

On étudie toujours l'impact d'un packaging sur le point de vente. Compte tenu de son importance pour un responsable marketing, cela se comprend plutôt bien. Mais qu'en est-il du "point de revente" ? Vous n'en avez jamais entendu parler, je suppose. Moi non plus, car pour tout dire, je viens de l'inventer ! Pourtant, il faut bien (du moins on l'espère) que l'acheteur se décide à acheter de nouveau le produit. A cette heure, le packaging est déjà bien souvent à la poubelle et n'est plus d'aucune utilité pour vous aider à reconquérir votre client. Si celui-ci retourne au magasin et y trouve votre produit, c'est bien. Hélas, ce n'est pas toujours le cas ! C'est ce qui m'est arrivé lorsque j'ai voulu remplacer une de mes chemises préférées, choisie dans le catalogue WearGuard quelques années auparavant. Cette chemise ne figurait pas dans le nouveau catalogue. Ne me souvenant pas du nom du modèle, il ne m'était pas possible de le commander auprès de WearGuard. Du moins, j'en étais persuadé jusqu'à ce que je découvre que WearGuard avait cousu sur tous ses vêtements des étiquettes portant le nom de leur modèle respectif accompagné de leur numéro vert. Bingo ! Une semaine après, je pouvais de nouveau porter ma chemise préférée.

La morale de cette histoire est qu'il est préférable d'utiliser un marquage permanent, qu'il soit interne ou externe au produit, afin de court-circuiter le "parcours normal" d'un emballage. De cette façon, vous permettrez à vos clients de vous retrouver et de vous passer commande facilement. Si vous ne mettez pas tout en œuvre pour leur faciliter la tâche et leur fournir l'information essentielle, ils pourraient être victimes du packaging de vos concurrents. Pensez à ce futur "point de revente" en concevant votre packaging. Vous prendrez une longueur d'avance sur vos concurrents.

Provoquer des émotions, susciter le désir, faire agir

Comment le packaging va-t-il pouvoir provoquer des émotions ? L'importance des émotions et du désir varie d'un produit à l'autre, mais ces éléments ont toujours leur place dans une décision d'achat. Assurez-vous que votre packaging évoque des émotions qui conviennent au produit. Pour cela, commencez par choisir et décrire ces émotions. Si vous avez déjà réfléchi à la question pour une éventuelle campagne de publicité, pour le choix du nom de marque ou pour une autre démarche de positionnement, cette étape sera facile. Profitez-en pour approfondir ces notions, confirmez que votre produit doit susciter une impression d'"élégance sophistiquée", par exemple. Si la question n'a jamais été étudiée auparavant, demandez-vous quelle émotion serait la plus motivante pour un achat. Le fait que la packaging évoque un sentiment de joie, de confiance en soi, de nostalgie, d'efficacité, etc., chez l'eventuel acheteur favorisera-t-il la vente ? L'une de ces possibilités (bien d'autres encore sont possibles) conviendra le mieux à votre produit. Gardez en tête que votre choix, quel qu'il soit, doit aussi servir d'élément de différenciation par rapport aux produits concurrents. N'enfreignez pas le principe d'attraction en communiquant les mêmes émotions que vos principaux concurrents !

Donner une "âme" au packaging

Comment susciter des émotions grâce au packaging ? Il faut bien l'avouer, les praticiens du marketing ne maîtrisent pas vraiment cette donnée. Il est plus facile de communiquer des émotions à travers un encart publicitaire en quadrichromie, une publicité radiophonique ou un spot publicitaire pour la télévision, dans lesquels sont utilisés les talents des acteurs et où sont inclus des personnages animés expressifs. Un packaging est statique et limitatif, ce qui ne semble pas inspirer les créatifs. Il est vrai qu'en règle générale, il n'y a pas de quoi être enthousiasmé par un packaging. Au mieux, il sera assez habilement conçu pour ne pas heurter les valeurs et les émotions suscitées par l'image de marque du produit, véhiculées éventuellement au travers d'une campagne de publicité récente. Vous pourrez certainement faire mieux, beaucoup mieux ! Voici enfin l'occasion de donner une vie, une âme à votre produit, là où vos concurrents ne le feront pas. Consultez le Chapitre 5 pour apprendre à choisir et à communiquer une émotion adaptée à votre produit. Toutes les informations que vous y trouverez peuvent s'appliquer au packaging. De plus, les paragraphes suivants vous apporteront quelques idées qui pourront vous être utiles.

Utiliser les représentations humaines

La nature nous a dotés de la capacité de décoder les émotions à travers les expressions du visage, les postures corporelles, ainsi que d'autres indices non verbaux. Nous sommes aussi dotés d'une propension naturelle à partager les émotions des autres. Néanmoins, les packagings montrent très rarement des personnes. Quand le cas se présente, elles sont souvent représentées dans une attitude inexpressive et très neutre.

Le visage humain est si expressif que c'est surtout grâce à lui que nous communiquons nos émotions. Pourquoi ne pas l'utiliser à cette fin en marketing ? Cette idée sera d'autant plus efficace que personne ne le fait. D'après vous, le regard s'arrête plus longuement sur un emballage ne comportant que du texte ou sur un emballage illustré par un visage ?

Pour preuve, voici l'exemple d'une entreprise, JIAN, qui conçoit différents logiciels d'aide à la gestion et dont plusieurs ont fait un tabac. A chaque logiciel était associé un visage, représenté sur le packaging et repris dans toutes les publicités. D'un point de vue émotionnel, on peut dire que les visages devenaient véritablement l'incarnation de leur produit respectif. Prenons l'exemple du packaging du BizPlan Builder, logiciel d'aide à la conception de plans d'action commerciale. Le personnage représenté sur le packaging respire la confiance en soi, la compétence. Les cheveux grisonnants mais encore jeune, une étincelle d'inspiration brille dans ses yeux. Un léger sourire suggère une certaine sobriété et un caractère attentif. Il représente le chef d'entreprise modèle, le type même de la personne à qui banquiers et autres investisseurs prêteraient de l'argent sans hésiter. En voyant ce packaging, un acheteur potentiel associe immédiatement toutes ces qualités au plan d'action commerciale qui pourra être élaboré à l'aide de ce logiciel. C'est peut-être pour cette raison que ce logiciel a battu tous les records de vente aux Etats-Unis.

Servez-vous des symboles utilisés par les artistes peintres

Les artistes, eux aussi, sont aux prises avec ce problème. En revanche, ils font souvent beaucoup mieux que les designers en packaging. Selon Nigel Holmes, artiste et professeur d'arts plastiques, l'astuce consiste à "utiliser des symboles très simples, qui laissent libre cours à l'imagination et aux émotions". C'est effectivement ce que font les artistes. Les couleurs vives et les zigzags symbolisent l'activité et l'énergie, les lignes horizontales et les couleurs neutres représentant plutôt le calme. Les couleurs foncées, les lignes épaisses et les figures massives symbolisent la force, les couleurs claires et les lignes fines représentant au contraire la délicatesse. Beaucoup d'autres émotions peuvent être suggérées par la simple représentation de ce qui peut les évoquer dans la vie de tous les jours. L'image d'un couple de jeunes mariés échangeant leurs vœux est chargée d'émotion. Cette émotion n'aura rien à voir avec celle que l'on peut ressentir à la vue d'une énorme araignée velue. Que l'on entre dans une imposante cathédrale, que l'on voie un enfant se jeter dans les bras de sa mère, que l'on découvre une vieille voiture toute rouillée abandonnée au milieu d'un champ, ou encore que l'on regarde la dernière feuille d'automne se détacher de sa branche et tomber sur le sol, nous pouvons être profondément émus et chaque fois différemment. En tout état de cause, cette approche esthético-émotionnelle est rarement utilisée dans le domaine de la conception de packaging. Imaginez un peu que Van Gogh conçoive vos packagings. Il y a fort à parier que les consommateurs n'auraient pas même un regard pour les produits avoisinants !

Faut-il privilégier l'information ou l'émotion ?

Faut-il pour autant privilégier l'émotion au détriment de l'information ? Il vous sera sans doute difficile de mettre l'accent sur les deux (du moins en théorie – toutefois, il doit être possible dans certains cas de faire les deux très bien !).

D'une façon générale, mieux vaut miser sur l'émotion pour tous les produits dont l'achat est dit "impulsif" (qui répond à une envie et non à un raisonnement) tels que les produits alimentaires, et miser sur l'information pour les produits dont l'achat est prémédité. L'acheteur d'une boîte de vis prévoit en général son achat (il a un besoin précis) et doit trouver le produit qui répond à des conditions d'utilisation particulières (résistance du matériau qui va recevoir la vis, longueur, etc.). Toutes ces informations concernant l'utilisation doivent impérativement figurer sur le packaging.

Pour d'autres produits, les deux approches peuvent se justifier. A vous de voir quelle sera la meilleure pour votre produit. Dans le domaine de la gestion financière et des produits d'investissement, on voit des produits dont le marketing et le packaging sont conçus selon une approche informative, comportant les performances détaillées du produit, tandis que d'autres sont présentés avec une approche plutôt émotionnelle.

Fonctionnalités du packaging

Le packaging remplit-il plusieurs fonctions ? Quels services doit-il rendre au responsable marketing et à l'acheteur ? De fait, il ne faut pas oublier le rôle fonctionnel du packaging. Voyons cela ensemble.

Rôle du packaging ou de l'étiquette

Voici les principaux rôles que doit remplir un packaging :

- Protéger le contenu.

- Faciliter le travail de stockage et de mise en rayon du contenu pour le producteur et/ou le distributeur.

- Faciliter le transport et le stockage du contenu pour le consommateur.

- Faciliter l'utilisation du contenu pour le consommateur.

- Faciliter le rebut ou le recyclage pour le consommateur.

Quel que soit le niveau de standardisation et de développement du packaging dans votre secteur d'activité, vous trouverez forcément le moyen d'améliorer sa fonctionnalité. Il reste toujours un petit créneau qui n'a pas encore été exploré... Pour le cas où vous en douteriez, pensez aux récentes évolutions du packaging dans votre secteur d'activité : nouveaux matériaux, nouvelles formes et nouvelles tailles, utilisation de matériaux recyclables, nouveaux systèmes de fermetures (bouchons, couvercles, etc.), bouchons qui ne gouttent pas, nouvelles colles et nouveaux matériaux pour les étiquettes, matériaux et traitements plus économiques pour les packagings, etc. Il a été possible en quelques années seulement d'améliorer notablement les emballages. Il n'y a donc aucune raison pour que cela cesse et, dans ce cas, mieux vaut être à l'origine de l'innovation que dans le peloton de ceux qui doivent suivre !

Rôle que ne doivent pas remplir un packaging ou une étiquette

Pendant que nous y sommes, essayons aussi de penser à ce que vous ne voulez pas que fasse votre packaging. Ce sujet, s'il est trop souvent éludé par les responsables marketing, n'est par contre jamais indifférent aux consommateurs. Pensez à la dernière fois où vous vous êtes offert ce beau fruit, tellement beau que même la pastille collante ne voulait pas s'en détacher... Ou encore au jouet que vous avez acheté pour votre enfant et auquel il n'a jamais eu accès, faute de ciseaux ou de couteau qui puissent venir à bout de la bulle de plastique. Je me suis récemment entaillé un doigt en ouvrant la boîte d'une petite voiture de course pour l'un de mes fils. Et comme si cela ne suffisait pas, les deux plus jeunes voulaient que j'en fasse autant pour la leur ! Ne parlons pas non plus des pots de peinture rouillés qui me sont restés sur les bras après le passage des peintres à la maison. L'entreprise de ramassage des déchets ménagers refuse de les prendre avec les poubelles, car la peinture est considérée comme un déchet toxique. Les pots seront probablement encore là bien après qu'elle se sera écaillée sur les murs !

 Pour éviter de mauvaises surprises aux consommateurs, assurez vous :

- Que le packaging ne laisse pas de résidu sur le produit (cette erreur est la plus courante ; notez que la colle non permanente de certaines étiquettes devient souvent permanente quand le produit a passé plusieurs mois en entrepôt).

- Que l'accès au produit n'est ni difficile ni dangereux pour le consommateur.

- Que vous ne laissez pas au consommateur un produit périmé ou non utilisé qui soit difficile à jeter ou à recycler.

- Que vous ne livrez pas au consommateur un produit périmé ou non utilisé présentant un danger pour lui ou ses enfants (produits inflammables ou présentant des risques d'asphixie pour les enfants, etc.).

- Que les consommateurs ne voient pas sans arrêt votre nom ou le symbole de votre marque sur des emballages mis au rebut (si vos emballages traînent dans le garage de vos clients ou le long des autoroutes, cela fait mauvais effet...).

McDonald's a résolu le problème en passant aux emballages biodégradables et en mettant des poubelles à la disposition de sa clientèle devant chaque restaurant. Rien de mieux en effet que des emballages sales répandus sur le trottoir pour vous couper l'appétit !

- Que le packaging ne cache pas un aspect positif de votre produit.

C'est la raison pour laquelle 3M conditionne ses Post-it avec une simple pellicule de Cellophane portant uniquement le nom de la marque, de façon que les consommateurs puissent les identifier sans la moindre hésitation. Si le packaging est le produit, le produit aussi peut être son propre packaging !

Encore un conseil : *ne laissez jamais le packaging limiter votre vision du produit*. Voici un exemple pour ceux que cette assertion laisserait perplexes. Il y a maintenant deux ans, j'avais remarqué que les industriels et les commerçants avaient souvent besoin d'une aide extérieure pour s'adapter aux mutations et aux changements intervenant dans leurs secteurs d'activité respectifs. Il leur fallait apprendre ce que les experts appellent la *gestion du changement*. En tant que consultant, formateur et auteur, j'avais envie d'essayer de répondre à ce besoin. Il me manquait toutefois certaines connaissances. J'ai donc convié plusieurs éminents spécialistes dans leur domaine pour participer à une conférence sur le thème de la "gestion du changement". J'étais moi-même chargé de l'organisation et de la promotion de cet événement. Une fois dans le vif du sujet, je me suis vite rendu compte qu'il nous serait impossible de réunir tous ces experts dans un même lieu et à la même date, sans compter tous les professionnels qui avaient besoin de conseils... Mon projet devenait impossible à réaliser. J'en étais là de mes réflexions lorsque au cours de mes lectures, je suis tombé sur un article parlant du commerce virtuel, un concept tout nouveau à l'époque. Je me suis dit qu'une conférence virtuelle pouvait être la solution. Finalement, au lieu de faire partager leur expérience au cours d'une réunion "live", les experts m'ont fait parvenir la version papier des interventions qu'ils avaient préparées. Elles ont été regroupées dans un ouvrage intitulé *The Portable Conference on Change Management*. Le produit est maintenant diffusé sous forme de classeur et publié par les éditions HRD Press qui commercialisent leurs produits par correspondance. En fait, il s'agit du même produit que celui prévu au départ, mais commercialisé sous une forme différente ! Il suffisait de transformer le packaging en produit !

De semblables glissements peuvent s'opérer pour quasiment n'importe quel produit, simplement en repensant le packaging. Le bicarbonate de soude peut être de la levure à gâteau quand il est conditionné en petits sachets, un produit ménager quand il est présenté dans une grande boîte, et de la pâte dentifrice quand il est mis en tube. Les livres peuvent devenir des sites Internet. Les mouchoirs en papier servent à s'essuyer le nez, tandis que le même matériau présenté en rouleaux est plutôt destiné à essuyer... Vous allez sûrement trouver un nouveau packaging pour un troisième usage ! Pourquoi pas dans une petite enveloppe : il servirait à nettoyer les lunettes. Ou bien un coussinet pour nettoyer les écrans d'ordinateur ? Ou encore roulé dans un petit tube de plastique transparent avec une croix rouge, comme matériel de premier soin ? Le matériau de base reste le même, mais vous pouvez créer autant de nouveaux produits que de packagings différents.

NOTE TECHNIQUE

Garder trace des packagings

Il est assez facile à une entreprise de perdre le fil de tous ses packagings. Il se peut que vous ayez travaillé avec des dizaines, voire des centaines de packagings différents, qu'ils soient actuellement utilisés sur le marché ou qu'ils fassent maintenant partie des archives... Pour les marchés d'exportation, les packagings doivent être adaptés à la culture locale ainsi qu'à la législation en vigueur. Celle-ci est parfois si contraignante que l'entreprise n'a plus la main sur son packaging. Dans certains cas, l'identité des marques n'est pas claire. Les mêmes travaux sur les packagings sont parfois réalisés dans deux pays, alors que le travail fait pour un pays aurait pu être utilisé pour l'autre. Le chaos est encore plus grand si l'entreprise confie ses packagings à de nombreux sous-traitants, eux-mêmes situés dans plusieurs pays – situation très courante aujourd'hui – et devant suivre tant bien que mal les impératifs de packaging et d'étiquetage instaurés par l'entreprise. Dans ces conditions, il est très difficile d'éviter la confusion.

Il existe aujourd'hui un logiciel qui permet d'éviter la panique en offrant la possibilité d'échanger, de créer des synergies et de développer des collaborations. Ce logiciel permet de stocker des images numériques de packaging et de les transmettre par réseau. Il peut être utilisé pour la transmission de modèles d'identifiants de marque destinés aux marchés locaux, pour l'enregistrement de spots publicitaires utilisés dans plusieurs pays, ou encore pour prendre connaissance de toutes les décisions relatives aux packagings prises au sein des sièges et des filiales afin de les centraliser. Ce système très novateur s'appelle IdentiLink. Il est développé par le groupe Coleman (New York City, 001/212-421-9030). Nestlé l'utilise pour tracer l'historique marketing de plus de 8 000 marques qui émanent de ses 13 directions réparties sur tous les continents. Ce réseau pourra sans doute vous rendre les mêmes services.

Les applications logicielles d'envergure comme IndentiLink sont très coûteuses à mettre en œuvre. Néanmoins, de petites applications standard telles que Lotus Notes sont assez puissantes pour faire l'affaire dans les entreprises plus modestes. Il suffit pour cela de leur adjoindre un scanner, une banque d'images et surtout une grande capacité de mémoire, condition impérative pour l'acquisition et le stockage des images.

C'est un petit jeu très à la mode en ce moment dans le monde du marketing. Il suffit de regarder ce qui se passe du côté du conditionnement des aliments. Le même aliment est un produit différent selon son conditionnement frais, congelé, surgelé, en conserve ou en brick. C'est vrai pour tous les produits, quels qu'ils soient. Croyez-moi, l'information peut être conditionnée et reconditionnée autant de fois que l'on veut pour former un nouveau produit. On peut faire de même avec les conseils d'un médecin ou ceux d'un consultant en audit de gestion. Encore une fois, la seule limite reste l'imagination !

Généralités sur la législation de l'étiquetage et du packaging

Que vous ayez conçu vous-même votre packaging ou que vous en ayez sous-traité la conception, il faut vous assurer qu'il répond bien à toutes les exigences légales en la matière. Vous voudrez sans doute faire plus que ce minimum. Ainsi vous serez certain de ne pas jongler avec des bombes à retardement, qu'elles soient légales ou éthiques. Ce n'est pas facile, car, vous l'avez sans doute déjà remarqué, la législation est complexe et subtile. Tout dirigeant d'entreprise ou responsable marketing découvre tôt ou tard qu'il ne peut s'offrir le luxe de se passer des lumières d'un conseiller juridique ou d'un consultant spécialisé !

La seule exception à cette règle (s'il peut y en avoir une) : quand vous êtes certain que les pratiques de votre secteur d'activité sont très normalisées. S'il s'agit de revoir la conception d'un produit qui a déjà franchi avec succès toutes les épreuves que peuvent lui faire subir les experts, ou quand le produit est déjà sur le marché depuis plusieurs années sans avoir soulevé de problème d'ordre juridique, une pratique commerciale avisée suffira... peut-être, mais peut-être pas ! Vous ne le saurez que plus tard et c'est bien là que le bât blesse !

Quelle que soit votre décision, voici quelques informations de portée générale sur les délicates questions de l'étiquetage et du packaging.

Principes généraux du droit concernant le packaging et l'étiquetage

De façon générale, le consommateur doit pouvoir être informé sur le contenu et la quantité de produit contenu dans le packaging, et ce quel que soit le pays. En théorie, ces informations doivent permettre de comparer facilement le produit aux autres produits de la même catégorie. Les lois locales sur l'étiquetage et le packaging s'appliquent à tous les produits vendus dans le pays considéré. Il revient à l'entreprise qui commercialise le produit, et non au détaillant, de s'assurer que l'emballage est bien conforme aux exigences réglementaires locales.

Pour être "conforme", un packaging doit comporter les mentions suivantes :

- Le volume de produit contenu dans le packaging.

- Le prix de vente.

- La liste des ingrédients.

Nous ne parlerons pas ici de la façon dont vous devez inclure ces informations, car l'introduction seule prendrait une bonne dizaine de pages. En fait, il faut vraiment voir au coup par coup : chaque produit est différent et peut tomber sous la coupe de règlements nombreux et complexes, qui ne concerneront peut-être que ce type de produit.

D'où émanent directives et règlements ?

Vous pourrez trouver les renseignements afférents à votre produit en contactant : les administrations ou organismes concernés, un expert en conception de packaging spécialisé dans votre secteur d'activité ou dans votre type de produit, un conseiller juridique, un consultant spécialisé en packaging, votre syndicat professionnel, etc.

Le packaging doit absolument...

En essayant de simplifier les aspects juridiques de l'emballage et de l'étiquetage, il est impossible de ne pas oublier quelque chose d'essentiel. Je vais tout de même tenter d'en résumer les principaux points. La liste qui suit s'inspire du livre *Executive's Guide to Marketing, Sales and Advertising Law* (éditions Prentice Hall, USA), écrit par David Hjelmfelt, consultant juridique chez Hjelmfelt & Larson. Un responsable marketing mettant au point le packaging d'un produit quel qu'il soit devrait toujours s'assurer que son projet de packaging répond bien aux exigences énumérées ci-dessous. Cette liste n'est pas exhaustive. Néanmoins, une chose est sûre : si votre packaging ne répond pas à une, voire à plusieurs de ces exigences, vous allez au-devant des ennuis ! Le mieux est de la prendre comme base de discussion avec les experts. Si vous passez vous-même votre packaging à cette moulinette, assurez-vous que vous possédez bien toutes les cartes en main en ce qui concerne la législation s'appliquant à votre produit. Vous pouvez aussi vous en servir comme référence pour demander des renseignements auprès des différents organismes impliqués.

Le packaging et/ou l'étiquetage doivent :

❑ Identifier clairement le produit.

❑ Mentionner le nom et l'adresse du constructeur, de l'ensacheur ou du distributeur.

❑ Mentionner le poids net de produit.

❑ Identifier le contenu sans ambiguïté, sous une forme adéquate, en utilisant les termes et abréviations en usage.

❑ Utiliser un nom de marque et un nom de produit répondant aux normes et qui n'aient pas déjà été déposés par une autre entreprise.

❑ Etre conforme aux exigences légales concernant les promotions (utilisation restrictive et précise des termes tels que "taille économique", "offre de lancement" sur le packaging – demander des détails).

❑ Etre conforme aux règles régissant les garanties, s'il y a lieu.

❑ Etre conforme à toutes les lois et tous les règlements concernant la catégorie particulière du produit (substances dangereuses, cosmétiques, produits alimentaires, médicaments, matériel médical, textiles, fourrures, télévisions, radios, hi-fi, sacs de couchage, isolation des bâtiments, échelles et escabeaux sont tous des produits soumis à des législations spécifiques – cette liste n'est pas exhaustive !).

❑ Inclure un certificat prouvant que le produit est bien conforme aux normes.

Archivez !

La législation, mais aussi le bon sens, exigent que vous gardiez trace de la conception de votre packaging. Conservez quelques exemplaires de tous vos packagings et de tous vos étiquetages. Documentez vos recherches, enregistrez les conversations que vous tenez avec les experts ou les conseillers juridiques.

Mesdames, Messieurs, à vos réseaux !

Il m'est impossible d'établir ici une liste exhaustive de tous les organismes et contacts possibles dans ce domaine (et c'est heureux, sinon j'y aurais passé quelques heures !). En tout état de cause, voici quelques contacts qui pourront vous servir de tremplin en vous permettant d'élargir et d'approfondir vos recherches.

- AFNOR, Association française pour la normalisation, tour Europe – 92049 Paris La Défense – Informations normes, tél. : 01.42.91.55.33 – Informations certifications, tél. : 01.42.91.60.60.

- Agence du médicament, 25, boulevard Saint-Jacques – 75014 Paris – tél. : 01.53.80.82.82, si ce type de produit vous concerne.

- ECO Emballages, 44, avenue Georges-Pompidou – 92300 Levallois-Perret – tél. : 01.40.89.99.99 pour tous les renseignements et les conseils relatifs au recyclage des emballages.

- Syndicat des entreprises d'emballage industriel, 33, rue de Naples - 75008 Paris - tél. : 01.53.42.15.53 pour obtenir des renseignements sur les caractéristiques obligatoires des emballages dans le secteur industriel.

- Chambre syndicale des professionnels de l'emballage en matière plastique, 5, rue Chazelles – 75017 Paris - tél. : 01.46.22.33.66. Comme son nom l'indique...

- Laboratoire national d'essai (LNE), centre Logistique Emballage, 5, avenue Enrico-Fermi – 78197 Trappes – tél. : 01.30.69.10.00 pour les demandes de certification nationale NF ou européenne CE, information sur l'environnement normatif et réglementaire à l'étranger et assistance technique à la conformité export, en particulier pour les emballages pour contact alimentaire, les emballages pour produits dangereux, les essais de nouveaux matériaux avant commercialisation, etc. Attribution du certificat LNE-Emballage.

- Ministère de l'Economie, des Finances et de l'Industrie, Direction générale de la concurrence, de la consommation et de la répression des fraudes, 59, boulevard Vincent-Auriol – 75013 Paris – tél. : 01.44.87.17.17 pour mentions obligatoires sur les emballages.

Chapitre 16
Circuits de distribution, vente au détail et points de vente

Dans ce chapitre :

Pourquoi il vous faut rester à la pointe de ce qui se fait en matière de distribution.

Où trouver les informations sur les circuits de distribution et leur organisation.

Comment concevoir une stratégie marketing de distribution.

Toute la théorie et la pratique de la vente au détail.

Les techniques d'animation des points de vente.

Imaginez que vous entriez chez un concessionnaire automobile et qu'il vous soit possible d'acheter n'importe quelle voiture. Pas seulement parmi celles qui sont exposées ou disponibles chez les concessionnaires du coin, mais une voiture exactement comme vous la voulez : de votre couleur préférée, équipée des options que vous désirez… et seulement de celles-ci. En d'autres termes, disons qu'il vous serait possible d'acheter *la* voiture que *vous* voulez et non celle que l'on veut vous vendre. C'est l'un des plus gros achats qu'il vous est donné de faire. Il semblerait plutôt normal qu'elle puisse être comme vous le souhaitez, n'est-ce pas ?

Eh bien, ce n'est pas le cas. Du moins, pas pour le moment. En effet, l'organisation du circuit de distribution des automobiles est telle qu'elle ne permet pas aux acheteurs d'avoir accès à tous les modèles. Il s'agit uniquement d'une question de distribution. En y regardant de plus près, la plupart des problèmes rencontrés dans le domaine du marketing concernent la distribution. Quand les clients sont mécontents du produit lui-même ou du service qu'il est censé apporter, la meilleure façon d'y remédier consiste souvent à modifier le circuit de distribution plutôt que de toucher au produit ou au service d'assistance client. Quand le volume des ventes d'un produit ne donne pas satisfaction, il vaut mieux chercher à améliorer le circuit de distribution plutôt que de lancer une nouvelle campagne de publicité ou de promotion. Le circuit de distribution est un véritable goulot d'étranglement qui sépare le produit des consommateurs, et qui pose beaucoup plus de problèmes qu'il n'y paraît...

C'est la raison pour laquelle General Motors est en train d'implanter de grands centres de distribution régionaux à travers tous les Etats-Unis. Tous les modèles de General Motors sont disponibles dans ces centres de distribution. Ils mettent ainsi un choix plus grand à la disposition des concessionnaires et de leurs clients. Leur implantation est faite de telle sorte qu'il soit possible de livrer un concessionnaire dans la journée. Cette innovation dans le circuit de distribution est-elle susceptible de donner toute satisfaction aux clients et d'augmenter le nombre de ventes ? C'est probable, car des études de marché faites par General Motors ont montré que 35 % des personnes désirant acquérir une voiture ne trouvent pas le modèle qu'elles souhaitent chez les concessionnaires et qu'elles font souvent un achat "de compromis". Il y a fort à parier que le nouveau système de distribution permettra de mieux répondre à leurs attentes. Le rapport d'études de General Motors révèle aussi que 11 % des personnes ne trouvant pas le modèle recherché achètent finalement leur voiture chez un concurrent. Selon toute vraisemblance, les nouveaux centres de distribution de General Motors contribueront à augmenter le nombre de ventes.

Incroyable ce que la distribution peut faire, non ? Peut-être devriez-vous réfléchir vous aussi à la façon dont votre entreprise distribue ses produits...

Repérer et adopter les nouvelles tendances de distribution

A première vue, les circuits de distribution (c'est-à-dire les chemins empruntés par les produits pour rejoindre les consommateurs) sont plutôt stables. Dans les faits, il n'en est rien. Tous les canaux de distribution se modifient, lentement certes mais sûrement. De nouveaux intermédiaires (entités faisant le lien entre distributeurs et consommateurs) proposant de nouveaux types de services peuvent intervenir. Dans d'autres secteurs, on assiste au contraire à la suppression des intermédiaires, les producteurs développant désormais des contacts directs avec les détaillants ou même avec la clientèle finale (si vous souhaitez faire de même, voyez le Chapitre 18 consacré aux techniques de marketing direct). Dans d'autres secteurs, certains intermédiaires (distributeurs ou détaillants) sont peu à peu remplacés par d'autres. Si vous réussissez à bien percevoir ces changements, il vous sera possible de devancer la vague. Si vous les percevez trop tard, vous serez submergé ! Même s'ils ne s'opèrent que très lentement, les glissements dans les habitudes de distribution sont très puissants. Ne laissez donc pas ce rouleau compresseur détruire toute votre stratégie marketing !

Pour le cas où vous ne seriez pas convaincu, voici quelques exemples.

- Les moteurs électriques, joints, ressorts, machines-outils, etc., sont produits de plus en plus dans les nouveaux pays industrialisés, là où les coûts de production sont moindres. Les entreprises qui les produisent dans les pays développés sont donc soumises à une rude concurrence sur leur propre marché. Pour compenser, elles doivent s'attaquer aux marchés d'exportation.

- L'utilisation du Web donne beaucoup plus de possibilités aux acheteurs en leur permettant d'entrer en contact avec beaucoup plus de fournisseurs qu'auparavant et de comparer plus facilement les offres. C'est le cas dans beaucoup de secteurs industriels ou de produits de grande consommation. Les fournisseurs sont ainsi amenés à proposer des prestations plus compétitives en termes de prix mais aussi de qualité. De plus, cette tendance conduit les responsables marketing à utiliser directement le Web, court-circuitant ainsi les distributeurs. Par exemple, beaucoup d'entreprises produisant et/ou commercialisant des semi-conducteurs mettent leurs catalogues sur le Web, et les clients potentiels choisissent les produits dont ils ont besoin en surfant sur le Net.

- Le Web n'est pas le seul moyen dont disposent les entreprises pour se passer des intermédiaires. Beaucoup d'entreprises utilisent aujourd'hui les techniques de marketing direct. Aux Etats-Unis par exemple, il existe plus de 12 000 magasins d'usines et plus de 300 centres commerciaux regroupant ce type de commerce. Le fait qu'ils soient en compétition directe avec les distributeurs et les détaillants ne semble pas poser de problème. Les producteurs se donnent de plus en plus souvent les moyens de se passer des leurs intermédiaires traditionnels et de mettre sur pied leurs propres circuits de distribution.

Évaluer et choisir un circuit de distribution

Pour évaluer un circuit de distribution, il faut commencer par découvrir les différents acteurs intervenant à chaque niveau du circuit de distribution. Comment les biens sont-ils produits et comment trouvent-ils leur chemin jusqu'au client ? Bien comprendre ce processus vous permettra d'exploiter ce circuit de distribution et de choisir le meilleur canal pour votre entreprise et pour le client.

Première étape : qui fabrique le produit ? Pour obtenir ce renseignement, adressez-vous au syndicat professionnel correspondant au produit qui vous intéresse. Vous pourrez certainement obtenir la liste de leurs adhérents ainsi peut-être que la liste des principales entreprises utilisant le produit.

Deuxième étape : qui distribue le produit ? Le circuit de distribution traditionnel inclut-il des grossistes ou d'autres intermédiaires ? Qui sont-ils ? Combien pouvez-vous en localiser ? Pour ce faire, regardez dans les pages jaunes de l'annuaire téléphonique ou dans le Kompass, à la section correspondante. Il existe probablement un syndicat professionnel regroupant les distributeurs du secteur qui vous intéresse, un salon professionnel qui leur est consacré, etc. Deux jours dans un tel salon et vous en saurez sûrement long sur la structure du circuit de distribution, son organisation et ses nouvelles tendances !

Comment localiser les distributeurs ? En ce qui concerne le commerce de gros, vous pouvez appeler la Confédération française du commerce de gros interentreprises et du commerce international (CGI), 18, rue des Pyramides, – 75001 Paris – tél. : 01. 44. 55. 35. 00. Ils vous renseigneront et au besoin vous orienteront.

Comment localiser les détaillants ? C'est déjà beaucoup plus facile, car leur métier implique qu'ils soient connus ou au moins aisément identifiables. Commencez par consulter les pages jaunes de l'annuaire, ainsi que notre bon vieux Kompass. Les détaillants ont eux aussi leurs associations professionnelles qui pourront peut-être vous faire parvenir la liste de leurs adhérents. Enfin, n'hésitez pas à user un peu vos chaussures ou les pneus de votre voiture pour aller identifier directement les magasins de détail les plus fréquentés dans une zone géographique donnée. Promenez-vous dans les quartiers les plus commerçants et observez la fréquentation des magasins et des boutiques afin d'identifier ceux qui ont du succès (c'est d'ailleurs par l'observation que sont établis la plupart des calculs de parts de marché pour le commerce de détail, ainsi bien sûr que par le dépouillement de questionnaires sur les habitudes de consommation).

Structure et conception d'un canal de distribution

L'efficacité doit être la première caractéristique d'un canal de distribution. La tendance naturelle d'évolution des circuits de distribution va vers la réduction des intermédiaires, les rendant ainsi plus efficaces.

Comme le montre la Figure 16.1, un canal de distribution dans lequel 4 producteurs et 4 clients ont des relations commerciales directes présentent des possibilités de transactions commerciales de 16 (4 x 4). Ce n'est pas si mal. En réalité, le nombre de transactions serait souvent beaucoup plus important car certains marchés comportent des dizaines ou des centaines de producteurs, et de l'autre des milliers ou des millions de clients.

Le nombre de transactions se réduit si l'on fait intervenir des intermédiaires. Dans ce cas, le nombre de transactions est le résultat d'une addition et non plus d'une multiplication. Pour l'exemple de la Figure 16.1, le nombre de transactions nécessaires pour mettre en rapport les 4 producteurs et les 4 clients serait ramené à 8 (4 + 4), chaque producteur et chaque client ne s'adressant plus qu'à l'intermédiaire.

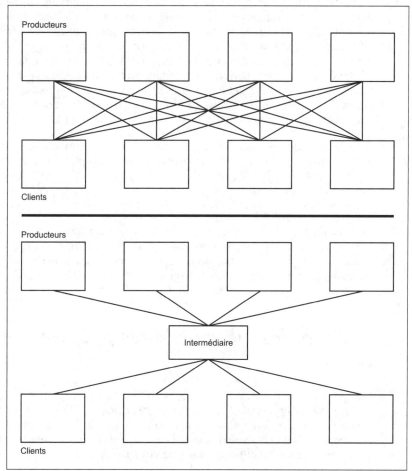

Figure 16.1 : Comment les intermédiaires permettent de réduire le nombre de transactions commerciales.

Bien que les prix de vente soient alourdis des marges commerciales que se réservent les différents intermédiaires, leur intervention réduit tout de même le coût final des produits, en particulier justement parce qu'elle permet de réduire le nombre de transactions. Un intermédiaire de plus dans un canal de distribution permet de réduire le nombre total de transactions nécessaires entre producteurs et clients.

Cet exemple est simpliste, mais il montre bien la logique qui s'applique dans un circuit de distribution plus important et plus complexe. En y ajoutant un grand nombre de producteurs et de clients, liés entre eux par de multiples intermédiaires intervenant à plusieurs niveaux, nous obtenons un modèle se rapprochant d'un circuit de distribution classique.

Pour être honnête, ce type de circuit long et complexe dans lequel les produits passent de mains en mains ne rend pas toujours le circuit plus efficace pour autant. Une chaîne de transport mieux organisée, une communication informatique entre les différents partenaires du circuit de distribution (à travers le système EDI, Electronic Data Interchange), un système de stockage minimal, l'émergence de nouvelles techniques de marketing direct contribuent beaucoup plus à l'efficacité des circuits de distribution, grands ou petits. Comme les entreprises, les circuits de distribution ont tendance à se simplifier, rapprochant ainsi producteurs et clientèle finale.

Dans le futur, les circuits de distribution vont se simplifier encore davantage, en particulier grâce à l'amélioration des techniques de gestion de bases de données qui permettront aux producteurs de gérer un nombre croissant de transactions commerciales. Les entreprises productrices pourront de plus en plus se passer d'intermédiaires.

 Essayez de voir s'il n'existe pas un moyen de vous rapprocher du client final. Dans votre canal de distribution, est-il possible de supprimer certains intermédiaires, ou de développer un canal plus direct (par courrier, téléphone ou Internet) qui viendrait se superposer à votre canal habituel ? Mais attention. Si vous ne trouvez pas le moyen de le faire, vos concurrents y arriveront !

Que font les intermédiaires pour mériter leur marge ?

Chaque intermédiaire commercial prend une marge et coûte donc de l'argent au producteur et au client. Ce peut être la principale raison qui vous amène à vouloir simplifier votre canal de distribution. Le fait est que les intermédiaires rendent tout de même des services, sinon ils n'existeraient plus depuis longtemps. En voici quelques-uns que vous appréciez peut-être :

- Mener des enquêtes sur l'attitude des clients et leur degré de satisfaction.

- Acheter et vendre.

- Répartir les lots de produits achetés en gros pour les vendre au détail.

- Fixer le prix de vente final.

- Gérer les campagnes de promotion sur le lieu de vente.

- Gérer les campagnes de publicité locales (la publicité de type "pull", destinée à faire venir le public dans un magasin ou dans un autre point de vente).

- Transporter les produits.

- Stocker les produits.

- Financer les achats.

- Localiser et sélectionner les clients.

- Prendre en charge le service après-vente et le service clientèle.

- Partager les risques commerciaux.

- Associer votre produit avec d'autres afin d'offrir un assortiment complet au client.

La liste est assez longue et donne quelque peu à réfléchir ! Peut-être n'aviez-vous pas encore vraiment songé à tous les services que vous offraient vos intermédiaires ! (A moins que vous n'en ayez pas et que vous envisagiez de partager les risques et de confier une partie de ces tâches...) Le fait est que les intermédiaires commerciaux peuvent rendre de grands services. Avant de décider de simplifier votre filière, assurez-vous que les services qu'ils vous rendent et les fonctions qu'ils remplissent peuvent être menés à bien tout aussi efficacement d'une autre manière.

Analyser votre canal de distribution

Nous venons de voir que vos intermédiaires sont là pour vous rendre quelques services. Il faudra voir qui pourra remplir chacune de ces fonctions. Toutefois, quelques questions stratégiques restent à résoudre en fonction de l'organisation de votre canal de distribution.

Le degré de couverture du marché. Votre canal de distribution vous permet-il d'atteindre votre public cible d'une façon satisfaisante ? Si vous avez décidé de vous passer de tout intermédiaire, vous serez sans doute dans l'incapacité de couvrir votre marché aussi bien que vous le souhaiteriez. Avec un seul niveau d'intermédiaires, votre produit serait déjà beaucoup plus présent. Plus vous ajouterez de niveaux d'intermédiaires, plus la base de votre canal de distribution sera large et plus votre produit sera présent sur le marché.

En résumé, plus vos intermédiaires sont nombreux, plus vous donnez de chances à votre produit d'être disponible sur le marché. Cela favorise les ventes et vous permet de maximiser la part de marché de votre produit. Vous n'y pouvez rien, c'est ainsi ! Pour cette raison, il vaut parfois mieux élargir et compléter un canal de distribution plutôt que de le réduire. Prenez les dispositions qui s'imposent pour que cette décision produise bien l'effet escompté, c'est-à-dire une présence renforcée sur le marché et, à terme, de meilleures ventes. Si vous ne parvenez pas à ces résultats, ces intermédiaires ne vous sont d'aucun secours.

Le niveau de présence d'un produit sur le marché. Pensez à la couverture de votre marché en termes de présence sur le marché, c'est-à-dire en termes d'extension géographique. Il existe trois stratégies possibles. La *stratégie de présence maximale* s'efforce de mettre tout consommateur en contact avec le produit, et de constituer un canal de distribution comportant autant d'intermédiaires et de niveaux que nécessaire pour y arriver. Elle convient bien aux marchés en phase de maturité, moment où les entreprises concurrentes vont appliquer cette tactique, ou encore aux marchés pour lesquels le principal critère d'achat des clients est la disponibilité du produit. Souvenez-vous que cette stratégie est coûteuse et qu'en dehors de ces deux cas elle ne s'impose pas.

La deuxième possibilité est la *stratégie de distribution sélective* qui consiste à établir des priorités de distribution au sein de votre marché, en termes d'extension géographique et de clientèle cibles. Par exemple, un responsable marketing dans un secteur industriel peut envisager d'intensifier ses efforts vers une zone géographique dans laquelle se trouvent concentrées beaucoup d'industries utilisant son produit. Un responsable marketing pour un produit de grande consommation peut décider de faire une offre publipostée uniquement vers les régions où il sait pouvoir trouver beaucoup de clients potentiels.

La troisième possibilité est la *distribution exclusive*, qui consiste à ne travailler qu'avec les meilleurs distributeurs et les clients les plus intéressants. Cette stratégie peut s'appliquer si vous n'avez pas de concurrent sérieux ou si vous disposez d'un produit particulier que vous voulez continuer à commercialiser à un taux de rentabilité élevé. Cette stratégie ne vous permet ni d'agrandir votre marché ni d'augmenter sensiblement les ventes. En revanche, il permet d'optimiser les marges, et c'est déjà beaucoup !

La distribution exclusive est une solution intéressante pour qui veut commercialiser un nouveau produit, service ou bien de consommation. Sur un marché, seul un petit nombre de personnes adopte d'emblée les nouveaux produits. C'est précisément pour cette raison que la commercialisation en masse d'un produit innovant est généralement vouée à l'échec. Le mieux est de commencer par une stratégie de distribution exclusive orientée vers les milieux et les personnes qui n'hésitent pas à essayer les produits innovants. Passez ensuite à la distribution sélective, au fur et à mesure que les produits concurrents apparaissent et que l'utilisation du produit se répand. Enfin, appliquez la stratégie de présence maximale, au fur et à mesure que votre marché évolue vers sa phase de maturité. A ce moment, il vous faudra orienter vos efforts vers les ventes de renouvellement plutôt que vers les premières ventes.

Une entreprise magiquement élastique

Ronin est une entreprise de conseil basée à New York et dirigée par ses trois associés principaux. A première vue, elle pourrait sembler difficilement capable de prendre en main les gros projets que pourraient lui confier simultanément dix entreprises clientes dans dix villes différentes. D'autant plus que Ronin n'a à sa disposition dans chacune de ces villes qu'un local de taille modeste et un personnel réduit

Toutefois, la société s'est donné la capacité de renforcer son personnel "maison" en faisant appel à des consultants expérimentés, basés aussi bien aux Etats-Unis qu'à l'étranger. Cette souplesse lui permet d'affecter une équipe compétente à un projet, quels que soient le client, le problème à régler et sa localisation géographique.

De fait, Ronin utilise son réseau de consultants indépendants comme des intermédiaires. Ce sont eux qui se déplacent et représentent l'entreprise là où le besoin s'en fait sentir. Grâce à ce réseau de distribution peu commun, Ronin a la capacité d'entrer en compétition directe avec des entreprises de conseil beaucoup plus importantes, mais sans grever son budget des importants frais de personnel et de locaux dont ses concurrents doivent s'acquitter !

Le temps de latence. Plus le circuit est long, plus le produit met de temps avant d'arriver jusqu'au consommateur. Une équipe de relais ne peut pas battre un seul coureur sur un sprint. Si vos clients souhaitent une livraison et un service plus rapides, il vous faudra reconsidérer votre circuit de distribution et le modifier jusqu'à leur donner satisfaction.

Pensez à la vente par correspondance, qui a tendance actuellement à se développer dans le domaine de la confection et de l'habillement. Les clients peuvent choisir parmi une variété de styles, de modèles, de tailles et de coloris et recevoir leurs achats sous 48 ou même 24 heures. On pourrait penser que faire ses achats dans un grand magasin est plus rapide puisque le client en sort avec ce qu'il a acheté. Toutefois, une personne très occupée devra patienter parfois plusieurs semaines avant de trouver le temps de s'y rendre. Si l'on y ajoute encore la difficulté que l'on peut avoir à trouver l'article recherché, au total cela peut se solder par beaucoup de week-ends et d'heures de déjeuner bien remplis ! Du coup, feuilleter une pile de catalogues n'est rien en comparaison, et il suffira d'un coup de téléphone à La Redoute en rentrant du travail pour recevoir ses achats dès le lendemain !

Stratégies et tactiques de vente au détail

Si vous êtes étudiant en école de commerce ou bien si vous travaillez en ce moment avec un designer spécialisé, vous entendrez bientôt parler des planogrammes de linéaires (schémas de la disposition et de la présentation des produits dans un magasin) et vous compterez sans doute les UGS *Voir* unité de gestion de stock (unités de gestion de stock) correspondant à chaque référence en stock. Vous serez amené à comparer les volumes de vente des articles disposés en tête de gondole (plus fortes ventes) avec ceux des articles situés au milieu du linéaire (produits moins vendus), puis les ventes des produits disposés à hauteur des yeux (fortes ventes), par rapport à ceux situés en haut ou en bas du linéaire (moins vendus). C'est très bien ; néanmoins toutes ces méthodes, si elles ont leur efficacité, ne sont jamais à elles seules la clé du succès.

Car voici le duo gagnant de la vente au détail : une idée originale et un emplacement bien choisi. Ces deux éléments essentiels déterminent à eux seuls le succès d'un commerce.

L'affluence correspond au flux de clients passant dans le "périmètre d'influence" du commerce, c'est-à-dire à l'espace à l'intérieur duquel la vitrine ou la publicité extérieure sont capables de faire venir les gens. Le succès d'un commerce dépendant directement du nombre de personnes qui y entrent, il vous faut une affluence maximale, qu'il s'agisse de vrais passants (pour un magasin en ville), de voitures (si votre commerce est en bordure de route) ou de passants virtuels (dans le cas d'un site Web).

"Trois éléments sont essentiels pour réussir dans le commerce de détail : l'emplacement, l'emplacement et l'emplacement." Cette petite plaisanterie vous fait à peine sourire ? Si vous aviez déjà essayé de monter un commerce dans une zone peu fréquentée, vous ririez... jaune ! Choisissez donc votre emplacement avec beaucoup de soin, assurez-vous qu'il y a beaucoup de passage dans le quartier que vous avez choisi. Pensez à un commerce comme à un étang. Il ne vous viendrait pas à l'esprit de creuser un étang sans qu'il y ait un cours d'eau à proximité pour le remplir. Pourtant certains s'évertuent à vouloir creuser leur étang dans le désert ou en haut d'une colline.

De même, il vaut mieux ne pas prévoir un important réservoir si le cours d'eau qui doit le remplir n'est qu'un ruisseau. Vous devez adapter la taille de votre commerce au taux d'affluence de votre emplacement et au type de public, quitte à changer pour un emplacement plus approprié. A Amherst (Massachusetts, USA), la petite ville dans laquelle je réside, un centre commercial a été construit à la sortie de la ville. Il comporte plusieurs dizaines de commerces. Quel que soit le moment, plusieurs locaux commerciaux y sont à louer, comme si un à un les occupants finissaient par s'étouffer, comme des poissons dans une eau manquant d'oxygène. En général, ils restent inoccupés pendant plusieurs mois, jusqu'à ce que finalement une âme courageuse vienne tenter sa chance... Le nouveau venu peut être le énième particulier malchanceux ou une grande société qui aurait dû mieux se renseigner (l'une des dernières en date, McDonald's, a déserté aussi, incapable de produire un chiffre d'affaires suffisant pour justifier du maintien du restaurant).

C'est devenu un jeu que d'essayer de deviner qui va rester et qui va échouer. A dire vrai, ce n'est pas bien difficile. La raison en est simple : l'affluence est trop faible. Amherst est une petite ville et, malgré l'université attenante, trop peu de gens fréquentent ce centre commercial. Deux stratégies seulement sont possibles pour un commerçant : s'efforcer de plaire à tous ou proposer des produits très ciblés qui attireraient la clientèle des villes alentour. Mais peu de concepts de commerces sont assez originaux pour drainer une clientèle au-delà de leur environnement immédiat.

Prenons l'exemple d'une bijouterie de Amherst dont les produits ont un tel succès qu'elle attire beaucoup plus de clients que les autres magasins du quartier. Il faut dire que le propriétaire s'efforce de stimuler le flux de clients par des opérations de publipostage, mais aussi en entretenant l'aspect original et attirant de son magasin, une grande et belle maison victorienne située à la périphérie de la ville. Son succès est basé sur un élément dont notre boutade de tout à l'heure ne parlait pas : le *concept* de boutique ou de commerce. Le concept est un savant et créatif mélange de stratégie de merchandising et d'ambiance que vous pouvez utiliser pour attirer la clientèle.

Stratégies de merchandising

Que vous distribuiez des services ou des biens, il vous faut réfléchir à votre stratégie de merchandising. En effet, que vous le sachiez ou non, vous en avez une. Dans le cas où vous ne le saviez pas, vous appliquez probablement la stratégie usuelle dans votre secteur d'activité, et il va vous falloir la dépoussiérer et sortir des sentiers battus. En effet, la stratégie de merchandising, c'est-à-dire la sélection et l'assortiment des produits proposés, se trouve être le principal avantage (ou inconvénient) concurrentiel des commerçants.

Je vous encourage vivement à innover dans ce domaine, car une bonne stratégie de merchandising est souvent à l'origine du succès d'un commerce de détail. Si vous le pouvez, réservez-vous quotidiennement un moment pour penser à de nouvelles stratégies de merchandising et mettez en pratique les meilleures idées chaque fois qu'il vous est possible de le faire. Voici quelques stratégies qui ont marché et dont vous pouvez vous inspirer pour votre commerce. Personne ne les a peut-être appliquées dans votre secteur d'activité, votre région. Elles peuvent aussi vous inspirer d'autres idées.

Commerce de détail non spécialisé

Cette stratégie marche bien, car elle regroupe un assortiment de produits à la fois profond et large, ce qui permet aux clients de trouver facilement les produits dont ils ont besoin. Les grands magasins (Galeries Lafayette, Le Bon Marché, pour ne citer qu'eux), les magasins généralistes (tel le BHV) ainsi que la plupart des hypermarchés appliquent cette stratégie de merchandising. Aux Etats-Unis, les magasins-entrepôts comme Staples (papeterie et articles de bureau) ou Home Depot (meubles), à l'aménagement sommaire, proposent un choix très vaste dans leur spécialité à des prix souvent plus bas qu'ailleurs. Vous voyez que cette stratégie peut s'appliquer de différentes façons.

Commerce de détail spécialisé

Cette stratégie donne la priorité à la profondeur plutôt qu'à la largeur de gamme. Par exemple, c'est la stratégie appliquée aujourd'hui par plusieurs chaînes de magasins d'alimentation spécialisés en produits biologiques et macrobiotiques (par exemple : Naturalia, La Vie Claire, L'Elan Nature, etc.) ou une autre chaîne de magasins comme Nicolas, proposant toutes sortes de vins.

Mais cette stratégie est plus particulièrement appliquée dans le domaine des services. Les cabinets comptables ne proposent que des services de comptabilité, de même pour les cabinets d'avocats, de dentistes, etc. On observe très peu d'innovation marketing et de merchandising dans le domaine des services.

Vous pourrez peut-être proposer plusieurs services complémentaires, cha-que type de service pouvant comporter une gamme plus réduite que celle proposée par vos concurrents. Votre concept a toutes les chances d'être gagnant, à condition que cela ne nuise ni à la qualité ni à la profondeur de la gamme. Vos clients pourront ainsi bénéficier de services "intégrés" qui leur simplifieront sûrement la vie.

Après tout, un commerce spécialisé doit proposer aux clients quelque chose de plus : meilleure qualité du service, grande qualité des produits proposés, etc. Malheureusement, beaucoup de commerçants l'oublient, ne proposent rien de tel et s'effondrent dès qu'un commerce mieux approvisionné ouvre dans leur quartier. Qu'est-ce qui fait la différence entre l'approvisionnement du magasin d'électroménager ou de la maroquinerie du coin avec celui offert par le BHV, par exemple ? Si vous tenez une boutique, il vaudrait mieux pour vous trouver plusieurs bonnes réponses à cette question ! Cherchez à savoir en quoi votre sélection d'articles, votre concept de magasin ou de boutique, votre emplacement sont différents et meilleurs que ceux de ces concurrents géants !

Merchandising innovant

Les consommateurs ont souvent des notions très arrêtées sur les lignes de produits. Il y a cinquante ans, il ne serait venu à l'idée de personne d'entrer dans une épicerie ou un supermarché pour acheter des produits frais. Ils étaient vendus par les magasins spécialisés en produits primeurs. Aujourd'hui, les supermarchés proposent non seulement des produits frais, mais ils ont souvent un rayon boucherie, poissonnerie, boulangerie, pâtisserie, épicerie fine, etc. Ils utilisent une stratégie de merchandising innovant dans le sens où ils proposent des combinaisons de produits inhabituelles. De même, les stations-service ont souvent une partie boutique qui propose un choix de produits alimentaires (sandwiches, gâteaux, boissons, etc.), ainsi que des fournitures pour véhicules et des articles de loisirs. Ce type de stratégie est maintenant bien accepté. Toutefois, les exemples de supermarchés proposant des services de banque et d'assurances sont beaucoup moins courants.

Des associations réussies

Essayons de voir quelles nouvelles combinaisons de produits pourraient marcher. Que diriez-vous d'une laverie automatique jumelée à une salle de sport ? Les clients pourraient ainsi faire travailler leurs muscles en attendant que leurs vêtements soient lavés. Ou bien une boutique "relationnelle" qui combinerait les services d'un magasin de fleurs, d'une bijouterie, d'une boutique d'articles de cadeaux, d'une papeterie (papiers et cartes postales) auxquels viendrait s'ajouter un service d'accès à Internet et au e-mail, et proposant aussi la conception de jolis paquets cadeaux et l'expédition des colis pour le compte des clients ? Ce concept réunirait donc toutes sortes de services destinés à créer ou faciliter les relations entre personnes. Vous voyez ce que je veux dire ? Ce n'est pas très difficile, finalement, il suffit d'essayer !

Si l'on définit la créativité par la recherche de combinaisons d'idées ou de produits inhabituelles et heureuses, vous voyez que nous y sommes tout à fait. Adopter une stratégie innovante est ce que vous pouvez faire de mieux. Attention toutefois à ne pas décider d'adapter des combinaisons de produits simplement parce qu'elles sont pratiques pour vous. En effet, il arrive souvent que des commerçants ajoutent une ligne de produits à leur assortiment uniquement parce qu'il est facile pour eux de le faire, soit qu'ils connaissent quelqu'un dans la branche, soit qu'ils aient pu racheter une affaire pour une bouchée de pain. En fait, ces bonnes raisons n'en sont pas. Il faut toujours voir les choses du point de vue du client et s'efforcer de trouver des idées qui vont *lui* plaire.

Il est intéressant de voir que le concept de cybercafé, café "traditionnel" proposant aussi un service d'accès à Internet, est apparu simultanément dans plusieurs endroits. Effectivement, il semble naturel et agréable de pouvoir siroter sa bière ou déguster son expresso tout en surfant sur Internet ou en échangeant des propos galants on-line ! Ce concept n'est pas le simple amalgame de deux concepts de base, mais un vrai nouveau service.

Ambiance, quand tu nous tiens...

L'ambiance d'un magasin ou d'une boutique est l'image qu'ils donnent, en particulier à travers leur décoration et leur aménagement. L'ambiance est intangible, on ne peut ni la quantifier ni la définir. Mais elle se sent. L'ambiance peut être exaltante, réconfortante, glamour. C'est précisément cette ambiance qui attire les clients et qui fait que l'expérience de leur visite restera dans leur mémoire. Faites donc très attention à l'ambiance de votre point de vente.

Certains louent très cher les services d'un architecte d'intérieur ou d'un designer qu'ils chargent de trouver ce qui conviendra le mieux pour leur boutique. Ils dépenseront ensuite une fortune en luminaires originaux, tapis, etc., pour concrétiser leurs propositions. Cette façon de faire peut marcher... ou non ! Le problème est que ces professionnels sont tous d'accord sur ce qui va bien avec tel ou tel produit et que vous risquez fort d'écoper de la même ambiance que celle existant dans les magasins similaires.

 N'hésitez pas au contraire à trouver vous-même le concept de votre magasin ou de votre boutique et à travailler l'ambiance à votre idée. Si vous pensez qu'une forêt tropicale conviendrait parfaitement à votre concept et à vos produits, louez les services d'un architecte d'intérieur et de quelques artistes peintres un peu fous qui sauront transformer l'endroit en jungle ! C'est le concept adopté pour le "Rainforest Cafe", dont le premier restaurant a été ouvert au Minnesota. Cette formule a eu un tel succès que plusieurs autres ont été ouverts aux Etats-Unis.

Vous êtes peut-être un grand fana des vieilles machines à vapeur. Profitez-en ! Faites-en le thème de votre boutique de vêtements pour hommes ou de votre magasin de jouets ! Truffez votre boutique de circuits et de maquettes de trains à vapeur, mettez un grand poster représentant l'entrée en gare d'une bonne vieille loco, ajoutez ponctuellement le sifflement d'un train à votre musique de fond. Certains vont adorer, d'autres penseront que vous êtes dingue, mais ils se souviendront tous de leur passage dans votre magasin !

L'une des raisons pour lesquelles l'ambiance est très importante est que les clients viennent chercher plus que de simples produits dans un magasin de détail ou une boutique. Dans notre société de consommation, "faire les magasins" est une activité en soi. Les enquêtes montrent que, dans un centre commercial, moins d'un quart des visiteurs sont à la recherche d'un produit particulier. Les gens font souvent du shopping pour tromper la solitude ou l'ennui, pour éviter de penser à leurs problèmes, pour assouvir leurs fantasmes ou simplement pour se changer les idées. Prenez ces facteurs en compte lorsque vous déciderez du concept de votre commerce.

De la même façon qu'une publicité amusante retient assez longtemps l'attention des clients pour leur faire entendre le message, essayez de divertir vos clients de telle façon qu'ils soient retenus devant vos produits un maximum de temps.

Les magasins Disney appliquent cette stratégie d'une façon très efficace - il est vrai qu'ils ne manquent pas d'expérience dans le domaine du divertissement ! Des films signés Walt Disney passent en continu sur un écran situé au fond du magasin. La plupart des clients viennent y jeter un œil, ce qui leur fait traverser entièrement le magasin au moins deux fois : l'une pour entrer, l'autre pour sortir. Ils passent donc devant une bonne partie des produits, et ont ainsi plus de chances de trouver un article dont ils aient besoin ou envie (parlons plutôt d'envie, car ce que l'on y vend n'est pas à proprement parler utile, ce qui ne semble d'ailleurs pas affecter les ventes le moins du monde).

Politique de prix et de qualité

Les magasins de détail et les boutiques bénéficient d'une grande variété de combinaisons possibles en termes de politique de prix et de qualité. Certains commerces sont de vraies boutiques de luxe : on y trouve les meilleurs produits au prix le plus élevé. Une partie des commerces de détail adoptent une position intermédiaire, tandis que d'autres écoulent la "camelote" achetée lors de liquidations et la proposent à des prix très bas. On peut dire que le système du commerce de détail reflète la structure de classes de la société, structure peut-être moins visible aujourd'hui sous ses autres aspects aux Etats-Unis et en Europe.

Cela signifie qu'en tant que commerçant vous devrez indiquer clairement aux clients le créneau que vous avez choisi. Ne pas le faire les laisserait sûrement perplexes. Mais quel est ce créneau ? Est-ce une boutique de luxe, une boutique plutôt susceptible d'être fréquentée par des personnes appartenant aux classes aisées, aux classes moyennes, ou par des clients aux revenus modestes ? Y voyez-vous plutôt des employés ou des cadres ? Et ainsi de suite…

Une fois que vous aurez défini le positionnement de votre commerce, il faudra décider de votre politique de prix. En général, plus le positionnement est élevé, plus les prix peuvent l'être. Mais le secret consiste à appliquer une politique de prix correspondant à un positionnement légèrement inférieur. Vos clients achèteront ainsi des produits de premier choix pour un prix de "seconde sélection". Et ils en seront vraiment ravis !

La vente au détail

Les commerçants ont parfois une attitude passive face au processus de vente. Ils disposent les produits dans les étagères ou sur les cintres, puis attendent que les clients entrent dans leur boutique, choisissent un produit et viennent le payer à la caisse. D'autres ont une attitude plus active et ont toujours quelqu'un dans leur boutique prêt à intervenir quand un client a besoin de conseils. En tout état de cause, peu de commerçants vont jusqu'au bout de cette logique et emploient des vendeurs confirmés capables d'aller au-devant des clients.

Ainsi, seulement 20 % des commerçants chercheraient à conclure une vente, tandis qu'une aide serait proposée au client dans moins de 20 % des cas. Il arriverait même que personne ne s'occupe de lui !

Cette attitude se justifie parfois. Mais, en général, une personne entrant dans un magasin doit être considérée comme un véritable prospect (si elle entre dans une boutique, c'est qu'elle pense éventuellement faire un achat). Faites un petit effort pour savoir quel est son besoin et proposez des produits susceptibles de lui convenir. Demandez-lui ensuite si elle désire acquérir le produit. Cette dernière étape est très importante et doit *conclure la vente*, comme on dit dans le métier. Appliquée systématiquement, cette technique permet à coup sûr d'augmenter le nombre total des ventes (voyez le Chapitre 17 pour plus de détails à ce sujet). Toutefois, n'insistez jamais, vous risqueriez de mettre votre client mal à l'aise, ce qui ne favoriserait pas une prochaine visite !

Comment stimuler les ventes

Rappelons que le point de vente est le lieu de rencontre entre le consommateur et le produit. Ce peut être aussi bien le linéaire de supermarché, une page de catalogue de vente par correspondance ou encore une page Web. Quel que soit cet endroit, on pourra lui appliquer les principes de la publicité sur le lieu de vente (aussi appelé PLV). Voyons (revoyons plutôt, cf. Tableau 15.1) d'abord quelques chiffres, relevés par le Point of Purchase Advertising Institute (Institut - américain - de la publicité sur le point de vente).

Tableau 16.1 : Nature de la décision d'achat.

	En % d'achats faits en supermarché	En % d'achats fait en magasin de gros
Non préméditée	60 %	53 %
Substitut au produit recherché	4 %	3 %
Généralement préméditée	6 %	18 %
Spécifiquement préméditée	30 %	26 %

Les clients prévoient spécifiquement certains achats avant même d'entrer dans un magasin. C'est le cas pour 30 % des achats faits en supermarché et pour 26 % des achats faits en magasin de gros. Dans ce cas, les clients choisissent leur magasin en fonction des achats qu'ils ont à faire. Ils ne seront pas très perméables aux influences d'une éventuelle action marketing. Malgré tout, un emplacement de magasin adéquat, une bonne stratégie d'approvisionnement, une ambiance originale ainsi qu'une politique de prix intelligente pourront contribuer à ce que les consommateurs choisissent votre magasin plutôt qu'un autre pour faire ces achats prémédités. Ajoutez-y une bonne conception de magasin et une présentation des produits agréable et efficace. Vous détenez maintenant la recette qui va vous permettre d'avoir une d'influence sur ce type d'achat.

Il est possible d'exercer une influence sur beaucoup plus de ventes que vous ne le pensez, et c'est plutôt une bonne nouvelle ! Toutes les études que j'ai pu lire, y compris celle dont ont été extraites les statistiques du Tableau 16.1 (outre le fait que moins des trois quarts des personnes présentes dans un centre commercial ne recherchent pas de produit précis), ne font qu'apporter de l'eau à notre moulin en confirmant que :

Les consommateurs sont extrêmement indécis et influençables.

Le fait que de 50 à 75 % des achats ne sont pas prémédités est tout simplement incroyable ! Qu'est-il donc arrivé à notre bonne vieille liste de courses ? Comment les consommateurs se débrouillent-ils pour ne pas être constamment dans le rouge avec tous ces achats impulsifs ? Et surtout pourquoi errent-ils comme des âmes en peine dans les magasins ? N'ont-ils pas de famille, pas de travail, pas de passions qui les occupent ? Apparemment non !

Je ne prétends pas comprendre notre société de consommation, je me contente d'écrire sur le sujet. Je suis bien incapable de vous expliquer pourquoi le consommateur moderne agit comme un zombie. En tout cas, c'est ce qui rend le marketing appliqué au point de vente si important pour tout responsable marketing s'occupant de la vente de biens de consommation ou de services grand public. Que vous soyez producteur, grossiste ou détaillant, il vous faut admettre que la décision d'achat - ou de non-achat – est le plus souvent de nature impulsive. Ce qui veut dire qu'il vaut mieux trouver les moyens de faire tourner les choses à votre avantage, en particulier grâce au point de vente. Dans le cas contraire, la vente se fera au bénéfice d'un concurrent qui l'aura fait.

Quand les chasseurs-cueilleurs vont dans les bois...

En fait, j'ai ma théorie là-dessus. Elle est fondée sur le fait que, pendant une grande partie de l'histoire de l'humanité, nous avons été chasseurs et cueilleurs. Pour ceux qui n'ont jamais pratiqué ce type d'exercice, voici en quoi cela consiste. On se lève quand on en a envie, puis on prépare un bon petit déjeuner avec les restes de la veille. Après une petite sieste digestive, on se dit qu'il est temps de penser à dîner. Les femmes et les enfants prennent leur bâton à fouir et leur besace, les vieux continuent à se reposer pendant que les hommes plus jeunes s'éloignent sans bruit, munis d'arcs et de flèches ou de lances pour la chasse.

La plupart du temps, les chasseurs suivent des pistes, examinent des traces pendant des heures ; ils ont chaud et soif, et décident alors de rentrer au camp. De temps en temps, ils ont tout de même la chance de tomber sur une antilope ou un autre animal et rentrent avec de la viande fraîche qu'ils pourront faire rôtir au feu.

Pendant ce temps, les femmes et les enfants remplissent leur besace de toutes les denrées comestibles qui leur semblent appétissantes et qui sont à maturité : fruits frais ou baies ; graminées qui seront pilées et viendront agrémenter le repas ; racines et tubercules qu'ils déterrent avec le bâton à fouir, auxquels viendront s'ajouter occasionnellement des œufs d'oiseaux, de tortue ou d'autres animaux.

Si l'on considère que ces activités se rapprochent de celle qui consiste à faire des courses, sans l'inconvénient de passer à la caisse, on comprend alors beaucoup mieux l'attitude des consommateurs modernes.

En effet, comment planifier la cueillette ? Bien sûr, on peut surveiller les baies et prévoir de revenir les ramasser quand elles seront mûres à point, mais cela ne fonctionne que dans très peu de cas. La plupart du temps, il faut plutôt être un habile opportuniste, écouter son instinct pour trouver le "bon coin" et se laisser guider par tous ses sens pour dénicher les denrées. On peut aussi revisiter les anciens bons coins. Au retour, on vide sa besace, on examine l'ensemble des denrées et on décide de ce que l'on mangera au dîner.

Les données disponibles sur la façon dont les consommateurs font leurs achats n'ont plus vraiment de sens dans le contexte actuel, où le budget des ménages est plutôt réduit. En revanche, le modèle des chasseurs-cueilleurs peut être utile. Mon conseil est donc de concevoir produit, packaging, agencement du point de vente et présentation des produits en ayant ce modèle bien en tête. Misez sur cet instinct de chasseur qui permettra aux consommateurs de découvrir les bons coins, permettez-leur de les parcourir à la recherche de produits mûrs qu'ils pourront mettre dans leur besace. Corsez le jeu en posant quelques pièges, mais faites en sorte qu'il leur soit facile de trouver plein de produits intéressants qu'ils pourront ramener chez eux. Placez-les dans leur champ visuel et à portée de main (les bâtons à fouir ne sont plus à la mode aujourd'hui) et présentez des produits qui soient appétissants et à point.

Autre chose. Rappelez-vous que certains consommateurs sont des chasseurs dans l'âme, non des cueilleurs. Ce sont ceux qui prennent un malin plaisir à pister longuement le produit qu'ils convoitent. Ils seront capables de faire tous les magasins possibles pour dénicher l'article en question. Ils apparaissent bien sûr dans les statistiques parmi ceux dont les achats sont prémédités, mais achètent rarement le produit tout de suite. Ils préfèrent attendre le bon moment pour capturer leur proie. Pour faire plaisir à ces clients chasseurs, proposez des produits dont l'achat est très impliquant (et non ceux faisant partie des achats de routine) d'une façon originale. Cachez-les un peu, faites un prix (ou un lot avec un produit complémentaire), ils penseront qu'il s'agit vraiment d'un bon coup qu'ils ne peuvent pas laisser passer !

Présentation des produits sur le point de vente

En allant encore plus loin dans la métaphore des chasseurs-cueilleurs, vous pouvez augmenter vos ventes en créant des arbres et des buissons d'un nouveau type dans lesquels vos clients iront cueillir les produits. Les présentoirs font très bon effet, mais sont sans doute peu utilisés par les détaillants car ils prennent trop de place. Les étagères, racks et meubles de comptoir sont moins efficaces mais plus faciles à utiliser dans un magasin de détail ou une boutique. En fait, un meuble ou un objet original peut faire l'affaire pour servir de support d'étalage. La fréquentation globale du magasin sera plus importante et les ventes ne s'en porteront que mieux. Les supports de présentation originaux nourrissent aussi l'atmosphère du magasin et contribuent à rendre ce dernier divertissant pour les clients.

Si la créativité est l'un des éléments les plus importants dans le succès d'un concept de magasin ou de boutique, elle est aussi déterminante pour un point de vente. Illustrons ce propos par l'exemple suivant.

Lorsque Procter & Gamble a voulu lancer la nouvelle formule de son sirop pour la toux Vicks 44, ils ont créé un présentoir (pouvant être utilisé seul ou posé sur une étagère) consistant en un support comportant deux bouteilles transparentes, l'une contenant du Vicks 44, l'autre contenant un sirop concurrent. Les consommateurs pouvaient alors retourner les bouteilles et constater que Vicks 44 recouvrait complètement les parois de sa bouteille, tandis que le sirop concurrent tombait directement au fond de la sienne. Le propos de ce présentoir était de démontrer le bénéfice client (l'avantage que le consommateur peut tirer de l'utilisation du produit) sur lequel était fondée la campagne publicitaire de lancement de Vicks 44, c'est-à-dire de mieux protéger la gorge et le pharynx que les sirops concurrents. Personnellement, j'apprécie beaucoup ce présentoir, en particulier pour son caractère interactif. Il attire l'attention, fait participer directement le consommateur - il fait lui-même l'expérience de la promesse publicitaire du produit - et communique ce seul mais puissant bénéfice client, aussi bien ou même mieux qu'une publicité bien faite.

Beaucoup trop souvent, les présentoirs destinés aux points de vente ne font pas tout ce que fait celui du sirop Vicks 44. En bref, un présentoir ne peut jouer correctement son rôle qu'à ces trois conditions :

- **Qu'il attire l'attention :** Rendez-le innovant, amusant, bizarre pour qu'il fasse ainsi venir les clients à lui.

- **Qu'il soit capable d'impliquer les consommateurs :** En leur proposant de réfléchir sur un sujet ou de faire quelque chose qui va les faire participer.

- **Qu'il vende le produit :** Assurez-vous que le présentoir énonce clairement la promesse publicitaire. Il doit communiquer le positionnement ainsi que le bénéfice client (j'espère que vous en avez un !). Se contenter de disposer le produit sur le présentoir n'est pas suffisant. Il vaut vendre, sinon le détaillant n'y verra aucun intérêt. Les détaillants n'ont pas besoin de responsable marketing pour disposer les produits. Par contre, *ils ont besoin de lui pour les vendre.*

Vous aurez peut-être remarqué ma préoccupation par rapport au fait que les détaillants apprécient et utilisent le présentoir. Pour David Rush, consultant chez KSA, c'est une question très importante. Il estime en effet que 50 à 60 % des présentoirs ne sont jamais installés en magasin. Si vous êtes sur le point de distribuer un présentoir destiné aux points de vente, vous allez devoir vous battre. Les statistiques nous apprennent que votre présentoir se doit d'être deux fois supérieur à la moyenne pour avoir une chance de ne pas finir dans la première benne à ordures venue !

A propos de la publicité sur le lieu de vente...

Nous avons vu les principes, voyons maintenant les faits. Voici quelques informations qui vous aideront à concevoir et à appliquer votre programme de publicité sur le lieu de vente.

1. **Qui doit financer la publicité du lieu de vente, le producteur ou le détaillant ?**

   D'après le Point-of-Purchase Advertising Institute (POPAI), dans environ un cas sur deux, ce sont les services marketing du producteur qui conçoivent et/ou achètent le matériel de publicité pour le lieu de vente et l'offrent aux détaillants. Dans ce cas, il est intégré au plan d'action marketing. Dans les autres cas, les détaillants conçoivent leur propre matériel.

2. **Quel type de matériel publicitaire est utilisé par les producteurs ?**

   Prenons encore les chiffres du POPAI comme référence. Les enquêtes ont montré que les dépenses les plus importantes sont faites pour le matériel de présentation fixe et durable (ce sont en général les détaillants qui le prennent en charge). Viennent ensuite (en ordre d'importance en termes de dépenses consenties) le matériel audiovisuel et les éléments de signalisation. Le matériel de présentation temporaire ou d'appoint ne vient qu'en troisième position. Quand les producteurs ou distributeurs pensent au matériel de présentation, ils pensent souvent en termes de matériel temporaire ou d'appoint. Il leur faudrait sans doute réviser leur approche et penser à financer prioritairement le matériel fixe et de signalisation, ensuite seulement le matériel temporaire et d'appoint.

3. **Comment la publicité sur le lieu de vente (PLV) stimule-t-elle les ventes ?**

   On peut comparer les chiffres des ventes faites avec et sans PLV. En effet, vous devez estimer de combien les ventes peuvent être stimulées grâce à ces techniques et évaluer les retours sur investissement possibles. On peut déjà dire que la stimulation est la plus efficace pour les produits d'achat courant et les accessoires. Les nouveaux produits peuvent aussi en tirer de grands bénéfices si la PLV est suffisamment informative et claire en ce qui concerne le bénéfice client. Enfin, voici un tableau (Tableau 16.2) reprenant quelques chiffres de stimulation des ventes tirés d'une étude menée par le Point-of-Purchase Advertising Institute.

Tableau 16.2 : Statistiques de stimulation des ventes.

Matériel de présentation/signalisation pour :	Stimulation moyenne (%)
Pellicules photos/produits de retouche photos	48
Chaussettes/sous-vêtements/collants	29
Produits vaisselle	22
Gâteaux et biscuits	18
Cassettes vidéo	12
Beurre/margarine	6
Produits pour animaux domestiques	6
Papeterie	5
Gâteaux apéritif	4
Sauces salades	3

4. **Quel budget allouer à la PLV**

Impossible de le dire précisément. Il faut voir au cas par cas. Ce que je peux vous dire, en revanche, c'est qu'aux Etats-Unis la PLV arrive en troisième position des dépenses publicitaires (avec 13 milliards de dollars, derrière la télévision - 30 milliards de dollars - et la presse - 25 milliards de dollars) et j'avoue que cela m'a surpris ! Ce type de publicité occupe une place beaucoup plus importante que ce qu'imaginent la plupart des responsables marketing. Son importance est méconnue en partie parce que ces dépenses sont réparties entre producteurs, distributeurs, grossistes et détaillants, et qu'elle bénéficie de moins d'attention que les autres médias dans le plan d'action marketing. C'est une grosse erreur. Identifiez qui, dans votre circuit de distribution, intervient pour la PLV qui concerne votre produit. Sortez la PLV de l'ombre et travaillez à l'intégrer complètement et efficacement dans votre stratégie marketing.

Chapitre 17
L'essentiel sur la vente et le service client

C hez Black & Decker, la vente et le service support clients (distributeurs et gros détaillants) ont autant d'importance que le produit. Peut-être même encore plus. Selon Bruce Cazenave, vice-président de Black & Decker, les professionnels - tous ces distributeurs et détaillants qui revendent les produits à la clientèle finale - ont trois besoins auxquels il faut répondre avec des prestations d'excellente qualité :

- assistance à la livraison,

- assistance à la vente sur le terrain,

- service clientèle.

Si l'entreprise parvient à rendre ces services dans d'excellentes conditions, elle retient ses clients professionnels et par conséquent, à travers eux, sa clientèle finale. Dans le cas contraire, ces professionnels se tourneront vers les entreprises concurrentes, annulant du même coup toutes les ventes qu'ils pouvaient faire. Ainsi, vente et services - et ceci est peut-être encore plus vrai pour les services liés à la vente - sont les deux éléments clés du succès de Black & Decker.

Les besoins de Black & Decker ne sont pas différents de ceux de beaucoup d'entreprises. Sans des relations personnelles étroites avec les clients, patiemment tissées grâces aux fréquentes visites des commerciaux, ainsi qu'à un service support client performant, le marketing de l'entreprise ne serait rien. Si c'est aussi le cas pour votre entreprise - ce que vous pourrez savoir en faisant le test ci-dessous -, des efforts particuliers devront être faits dans le domaine de la vente et du service clientèle.

Dans ce cas, vous devrez être un vendeur performant ou embaucher des personnes ayant cette compétence. Ce chapitre comporte un test qui permettra d'évaluer vos aptitudes commerciales et de déterminer quels sont les progrès que vous devez faire. Vous trouverez ensuite des conseils concernant la gestion et l'amélioration du processus de vente. Vous apprendrez aussi comment organiser votre force de vente, comment faire travailler des représentants multicartes et comment concevoir un plan de rémunération qui vous permettra de maintenir le moral de vos troupes à un haut niveau.

Ce sont des tâches très difficiles et pleines de danger. Si vous réussissez à les mener à bien, vous en serez largement récompensé. Une force de vente bien gérée et bien organisée, une liste de contacts commerciaux bien ciblée et une présentation convaincante du produit vous permettront de transformer n'importe quel produit de qualité décente en un produit gagnant. C'est pourquoi je vous recommande de lire très attentivement ce qui suit.

Quand faut-il prêter une attention particulière à la vente personnelle ?

Nous appellerons ici vente personnelle la vente faite avec l'intervention et la présence d'un vendeur. Cette vente occupe dans certains cas une place essentielle au sein du processus marketing global. Dans ce cas, le plan marketing et toutes les activités du département doivent se focaliser sur la qualité de cette vente "face à face".

Toute publicité, opération de publipostage ou de télémarketing, aussi bien que les opérations de parrainage ou de relations publiques, passent après la vente "face à face". De fait, quand celle-ci est l'élément prépondérant, c'est par elle qu'il est possible d'exercer la plus grande influence sur les clients.

Gros plan sur la vente

L'importance de la vente personnelle m'est véritablement apparue lorsque l'on m'a demandé de participer au conseil de direction de Consolidated Freightways (CF), une importante société de services dans le domaine du transport et de la logistique. A la suite de la déréglementation des transports routiers et aériens qui s'est opérée aux Etats-Unis à la fin des années 80, la société s'est trouvée confrontée à une concurrence importante, mais aussi à de nouvelles opportunités. Les dirigeants voulaient faire entrer leur société de plain-pied dans ce monde nouveau, en particulier grâce à un département marketing tout neuf que l'on m'avait chargé d'organiser. Nous nous sommes jetés à corps perdu dans cette modernisation, à grand renfort de méthodes de recherches, d'enquêtes et de planification qui ont été adoptées par toutes les filiales, mais aussi de publicités et de campagnes d'information agressives, de programmes de publipostage et de télémarketing sophistiqués, de conception de nouveaux produits, etc.

Après quelque temps, je me suis rendu compte que l'utilisation de tous ces outils marketing ne servait pas à grand-chose. Ce qui comptait avant tout pour les clients était la relation personnelle qu'ils avaient établie avec le commercial. Les clients choisissaient CF en particulier pour la qualité de leur relation avec les commerciaux. Malgré tous nos efforts, les clients sont restés indifférents à tout autre moyen de communication marketing. Le commercial étant souvent la première personne que l'on appelle en cas de problème, cette relation est sans doute ce qu'il y a de plus important pour un client et le plan d'action marketing doit venir la soutenir.

Vous avez pu constater en lisant l'encadré intitulé "Gros plan sur les ventes" que la vente personnelle est ce qu'il y a de plus important pour les clients de Consolidated Freightways (CF). Pourquoi ? Voici quelques éléments de réponse :

- Premièrement, dans le domaine du transport de fret, les entreprises clientes ont des besoins ponctuels et complexes. Chaque opération de transport est unique. De plus, le transport de matières premières ou de produits finis est une étape critique pour le succès des opérations commerciales de l'entreprise. Etant donné le caractère unique de chaque opération de transport, un processus de négociation personnelle s'impose pour parvenir à établir l'offre de service et à fixer le prix de chaque opération de transport pour un client particulier.

- Deuxièmement, les clients veulent avoir un interlocuteur privilégié au sein de l'entreprise, quelqu'un qui puisse répondre à une demande particulière ou résoudre un problème urgent, car, pour le client, le transport est une étape très importante de son processus commercial et fait partie du quotidien.

- Enfin, l'entreprise cliente de CF fait souvent transporter un volume de fret important. Il est donc très tentant pour une entreprise concurrente d'essayer de la "débaucher". Si CF ne faisait pas d'effort particulier dans le domaine de la vente personnelle, les clients passeraient sans doute à la concurrence, quel que soit le nombre d'encarts publicitaires qu'ils ont pu voir dans la presse !

Si ce constat peut s'appliquer à votre entreprise, vous aurez appris quelque chose d'important : concentrez vos efforts vers le service et la vente personnelle.

Pour savoir si cela concerne votre entreprise, prenez un papier, un crayon et répondez au petit test de la section suivante. Vous y trouverez sept questions auxquelles vous devrez répondre par oui ou par non. Si vous répondez oui à au moins quatre d'entre elles, cela signifie que vous devrez axer vos actions marketing sur la vente personnelle. Vous voudrez certainement faire bien d'autres choses, alors assurez-vous que ces choses viennent bien appuyer les efforts que vous ferez dans le domaine du processus de vente personnelle, car ce processus est l'élément clé de votre succès - ou de votre échec. Vous devrez donc bien réfléchir à la manière dont vous allez sélectionner, embaucher, organiser, appuyer et motiver vos commerciaux. De leurs performances dépend le succès de votre action marketing.

La vente personnelle et le service clientèle sont-ils les éléments clés de votre plan d'action marketing ?

❏ oui   ❏ non   Votre client type fait beaucoup de petits achats ou très peu de gros achats sur une période d'un an.

❏ oui   ❏ non   Votre client type a souvent besoin d'une aide, que ce soit pour choisir ou pour utiliser le produit.

❏ oui   ❏ non   Le secteur d'activité de votre client type est complexe, il a des besoins très spécifiques qui s'imposent donc à vos produits/ services.

❏ oui   ❏ non   Vos produits ou services jouent un rôle très important dans l'ensemble des activités de vos clients.

❏ oui   ❏ non   Vos clients ont l'habitude de travailler en collaboration avec vos commerciaux et attendent une aide et un service personnalisés.

❏ oui   ❏ non   Vos concurrents démarchent régulièrement vos clients et/ou vos prospects.

❏ oui   ❏ non   Pour retenir un client, les services doivent être très personnalisés.

Fidéliser ses clients par la qualité du service

Mon expérience chez CF m'a appris aussi que vente et service sont interdépendants. Quand le processus de vente est important - et il l'est très souvent dans le domaine du commerce interentreprises, ainsi que dans certains secteurs de la vente aux particuliers -, le service clientèle est aussi un élément clé de réussite. La raison en est simple : l'efficacité du processus de vente permet de conquérir des clients et celle du service clientèle permet de les garder. Si vous ne savez pas garder vos clients, inutile de vous en faire de nouveaux. Ils ne feront que passer.

Si vos clients vous lâchent ou si la rotation des clients dépasse environ 10 %, il y a fort à parier que vous avez un problème avec votre service support client. Pour avoir une idée de la rotation de cette clientèle, comparez les listes de deux années consécutives ou demandez à vos commerciaux - si vous en avez - de réunir les données dont vous avez besoin, dans le cas où il ne vous serait pas facile de le faire vous-même directement à partir de la base de données clients ou à partir du fichier des facturations.

Note : Certaines entreprises considèrent avoir perdu un client à partir du moment où les commandes de celui-ci ont diminué de moitié, ce qui vous donne des chiffres plus "durs" que ceux obtenus à partir d'une liste pour laquelle on considère un client perdu quand il a cessé de faire toute commande.

Pour calculer le taux de rotation de vos clients, procédez de la façon suivante :

1. **Comparez la liste des clients de l'année passée avec celle de l'année en cours pour voir combien vous en avez perdu.**

   Pour cette opération, ne tenez pas compte des nouveaux clients.

2. **Comptez le nombre total de clients de la liste de l'année passée.**

   Ce nombre est votre base, votre point de départ.

3. **Divisez le nombre de clients perdus (résultat de l'étape 1) par le nombre total de clients (résultat de l'étape 2) pour obtenir votre taux de rotation client.**

Prenons un exemple. Si vous avez commencé l'année avec 1 500 clients et que vous en avez perdu 250, votre taux de rotation client est de 250/1500, c'est-à-dire presque 17 %. Si c'est votre cas, vous avez largement dépassé le plafond des 10 % : efforcez-vous de découvrir ce qui ne va pas au sein de votre service support client.

Avez-vous ce qu'il faut ?

Certaines personnes semblent avoir le commerce dans la peau, alors que d'autres semblent promises à l'échec dans ce domaine. Mais la plupart sont entre deux eaux, se battent pour améliorer leurs capacités et se demandent si elles s'y prennent bien. Ce ne sont ni des surdoués ni des vendeurs à la noix, mais ils évoluent quelque part entre ces deux extrêmes : ils sont capables d'obtenir d'excellents résultats, mais cela ne leur vient pas naturellement.

Ainsi les entreprises testent de plus en plus férocement les aptitudes commerciales de leurs candidats. Les tests existants sont terriblement subjectifs et beaucoup sont vraiment mal écrits (toute une gamme de tests écrits sont proposés aux entreprises ou directement aux départements des ressources humaines, mais je ne vous en recommande aucun). Les programmes de formation sont conçus pour évaluer les capacités personnelles à la vente, mais comme un moyen de déterminer les domaines devant être améliorés. Malgré tous ces processus de sélection et ces programmes de formation, les entreprises semblent toujours aussi incapables de recruter de bons vendeurs. C'est ce que nous apprennent les statistiques : certaines études donnent un chiffre moyen de 70 % de turnover par an pour les commerciaux ! Quand le turnover de la force de vente est élevé, la rotation des clients l'est aussi. Vous devez donc trouver de bons commerciaux et les garder.

Aucun instrument d'évaluation global ne mérite d'être recommandé sans de grandes réserves. Il reste malgré tout très important de tester les aptitudes à la vente. Appliquons donc le vieil adage selon lequel "Charité bien ordonnée commence par soi-même" et testez votre propre aptitude à la vente en répondant aux questions du test que je vous ai concocté. Prenez cinq minutes pour répondre aux questions, puis deux petites minutes pour faire le total des points. Vous aurez une idée assez juste de votre aptitude globale à la vente ainsi que des domaines que vous avez besoin de travailler pour améliorer vos performances.

Employeurs, notez bien que cela ne garantit pas que la personne testée obtiendra le succès commercial escompté. Le plan marketing et la gestion globale de l'entreprise sont des facteurs tout aussi décisifs pour sa réussite que ses aptitudes personnelles. Mais vous pouvez être sûr qu'une personne ayant obtenu un score que vous jugez insatisfaisant ne sera *pas capable* d'assumer la responsabilité d'un secteur de vente important.

Testez vos aptitudes commerciales

Cochez les cases correspondant aux assertions qui vous paraissent vraies.

1 ❏ En général, je me sens bien dans ma peau.

2 ❏ En général, je dis ce qu'il faut au bon moment.

3 ❏ Les gens recherchent ma compagnie.

4 ❏ Je ne me décourage pas facilement, même après des échecs répétés.

5 ❏ Je sais écouter les autres.

6 ❏ Je décode les attitudes et perçois facilement l'état d'esprit des gens.

7 ❏ Quand on me rencontre pour la première fois, on me perçoit comme quelqu'un de chaleureux et d'enthousiaste.

8 ❏ Je devine facilement les vraies raisons d'un refus.

9 ❏ Je suis capable de trouver plusieurs façons d'expliquer un problème et d'en comprendre les causes.

10 ❏ Je suis particulièrement doué pour cerner les préoccupations et les problèmes des autres.

11 ❏ J'en sais assez sur mon métier pour aider facilement les autres à résoudre un problème.

12 ❏ J'inspire assez confiance et je suis assez serviable pour convaincre facilement les autres de travailler en étroite collaboration avec moi.

13 ❏ Je gère assez bien mon temps pour réussir à traiter tout ce qui est important dans ma journée de travail.

14 ❏ Je sais me focaliser sur l'objectif global - plus important pour moi et pour l'entreprise - et passer outre les petites crises et les corvées.

15 ❏ Je sais garder un équilibre entre le fait de trouver de nouveaux clients et celui de maintenir et renforcer les relations existant avec les clients actuels.

16 ❏ Je cherche toujours un moyen d'être plus efficace et j'y arrive souvent.

17 ❏ Pour moi, m'accomplir personnellement est plus gratifiant que l'argent.

18 ❏ Mes exigences envers moi-même sont plus drastiques que toutes celles que l'on pourrait m'imposer.

19 ❏ Peu importe pour moi le temps que je dois consacrer à une tâche, car de toute façon je sais que j'y arriverai.

20 ❏ Je pense mériter le respect et l'admiration de mes clients et de mes collègues.

Résultats du test

A. Avez-vous une personnalité positive ?

Nombre de réponses positives aux questions 1 à 4 : _____

(Moins de 3 réponses positives : vous avez besoin de renforcer votre attitude générale, votre résistance émotionnelle et votre confiance en vous.)

B. Etat de vos aptitudes relationnelles ?

Nombre de réponses positives aux questions 5 à 8 : _____

(Moins de 3 réponses positives : vous avez besoin de renforcer votre potentiel de communication et d'écoute, y compris vos capacités de communication non verbale, c'est-à-dire ce que vous transmettez ainsi que vos capacités de décodage du langage gestuel.)

C. Etat de vos aptitudes d'organisation et de créativité ?

Nombre de réponses positives aux questions 9 à 12 : _____

(Moins de 3 réponses positives : vous avez besoin d'améliorer votre capacité à soulever des problèmes, à les résoudre d'une façon créative ainsi que votre aptitude à travailler en équipe.)

D. Etat de vos aptitudes à l'autonomie ?

Nombre de réponses positives aux questions 13 à 16 : _____

(Moins de 3 réponses positives : vous avez besoin de renforcer votre organisation, de mieux définir votre stratégie personnelle et vos priorités.)

E. Etat de vos aptitudes à vous automotiver ?

Nombre de réponses positives aux questions 17 à 20 : _____

(Moins de 3 réponses positives : vous avez besoin de renforcer votre motivation personnelle. Apprenez à trouver la récompense de vos efforts dans l'accomplissement d'une tâche ou en atteignant le but que vous vous étiez fixé.)

F. Total global de vos aptitudes commerciales :

Nombre total de réponses positives (questions 1 à 20) : _____

Nombre total de réponses positives	Résultat
0 - 5	Echec garanti.
6 - 9	Faible aptitude commerciale. Peu de chances de succès.
10 - 12	Faible aptitude commerciale. Avec du travail, de modestes chances de réussite.
13 - 15	Aptitude commerciale moyennes mais peut s'améliorer.
16 - 18	De grandes capacités qui peuvent encore être améliorées.
19 - 20	Succès commercial garanti. Potentiel de crack !

Si vous avez obtenu un total de 13 points ou plus, vous avez assez de capacités pour partir tout de suite sur les routes. Ce qui ne signifie pas pour autant que vous avez atteint la perfection. Si votre total est inférieur à 19 ou 20, travaillez vos faiblesses et vous obtiendrez certainement de meilleurs résultats.

Faire la vente

La vente, c'est tout un processus - et un processus parfois pénible ! Pour réussir, pensez à la vente en termes de processus décomposable. En décomposant le processus de vente en plusieurs étapes, vous pourrez vous concentrer sur une seule étape à la fois, qu'il s'agisse de préparer un plan de vente ou d'améliorer votre efficacité de vendeur. Comme dans tout processus complexe, il y a toujours un talon d'Achille. Essayez toujours d'identifier l'étape qui vous pose le plus de problèmes, celle que vous accomplissez - pour le moment - le moins bien. C'est sur cette étape qu'il faudra concentrer vos efforts.

La Figure 17.1 présente l'organigramme du processus de vente/service. Il peut arriver que vous ne puissiez pas franchir certaines étapes de l'organigramme. Vous serez peut-être amené à retourner à l'étape précédente si quelque chose ne va pas. Néanmoins, vous ne devriez jamais perdre un prospect ou un client à tout jamais. Il retourne seulement à l'étape "nouveau contact", et de nouveaux efforts devront être faits pour le conquérir.

J'utilise la Figure 17.1 pour l'enseignement pratique. C'est d'ailleurs pour cette raison qu'elle est très différente de celles que l'on peut trouver dans les livres didactiques consacrés à la vente ou dans les programmes de formation des entreprises. La principale différence réside peut-être dans le fait de traiter ensemble vente et service. Ce choix correspond à une réalité : on ne se retire pas du jeu dès qu'un contrat est signé. Les concurrents ne cesseront pas de démarcher le client pour autant. Il vous faut donc continuer à suivre le contrat et le client. Considérez une vente conclue comme le début d'une relation à construire entre le client et vous. La vente doit aussi impliquer des contacts téléphoniques, des visites et des efforts pour trouver de nouvelles façons de rendre service à votre client. Telles doivent être vos préoccupations après avoir conclu la vente.

Mais ce n'est pas tout. Vous devez aussi anticiper les problèmes. Car il y a toujours un problème à un moment ou un autre - quelque chose qui vient déranger, décevoir ou irriter votre client. Car même si votre entreprise est parfaite, tout arrive, même les incidents.

En conséquence, le processus de vente comporte une étape de "réparation". Ce qui veut dire que vous devez trouver le moyen de détecter ces fautes de service. Quel est l'état des relations avec le client ? Assurez-vous que tous vos clients savent qu'ils doivent appeler leur commercial quand quelque chose ne va pas.

Comment le commercial répond-il au problème ? S'il est débordé de travail, il ne pourra pas prendre le problème en main. Essayez de dégager un moment, correspondant à un dixième du temps passé en visite ou en communication par exemple, qui sera consacré à ce type de contingence (plus tard, il sera sans doute possible de diminuer le temps consacré aux "réparations" : un vingtième du temps total consacré à la vente pourrait sans doute suffire). Pensez aussi que le commercial aura certainement besoin d'autre chose que de temps pour résoudre le problème et pour recoller les morceaux. Accordez-lui une certaine liberté de manœuvre en ce qui concerne les coûts, de façon qu'il puisse prendre des mesures susceptibles de transformer la contrariété du client en satisfaction. Les plus fidèles clients sont ceux auxquels sont arrivés de gros ennuis que vous avez réparés d'une façon juste et généreuse. Tout ce que vous pourrez investir (en temps ou en argent) en réparation sera bien investi !

Une carte de vœux pour chaque occasion

Savez-vous qu'une bonne communication peut vous aider non seulement à retenir les clients mais aussi à en savoir plus sur un problème, vous permettant ainsi de tout mettre en œuvre pour le résoudre ?

Certains commerciaux savent déjà qu'un petit mot manuscrit sur une jolie carte de vœux est un bon moyen pour créer ou cultiver une relation avec un client. Vous avez des difficultés à obtenir un rendez-vous ? Essayez d'envoyer une carte assortie d'un petit mot à votre prospect pour obtenir ce que vous désirez. Vous êtes trop occupé pour prendre le temps de remercier un client de sa dernière commande ou de présenter des excuses à propos d'une livraison en retard ? Envoyez-lui un petit mot manuscrit. Cette forme de communication rapide n'en est pas moins très personnelle.

Jetons un rapide coup d'œil sur quelques autres questions importantes susceptibles de faciliter et de rendre plus efficace le processus de vente ou de service. Dans beaucoup d'entreprises, les étapes les plus importantes sont celles où l'on établit la liste des contacts commerciaux (les prospects potentiels) et celles où ces derniers sont confirmés. Comme pour tout processus, si le produit en entrée est mauvais, le produit en sortie ne peut qu'être mauvais lui aussi.

Ne faites pas entrer les "mauvais contacts" dans le processus de vente ou de service. Assurez-vous de ne faire entrer dans votre processus de vente que des contacts de qualité.

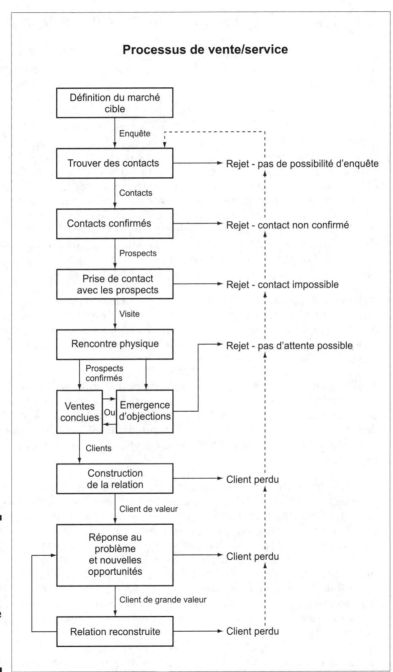

Figure 17.1 :
Cet organi-
gramme
vous aide à
comprendre
les proces-
sus de vente
et de
service.
Essayez-le !

Débusquer les bons contacts par la prospection

L'entreprise Lynden Air Freight, basée à Seattle dans l'Etat de Washington, utilise une nouvelle méthode en plusieurs étapes pour prospecter et générer des listes de contacts destinées à ses 60 commerciaux. David Rosenzweig, directeur marketing de l'entreprise, nous apprend que le taux de ventes conclues par rapport au nombre de visites faites par les commerciaux s'est accrue de 70 % depuis que cette méthode de prospection a été instituée, ce qui plaide beaucoup en sa faveur ! En voici le principe. On commence par faire une première sélection d'entreprises à partir de la base de données des entreprises américaines *Dun & Bradstreet's MarketPlace,* disponible sur CD-ROM. Cette base de données classe les entreprises par leur code SIC (code attribué à l'entreprise en fonction du type de produit - cf. Chapitre 6 pour la liste des produits), mais aussi par leur localisation et par leur importance (sur la base du chiffre d'affaires annuel). On peut donc cibler les entreprises en fonction de leur domaine d'activité, de leur localisation géographique, et éliminer celles qui manquent d'envergure financière, par exemple. Vous pouvez vous inspirer de cette méthode en utilisant le Kompass.

Il vous suffit ensuite de confier cette première liste d'éventuels prospects à une entreprise de télémarketing (ou à un téléopérateur que vous aurez recruté temporairement pour cette mission) qui se chargera d'appeler chaque entreprise, d'identifier le ou les décideurs et de mener une petite enquête sur le secteur d'activité de l'entreprise.

Analysez ensuite les résultats de l'enquête pour identifier les prospects, c'est-à-dire les entreprises susceptibles d'être intéressées par vos services ou vos produits. Ces contacts qui ont étés "confirmés" par les personnes chargées de la prospection téléphonique sont maintenant prêts à être exploités par les commerciaux, qui auront toutes les cartes en main pour décrocher des rendez-vous avec les décideurs.

Je n'aime pas critiquer les techniques qui marchent, mais quelque chose me gêne dans la façon dont de nombreuses entreprises confirment leurs contacts. Il est en effet très courant que l'on dise au téléopérateur de mener son enquête sous couvert d'une pseudo-étude marketing, simplement pour que les gens répondent plus facilement aux questions. Cette pratique est plutôt déplorable. En tant que membre de l'American Marketing Association, j'en profite pour rappeler incidemment que le code déontologique du marketing interdit de "vendre ou de collecter des fonds sous couvert d'une étude ou d'un sondage". Premièrement, cette façon de faire est un véritable abus de confiance envers l'interlocuteur. On peut considérer cela comme une fraude qui, en tant que telle, est passible de répression. Deuxièmement, une prospection mal conduite et qui induit en erreur est très décevante pour ceux qui répondent aux questions. En conséquence de quoi, ils cesseront de répondre aux vraies et légitimes enquêtes marketing, ce qui serait tout de même un gros problème pour les responsables marketing (entre autres). D'autant que vous pouvez parvenir au même résultat sans décevoir vos prospects, simplement en vous assurant de la qualité de vos sources d'informations et de la compétence de vos téléopérateurs.

Adoptez une démarche de prospection en plusieurs étapes. Commencez par établir une première liste à partir d'une base de données quelle qu'elle soit, mais récente. Et, bien sûr, chargez quelqu'un d'appeler chaque entreprise pressentie pour déterminer si la visite d'un commercial s'impose. Ne prétendez pas faire autre chose que ce que vous faites (une étude sur les habitudes de consommation, par exemple). Un honnête scénario de télémarketing fera l'affaire. Pour peu que vos questions soient courtes, claires et précises, la plupart des décideurs prendront le temps de vous répondre. Vous pouvez tirer tout le bénéfice de cette démarche sans rien faire de malhonnête. L'efficacité de la méthode n'est due qu'à ses deux étapes successives de récolte et de filtrage de l'information.

Souvenez-vous que les téléopérateurs sont les premiers à être en contact avec les décideurs au nom de votre entreprise. Assurez-vous de leur politesse et de leur aisance téléphonique. Mieux encore : chargez vos commerciaux de recruter et de former les téléopérateurs, ainsi ce seront eux qui maîtriseront la première - et capitale - impression que donnera votre entreprise.

Abandonnez le porte-à-porte pur et dur

On a tous l'image du représentant de commerce arpentant les rues des quartiers résidentiels et sonnant aux portes pour vendre aspirateurs, encyclopédies ou autres fenêtres en aluminium. Oubliez tout cela. Dans la plupart des pays d'Europe et aux Etats-Unis, cette méthode ne marche plus. Durant la journée, la plupart des gens ne sont pas chez eux, et ceux qui y sont ne laisseraient pas entrer quelqu'un qu'ils ne connaissent pas, a fortiori s'il est chargé d'une énorme valise (du moins, c'est ainsi qu'on imagine un représentant). Certaines organisations à but non lucratif (comme Greenpeace) pratiquent un porte-à-porte méthodique à l'heure du dîner avec un succès tout relatif (encore faut-il qu'il s'agisse d'un quartier où on les connaît et que leur cause y soit populaire). Mais la plupart des représentants se cassent les dents. Le porte-à-porte pur et dur est bel et bien révolu.

Alors, comment faire de la vente personnelle chez les particuliers ? Chez Encyclopaedia Britannica, on a supprimé la force de vente "traditionnelle" il y a dix ans maintenant. Les listes de contacts et de prospects sont constituées à partir de publicités ou de formulaires de parrainage. Il y a ensuite un démarchage télémarketing, puis la visite d'un commercial si cela s'avère indispensable. Le secret pour éviter de déranger inutilement les gens, c'est de devenir très bon dans le domaine de la constitution des fichiers et de savoir utiliser les autres composantes du plan d'action marketing pour y parvenir.

Une autre solution consiste à construire une page Web ou à diffuser un bulletin d'information on-line pour toucher les prospects, décrocher des rendez-vous et faire des enquêtes que vous pourrez utiliser pour constituer des fichiers de contacts. (Voyez le Chapitre 7 pour voir comment utiliser ces toutes nouvelles méthodes en vue de la constitution de fichiers.)

Voyons comment deux des plus grandes entreprises de produits cosmétiques s'y prennent pour constituer leur fichier de contacts et de prospects. Chez Avon, on a trouvé le moyen de toucher les particuliers et d'obtenir des rendez-vous (qui ont lieu en général après les heures de bureau) par le biais des réseaux de relations personnelles et professionnelles. Cette tactique permet de vaincre la suspicion naturelle des gens et de les faire consentir à dégager un moment dans un emploi du temps très chargé. La force de vente d'Avon se compose de 445 000 personnes rien qu'en Amérique du Nord - ce qui prouve bien que la vente personnelle n'a pas encore disparu de la planète "vente aux particuliers". Il faut toutefois la pratiquer différemment, avec beaucoup plus de finesse que par le passé. Chez Mary Kay, on utilise exactement la même tactique avec autant de succès. Le vendeur organise une démonstration chez un particulier ou une réunion de quartier grâce à son réseau de relations personnelles, ce qui permet de vendre des cosmétiques à domicile avec beaucoup de succès.

Comment faire une bonne présentation des produits et donner des conseils convaincants

La présentation de produits est une étape critique : c'est le moment où le commercial doit convaincre le prospect de devenir client, ce qui est très difficile. En effet, seule une excellente présentation des produits peut convaincre le client potentiel d'en devenir un à part entière.

Qu'est-ce qu'une présentation réussie ? C'est le type de présentation qui fait dire "oui" au client, vite et souvent. Toute présentation peut devenir efficace. Pour y parvenir, préparez-vous à être créatif et à expérimenter vos idées.

Il n'y a pas qu'une seule façon de faire une bonne présentation : elle sera différente selon le marché et l'entreprise considérée. Ne croyez pas ce qui se dit, à savoir que la seule façon de vendre aujourd'hui consiste à faire une étude approfondie sur les besoins du client et à lui montrer, de longs mois plus tard, comment on peut se servir du produit pour répondre à ses besoins d'une façon créative. Effectivement, cela marche pour certaines sociétés comme Wallace Computer Services, Inc. (Hillside, Illinois), où quelques-uns de mes anciens étudiants en marketing travaillent aujourd'hui en tant que commerciaux (pour plus d'informations sur l'entreprise, voir l'encadré intitulé "Une approche par le conseil et l'expertise").

Une approche par le conseil et l'expertise

Voici comment l'entreprise Wallace Computer Services, Inc. décrit ses activités dans son dernier rapport annuel :

Wallace produit et diffuse une large gamme de produits, de services et de solutions de gestion de l'information, conçus pour aider les entreprises à réduire leurs coûts, à optimiser le traitement des données, à simplifier et réduire le temps nécessaire aux transactions commerciales.

Et moi qui croyais que l'activité de cette société consistait à imprimer des étiquettes et des formulaires ! Et c'est ce qu'ils font, mais ils ne se contentent pas de ça. Ils investissent aussi beaucoup de temps pour concevoir des solutions qui puissent faire gagner du temps à leurs clients, que ce soit en réduisant les coûts de stockage, en éliminant les situations de rupture de stock ou en rendant inutiles les formulaires et les enregistrements papier des opérations. Leurs services permettent de traiter les commandes et de les livrer plus rapidement, d'avoir un service clientèle plus efficace - bref, des solutions concrètes pour problèmes concrets ! Et leurs clients apprécient grandement : le volume des ventes et le chiffre d'affaires de Wallace ne cessent d'augmenter, tandis que la rotation des clients est quasiment nulle. Cette approche, qui consiste à offrir aux clients des services et une expertise qui leur facilitent la vie ou leur permettent d'augmenter substantiellement leurs profits, peut être une solution pour vous, en particulier si votre produit est facilement adaptable aux divers besoins et problèmes de la clientèle. (Est-ce possible ? En tout cas, pensez-y sérieusement.)

Mais attention, ATTENTION ! La vente-conseil de ce type ne convient pas forcément à votre entreprise ! Vous ne voyez peut-être pas quels services vous pourriez vendre en même que votre produit. Vous voulez seulement vendre un excellent produit et laisser le client s'occuper seul de ce qu'il va en faire. Dans ce cas, la dernière chose que doivent faire vos commerciaux est de se présenter avec (aussi) la casquette de consultants.

Ou bien vous avez les connaissances nécessaires pour résoudre certains problèmes, mais - c'est de plus en plus courant - vos clients ne vous en laissent pas le temps. En effet, faire venir un commercial et lui expliquer assez bien le problème pour qu'il soit à même de trouver une solution prend beaucoup de temps. Dans de nombreux de secteurs d'activité, on ne peut pas se permettre de déranger les acheteurs. Si c'est le cas dans votre secteur, mieux vaut oublier la vente-conseil. Ce qu'il vous faut alors, c'est la bonne vieille méthode des présentations commerciales préparées à l'avance, comme celle pratiquée par Key Medical. Voyez quelle est leur méthode (cf. l'encadré "Soixante secondes pour présenter un produit") et si elle peut vous convenir.

Cette méthode de présentation préparée a autant de valeur que la méthode sophistiquée de vente-conseil, cela dans la mesure où une méthode est adaptée au contexte pour lequel elle a été mise en place. L'important est de vous assurer que votre type de vente est bien adapté aux besoins de vos clients.

Soixante secondes pour présenter un produit

Matt Hession, président de Key Medical Supply, souhaitait voir ses produits vendus en pharmacie.

Key Medical Supply commercialise fauteuils roulants, lits d'hôpitaux ainsi que du matériel de soin et d'hospitalisation à domicile. L'entreprise vend son materiel, l'installe et forme ses clients à son utilisation. Mais comment se faire connaître à ceux qui ont besoin de ce type de matériel chez eux ? Matt Hession pensait que les pharmacies de quartier indépendantes étaient un très bon circuit de distribution pour les produits de Key Medical. Mais ces petits pharmaciens se battent toute la journée pour assumer la lourde charge de travail que réclame la gestion de l'officine et contre la compétition que commencent à leur livrer les grandes chaînes de pharmacies. Ils n'ont ni le temps ni l'argent requis pour l'introduction d'une gamme de produits d'équipement médical telle que celle commercialisée par Key Medical.

Matt Hession a dû trouver une solution pour rendre le travail des pharmaciens facile et pour ne pas leur faire dépenser d'argent. Leur seule tâche devait consister à présenter de la documentation sur les produits et les services de Key Medical. Quand un client désire plus d'informations, le pharmacien appelle le numéro vert de Key Medical qui prend le prospect en charge à partir de ce moment - le pharmacien recevant une généreuse commission pour avoir orienté (et donc trouvé) le client.

Malgré tout, vendre cette solution aux pharmaciens restait encore difficile. Les pharmaciens sont en effet trop occupés pour prendre le temps de recevoir un commercial. La solution a consisté à proposer une présentation très brève - une minute - et très préparée. Voici le scénario de visite dans son ensemble. Le commercial se présente à l'assistant se trouvant le plus près du comptoir derrière lequel travaille le pharmacien et dit (d'une voix assez forte pour que celui-ci puisse entendre) : "Je sais que le pharmacien est très occupé, mais s'il a un instant à m'accorder je peux lui présenter nos produits en une minute." (Il peut alors mettre sa montre devant lui, montrant ainsi qu'on peut le prendre au mot.)

Cette démarche provoque en général l'intérêt du pharmacien, plutôt amusé par cette façon de faire inhabituelle. Quelques minutes après, le commercial est invité à passer derrière le comptoir pour faire sa présentation. Il se présente, prépare sa montre et commence. Dans sa présentation, le commercial explique au pharmacien de quelle façon celui-ci peut offrir un service à ses clients, un service que n'offriront pas les chaînes de pharmacies. Il lui montre aussi que vendre ce nouveau service ne l'oblige pas à investir de l'argent ou du temps. Quand la minute est écoulée, le commercial s'en va en laissant une copie du "contrat de partenariat" (qui détaille la façon dont le pharmacien sera rémunéré) et quitte l'officine, non sans promettre d'appeler le pharmacien la semaine suivante pour connaître sa décision.

Des centaines de pharmacies indépendantes du Texas et de Louisiane proposent désormais les produits et les services de Key Medical. Tout cela grâce à une présentation des produits en 60 secondes chrono, qui transforme une visite ressentie comme malvenue en une véritable opportunité de partenariat !

Organiser la force de vente

Qui fait quoi, où et quand ? De telles questions, relatives à l'organisation, empoisonnent la vie de plus d'un responsable de vente ou de marketing. La productivité de la force de vente en dépend. Les commerciaux doivent-ils être rattachés à leur bureau local, régional ou national ? Doivent-ils être basés dans un bureau, lieu où des collaborateurs sont en mesure de leur prêter main-forte et où leurs chefs peuvent les superviser étroitement ? Ou vaut-il mieux les laisser libres d'organiser leur tournée à leur guise, d'optimiser leurs visites, en restant en communication avec l'entreprise grâce à un ordinateur portable dernier cri plutôt qu'au travers du bureau régional ? Ou encore - s'il s'agit d'une petite entreprise - le patron doit-il mener toutes les ventes ou faut-il plutôt engager un commercial qui sera rémunéré à la commission ? Honnêtement, je ne sais pas. Cela dépend - une fois n'est pas coutume - de votre situation. Néanmoins, je peux vous *aider* à prendre une décision en vous donnant des clés pour évaluer la situation de votre entreprise et en brossant un tableau des possibilités qui s'offrent à vous.

De combien de commerciaux avez-vous besoin ?

Si vous avez déjà une force de vente, examinez les performances faites sur chaque zone de vente avant de voir si vous devez augmenter le nombre de commerciaux ou s'il est possible de faire aussi bien avec moins de personnes. Certaines zones sont-elles si riches en prospects que les commerciaux ne réussissent pas à tous les visiter ? Dans ce cas, il faudrait penser à diviser les zones considérées. Si vous voyez que la rotation client est importante dans une région, pensez à y rattacher un autre commercial pour former une équipe de vente, car cette rotation peut être due à une faiblesse du service clientèle ou du suivi commercial. A l'inverse, si des zones semblent manquer de potentiel (cf. Chapitre 6 pour en savoir plus sur l'estimation d'un potentiel de vente), pensez à les intégrer dans d'autres zones ou à les fusionner. (Dans une petite entreprise, le patron peut penser à engager un ou plusieurs commerciaux rémunérés à la commission dans le cas où il ne réussirait pas à s'occuper de tous les prospects lui-même en raison de contraintes de temps ou de transports.)

Une autre approche plus systématique est possible - et incontournable si vous partez de rien ! Etudiez votre marché suffisamment bien, décidez ensuite du nombre de visites que vous souhaitez voir effectuer au cours d'une année. La méthode n'est pas terriblement compliquée. Elle est expliquée en détail dans l'encadré intitulé "Combien faut-il de commerciaux pour vendre une ampoule ?".

Commercial maison ou représentants, que choisir ?

Faut-il prendre de commerciaux maison ou sous-traiter ? La sous-traitance des ventes peut être confiée à un représentant de commerce, vendeur multicarte travaillant le plus souvent uniquement à la commission. Cette commission peut aller de 10 à 20 % en fonction du produit vendu et de ce qu'il est possible d'accorder en fonction de sa structure de prix. Dans les secteurs où un travail de support clientèle doit être fait - vente-conseil ou service client sur mesure -, les représentants demandent et méritent une commission plus importante.

Si l'entreprise est petite ou si la gamme de produits commercialisée est réduite, je vous recommande de faire travailler un ou plusieurs représentants. C'est la meilleure solution quand se posent des *problèmes d'échelle* qui rendent difficilement justifiable l'embauche de commerciaux maison. Les problèmes d'échelle se posent quand la gamme de produits est trop réduite, que les commerciaux n'auraient par conséquent pas grand-chose à vendre aux clients et que les visites ne pourraient jamais faire un chiffre suffisant, ne serait-ce que pour couvrir les coûts de déplacement. Les représentants sont en général multicartes, c'est-à-dire qu'ils vendent les produits de plusieurs entreprises en même temps. Ils auront donc une large variété de produits à présenter aux clients. Le coût de la visite se trouve divisé par le nombre de produits, ce qui peut être plus intéressant aussi pour l'entreprise qui vend. Si la gamme de produits est trop réduite, il se peut encore que le client se dise qu'il n'a pas de temps à perdre pour si peu. Dans ce cas, un multicarte présente aussi un avantage d'échelle.

"Combien faut-il de commerciaux pour vendre une ampoule ?"

Une personne pour la tenir et dix pour la convaincre de s'allumer ? Blague à part, je ne connais pas la réponse. Mais je sais comment il est possible de déterminer le nombre de commerciaux nécessaires pour vendre votre produit ou votre service. Pour trouver *votre* réponse à cette brûlante question, procédez de la façon suivante :

1. **Déterminez le nombre total de clients potentiels existant sur votre marché.**

2. **Décidez quelle proportion (ou nombre précis) de clients potentiels devront être visités.**

3. **Décidez combien de visites devront être faites en moyenne à chaque client durant l'année qui vient (deux par mois, 24 dans l'année, etc.).**

4. **Multipliez le résultat obtenu à l'étape 1 par le résultat obtenu à l'étape 2.**

   Vous obtenez le nombre total de visites à faire durant l'année.

5. **Décidez d'un nombre raisonnable de visites que devra faire un commercial en une seule journée.**

   La réponse dépend de la nature de la visite et du temps de transport entre deux clients.

6. **Multipliez ce nombre de visites journalières (résultat de l'étape 5) par le nombre de jours ouvrables dans votre entreprise.**

7. **Divisez le nombre total de visites devant être faites pendant toute l'année (résultat de l'étape 4) par le nombre de visites qui peuvent être faites par une seule personne (résultat de l'étape 6).**

   Vous obtenez ainsi le nombre de commerciaux nécessaires pour faire toutes ces visites.

   Exemple : vous voulez faire 10 000 visites l'année prochaine, divisé par 1 000 visites faites par une seule personne en un an, ce qui signifie que vous aurez besoin de 10 commerciaux pour mettre votre plan à exécution. Si vous n'en avez embauché que cinq, vous devrez en embaucher cinq autres, ou faire travailler des représentants en plus de vos commerciaux. Si vous n'avez pas les cartes en main pour le faire, diminuez l'estimation de votre chiffre de moitié. Vous ne la convaincrez jamais de s'allumer, cette ampoule, avec seulement cinq commerciaux !

Toutefois, si votre activité justifie d'embaucher de nouveaux commerciaux maison surtout n'hésitez pas ! Vous verrez que vous contrôlerez mieux la situation et que vous aurez un meilleur feedback (sur les vœux ou les remarques des clients). Vous vous apercevrez aussi qu'un commercial maison vend de deux à dix fois plus qu'un représentant multicarte ! Simplement parce que vos commerciaux ne s'occupent et ne dépendent que de vos produits. Pour un représentant, la situation est différente : ce qui est important pour lui, c'est de vendre, peu importe le produit. Les représentants ont souvent tendance à faire la vente la plus facile, et ce ne sera pas forcément la vôtre !

Comment trouver de bons représentants ?

Pas évident en effet de trouver des représentants. Vous ne les trouverez dans aucun annuaire. Je ne sais pas pourquoi, mais les représentants préfèrent qu'on les trouve par relation. Cette façon de faire leur permet sans doute de ne pas être submergés de demandes émanant d'entreprises peu au fait des pratiques du marché ou dont les produits ne sont pas de bonne qualité. Si vous devez en trouver, faites-le à leur façon : en obtenant des références par le bouche-à-oreille, en allant à leur rencontre dans des salons professionnels ou dans des conférences. Vous pouvez aussi demander à vos clients et prospects s'ils en connaissent, ou encore vous renseigner auprès d'entreprises (non concurrentes) qui commercialisent leurs produits de cette façon.

Vous pourrez aussi en rencontrer dans les foires ou salons consacrés à votre secteur d'activité. Certains y louent un emplacement ou un stand pour vendre leurs produits. Vous n'avez qu'à parcourir les allées et suivre votre intuition !

Si vous désirez commercialiser vos produits aux USA par le biais d'un représentant, ceci va vous intéresser. L'American Exhibition Service (AES) a eu l'ingénieuse idée de créer un service permettant aux entreprises de trouver des représentants (et vice versa) dans tous les salons qu'il est chargé d'organiser. Pour cela, il suffit d'appeler AES avant le salon qui vous intéresse (au 001/205-323-2211). Demandez-leur de mettre votre produit ou votre gamme de produits dans l'EXPOMAGIC, une borne informatique destinée aux représentants ou à ceux qui en recherchent. L'EXPOMAGIC contient une liste de produits disponibles par région. Les représentants choisissent les produits qui les intéressent et peuvent partir avec la liste des entreprises qui les commercialisent. Quand vos produits apparaîtront sur cette borne, vous pourrez recevoir des appels de représentants que de tels produits intéressent.

Dirigez vos représentants multicartes... d'une main de fer !

Une fois que vous aurez trouvé les représentants dont vous avez besoin, votre travail ne fera que commencer ! Vous devez *absolument* contrôler leur effort de vente de façon régulière. Qui est le meilleur vendeur, qui est le moins bon ? En général, 10 à 15 % d'entre eux assurent quasiment la totalité des ventes. Si vous voyez se développer un tel phénomène, tirez la sonnette d'alarme. Si les choses ne s'arrangent pas rapidement, remplacez-les. En maniant savamment le bâton et la carotte, vous pourrez passer de 10 à 75 %, ce qui approche le plafond de performance pour une force de vente indépendante.

Embauchez des intérimaires

Le travail temporaire se pratique couramment aujourd'hui. Pourquoi ne pas embaucher du personnel intérimaire ? Les agences proposent les services de téléopérateurs depuis de nombreuses années. On peut avoir besoin de leurs services pendant quelques semaines, pour des projets particuliers requérant une prospection téléphonique ou des appels de suivi, pour l'élaboration d'un fichier de contacts pour un nouveau produit ou une nouvelle zone de vente, par exemple.

N'importe quelle agence de travail temporaire connue sera en mesure de répondre à une demande de téléopérateurs expérimentés. Consultez les pages jaunes de l'annuaire téléphonique sous la rubrique "Agences d'intérim". Adecco, Manpower, Adia ou Kelly ont sans doute une agence près de chez vous.

Moins commun, mais encore plus efficace : l'embauche de commerciaux intérimaires. Aujourd'hui, il est possible de trouver de vrais pros qui sauront vous aider à défricher une nouvelle zone de vente, à lancer un nouveau produit sur le marché, ou à assurer la prise en charge et le suivi de la quantité astronomique de contacts que vous avez pris pendant ce salon très important dans lequel vous avez exposé le mois dernier. Vous voudrez probablement employer ce type de personnel sur une base mensuelle, de façon à leur laisser le temps de développer une certaine continuité dans leur travail. Pensez à les faire travailler en équipe avec vos commerciaux permanents (si vous en avez), ce qui facilitera la transition au moment où leur travail prendra fin.

J'ai connaissance de deux agences d'intérim américaines spécialisées qui ont à leur disposition des vendeurs intérimaires confirmés (bien que d'autres agences rendent aussi ce service). Il s'agit de Sales Staffers International, dont le siège est à Danvers, Massachusetts (001/508-758-9999), qui recrute les commerciaux à travers une importante base de données gérée par Management Recruiters International (Cleveland, Ohio). On m'a dit aussi que MMD Inc., située à New York, est un bon contact, particulièrement dans les domaines technique et médical. En France, le phénomène semble (pour l'instant) moins répandu. Citons seulement la société Expand qui dispose de visiteurs médicaux intérimaires dont les services sont réclamés par les laboratoires au moment du lancement de leur produit. En tout cas, pensez à cette solution si vous avez des impératifs de ventes à très court terme qui ne pourront pas être tenus par votre propre force de vente.

Magique, le portable !

Beaucoup de commerciaux ne jurent que par leur ordinateur portable. En effet, ils ont transformé leur portable en un véritable bureau virtuel équipé de toutes les fonctions dont ils ont besoin dans leur travail. Planning, bases de données clients détaillées, comptes-rendus de ventes, correspondance, prévisions, informations commerciales toutes fraîches, e-mail reçus du siège, etc., toutes ces informations peuvent être obtenues à partir d'un ordinateur portable. Les commerciaux peuvent être informés de tout et organisés partout où ils vont.

Pour profiter de la magie d'un bureau virtuel, vous voudrez sans doute charger vos portables avec un logiciel spécifiquement conçu pour les commerciaux. Le meilleur que j'ai pu voir jusqu'à présent est ACT! de Symantec Corporation (Cupertino, Californie, 001/408-253-9600).

Si vous voulez faire communiquer tous vos commerciaux en reliant leurs portables grâce à un réseau de télécommunication par satellite, c'est possible. Plus besoin de prise téléphonique. Il suffit d'ouvrir le portable, quel que soit l'endroit où ils se trouvent, ils sont reliés à tous les membres de votre entreprise et au monde entier. Motorola offre ce service avec son produit EMBARC. En plus du service de courrier électronique, vous pouvez aussi bénéficier de plusieurs services d'information ainsi que de rapports sur certaines entreprises pour les recherches de dernière minute. Plutôt sympa !

Un rally-center pour remplacer le bureau du siège

Si vos commerciaux sont toujours sur la route pour vendre vos produits et qu'ils travaillent à partir de leurs portables, ils n'ont pas besoin de passer au bureau le matin avant de partir. Alors, pourquoi payer un espace de travail alors qu'ils ne sont jamais là ou presque !

Un rally-center (centre comportant des bureaux louables à l'heure ou à la journée) a remplacé le bureau du siège pour les commerciaux de la société MCI. Passant le plus clair de leur temps sur la route, ils ne se présentent plus au bureau le matin avant de partir. L'entreprise a donc décidé de se débarrasser du mobilier comme des bureaux.

Ils ont tout de même parfois besoin d'avoir accès à l'équipement d'un vrai bureau. Le rally-center leur fournit un bureau temporaire. Le centre comporte aussi des salles de réunion pour recevoir des clients ou simplement rencontrer d'autres commerciaux, des salles vidéo pour la formation, des stations de travail informatiques qui peuvent aussi être louées dans le cadre d'un projet. Les commerciaux y viennent en fonction de leurs besoins, pas forcément pour toute une journée. Ce qui fait que l'espace loué (et donc payé) dans un rally-center peut être très inférieur à celui qui est nécessaire quand chaque personne a son propre bureau.

Comment rémunérer la force de vente ?

Voici peut-être l'une des décisions les plus difficiles et les plus importantes à prendre en marketing. La rémunération a un impact certain sur la motivation et les performances de la force de vente. Et, comme chacun sait, les performances de la force de vente se répercutent… sur les ventes. Le problème est particulièrement aigu, car la motivation est une question délicate et le mode de rémunération produit des effets qui ne sont pas toujours évidents.

Si vous souhaitez recruter des commerciaux de haut vol ou ayant des compétences particulières, vous devrez sans doute leur proposer un mode de rémunération en rapport. L'idée est de leur offrir quelque chose qui soit hors normes dans votre secteur d'activité. Admettons que vous souhaitiez que vos commerciaux aient une démarche de vente très orientée vers le conseil et le service, qu'ils aient à cœur de construire une relation durable avec leurs clients. Dans ce cas, vous avez besoin de personnes patientes et motivées recherchant la stabilité et qui soient capables de se constituer une clientèle sur le long terme. Proposez une rémunération comportant un fixe plus important que ce qui se pratique habituellement. Créez un système de rémunération en rapport avec ce que vous souhaitez. Si vous rémunérez vos commerciaux à la commission, instaurez des primes qui seront déclenchées en fonction de l'ancienneté du client ou des contrats passés avec les anciens clients, par exemple. Votre plan de rémunération sortira de l'ordinaire, sera représentatif du type d'attitude de vente que vous souhaitez voir adopter et sera compris comme tel.

A l'inverse, si vous souhaitez attirer les commerciaux aux dents longues et hyper-motivés, proposez des commissions plus importantes que vos concurrents. C'est le choix fait par Realty Executives, une entreprise travaillant dans le domaine de l'immobilier à Phoenix, Arizona. Dans ce secteur, les commissions perçues lors de la vente d'un logement sont en général partagées entre l'agent et l'entreprise. Realty Executives laisse 100 % de la commission de vente à l'agent. Au lieu de proposer un fixe mensuel de base, l'entreprise facture l'utilisation du nom et des locaux qui lui appartiennent. Ce système peu habituel attire des commerciaux de haut vol qui réussissent parfois à gagner plus de 15 000 dollars par an, c'est-à-dire plus que le salaire d'un courtier moyen, tout en tenant à distance les mauvais vendeurs qui, dans une autre entreprise, se seraient probablement reposés sur leur fixe tout en comptant sur quelques commissions.

Chapitre 18
Le marketing direct par les annonces-presse, le télémarketing et le publipostage

Dans ce chapitre :

Découvrir les avantages du marketing direct.

Comment concevoir des annonces et des encarts-presse efficaces.

Comment utiliser le publipostage.

Comment utiliser le télémarketing.

Créer un centre d'appels pour le service clients.

Obtenir un taux de succès important tout en conservant votre intégrité.

L a société Continental Cablevision a 4,5 millions d'abonnés aux Etats-Unis. C'est beaucoup. Il a fallu de gros efforts en matière de marketing direct pour les faire signer. Mais combien resteront fidèles à Continental lorsque les concurrents entreront sur le marché, leur offrant ainsi la possibilité de choisir ? Difficile à dire. Avant, personne ne se posait de questions. Mais aujourd'hui, les dirigeants de Continental s'en posent (et nous aussi !). Continental a réagi à la compétition en entrant de plain-pied dans le marketing direct. Le marketing direct consiste à utiliser les médias pour communiquer directement avec les clients, créant ainsi une relation qui se passe d'intermédiaires tels que grossistes, détaillants, etc. Pour cela, Continental a recruté un responsable du marketing direct, à la suite de quoi la société a commencé à envoyer à ses clients des courriers leur proposant des offres spéciales et à constituer une base de données contenant des informations sur ses clients.

La création d'un club, appelé "Inner Circle ("le Cercle Privé"), fait partie du programme d'actions de fidélisation mené par la Continental. Très apprécié des clients, ce club propose à ses membres des offres spéciales ainsi que différents services. Le programme a été conçu pour établir une relation avec chaque client et lui donner envie de rester fidèle à la Continental Cablevision. Je vous recommande fortement d'utiliser la même stratégie, c'est-à-dire de proposer à vos clients de devenir membres d'un club ou d'un cercle susceptible de leur accorder des avantages spéciaux et qui vous permette d'établir une relation directe et durable avec eux.

Votre entreprise a peut-être une approche indirecte ou impersonnelle du marketing. Si c'est le cas de votre entreprise, vous lisez sans doute ce chapitre parce que vous vous êtes rendu compte qu'il faudrait aussi soutenir votre marketing par la relation avec vos clients de façon à vous assurer leur fidélité, à travers des moyens de communication tels que le publipostage, le télémarketing, mais aussi le fax, la messagerie électronique ou le Web. Vous avez raison. Quasiment tous les programmes de marketing ont besoin d'intégrer un minimum de marketing direct.

Votre entreprise utilise peut-être déjà le marketing direct. Un nombre sans cesse croissant d'entreprises choisissent de commercialiser leurs produits grâce aux techniques de marketing direct, court-circuitant ainsi les réseaux de distribution indirects traditionnels. C'est une excellente stratégie qui devient chaque jour un peu plus facile à utiliser grâce aux nouveaux moyens de communication et aux nouvelles technologies appliquées à la gestion de l'information.

En tout cas, le marketing direct est un enjeu important, et il est essentiel de le maîtriser suffisamment pour obtenir des taux de retour supérieurs à la moyenne. Je reviendrai sur ce concept tout au long du chapitre, en vous aidant à passer en revue les différents problèmes et pratiques du marketing direct. Ce chapitre est consacré aux médias traditionnels du marketing direct : encarts et annonces-presse, courrier postal et téléphone, principalement. N'oubliez pas qu'ils peuvent être associés à (ou remplacés par) des techniques de marketing direct appliquées sur Internet (cf. Chapitre 7).

N'oubliez pas non plus que derrière chaque programme de marketing direct (ou chaque programme de vente personnelle) efficace se trouve une base de données de clients et prospects bien gérée. Si vous avez des problèmes avec la vôtre, lisez l'encadré intitulé "Utiliser une base de données ".

Utiliser une base de données

Presque tous les services marketing utilisent des bases de données informatiques. Si ce n'est pas encore votre cas, pensez-y sérieusement. Toutefois, une base de données informatique n'est pas absolument nécessaire, sauf si vous devez gérer un fichier comportant des milliers de noms. Si vous êtes un modeste utilisateur de marketing direct allergique aux ordinateurs, vous pouvez reporter la transition à plus tard. La forme la plus simple d'une base de données se compose d'une boîte de fiches papier. C'est précisément ce type de fiche que les services marketing ont utilisé pendant des années, jusqu'à ce que l'industrie informatique les rattrape et crée des produits fonctionnels pour faire le même travail. Le tableau suivant présente quelques-uns des principaux éditeurs d'applications utilisées pour la gestion de bases de données marketing :

Applications utilisées pour la gestion de bases de données marketing

Application	Editeur
MS FoxPro	Microsoft
dBase et Paradox	Borland International
Access	Microsoft
Approach	Approach Software
4th Dimension/4D First	ACI Inc.
FileMaker	Pro Claris
Helix Express	Helix Technologies
Oracle	Oracle Corps.

Si vous n'êtes pas habitué à utiliser ce genre d'applications, n'hésitez pas à suivre une petite formation sur la gestion de bases de données pour le marketing. Ou alors consultez la collection... *pour les Nuls*, qui inclut des livres de référence sur un grand nombre d'applications et de langages informatiques.

Si vous concevez ou améliorez un système de gestion de bases de données, faites la liste des tâches que vous voulez que votre système puisse accomplir. Ecrivez votre liste en termes non techniques. Peu importe la façon dont l'application fait ces choses magiques, du moment qu'elle les fait ! Peu importe que ces divers systèmes et applications utilisent des techniques différentes, tout ce qui vous intéresse, c'est que votre système puisse trier votre base de données par fréquence ou par date de vente, ou qu'elle puisse vous fournir l'historique des ventes pour tel ou tel client. Certaines applications permettent de faire ce type d'analyse, d'autres non. Il est donc essentiel d'établir et de consulter la liste des tâches dont vous aurez besoin avant d'acheter quoi que ce soit.

Voici quelques fonctionnalités essentielles pour une base de données marketing :

Impression de rapports/tri par date d'achat.

Impression de rapports/tri par fréquence d'achat.

Impression de rapports/tri par valeur cumulée des achats effectués sur une période donnée.

Prise en charge de la gestion de listes clients/prospects (fonctions de fusion et de purge).

Possibilité d'intégrer de nouveaux champs (y compris ceux de données établis à partir de fichiers extérieurs ou d'enquêtes marketing).

Prise en charge de la sélection de noms, par segmentation (division de la liste en sous-groupes similaires), par profil (classification des types de clients d'après leurs caractéristiques) et par la génération de modèles (développement de modèles statistiques destinés à prévoir ou à expliquer les taux de retour).

Fonctions facilitant le tri, la mise à jour et la correction des données.

Fonctions facilitant le suivi et l'analyse des réponses individuelles à des messages précis de façon à tester l'efficacité d'une lettre de mailing ou d'un scénario de télémarketing.

Possibilité pour les opérateurs de centres d'appels d'extraire rapidement des données ou d'en ajouter pour compléter le profil des clients (au moins pour les clients signalés comme membres d'un club ou d'un programme de fidélisation). Les *centres d'appels* sont des services s'occupant exclusivement du traitement des appels téléphoniques des clients. Reportez-vous à la section de ce chapitre consacrée au télémarketing pour savoir comment les établir.

Cette liste s'avère plus longue que je ne l'avais prévu. Il est vrai qu'en y réfléchissant bien, il y a sans doute beaucoup d'autres choses que vous voudrez faire avec votre base de données. Alors pensez-y bien et demandez à l'éditeur, au distributeur du logiciel, au consultant ou encore à votre analyste-programmeur maison une application assez puissante pour faire tout ce que vous voulez. Sinon, vous passerez beaucoup de temps à découvrir ce que votre logiciel de bases de données ne sait pas faire, ce qui n'est pas franchement très amusant !

Le marketing direct... qu'est-ce à dire ?

Marketing direct. Marketing relationnel. Marketing un-à-un. Marketing interactif. Peu importe le terme que vous utilisez, ils désignent tous la même chose.

Pour moi, il y a marketing direct dès que vous prenez l'initiative de créer et de gérer des transactions client à distance, en utilisant un ou plusieurs médias.

Dans de nombreux secteurs d'activité, les clients sont trop nombreux et trop éloignés pour qu'un fabricant puisse entretenir des relations commerciales directement avec chacun d'eux. Je n'irai pas jusqu'à San Francisco (Californie), où se trouve le siège de la société Levi Strauss & Co., pour acheter un jean, et Levi Strauss n'enverra pas de représentant avec un camion plein de jeans jusque chez moi. Au lieu de cela, une série d'intermédiaires - distributeurs et détaillants - entrent en jeu. Levi Strauss envoie une sélection de vêtements dans des boutiques proches de chez moi dans lesquelles j'irai acheter ce qu'il me faut. Les circuits de distribution sont l'un des moyens utilisés pour résoudre le problème de communication avec des clients nombreux et éloignés.

Toutefois, le marketing direct offre une autre possibilité, une façon d'étendre la portée géographique de vos activités sans utiliser d'intermédiaires. Des sociétés comme La Redoute ou les 3 Suisses ont développé l'utilisation de catalogues de vente par correspondance comme substituts aux boutiques. Une entreprise pratiquant le marketing direct est en quelque sorte un détaillant virtuel, capable d'atteindre des clients géographiquement éloignés et d'instaurer des échanges avec eux par une utilisation intelligente des médias.

En tout cas, c'est ainsi que je définis le marketing direct. Si vous voulez la version officielle de la Direct Marketing Association (Association du marketing direct), la voici : "Le marketing direct est un système interactif de marketing qui utilise un ou plusieurs moyens de communication publicitaires en vue d'obtenir des retours mesurables et/ou de faire des transactions commerciales, quel que soit le lieu." Surtout, ne me demandez pas ce que ça veut dire, ce n'est pas moi qui l'ai écrit ! Mais cette définition ajoute tout de même deux concepts importants à la définition moins formelle que je vous avais concoctée.

- **Interactivité.** Pas de quoi s'exciter. Certains prêchent le marketing interactif comme si l'interaction avec un client par Internet, par le téléphone ou par courrier était une expérience métaphysique incroyable. En réalité, il s'agit seulement d'amener le client à agir pour conclure la vente. Vous faites quelque chose, il fait quelque chose. C'est la base de n'importe quel échange ! Bien sûr, votre marketing direct doit mener à une interaction entre le client et vous, sinon votre travail ne sert à rien. Le problème est que cela s'avère parfois difficile à distance... C'est pourquoi le marketing direct se concentre sur cette question : comment faire agir le client ?

- **Mesure des retours.** L'idée sous-jacente de ce concept est qu'il est possible et même indispensable garder en archive toutes vos opérations de marketing direct. Il est assez simple de calculer le coût d'une démarche faite auprès d'un client potentiel et de mettre en rapport les résultats que vous en avez obtenus. Le marketing direct se base sur des informations précises : les actions et le résultat de ces actions. Avec de telles informations, vous apprendrez vite par l'expérience. Là encore, le besoin de retours mesurables n'est pas spécifique au marketing direct. Toute opération de marketing devrait être mesurée et contrôlée de façon à connaître les résultats que vous obtiendrez. Mais rappeler l'importance de mesurer et d'analyser ne peut faire de mal à personne.

Même si vous n'avez pas (ou avez peu) d'expérience en marketing direct, sachez qu'une seule opération, même réduite, générera suffisamment d'informations pour que vous appreniez à utiliser cette technique mieux et sur une plus grande échelle. Il n'y a qu'une chose qui puisse vous faire devenir bon dans ce domaine, c'est la pratique. Commencez par un programme modeste pour minimiser les risques, puis passez progressivement à l'échelle supérieure, au fur et à mesure de ce que vous apprendrez. Ce principe est toujours valable, que vous soyez une petite ou une grosse entreprise, détaillant ou grossiste, une entreprise commerciale ou un organisme à but non lucratif. Cela est également valable pour Levi Strauss & Co., qui vient d'ailleurs de faire sa première tentative de marketing direct en joignant un petit formulaire d'identification à chaque jean vendu. Cette technique, classique pour le marché de l'équipement, est pourtant rarement utilisée dans d'autres secteurs. Si cette méthode marche, Levi Strauss & Co. pourra constituer une base de données clients à partir de laquelle pourront être faites des démarches de marketing direct.

Le marketing direct peut utiliser toute une gamme de moyens de communication et de stratégies. Les sections qui suivent présentent les options possibles.

L'annonce et l'encart-presse

Avez-vous jamais pensé à tous les clients potentiels qui rêveraient de commander votre produit directement mais n'imaginent même pas que c'est possible ? Ces clients savent-ils seulement que vous existez et pensent-ils à vous en ce moment ? Si ce n'est pas le cas, vous devriez essayer de les contacter par des encarts ou des annonces-presse, qui sont en fait des annonces qui engagent les clients à répondre pour une demande de renseignements ou pour passer une commande. Les cartes d'identification que Levi Strauss inclut avec ses jeans font partie de cette catégorie, bien que ces encarts et ces annonces soient beaucoup plus courantes dans la presse. Aujourd'hui, les encarts et les annonces sont également diffusés par fax et par Internet.

Les gens qui répondent à de telles annonces se déclarent eux-mêmes comme clients effectifs ou potentiels de votre produit. Il ne vous reste "que" deux choses à faire :

- Faire tout votre possible pour conclure la vente.

- Apprendre un maximum de choses sur eux et enrichir votre base de données marketing de ces informations, que vous utiliserez lors de futures opérations de marketing direct.

De nombreuses entreprises renforcent leurs capacités et leur potentiel de marketing direct par ce procédé. Ils s'arrangent pour exposer leur annonce au marché cible qui leur semble approprié et attendent les réponses. Ils tentent par la suite d'instaurer une relation directe et durable avec les personnes ayant répondu (en leur envoyant catalogues, courriers, etc.). Au fur et à mesure, les personnes qui répondent sont ajoutées à la base de données, celle-ci est renseignée par toutes les informations recueillies. A terme, parmi toutes ces personnes, nombreuses sont celles qui deviennent des clients réguliers.

L'annonce commerciale n'est pas le seul moyen pour appeler les réponses. Dans les sections suivantes, je vous montrerai comment utiliser le publipostage et le télémarketing pour les mêmes fins (sans oublier les nouvelles possibilités d'Internet - dans ce domaine aussi !). Les encarts publicitaires et les spots télévisés sont également très efficaces. La radio peut aussi obtenir des résultats, mais vous devrez faire preuve d'imagination pour contrer le fait que les gens notent rarement ce qu'ils entendent à la radio et sont donc moins poussés à agir.

Le but ultime du concepteur d'annonce : obtenir un taux de retour important

Votre but étant d'engager le client à répondre, votre annonce a une tâche difficile à accomplir. Il faut savoir que, dans la plupart des cas, l'interaction entre votre annonce et vos clients potentiels ne conduira pas à la réponse que vous souhaitez. L'échec étant le résultat le plus courant dans le domaine de l'annonce commerciale, on peut considérer que votre but réel consiste à minimiser l'échec !

Cela vous choque ? Voici pourtant les statistiques :

- Une annonce-presse pleine page dans un magazine obtient en général un taux de retour compris entre 0,05 et 0,20 % (le *taux de retour* est le pourcentage des lecteurs qui répondent à l'annonce en téléphonant ou en écrivant, selon ce qui y est demandé). Le mieux que vous puissiez attendre d'une annonce correcte est qu'elle fasse répondre 2 personnes sur mille. Vraiment pas terrible !

- Une opération de publipostage avec lettres personnalisées obtient en général un taux de retour compris entre 0,5 et 5 %. Le mieux que vous puissiez espérer d'une lettre correcte, c'est qu'elle fasse répondre 50 destinataires sur mille. C'est mieux, mais toujours pas terrible. (D'autant plus que le coût par millier - le CPM - d'une lettre est plus élevé. Le bénéfice ne sera donc pas forcément plus important qu'avec une annonce ou un encart-presse.)

- Une opération de publipostage présentant votre produit parmi un portefeuille de produits, comme dans un catalogue commun ou un mailing groupé (comprenant un lot de plusieurs offres proposées par plusieurs annonceurs), obtiendra un taux de retour moindre. Divisez le taux précédent - 50 pour mille - par le nombre de produits en compétition et vous aurez une idée du taux de retour maximal (bien qu'il puisse être supérieur, grâce à un emplacement avantageux ou à la tendance qu'ont les clients de faire des achats multiples dans un catalogue). Prenons le cas où votre produit figurerait parmi un lot de 50 cartes de présentation, votre taux de retour maximal sera de 1 pour mille. C'est carrément mauvais.

- Un centre de télémarketing appelant une liste de contacts commerciaux qui auront auparavant été qualifiés (c'est-à-dire que leur validité aura été confirmée le plus souvent par un appel téléphonique) obtiendra de meilleurs résultats. On peut obtenir entre 0,75 et 5 % de retour pour un produit, mais ce taux peut atteindre 15 % s'il s'agit de vente aux professionnels. Le télémarketing donne toutefois plus souvent lieu à des échecs qu'à des réussites, et son *coût au mille* (unité de mesure utilisée en marketing direct) est souvent plus élevé que pour le publipostage.

Pour résumer, disons que dans la plupart des cas le marketing direct ne marche pas. En tout cas, il ne permet pas vraiment de trouver le bon client au moment où celui-ci est disposé à répondre (vous même, ne vous plaignez-vous pas très souvent d'une boîte aux lettres encombrée de annonces de toutes sortes ainsi que d'appels télémarketing inopportuns de plus en plus fréquents ?). C'est un secret que les professionnels ne souhaitent pas divulguer, mais il faut tout de même que vous le sachiez avant de décider de vous lancer dans le marketing direct : surtout votre objectif est d'attirer de nouveaux clients. Toutefois, avant de sombrer dans le désespoir, sachez que les bonnes campagnes de marketing direct obtiennent des taux de retour importants et très lucratifs. Ne vous découragez donc pas, soyez simplement prêt à faire mieux que la moyenne !

La solution consiste à ne pas hésiter à consacrer beaucoup d'énergie, de créativité et d'attention aux détails de façon à concevoir une annonce ou un encart meilleur que les autres. Si vous parvenez à atteindre le maximum dans l'échelle de réponses citée plus haut, ou même à le dépasser, alors l'opération sera en votre faveur. Mais si votre annonce n'obtient que le minimum ou même seulement la moyenne dans l'échelle de réponses, cette méthode ne vous permettra pas de générer un chiffre d'affaire intéressant.

Les buts de l'annonce commerciale

Ce taux d'échec important se comprend si l'on prend en compte tout ce qu'une annonce doit accomplir par rapport à une annonce classique destinée à construire une image ou à promouvoir une marque. L'annonce classique doit déjà en faire beaucoup : elle doit attirer l'attention, amener le client potentiel à s'investir, communiquer un message puissant et laisser une impression positive permanente au client, de façon à le rendre plus réceptif aux autres éléments de votre programme de marketing. Mais charge à ces autres éléments - souvent le circuit de distribution - de conclure les ventes, alors que l'annonce doit provoquer suffisamment d'enthousiasme pour amener le client à conclure la vente sur sa propre initiative et immédiatement.

Comment y arriver ? Laissez-moi d'abord vous présenter un exemple d'annonce commerciale très réussie. Il s'agit d'une annonce pleine page dans un magazine, publiée il y a quelques dizaines d'années et qui vantait les mérites des cours de musique par correspondance organisés par l'U.S. School of Music, à New York. Elle est reconnue par les professionnels comme l'une des meilleures pubs jamais écrites.

La pub est constituée de la reproduction d'un dessin à la plume représentant un groupe de personnes dans un salon, l'une des personnes venant de s'asseoir au piano pour jouer. Mais la majeure partie de l'espace est occupée par un texte surmonté d'un gros titre qui conte l'histoire du protagoniste, racontée à la première personne :

Ils se sont mis à rire quand je me suis

Assis au piano

Mais quand j'ai commencé à jouer !...

A la stupéfaction de tous mes amis, je me suis tranquillement avancé vers le piano, et je me suis assis.

" Henri va encore nous faire une bonne farce ", a pouffé quelqu'un. Tout le monde riait. Ils étaient tous persuadés que je ne savais pas jouer une seule note.

" Mais il sait vraiment jouer ? " ai-je entendu une fille murmurer à Fred.

" Bien sûr que non ! " s'est exclamé Fred. " Il n'a jamais joué une note de sa vie, mais regarde, ça va être amusant."

J'ai alors décidé de jouer le jeu. Avec beaucoup de dignité, j'ai sorti un mouchoir de soie de ma poche pour épousseter le clavier. Puis je me suis levé et j'ai fait pivoter le tabouret d'un quart de tour, comme je l'avais vu faire dans un sketch de vaudeville.

" Que pensez-vous de son exécution ? " a crié quelqu'un dans le fond.

" On est pour ! " a répondu un autre, et tout le monde a éclaté de rire.

Puis j'ai commencé à jouer.

En une seconde, un silence de plomb est tombé sur les invités. Le rire s'est tu sur leurs lèvres.

comme par magie.

L'annonce raconte ensuite comment Fred, l'ami du protagoniste et lui-même "pianiste accompli", pense qu'Henri a dû savoir jouer depuis des années. Mais ce n'est pas le cas, car cette école de musique "a une nouvelle méthode simplifiée pour vous apprendre à jouer de n'importe quel instrument en quelques mois par correspondance". Cette assertion, la promesse de cette annonce, apparaîtrait sans doute en gros titre dans la plupart des autres annonces. Ici, la promesse se trouve formulée au beau milieu de trois pleines colonnes de texte. Mais les lecteurs ont compris le message - et en nombre ! - car l'histoire qui l'englobe est distrayante et crédible.

J'ignore si cet Henri existe vraiment, mais l'annonce marche, car les lecteurs s'identifient à ce personnage et s'imaginent dans la même situation. Henri est aussi réel que tout autre personnage de fiction, et l'annonce peut se lire comme n'importe quelle bonne histoire. Elle se termine par un bon de commande détachable, et de nombreux lecteurs l'ont rempli et posté pour obtenir "[la] brochure et une leçon d'essai gratuite".

Même si le contexte et la langue utilisés dans cette annonce sont amusants pour nous car démodés, le secret de son succès marche toujours. Assurez-vous que votre annonce commerciale remplisse bien les conditions suivantes :

- **Attirer ses lecteurs cibles.** Une histoire intéressante, un personnage auquel ils peuvent s'identifier et à qui ils veulent ressembler, voilà les composants les plus sûrs pour attirer les lecteurs.

- **Soutenir complètement la promesse du produit.** Cette annonce doit non seulement éveiller un intérêt mais aussi conclure la vente. Elle doit donc fournir suffisamment de preuves pour surmonter les objections raisonnables des lecteurs. Si les qualités du produit sont évidentes, mettez-les en valeur. Si ce n'est pas le cas, comme pour un service, utilisez des témoignages, une histoire qui a du poids, des statistiques de tests objectifs, bref une forme de preuve qui soit convaincante d'un point de vue logique ou émotionnel ou, mieux encore, des deux !

- **Parler aux lecteurs d'une manière normale et personnelle.** Le langage utilisé dans la pub ci-dessus est un peu démodé mais, à l'époque, il était naturel, facile à lire et à croire. Votre pub doit être aussi naturelle que facile à lire pour vos lecteurs. N'en faites pas trop ! Ecrivez bien, soyez concis, recherchez des expressions claires et attirantes mais sans être rigide ou formel. Vous n'êtes pas en train de rédiger un rapport destiné à votre patron mais une annonce commerciale !

- **Cibler les bons lecteurs.** Votre taux de retour dépendra énormément du type de lecteur qui verra votre annonce. En fait, la même annonce placée dans deux publications différentes obtiendra des taux de retour pouvant se situer aux deux extrêmes. Mieux vous définirez le profil de vos clients, plus ils pourront être nombreux dans le lectorat du support que vous aurez choisi, meilleurs seront vos résultats.

Les publications très sélectives sont plus intéressantes pour les annonces commerciales. Un magazine spécialisé vous fournira un type de lecteurs avec beaucoup plus de potentiel qu'un magazine général ou un journal. Si votre produit concerne les femmes, sélectionnez une publication féminine. Cela augmentera automatiquement votre taux de retour de 50 % !

- **Faciliter le processus de retour.** Vous avez remarqué que l'annonce pour l'école de musique ci-dessus se terminait par l'offre d'une brochure et d'un cours d'essai gratuit. L'annonce ne demande pas d'argent, uniquement les noms et adresses des personnes intéressées. Pourquoi ? Je suis sûr que ces publicitaires étaient aussi impatients que vous d'avoir de nouveaux clients, mais cela aurait été trop difficile en une seule annonce. Pas pour l'école de musique, qui peut encaisser des chèques sans problème, mais pour le client potentiel. En effet, il aurait été pour le moins irréaliste de s'attendre à ce qu'il s'engage dans un cours par correspondance sans avoir d'informations complémentaires. L'annonce doit donc faciliter l'action du client en lui offrant une étape intermédiaire plus simple et moins risquée.

  Cette étape intermédiaire n'est pas toujours nécessaire. Si vous avez des doutes, publiez deux versions de votre annonce, une avec une étape intermédiaire et une qui tente de conclure la vente directement. Vous verrez laquelle obtient le plus de résultats à long terme.

Certains éditeurs de publications professionnelles, vendant des espaces publicitaires dans leurs magazines, utilisent l'annonce commerciale pour générer leur fichier prospects. Leur stratégie met l'accent sur le choix. Ils proposent à leurs lecteurs de nombreuses possibilités de contact et de commandes. Un grande variété de choix permet à de nombreux clients potentiels de trouver des réponses qui leur conviennent, donc d'agir.

Quand une annonce marche, elle marche vraiment !

Un classique américain illustre qu'il est possible de conclure une vente sans étapes intermédiaires. Il s'agit d'une annonce-presse simple, petit format, en noir et blanc, pour un chapeau fabriqué par la société Akbura en Australie. L'annonce montre simplement la photo d'un feutre accompagnée d'une description détaillant le produit et indiquant son prix. Le texte mentionne également que le distributeur propose une large gamme de produits, allant des " bijoux celtes " aux " cartes géographiques de Grande-Bretagne ". Un numéro d'appel gratuit est indiqué pour les commandes, ainsi que l'adresse postale et l'adresse électronique.

J'ai vu cette annonce, inchangée, dans des dizaines de journaux américains depuis des années, ce qui veut dire qu'elle marche, encore et toujours. Pourquoi ? Parce qu'elle fait la promotion d'un produit apparemment demandé. Personnellement, je ne porte pas de chapeau, mais ceux qui en portent connaissent ces produits et les recherchent. Le texte de cette annonce est très simple. Aucune histoire ici, mais elle attire ceux qui se voient bien avec ce chapeau. Et il y a juste assez d'informations sur les autres produits de l'entreprise pour exciter la curiosité des lecteurs qui y voient une source potentielle de produits qu'ils ne trouveront pas ailleurs.

Enfin, cette annonce permet aux personnes intéressées de prendre facilement contact. Les lecteurs ont trois possibilités : par téléphone, par courrier ou par messagerie électronique. L'annonce précise clairement qu'il est possible d'appeler pour demander un catalogue, ce qui donne deux bonnes raisons d'appeler. Tout cela dans une petite annonce commerciale bon marché publiée dans les dernières pages d'un journal. Maintenant, je devrais peut-être compléter ce que j'ai dit précédemment : le marketing direct ne marche pas très souvent, mais quand il marche, il marche vraiment !

Le publipostage

Le publipostage ou mailingVoir publipostage est la forme la plus classique de marketing direct (pour tout dire, ce terme désignait l'ensemble du domaine avant que les experts ne décident de changer le terme). Le publipostage est l'utilisation de messages de vente personnalisés. Il a déjà une longue tradition derrière lui. Je passerai en revue les meilleures idées, mais je voudrais tout d'abord faire observer que le publipostage n'est en fait qu'une forme d'annonce commerciale. Avant de concevoir un publipostage ou d'engager quelqu'un pour le concevoir, pensez-y dans cette perspective (et reportez-vous aux Chapitres 4 et 5).

En fait, un courrier de publipostage peut être comparé non pas à une, mais à deux annonces :

- La première est celle que le client cible voit quand il reçoit le courrier. C'est généralement une enveloppe. La mission de cette enveloppe est difficile : elle doit amener le consommateur à l'ouvrir, au lieu de la jeter immédiatement. La plupart des courriers publipostés partent à la poubelle sans même avoir été ouverts ni lus ! Vous devrez accorder beaucoup de soin à la conception de l'enveloppe pour que celle-ci *a)* saute aux yeux du destinataire (elle doit être différente des autres et remarquée) et *b)* lui donne une bonne raison de l'ouvrir (vantez les avantages du produit, piquez sa curiosité ou, mieux : promettez un prix ou une prime !).

- La seconde annonce n'entre en jeu que si la première a réussi. La seconde, c'est ce qui se trouve à l'intérieur de l'enveloppe. Sa mission est d'amener le lecteur à répondre par une commande ou une demande de renseignements. Un message publiposté est donc très proche d'une annonce-presse de vente directe. Les mêmes règles de communication persuasive s'appliquent, auxquelles viennent s'ajouter quelques autres, spécifiques au domaine.

Les secrets d'un bon publipostage

On dit qu'il existe de nombreuses "recettes" pour concevoir des publipostages directs efficaces. Toutefois, sachez qu'aucune ne marche. Du moins, votre lettre peut avoir l'air de tout sauf de l'application d'une "recette". Au contraire, elle doit être la créativité à l'état pur. Appliquez les secrets des annonces de vente directe telles que je les ai décrits plus haut. Utilisez les principes d'un marketing créatif et d'une communication de qualité tels qu'ils sont traités dans les Chapitres 4 et 5.

Toutefois, certaines stratégies peuvent vous aider à utiliser les principes d'une conception de qualité dans un publipostage. Vous trouverez ci-dessous plusieurs approches susceptibles de vous aider.

Tout d'abord, les messages publipostés les plus efficaces incluent généralement plusieurs éléments ayant chacun un rôle clairement défini :

- Un **appât.** Vous devez inclure une sorte d'appât destiné à attirer l'œil et l'attention du lecteur pour qu'il lise - tout simplement - la lettre.

- Un **argument.** Vous devez ensuite fournir un argument solide (logique, émotionnel ou les deux) qui montre que votre produit est bénéfique pour votre lecteur et peut résoudre un de ses problèmes spécifiques. Beaucoup de lettres s'efforcent de rendre ce point très persuasif, ce qui est une pratique très saine.

- Un **appel à l'action.** Finalement, vous devez appeler à une action immédiate, quelque chose qui pousse le lecteur à vous téléphoner, à envoyer un échantillon, à participer à un concours, à passer une commande, peu importe. Du moment que le client agit, la lettre est un succès. C'est le point fort de votre lettre, et tout doit être fait pour qu'il soit efficace.

Ces trois éléments essentiels peuvent être décrits de diverses manières. De nombreux rédacteurs les appellent l'*accroche,* la *chaîne* et l'*hameçon.* Si ces trois éléments ne sont pas présents et distincts dans votre lettre, elle n'est pas bonne.

- L'**accroche**. C'est le *début* de votre lettre. Il se voudra enthousiaste. Il doit attirer l'attention et créer un intérêt.

- La **chaîne**. Cette partie de la lettre est votre *argument*. Il présente les avantages de votre produit, la façon dont il va améliorer la vie de votre lecteur.

- L'**hameçon**. C'est la *fin* de votre lettre. Elle demande d'agir immédiate-ment. Dans le cas où elle n'inclurait pas de bon de commande, elle doit motiver les lecteurs à remplir un coupon-réponse, à envoyer leur nom ou à demander des informations.

Ces formules se réfèrent spécifiquement au texte de votre lettre. N'oubliez pas tout ce que les lecteurs reçoivent dans leur boîte aux lettres. L'aspect de votre enveloppe (que l'on appelle l'*enveloppe porteuse*) doit pousser les lecteurs à l'ouvrir pour lire la lettre. Voici quelques techniques qui peuvent vous aider :

- L'**approche sournoise**. Déguisez votre enveloppe porteuse de telle sorte qu'elle ressemble à une facture ou à une lettre personnelle, ou qu'elle ne puisse pas être identifiée. Le lecteur sera tenté de l'ouvrir pour savoir ce qu'elle contient.

- L'**approche "avantages"**. Mettez un en-tête, un petit texte ou même une œuvre d'art pour indiquer au lecteur de quoi parle la lettre et résumer les avantages que le produit peut lui apporter. Je préfère cette approche, car elle a l'avantage d'être honnête et directe. De plus, elle vous assure que ceux qui ont ouvert l'enveloppe se sont "autosélectionnés" par l'intérêt qu'ils portent à votre offre. Toutefois, cette technique ne marche que si votre produit présente un avantage clair ou une différence qui puissent être mis en valeur sur l'enveloppe. Si vous ne pouvez pas affirmer "Ouvrez immédiatement pour obtenir le produit XYZ reconnu par *Que choisir ?* pour être le meilleur de sa catégorie", cette approche ne sera pas efficace.

- L'**enveloppe "offre spéciale"**. Cette enveloppe attire, quelle que soit l'offre. En apprenant aux consommateurs qu'ils peuvent participer à un concours pour gagner 10 millions de francs, obtenir des échantillons gratuits ou des coupons de réduction*Voir* bon de réduction intéres-sants, l'enveloppe leur donne une raison de lire la lettre qui est à l'intérieur. Mais l'enveloppe n'essaie pas de vendre le produit : ce rôle reviendra à la lettre, que vous aurez écrite avec le plus grand soin.

- L'**enveloppe créative**. Si votre courrier est suffisamment original, tout le monde voudra l'ouvrir juste pour savoir qui vous êtes et ce que vous proposez. Un paquet énorme dans une couleur inhabituelle, un dessin ou une phrase particulièrement drôles, une fenêtre laissant apparaître quelque chose d'intéressant pour le lecteur, etc., tous les moyens créatifs (ou presque) sont bons pour rendre votre enveloppe particuliè-rement intéressante. Cette stratégie est la moins courante, sans doute parce que les enveloppes créatives coûtent cher. Mais réfléchissez : si vous dépensez 25 % de plus pour doubler ou tripler votre taux de retour, vous aurez fait faire de substantielles économies à votre société !

Que devez-vous inclure d'autre dans votre courrier ? En général, une lettre accompagnée d'une brochure (comportant une présentation de vos produits, un peu comme dans un catalogue) attire plus qu'une lettre seule. Les brochures ne sont pas efficaces pour tous les produits (elles seront inutiles dans le cas d'une proposition pour un abonnement à un magazine), mais elles marchent très bien dans le cas d'un produit ou d'un service considéré comme cher ou compliqué. En d'autres termes, utilisez les brochures dans les cas où l'implication d'achat est plus forte, car elles mettent en confiance et permettent aux lecteurs de s'engager. Un dernier conseil : concevez une brochure élaborée, engageante, luxueuse, colorée et volumineuse si l'implication d'achat est forte. En bref : choisissez de gros prospectus pour les produits chers et des petits pour les produits simples.

N'oubliez pas le formulaire ou le coupon-réponse. Les lecteurs doivent pouvoir vous répondre de plusieurs façons différentes. Si c'est possible, laissez-leur le choix quant aux offres auxquelles ils veulent répondre. Les enveloppes retour T (dont le port est payé par le destinataire) assurent généralement un taux de retour plus élevé et justifient souvent le supplément de coût. Ne lésinez pas sur le formulaire. Après tout, le but de votre lettre est d'obtenir des réponses !

Le dernier point concerne le moyen et le régime d'expédition de cette lettre. Tarif lent ou tarif rapide ? Devriez-vous utiliser un service de livraison en 24 h pour les gros clients ? Pourquoi ne pas envoyer le message par télécopie (fax-mailing) ou par courrier électronique ? La télécopie est un mode d'expédition de plus en plus efficace en marketing *B to B*, en particulier pour les offres urgentes (annonces de nouveaux produits, etc.). Mais sachez que, globalement, le service postal reste le moyen le plus efficace et que le courrier envoyé au tarif lent a autant de succès que celui envoyé au tarif normal... alors faites des économies !

Tous ces beaux principes peuvent-ils s'appliquer à la messagerie électronique ? Oui, mais avec deux adaptations. Premièrement, en concevant une lettre de vente électronique, pensez en termes d'écran et non de page. Cliquer sur l'écran suivant requiert le même effort et la même implication que de tourner une page. Toutefois, un écran contient moins de texte qu'une page. Soyez donc plus précis et moins bavard, sans quoi votre lettre électronique n'aura pas autant de succès que son équivalent papier. Ensuite, réfléchissez bien à la façon dont vous allez pouvoir "emballer" votre courrier dans une enveloppe virtuelle attrayante. La plupart des messages électroniques arrivent avec tout un tas d'informations ennuyeuses envoyées d'office par le logiciel (chemin d'accès, distribution, etc.). Pouvez-vous supprimer tout cela ? Si ce n'est pas possible, débrouillez-vous pour y inclure quelque chose d'intéressant, par exemple envoyez les lettres à partir d'une adresse qui parlera de votre offre. Il n'est pas très compliqué de créer une nouvelle adresse, dotée d'un nom attirant, même pour un seul envoi massif de messages électroniques. Tout comme une bonne enveloppe, elle peut vous permettre d'augmenter le taux de lecture, donc le taux de retour.

Envoyer les messages publipostés

Un petit détail gêne souvent ceux qui font du publipostage pour la première fois : comment façonner, plier, mettre sous pli la lettre et son éventuelle brochure et les poster ? Si vous ne savez pas, le mieux est de vous adresser à quelqu'un qui sait. Vous trouverez ces entreprises dans l'annuaire "Pages Pro", à la rubrique "routage" ou "routeurs". Certains imprimeurs peuvent aussi parfois s'en charger. Renseignez-vous précisément pour avoir une idée de l'étendue de leurs services et des prix pratiqués.

Si vous prévoyez des envois à une petite échelle (disons, moins de deux mille lettres pour un seul envoi), il est certainement plus économique et plus rapide de le faire vous-même. De nombreuses petites entreprises ou des organismes à but non lucratif font du publipostage à petite échelle. Il n'est pas intéressant pour elles de s'adresser à des imprimeurs. Renseignez-vous auprès de votre bureau de poste sur les possibilités de faire des envois affranchis à la machine. Vous pouvez aussi envisager d'acheter du matériel pour mettre les lettres dans les enveloppes, les cacheter, les peser, etc. Combinez cet équipement avec les possibilités de production, de pliage et de mise sous enveloppe qu'offre le centre de reprographie du coin, et vous aurez un vrai petit centre de publipostage !

Le télémarketing

Commençons par un constat : la grande majorité des consommateurs contactent un numéro vert au moins une fois par an. Le télémarketing s'est imposé ces quinze dernières années comme un important média de marketing direct. C'est également un outil complémentaire important dans le domaine de la vente directe, en particulier pour le marketing "business-to-business" (souvent abrégé dans la profession en "B to B" et aussi appelé *marketing industriel* – reportez-vous au Chapitre 17 pour plus de détails).

Pour faire du télémarketing, il suffit d'un téléphone. Mais la technique est tout de même beaucoup plus efficace quand elle est associée à un Numéro vert. Le fait que vous preniez à votre charge le coût de l'appel permet de supprimer au moins une objection : celle du prix ! Ces Numéros verts sont d'autant plus prisés des départements marketing qu'ils leur permettent d'acheminer tous les appels vers un centre d'appels unique, dédié au traitement de tous les appels entrants.

De fait, les Numéros verts ne sont utiles que pour une seule forme de télémarketing : le *télémarketing entrant*. Dans ce cas, les clients appellent le plus souvent en réponse à une annonce ou à un encart-presse. Un numéro de téléphone devrait figurer sur chaque annonce, permettant de joindre une force de vente composée de téléopérateurs bien formés ou encore d'entrer en contact avec un chef d'entreprise enthousiaste.

Il faut tout de même ajouter une information : depuis peu, les ordinateurs sont parfois les plus nombreux dans certains centres d'appels. Grâce aux nouvelles technologies de réponse vocale interactive (RVI), les ordinateurs peuvent solliciter des informations des clients, diriger leurs appels de manière appropriée et même prendre leur commande pour des produits ou des informations de relance. Si votre centre d'appels est quotidiennement saturé, vous pouvez envisager d'utiliser ces serveurs vocaux. Ils peuvent en effet réduire le coût et la durée de chaque appel. Mais rappelez-vous que de nombreux clients préfèrent bien souvent avoir affaire à une vraie personne, alors assurez-vous de proposer cette possibilité dans le menu initial.

L'autre forme de télémarketing est le *télémarketing sortant*, dans lequel des téléopérateurs prospectent par téléphone pour trouver des clients et essayer de conclure des ventes. Reportez-vous au Chapitre 17 pour apprendre à concevoir une bonne présentation dynamique de vente. Comme les ventes personnelles, le télémarketing sortant est victime de nombreux rejets.

Le pourcentage de rejets est souvent extrêmement élevé dans les opérations de télémarketing sortant. La raison en est simple : appeler quelqu'un coûte tellement moins cher que lui rendre visite en personne que les vendeurs ne prennent pas la peine de développer des listes de contacts commerciaux qualifiés. Ils se contentent d'engager des étudiants payés à l'heure pour appeler des gens au hasard en espérant conclure quelques ventes par centaine d'appels. Ce type de marketing n'est pas malin. Alors, de grâce, ne gâchez pas votre temps et la bonne volonté des consommateurs en piochant vos numéros dans l'annuaire !

Vous pouvez augmenter très nettement le taux de succès (nombre de ventes conclues par rapport au nombre d'appels) du télémarketing sortant en établissant une liste de contacts qualifiés avant de commencer tout appel. (Reportez-vous à la section suivante.) Vous pourrez alors vous permettre de placer des vendeurs compétents au bout du fil et éviter ainsi à votre société d'être représentée par de parfaits crétins ! J'ignore pourquoi de nombreux responsables télémarketing n'ont toujours pas compris que le premier contact entre leur société et un client potentiel ne doit pas être confié à un employé temporaire qui ne sait même pas prononcer le nom du produit correctement ! Pour éviter ces problèmes, vous devez développer des listes (voir Chapitre 20) et un argumentaire suffisamment bons pour obtenir un taux de succès d'au moins 15 %. Je pense que ce taux est dix fois supérieur au taux moyen atteint par les opérations de télémarketing grand public aujourd'hui.

A propos, je ne parlerai même pas de ces ordinateurs qui font eux-mêmes des appels de télémarketing sortant. Quelle abominable idée ! Si vous décidez de les utiliser, ne leur donnez surtout pas mon numéro !

Programmes de télémarketing : deux portraits

Permettez-moi d'illustrer les utilisations possibles du télémarketing sortant par deux exemples très différents.

Le premier est une société (que je n'ose pas nommer) qui vend un modèle d'aspirateur soi-disant très supérieur aux autres. Son prix est également très supérieur, ce qui laisse supposer une marge bien plus grande que celle des produits de cette catégorie. On ne peut se le procurer qu'à travers un circuit de distribution et une organisation de marketing direct.

Le programme marketing de cette société utilise le télémarketing, la liste des clients potentiels étant constituée directement à partir de l'annuaire local. Les personnes appelées qui se sont montrées intéressées reçoivent par la suite la visite d'un vendeur chargé de conclure la vente.

Les appels sont généralement effectués par des jeunes femmes aux manières téléphoniques agréables. Elles sont payées (au noir) environ 30 F de l'heure et effectuent environ 200 appels par plage horaire de 5 heures. La plupart des gens raccrochent immédiatement, mais à peu près 25 personnes sur ces 200 sont suffisamment intéressées pour écouter le discours. Parmi elles, environ 5 remplissent les conditions financières requises (avoir un emploi à plein temps, une carte de crédit et être propriétaire de son logement).

Dans ce lot, quelques-uns reçoivent effectivement la visite d'un vendeur, et une ou deux personnes finissent par acheter le produit. Le taux de succès est ainsi d'environ 1 %. Toutefois, l'utilisation (illégale) de main-d'œuvre sous-payée et non déclarée maintient le coût des appels si bas que l'opération est rentable, du moins jusqu'à ce que l'inspection du travail s'en mêle.

L'autre exemple me plaît déjà mieux, car sa démarche est plus responsable et beaucoup plus intéressante. Il s'agit d'un théâtre qui a décidé de vendre des abonnements-spectacle, se garantissant ainsi un public minimal pour chaque représentation de la saison.

Les responsables marketing du théâtre ont découvert qu'une campagne télémarketing de 16 semaines dirigée vers les personnes de son fichier interne (clients anciens et actuels, auxquels viennent s'ajouter quelques personnes qualifiées) était très efficace pour vendre les abonnements. L'opération de télémarketing est réalisée en interne par une équipe correctement formée et qui sait de quoi elle parle. Le taux de succès est assez élevé.

Notez que ce programme de télémarketing parvient à générer de nombreuses ventes, qu'il ne prend aucun risque légal ou financier, et qu'il n'expose pas les clients potentiels à entrer en contact avec du personnel incompétent et parfois discourtois.

De plus, ce programme conclut directement la vente, au lieu de nécessiter une visite de relance. Il est donc bien meilleur que le premier exemple.

En matière de télémarketing sortant, on voit le pire comme le meilleur, alors assurez-vous de pratiquer le meilleur.

"Bonjour, monsieur. J'appelle de la part de (*nom de société*), qui a été sélectionnée par (*éditeur de magazine économique prestigieux*) pour savoir si vous recevez vos numéros de (*nom de magazine*) dans de bonnes conditions", a dit une voix féminine lorsque j'ai décroché le téléphone l'autre jour. Autant dire que mon "alarme marketing abusif" s'est aussitôt déclenchée.

Lorsque j'ai fait remarquer que je pensais que le but de l'appel était tout autre, elle a admis qu'elle voulait m'offrir "une occasion" de prolonger mon abonnement, car "les prix montent", mais qu'on pouvait encore me proposer un abonnement de plusieurs années au prix actuel.

J'ai alors fait remarquer que son laïus d'entrée était un bon exemple d'appel de vente illégal (puisqu'il était conçu pour me faire croire que l'appel avait un but différent et même altruiste !). Elle a raccroché aussitôt... sans me laisser l'occasion d'enchaîner sur l'autre aspect potentiellement illégal de l'appel. L'avez-vous aussi remarqué ? L'assertion selon laquelle les prix allaient augmenter n'était probablement pas fondée. Après vérification, j'ai appris que le prix des abonnements avait en effet un peu baissé ces dernières années. Et j'imagine que si j'ai reçu un appel, les prix vont plutôt baisser qu'augmenter.

Bref, ce scénario télémarketing ne vaut pas un cachou. Il manque de correction et peut conduire à des complications légales. Et c'est le cas de nombreux scénarios télémarketing aujourd'hui, sans doute parce qu'il est devenu plus difficile de vendre quelque chose par téléphone qu'il y a quelques années, que le produit soit un magazine ou un service bancaire. Les gens en ont assez des appels de vente. Alors, les agents de télémarke-ting utilisent des techniques sournoises (expliquées dans la section "Les secrets d'un bon publipostage" plus haut dans ce chapitre) qui les amè-nent à flirter dangereusement avec la légalité et à pratiquer une éthique douteuse.

Ce qui se passe est simple : cette technique de vente, nouvelle il y a encore peu de temps, est arrivée à maturité. Les consommateurs intéressants ont déjà été submergés de piles d'annonces, de brochures, d'affiches et d'ap-pels. L'apparition du télémarketing dans les années 80 a donné aux prati-ciens du marketing quelque chose de nouveau à expérimenter. C'était très amusant... pendant un temps. Mais aujourd'hui, la plupart des clients potentiels ont déjà reçu des centaines d'appels. Personnellement, j'en reçois au moins six par jour à mon bureau, et si j'ai le malheur de rester chez moi le week-end, j'en ai douze de plus. Résultat : il est devenu aussi difficile de retenir mon attention par téléphone que par courrier ou par tout autre média.

Cela signifie que les praticiens du télémarketing n'ont plus aujourd'hui que deux alternatives : continuer à faire ce qu'ils font - ce qui conduira à des pratiques de plus en plus désespérées et douteuses - ou se réveiller et prendre conscience de la réalité. Ils doivent développer de nouvelles stratégies pour ce média arrivé aujourd'hui à maturité. En voici quelques-unes :

- **N'abusez pas du téléphone.** Réservez vos appels pour des questions qui nécessitent vraiment un contact personnel du point de vue du client. Si vous avez réellement quelque chose d'important à dire, vous n'aurez pas besoin de déguiser votre appel pour garder votre client ou votre prospect en ligne. Rappelez-vous que tous les programmes marketing doivent utiliser un subtil mélange de support et de méthode. Vous ne pouvez pas tout faire avec un seul outil. Rappelez-vous aussi que, même lorsque le téléphone est approprié, vos clients effectifs et potentiels ne souhaitent pas être appelés constamment. Laissez-les respirer !

- **Soyez respectueux.** Vous dérangez chaque personne que vous appelez.

- **Rémunérez vos téléopérateurs correctement, pour vendre mais aussi pour établir une relation de qualité avec les clients.** Si vos téléopérateurs sont payés à la commission, ils seront frustrés, désagréables et finiront par raccrocher au nez de vos clients potentiels. Notez que pour suivre cette règle, vous ne devez pas non plus utiliser de sous-traitants (sociétés spécialisées menant les opérations de télémarketing pour vous) s'ils paient à la commission, et sachez que la plupart le font !

- **Bichonnez vos clients actuels.** Après avoir reçu l'appel du magazine économique de tout à l'heure, j'ai écrit une lettre de plainte et annulé mon abonnement. Des tactiques de vente trompeuses, agressives ou irritantes peuvent produire un état des ventes impressionnant en fin de journée, mais elles conduisent aussi plus de clients à changer de fournisseur, tout simplement parce que ceux qui se laissent tenter et signent suivront de la même façon le prochain téléopérateur. De plus, ces tactiques irriteront vos clients fidèles au lieu de les récompenser ! Utilisez au moins deux stratégies et deux scénarios différents : les uns pour vos clients actuels et les autres pour les clients potentiels. Si vous le pouvez, concentrez votre télémarketing sur la fidélisation de vos clients existants, par exemple en les appelant pour savoir vraiment comment vous pouvez améliorer la qualité de votre produit ou de votre service.

- **Apprenez des autres moyens de communication.** Retenir l'attention de quelqu'un suffisamment longtemps pour faire passer un message marketing est un problème majeur non seulement en télémarketing, mais quel que soit le support de communication utilisé. Des solutions intelligentes ont été développées pour d'autres supports. Pourquoi ne pas s'en inspirer et les appliquer au domaine du télémarketing ? Vous pourriez écrire un scénario amusant : une histoire très courte, une phrase humoristique peuvent susciter l'intérêt bien mieux qu'une explication trompeuse sur le but de l'appel. De même, vous pouvez retenir l'attention avec une offre promotionnelle. Par exemple, votre scénario peut commencer par une offre de participation à un concours ou une proposition d'envoi d'échantillons gratuits, puis enchaîner avec l'argumentaire de vente.

En théorie, tout ce qui marche pour les autres supports de communication peut être adapté au téléphone. Seulement voilà, personne n'a encore essayé ; alors, soyez créatif !

Etablir et gérer un centre d'appels

Le *centre d'appels* est l'entité qui gère et traite les appels téléphoniques de vos clients. Ce peut être un endroit réel, physique - une grande pièce remplie de téléphones et du personnel pour répondre -, mais ce peut être aussi un endroit virtuel - le numéro de téléphone du sous-traitant auquel vous confiez la gestion du télémarketing entrant.

Quel que soit le cas, il y a plusieurs choses que votre centre d'appels doit faire parfaitement et qui sont décrites ci-dessous :

Soyez joignable et disponible pour vos clients quand ils veulent vous appeler

Si vos clients sont des professionnels, les heures de bureau suffiront. Mais si ce sont des particuliers, soyez prêt à recevoir des appels à des heures inhabituelles. Certains clients faisant leurs achats de vêtements sur catalogue aiment choisir tard dans la soirée, avant d'aller se coucher par exemple.

Souvenez-vous qu'être accessible, ce n'est pas seulement avoir du personnel près du téléphone. Assurez-vous que la ligne n'est pas constamment occupée. Renseignez-vous auprès de votre prestataire : il saura certainement vous proposer des services qui permettent d'éviter cela (signal d'appel, etc.). Demandez-lui des détails.

Vous devez également mesurer et minimiser le temps d'attente de vos clients. Ne les laissez pas attendre plus que ce qu'ils perçoivent comme un délai modéré. En fonction de la nature de votre produit et du client, cette limite est probablement inférieure à 2 minutes perçues. Une *minute perçue* est la période temporelle qu'un client en attente perçoit comme une minute et qui tourne en fait autour de 40 secondes réelles. Vous devez convertir les délais d'attente réels en délais d'attente perçus pour adopter la perspective du client.

Un autre avantage à avoir le centre d'appels en interne, selon Ted Ferguson de la société Taos Computers à Palo Alto, Californie, est que les managers ont un contrôle direct de la question de l'accessibilité et peuvent ajouter des lignes et du personnel rapidement en cas de problème.

Glaner des informations utiles sur chaque client

L'une des fonctions les plus importantes de votre centre d'appels est de compléter des questionnaires d'enquête et de prendre les commandes de nouveaux clients répondant aux diverses annonces parues dans la presse magazine, aux mailings envoyés à partir de listes de contacts achetées à une société de courtage, mais aussi aux annonces de votre page Web. Ces contacts sont très importants, non tant pour leur commande que pour les renseignements qu'ils vous donnent. Ne les laissez pas s'échapper ! Assurez-vous que vos opérateurs demandent à chaque client son nom en entier, son adresse complète, ainsi que la façon dont il a entendu parler de la société.

Le meilleur moyen de ne pas laisser ces informations se perdre dans la nature consiste à les inclure tout de suite dans votre base de données, ce que pourront faire des opérateurs "en ligne" au fur et à mesure qu'ils posent les questions.

Reconnaissez vos clients fidèles et prenez soin d'eux

Le fait d'avoir des opérateurs en ligne résout également le problème de la reconnaissance de vos clients. Leurs noms s'afficheront à l'écran pour que les opérateurs puissent s'y référer. Ainsi, les téléopérateurs n'auront pas à poser - peut-être pour la dixième fois - de questions stupides et pourront surprendre les clients par la connaissance qu'ils ont d'eux.

Rassemblez des données sur l'efficacité des annonces de marketing direct

Je suis souvent sidéré par le peu d'informations que les départements marketing rassemblent sur l'efficacité de leur propre travail. En marketing, ce que vous ignorez peut vous nuire ! C'est si facile de savoir quelles annonces obtiennent les meilleurs résultats, et lesquelles en ont le moins, ce qui vous permet d'améliorer votre programme de marketing direct au fur et à mesure de votre expérience. Le plus simple consiste à demander à chaque client qui appelle où il a entendu parler de vous.

De nombreuses entreprises utilisant le publipostage se servent d'un code particulier à chaque opération de publipostage. Elles peuvent ainsi lier un appel à un courrier particulier. Cette technique peut être étendue à toutes les offres écrites si vous le souhaitez, et même à celles qui sont faites sur Internet. Le code d'identification met en rapport les appels avec les annonces spécifiques qui s'y rapportent, ce qui permet d'analyser facilement leur efficacité.

Vous pouvez aussi utiliser un code différent pour chaque annonce, ce qui pourra servir de base à une opération de promotions personnalisées. Par exemple, un courrier peut proposer une offre spéciale "deux pour le prix d'un" sur une période de deux mois. Avec le code, l'opérateur pourra rapidement afficher les conditions de cette offre à l'écran.

Si vous ne voulez pas établir de centre d'appels vous-même, vous pouvez engager un consultant qui créera ce centre pour vous, ou encore engager une société de services pour le gérer à votre place.

L'importance de la politesse en marketing direct

De nombreuses entreprises se lancent dans le marketing direct avec la certitude qu'elles peuvent s'occuper de leurs clients mieux qu'aucun intermédiaire. Cette idée se révèle souvent fausse. Si vous n'êtes pas rompu au contact direct de la clientèle, vous allez probablement gâcher les choses. C'est ce qui arrive souvent aux entreprises lorsqu'elles sont trop directes.

Le but du marketing direct est de construire un pont entre le client et vous. Mais à regarder faire certaines entreprises, on pourrait penser que le but du jeu est plutôt d'assommer les clients, puis de tirer leurs cadavres à l'abri pour les consommer plus tard (j'ai surnommé cette façon de procéder "la stratégie du requin").

Où est la limite entre le marketing efficace et l'invasion irritante ? La réponse n'est pas facile en marketing direct précisément parce que ce type de marketing... n'est pas vraiment direct. C'est-à-dire que vous ne traitez pas avec les individus à un niveau personnel. Vous entrez en contact avec eux au travers de médias impersonnels. Mais puisque vous essayez de créer un contact personnel par ces moyens de communication, laissez-vous guider par les règles de politesse et de bienséance qui président aux contacts sociaux personnels.

En d'autres termes, ne faites rien qui vous semblerait, à vous, discourtois. C'est aussi simple que cela. En observant cette simple règle élémentaire, vous vous mettrez à dos moins de clients (ce qui veut dire moins de rejets et un bouche-à-oreille bien moins négatif) et vous serez plus à même de créer ce type de relation à long terme, celle que vous souhaitez et dont vous avez besoin avec vos clients.

Une vérification occasionnelle des résultats de vos démarches marketing peut être utile et se fait facilement, en observant un échantillon de vos clients potentiels (entre 25 et 50, cela devrait suffire). Cette sorte d'étude n'est pas très scientifique, n'essayez donc pas d'en faire de subtiles analyses statistiques. Mais elle peut vous apprendre s'il existe un problème de perception (vous ne voulez pas que votre télémarketing provoque des réactions négatives chez vos clients). Demandez-leur comment ils perçoivent les contacts que vous engagez (les courriers, les appels téléphoniques, peu importe). Posez-leur des questions qui leur permettent d'exprimer facilement tout sentiment négatif.

Par exemple, la question ouverte "Voulez-vous que nous changions notre façon de vous contacter ?" est un assez bon moyen de sonder le terrain. Si vous entendez plusieurs commentaires du style "Arrêtez de m'appeler en plein dîner de manière aussi envahissante et désinvolte", "Vous n'arriverez donc jamais à épeler mon nom correctement dans vos courriers ?", vous saurez que vous avez quelques problèmes à résoudre…

Quatrième partie
Les dix commandements et interdits du marketing

Chapitre 19

Treize façons de faire des économies en marketing

Dans ce chapitre, voyez comment faire des économies en :

Pensant petit.

Réduisant vos coûts fixes.

Planifiant votre programme de marketing.

Ciblant votre public.

Etant créatif.

Concentrant vos ressources.

Lançant un produit de façon progressive.

Coordonnant vos efforts.

Vous concentrant intelligemment.

Dépensant intelligemment .

Utilisant de nouveaux circuits de distribution et de nouveaux supports.

Réduisant vos coûts.

Dépensant de l'argent !

Qui ne voudrait savoir comment faire du marketing à bon marché ? Mais dans ce domaine, malheureusement, les conseils que l'on vous donnera ne seront pas de ceux qu'il faut écouter. Bien sûr, placer des prospectus sur les pare-brise des voitures ne coûte pas bien cher. Mais si on compare l'impact par rapport à celui d'un spot télévisé bien ficelé, la différence de prix se justifie facilement. En effet, le marketing est un domaine dans lequel, globalement, on obtient des résultats à la mesure de ce que l'on a payé. Les consultants, concepteurs et autres créatifs dont les services sont bon marché peuvent être de bons professionnels inconnus… mais ce n'est généralement pas le cas ! Quant aux gratuites occasions de se faire connaître, elles n'atteignent que rarement leur but (le public cible), et quand elles y parviennent, c'est parfois au détriment de l'image de l'entreprise. Il est donc difficile de faire un marketing qui soit à la fois efficace et peu coûteux.

Il existe cependant des moyens de faire des économies, et non des moindres. Même si ces moyens ne sont pas aussi faciles à mettre en pratique que certains voudraient le faire croire, ils peuvent marcher. Ils impliquent cependant de faire du vrai et bon marketing, et non de pratiquer un ersatz bon marché. La bonne démarche consiste à *faire ce qu'il faut au bon moment, mais en mieux* ! Voici quelques façons d'économiser de l'argent sans réduire votre efficacité ni vous mettre dans l'embarras.

Pensez petit

Je parie que ce titre a plus attiré votre attention que tous les autres titres de ce chapitre, simplement parce qu'il est beaucoup plus petit. Parfois vous pouvez obtenir un impact plus important en étant plus petit que les autres. Une petite annonce-presse a parfois plus de succès qu'une annonce de taille importante. Certes, ce n'est pas le cas général, mais cela peut arriver. Inutile d'en savoir plus. Vous voyez ce qu'il faut faire… Avec un peu de travail, vous serez certainement capable de concevoir vous-même une petite annonce-presse ou un petit encart génial !

 Cela vaut pour les autres médias, en particulier pour ceux où la taille de la publicité se mesure en durée. La plupart des publicités radiodiffusées durent 30 secondes, et le plus souvent les auteurs doivent se donner beaucoup de mal pour réussir à retenir l'attention des auditeurs pendant ce court laps de temps. Pourquoi ne pas se contenter d'une publicité de 10 secondes seulement ?

Ce conseil est aussi valable pour la télévision : un spot de 10 secondes peut avoir beaucoup plus d'impact qu'une publicité plus longue et il retient l'attention des spectateurs sans problème.

Un autre moyen consiste à utiliser des médias moins chers que ceux que vous avez déjà utilisés ou que ceux que vos concurrents utilisent. Voici quelques idées à considérer :

- Si, dans votre secteur d'activité, les campagnes de publicité télévisées sont très utilisées, essayez-vous à la presse. Même si vous ne dépensez qu'un tiers, voire seulement un quart de votre budget habituel, vous ferez sûrement un tabac dans les magazines !

- Si vos concurrents font des pubs très voyantes dans la presse, utilisez la radio pour faire passer votre message, ou bien Internet. N'essayez pas de faire mieux qu'eux, épargnez-vous la surenchère !

- Créez un petit bulletin d'information complètement captivant et développez une base de données de prospects et clients à qui vous pourrez l'envoyer par publipostage.

- Laissez tomber les campagnes de publicité nationales destinées à construire ou affirmer une image de marque et consacrez toutes les ressources disponibles à la conception d'un packaging de qualité et de présentoirs attractifs destinés aux points de vente.

- Cessez de proposer des coupons de réduction et sponsorisez plutôt un concours. La plupart des consommateurs sont plus motivés par la perspective, même aléatoire, d'aller à Tahiti pendant 10 jours que par 2 francs de réduction sur leur prochain achat. Et pourtant, ces 2 francs vous coûtent beaucoup plus cher !

- Annulez votre prochaine campagne de publicité dans la presse pour vous offrir de meilleurs emplacements dans les grands salons professionnels, et assurez le suivi de vos visiteurs par télémarketing et publipostage.

- Distribuez plus d'échantillons gratuits que tous vos concurrents. Si votre produit est vraiment meilleur, les échantillons sont le moyen le plus abordable de faire passer le message.

N'oubliez pas que vous avez *toujours* la possibilité d'opter pour un support de communication moins cher. Le dénicher demande simplement de faire preuve de créativité et d'esprit d'initiative.

Un autre moyen de penser petit est de définir une zone de commercialisation plus réduite afin de concentrer vos ressources. Dès lors, vous devenez un plus gros poisson dans une mare plus petite. De nombreuses jeunes entreprises utilisent cette stratégie avec succès, par exemple en distribuant (pour commencer) dans une seule ville. Une fois gagnée une part significative de marché dans cette petite zone, ils se permettent alors d'étendre leur activité à d'autres zones. Il suffit de comprendre le phénomène des économies d'échelle spécifiques à votre secteur d'activité. Il existe une taille de marché minimale dans chaque secteur d'activité en deçà de laquelle on ne fait pas de bénéfices, et elle peut varier considérablement. Faites donc un calcul relativement simple. Est-ce qu'une part de marché de 10 ou 20 % dans une seule ville ou une seule région peut suffire pour couvrir vos coûts fixes et vos coûts variables, et vous assurer un bénéfice minimal ? Oui, si vos coûts fixes ne sont pas trop élevés pour ce marché. Ce qui veut dire aussi que les entreprises ayant des coûts fixes élevés, comme les usines, doivent généralement penser plus grand quand elles définissent l'extension de leur marché.

Pensez à réduire vos coûts fixes

Même si cela vous semble plus de la comptabilité que du marketing, c'est en fait une stratégie marketing incroyablement efficace !

Pour une fois, faites travailler votre imagination sur la gestion de vos coûts et voyez s'il est possible de fabriquer tel produit ou d'effectuer telle démarche commerciale à une plus petite échelle. Si c'est le cas, il vous sera possible de faire du marketing à petite échelle, localement, avantage de gestion certain dont vos concurrents, eux, ne pourront pas profiter. Par exemple, si vous cherchez le moyen de lancer un nouveau produit sur le marché alors que vous n'avez qu'un budget minuscule, essayez de trouver un fournisseur bon marché qui pourra fabriquer votre produit par lots. Même si le total de vos coûts est un peu plus élevé, vos coûts fixes seront réduits, car vous n'aurez pas à commander à l'avance en grandes quantités et vous ne serez pas encombré par les invendus. Vous pourrez ainsi boucler le budget (ou augmenter vos activités avec votre propre budget) en produisant et en mettant sur le marché un petit volume de produits sur un petit marché, puis investir vos bénéfices dans un volume un peu plus important, etc.

Planifiez votre planification

Le marketing est probablement la moins bien planifiée des principales activités commerciales. Personnellement, j'évalue à la moitié les dépenses marketing qui ne sont pas planifiées, en ce sens que le budget est dépensé sans qu'il soit tenu compte de la manière dont il entre globalement dans le plan d'action marketing. Les entreprises passent leur temps à réimprimer leurs brochures en quadrichromie, à renouveler les contrats de leurs représentants de commerce multicartes, à acheter des espaces publicitaires parfois hors de prix dans les annuaires et les magazines spécialisés, à stocker de grandes quantités de produits qui se vendent mal ou encore à dépenser de l'argent en packagings sophistiqués, sans savoir si ce sont de bons investissements. Si vous et votre organisation vous efforcez de ne rien dépenser en marketing sans savoir pourquoi, tout en vous efforçant de penser à d'autres solutions, vous éviterez alors de jeter l'argent par les fenêtres en le dépensant en activités de marketing qui n'auront pas beaucoup d'impact sur les ventes - ce qui est bel et bien le cas pour la plupart d'entre elles ! Plus vous passerez de temps à élaborer votre stratégie et à concevoir votre plan d'action marketing à partir de cette stratégie, plus votre marketing sera économique et efficace.

Ciblez votre public

La plupart des plans d'action marketing déploient inutilement beaucoup d'efforts pour des personnes ou des organisations qui ne deviendront jamais de bons clients parce qu'ils ne sont pas, ou ne devraient pas être, dans le marché cible. Pensez au gâchis que représente une publicité vue par des milliers ou des millions de personnes alors qu'une petite partie d'entre eux seulement constitue votre public cible. Et pensez au gâchis d'une opération de publipostage envoyée à partir d'une liste qui ne génère qu'un taux de réponses de 1%.

Soyez créatif

Globalement, plus vous dépensez en marketing, plus vous vendez. Ceux parmi vos concurrents qui ont les plus gros plans d'action marketing réussissent à capter le plus l'attention et à faire le plus de ventes. Il n'est donc pas étonnant que cela revienne (très) cher de gagner la guerre du marketing... Pourtant, un des aspects fantastiques de ce domaine, c'est que vous pouvez pourtant échapper à cette surenchère, en étant plus créatif que vos concurrents. Chaque année, on voit une ou deux campagnes publicitaires des plus percutantes, faites à partir de tout petits budgets mais qui doivent leur succès à leur concept créatif bien ficelé.

Un concept ou un packaging original pour un nouveau produit, une approche intelligente de la publicité sur le point de vente, un nouveau circuit de distribution, etc. Des innovations comme celles-ci peuvent vous aider à gagner beaucoup d'argent à partir d'investissements modestes. Avoir de bons résultats avec un petit budget, c'est possible, mais cela demande de la créativité !

Concentrez vos ressources

Ne vous éparpillez pas. Concentrez votre force de vente, vos magasins, votre marketing direct ou ce que votre programme contient dans certaines zones ou périodes pour rendre ces économies d'échelle rentables. Les économies d'échelle signifient que vos coûts par pub ou autre élément de marketing diminuent au fur et à mesure que vos activités augmentent. Donc pratiquez vos activités de marketing à grande échelle pour les rendre plus économiques. Profitez des réductions des imprimeurs, et des médias qui vendent du temps et des emplacements publicitaires.

Développez vos activités de façon séquentielle

Développer ses activités de cette façon est un bon moyen de concentrer ses ressources. Même les plus grosses entreprises de produits de consommation utilisent souvent cette stratégie pour concentrer leur ressources. L'idée consiste à lancer un nouveau produit région par région, plutôt que d'essayer de le lancer partout à la fois. Cette stratégie est une variante de la stratégie de la concentration. Utilisez-la en attaquant un marché à la fois. Faites-y votre place au soleil avant de passer au marché suivant. Cette stratégie est aussi valable dans d'autres domaines. Vous pouvez essayer une campagne publicitaire sophistiquée sur un ou deux marchés et attendre les retours sur investissement pour financer la campagne sur d'autres marchés. Avec un peu de patience, vous pourrez financer une campagne de publicité bien plus importante et obtenir une part de marché très avantageuse par rapport à ce que votre budget annuel semblait pouvoir vous accorder.

Coordonnez vos efforts

De nombreux responsables marketing se servent de plusieurs supports de communication pour atteindre leurs clients - ils utilisent de nombreux points d'influence (voir Chapitre 1). Mais ils ont aussi tendance à ne pas utiliser ces différents moyens de manière coordonnée. Les messages sont souvent incohérents dans leur contenu et leur style. Leurs communications sont par conséquent relativement inefficaces.

Dans l'approche japonaise de la gestion de la qualité, on rencontre parfois l'expression "trop de lièvres" pour décrire la situation où de nombreuses initiatives sont en cours sans coordination à la hauteur. Les programmes de marketing ont souvent trop de lièvres, alors qu'ils ne leur faut qu'un seul gros lapin ! Pour résoudre le problème, coordonnez toutes vos communications de marketing de la façon suivante :

1. **Identifiez tous les supports de communication de votre marché (il y en a que vous ne contrôlez pas encore – voir Chapitre 1).**

2. **Concevez une stratégie globale définissant le message que votre organisation veut faire passer à travers tous ces moyens de communication, ainsi que le style de ces communications.**

Vous communiquerez beaucoup plus efficacement en utilisant des communications marketing intégrées, et cela vous permettra peut-être aussi de diminuer votre budget.

Concentrez-vous sur le bon objectif

De nombreuses entreprises utilisent leur budget pour faire connaître leurs marques, alors que ce n'est pas là que le bât blesse. Si les consommateurs connaissent déjà une marque, augmenter les contacts ne conduira pas à une augmentation des ventes, ou du moins elle ne sera pas sensible. Dans ce cas, il faut plutôt travailler sur l'image de la marque, pour qu'une plus grande partie de ceux qui la connaissent décident de l'essayer. Il se peut aussi que beaucoup de personnes l'essaient puis l'abandonnent, sans devenir des clients réguliers. Le problème est alors peut-être dans le produit lui-même, et dans ce cas il faudrait investir en mise à jour plutôt qu'en publicités onéreuses. Si vous ne savez pas quel est votre problème, c'est que vous ne dépensez pas votre argent intelligemment. Faites en sorte de concentrer vos efforts vers un objectif à la fois et que cet objectif soit approprié ! (Les Chapitres 2 et 3 vous aideront à définir vos objectifs marketing.)

Ne jetez pas votre argent par les fenêtres

L'enthousiasme avec lequel les entreprises jettent leur argent par les fenêtres est incroyable ! Beaucoup d'entre elles dépensent plus de la moitié de leur budget en promotions sur les prix, et je suis incapable de vous dire le nombre de fois où j'ai entendu des responsables dire quelque chose comme "Les ventes ont chuté ce mois-ci. Baissons les prix pour voir ce que ça donne". Les baisses de prix ont certainement leur rôle mais ne devraient jamais être utilisées sans la certitude que le résultat net sera un profit. Or ce n'est généralement pas le cas, comme je l'ai montré au Chapitre 13. Il arrive que les consommateurs soient très sensibles aux prix et que les concurrents cassent leurs prix : dans ce cas vous êtes bien obligé de suivre ! Mais, en général, n'entrez pas dans la guerre des prix. Faire des bénéfices (ou simplement rester dans la course) est beaucoup plus facile quand la compétition porte sur un aspect de la qualité de votre produit, car c'est précisément ce qui le rend différent et meilleur. Pourtant, de nombreuses entreprises jouent volontairement le jeu de la surenchère en distribuant des coupons de réduction et des offres spéciales aux consommateurs, jusqu'à ce que ceux-ci considèrent cela comme un dû et ne recherchent que les produits et les services les moins chers. Avec cette stratégie, il devient toujours plus difficile de faire des affaires. Elle conduit à réduire les marges commerciales à la portion congrue et utilise tout votre budget marketing, ne vous laissant rien pour différencier votre marque.

Utilisez de nouveaux circuits de distribution et de nouveaux supports

Faire du marketing direct sur Internet revient moins cher que par téléphone, surtout parce qu'Internet est un support relativement nouveau et qu'il n'a pas fait ses preuves. Profitez-en ! Soyez parmi les novateurs qui montrent que le Web peut marcher. Ou soyez l'un des premiers de votre secteur à passer des mailings publipostés aux fax-mailings (mailings envoyés par télécopie) pour annoncer un nouveau produit. Ou bien soyez l'un des premiers à utiliser le publipostage et à pouvoir ainsi supprimer les intermédiaires traditionnels de votre secteur. De plus, pour vous sélectionner un nouveau support, choisissez les nouveaux magazines qui montent, car leurs taux de vente sont souvent inférieurs à leur taux de circulation. Ils vous donnent ainsi de bonnes chances d'être vu tout en en ayant pour votre argent.

Chaque fois que c'est possible, trouvez quelque chose de nouveau et expérimentez votre idée. L'argent que vous investissez rapportera plus, pour deux raisons. D'abord, nouveau veut dire incertain, et les prix sont généralement plus bas. Ensuite, nouveau veut dire plus petit, donc vous pourrez être un gros poisson dans une petite mare. Votre part de voix sera plus importante dans un nouveau support que celle que vous pourriez obtenir grâce à un support éprouvé et surpeuplé.

Réduisez vos coûts

Les responsables marketing ont connaissance des renseignements essentiels auxquels les autres n'ont pas accès : le point de vue du consommateur. Et, pour un consommateur, la plupart des postes figurant au budget d'une entreprise importent peu. Or personne ne demande aux consommateurs - et donc au responsable marketing, dont le travail consiste aussi à se mettre à leur place - ce qu'ils pensent du budget de l'entreprise. Si on le leur demandait, les consommateurs pourraient fort bien proposer de réduire ou supprimer les dépenses qui ne servent pas à améliorer le produit ainsi que sa distribution. Du point de vue du consommateur, la beauté du parc entourant les bâtiments du siège de l'entreprise n'a aucune importance. Même une partie des dépenses faites par le département marketing leur sembleraient futiles (le papier à en-tête de l'entreprise est imprimé en deux couleurs et non plus monochrome, les voitures des commerciaux sont neuves, etc.).

Dépensez de l'argent !

Ce conseil risque de paraître déplacé dans un chapitre ou il est question d'économies, mais souvenez-vous qu'un plan d'action marketing bien conçu est un investissement sur les ventes futures. La façon la plus évidente d'économiser de l'argent consiste bien évidemment à réduire le budget marketing. Mais il n'est pas si facile de "couper dans le lard" ! On gagne peut-être de l'argent sur l'année en cours, mais les ventes et donc les bénéfices s'en ressentent forcément - et d'une façon disproportionnée - l'année suivante. Si vous n'allez pas vers les consommateurs, ils ne viendront pas vers vous ! Voyez toujours le marketing comme un investissement sur les bénéfices futurs. On peut économiser de l'argent en faisant des investissement plus sages et plus intelligents, mais pas en les supprimant purement et simplement.

Chapitre 20

Dix erreurs courantes en marketing

. . . .

Dans ce chapitre, évitez de faire les dix erreurs suivantes :

Ne pas écouter les clients.

Trop écouter les clients.

Ne pas faire de recherches marketing.

Se reposer entièrement sur les chiffres des recherches.

Faire ce qu'il ne faut pas.

Faire trop de (bonnes) choses en même temps.

Ne pas essayer de vendre.

Compter sur des critères de différenciation mineurs.

Essayer de vendre un concept que vous ne pouvez pas expliquer simplement.

Ignorer le monde extérieur.

. . . .

Dans le domaine du marketing, beaucoup de gens perdent du temps en essayant de réinventer la roue. C'est dommage. J'espère que vous serez plus malin et que vous éviterez cette erreur en utilisant ce livre pour découvrir et appliquer les solutions que les autres ont apportées à leurs problèmes. Toutefois, réinventer la roue n'est pas aussi grave que de répéter les erreurs des autres. Soyons honnête, cela arrive à tout le monde, car il est tout simplement impossible de connaître suffisamment les expériences des autres pour en tirer le meilleur profit. Mais n'allez pas en faire une habitude !

Malgré tout, vous pouvez limiter les dégâts. Les erreurs les plus courantes (celles que je constate à longueur de temps) sont présentées dans ce chapitre. Lisez-le attentivement si vous ne voulez pas tomber dans ces pièges.

Ne pas écouter les clients

Je demande parfois aux différents responsables : "Alors, que pensent vos clients de cette idée ?". Quand je pose cette question, on me regarde trop souvent avec des yeux ronds. En marketing, la plupart des nouvelles idées viennent de l'intérieur de l'entreprise, d'un responsable, d'un cadre ou d'un employé. C'est bien : qui d'autre tient le succès de l'entreprise suffisamment à cœur pour y penser ? Le seul problème, c'est que les clients, eux, n'aimeront peut-être pas vos idées. Prenons l'exemple de l'entreprise qui a essayé d'introduire des légumes frits sur le marché. L'idée était peut-être excellente, mais personne ne voulait en manger ! Vous pouvez donc éviter de nombreux faux pas et ménager vos efforts en testant vos idées sur vos clients avant de les mettre en œuvre.

Trop écouter les clients

Si c'est une grave erreur que de ne pas écouter ses clients, sachez que c'est parfois une erreur encore plus grande que de trop les *écouter* ! Vous devez suivre votre instinct et votre intuition. Si vous sentez que vous pouvez pousser vos clients et votre marché dans une nouvelle direction, faites-le.

Par exemple, on peut penser que si les avocats pouvaient donner des conseils à leurs clients en temps réel, en utilisant des sites de discussion sur Internet, ces clients pourraient ainsi éviter de nombreuses et coûteuses erreurs. Cette idée peut sembler excellente… pour un visionnaire. Mais pour un avocat moyen, qui pratique plutôt le ramassage des (petits) morceaux d'affaire que la médecine préventive, et qui en outre ne se sert jamais d'Internet, c'est de la folie ! De nombreux clients seront du même avis, car ils ne sont pas habitués à cette idée. De plus, pour utiliser un tel service, ils devraient changer non seulement leur attitude par rapport aux avocats, mais aussi leur comportement par rapport à leur pouvoir de décision. En définitive, tout le monde ou presque vous rirait au nez si vous proposiez cette idée. Pourtant, cette idée est peut-être simplement en avance : un jour, les gens s'abonneront sans doute à des services de conseil juridique sur Internet et se connecteront régulièrement pour obtenir quelques avis avant de prendre une décision importante. C'est peut-être une grave erreur que d'abandonner cette idée uniquement parce que les clients s'en sont moqués.

Ne pas faire de recherches préalables aux prises de décision

Il s'agit d'une variante de "Ne pas écouter vos clients". Le nombre de responsables marketing qui conçoivent leur plan d'action sans conduire la moindre recherche ou la moindre étude de marché est absolument incroyable ! A moins d'être doué d'un pouvoir surnaturel, vous ne pouvez pas connaître suffisamment de choses pour prendre des décisions avant d'avoir mené votre enquête.

Le domaine des études de marché offre de nombreux moyens pour être à l'écoute des clients et des marchés (cf. Chapitre 6), mais l'approche la plus simple est souvent la meilleure. Au minimum, demandez à vos clients ce qu'ils pensent de vos idées. Ensuite, écoutez attentivement ce qu'ils vous disent, en essayant de ne pas les interrompre. Vous savez déjà que dans votre entreprise tout le monde trouve cette idée géniale, alors laissez le client vous donner sa réaction. Si l'idée n'a pas l'air géniale du point de vue extérieur du consommateur, c'est qu'*elle ne l'est pas.*

Faire confiance aux chiffres

Si vous menez une recherche marketing dans les règles, ou même lisez des rapports sur votre secteur d'activité, vous serez vite noyé par les chiffres. Chaque tableau et chaque pourcentage racontent leur propre histoire, et beaucoup peuvent vous être utiles. Vous pourriez faire quelque chose parce que les chiffres suggèrent que c'est une bonne idée. Et pourtant, je peux vous assurer que je pourrais faire une autre recherche et arriver à un résultat différent, voire contradictoire. Les résultats dépendent trop de la manière dont sont constitués les échantillons, dont sont formulées les questions, dont les données sont analysées et les résultats interprétés. Vous ne pouvez pas vous passer des recherches marketing, mais ne les prenez pas trop au sérieux non plus !

Avant de tirer une conclusion ou de commencer à agir, appliquez un certain scepticisme scientifique et essayez de trouver des explications et des interprétations différentes à ces résultats. Ne vous y fiez pas avant d'avoir reconsidéré vos conclusions. Même si votre interprétation de départ semble la plus probable, mettez-la en doute. Vérifiez votre interprétation de deux autres manières qui soient indépendantes de votre source d'origine. Trouvez d'autres sources ou d'autres moyens de tester vos conclusions. Si votre interprétation en sort indemne, vous pouvez peut-être croire les chiffres. Mais soyez prudent, ils mentent souvent !

Faire ce qu'il ne faut pas

C'est certainement le problème que je rencontre le plus souvent dans mon travail de consultant. (En fait, on peut l'observer dans tous les aspects du management, et pas seulement en marketing.) Cette erreur est due en particulier à une certaine philosophie du management selon laquelle les employés devraient faire leur travail et ne pas perdre trop de temps à *penser à ce qu'ils font.* Théoriquement, seul le patron a besoin de savoir *pourquoi*, tous les autres sont censés se concentrer sur le *comment* (soit dit en passant, selon moi, c'est une bien piètre philosophie).

En pratique, de nombreux employés doivent prendre sur le vif des décisions. Le plus souvent, même les cadres supérieurs ne connaissent pas les trois quarts des décisions prises dans leur société. (Et ils en prennent parfois de très mauvaises dans le quart qui les concerne, mais c'est une autre histoire.) Le résultat est que la plupart des gens font ce qu'ils peuvent sans se demander si cela a un sens. Cette constatation est valable pour tous les secteurs d'activité, mais peut-être encore plus en marketing.

En marketing, la plupart des gens font leur travail d'une certaine manière un jour parce qu'il a été fait de cette manière la veille. Arrêtez ! Ne faites jamais quelque chose simplement parce que "c'est ce que l'on a toujours fait". Revoyez vos pratiques et vos idées régulièrement. Cela vous évitera de vous ennuyer dans votre travail et permettra à votre société de ne pas gâcher de précieuses ressources en actions quasiment inutiles, voire totalement destructrices.

Faire trop de (bonnes) choses en même temps

Même les budgets de marketing les plus importants sont trop limités pour pouvoir financer simultanément plus d'une ou deux initiatives majeures. Si les grandes sociétés peuvent traiter deux projets en même temps, votre budget est probablement plus réduit que celui de LVMH. Cette erreur pourrait donc s'avérer particulièrement dangereuse pour vous.

N'entreprenez pas plus d'un seul nouveau projet important à la fois, si cela vous est possible. (Si vous ne pouvez pas l'éviter, faites circuler votre C.V. discrètement, au cas où…). Qu'importe les raisons que vous invoquerez, elles paraîtront toujours bonnes, mais vous devez leur résister. Si votre société a inventé un nouveau produit génial et vient d'acquérir une autre société du même secteur d'activité, vous avez une bonne excuse pour entreprendre deux projets majeurs en même temps. Mais, croyez-moi, vous ne pourrez pas intégrer vos forces de vente aux leurs et lancer le nouveau projet simultanément. Vous raterez les deux. Décidez plutôt quel est le projet le plus important et commencez par celui-là. (Je suggérerai dans ce cas de lancer le produit d'abord et de fusionner les forces de vente ensuite.)

Ne pas essayer de vendre

Je parle de l'importance de conclure la vente dans les Chapitres 16 et 17. Conclure la vente est souvent le point faible des vendeurs et des détaillants. Pourtant, l'erreur est plus courante que ça. De nombreuses publicités, par exemple, n'incluent pas d'appel à l'action, qui est la version publicitaire de la conclusion d'une vente. Elle demande au public de faire quelque chose, comme d'appeler un numéro vert ou aller dans un magasin où l'on peut se procurer le produit.

La publicité de coopération, conçue et financée par le fabricant *et* le détaillant, est souvent plus efficace que la publicité classique orientée vers la marque, car elle propose aux consommateurs d'aller dans un magasin ou une chaîne précise pour acheter le produit.

Les responsables marketing trouvent parfois difficile d'inclure un appel à l'action, car ils n'ont pas pensé à la façon dont ils vont traiter les demandes de renseignements ou les commandes. C'est souvent le cas quand le circuit de distribution est complexe et que quelqu'un d'autre conclut la vente. Même si les ventes sont traitées ailleurs, essayez tout de même de conclure la vente dans toutes vos opérations marketing. Envoyez les clients au bon détaillant ou donnez-vous les moyens de faire du marketing direct.

De plus, organisez une formation pour tous vos employés, au moins une fois par mois, sur la manière de se comporter avec les clients et de traiter avec eux. Ainsi, quand ils seront en contact avec l'un d'eux, ils sauront comment se comporter au lieu de le faire fuir. Si vous ne croyez pas que les employés soient capables de faire fuir les clients, essayez d'appeler une grosse entreprise de produits de grande consommation. Même si vous parvenez à avoir une vraie personne au bout du fil (et non simplement le répondeur vocal), elle fera de son mieux pour se débarrasser de vous. De nombreuses grosses entreprises ne semblent pas se rendre compte que le seul but de leur travail est de conclure des ventes !

Compter sur des critères de différenciation mineurs

Vous rappelez-vous l'époque où les boissons transparentes faisaient un tabac ? Il y a quelques années seulement, les boissons sucrées et les bières transparentes semblaient prêtes à absorber tout le marché. Des plans d'action marketing monstrueux vantaient ces nouveaux produits, et les consommateurs ont été (brièvement) charmés. Mais, au bout d'un moment, le charme n'a plus opéré.

La raison est simple : tout était fondé sur un argument vraiment mineur. D'accord, vous pouvez faire une boisson qui ressemble à de l'eau, et alors ? Quel est le rapport avec les vraies qualités du produit ? Pas grand-chose, ce dont les consommateurs se sont très vite aperçus. N'attendez pas trop des stratégies de différenciation, sauf si votre produit est réellement différent de celui de vos concurrents, et ce d'une manière qui soit significative pour les consommateurs. C'est le produit qui importe le plus, et non les aspects accessoires comme sa couleur ou son emballage. Les consommateurs ne sont pas stupides. Alors ne le soyez pas non plus !

Essayer de vendre un concept que vous ne pouvez pas expliquer simplement

Bon, je vous accorde douze mots, car c'est le nombre qu'il m'a fallu pour le titre de cette section. Mais pas plus ! L'idée, c'est que même les produits les plus technologiques et les plus innovants doivent pouvoir être expliqués simplement pour percer sur le marché. Même chose pour vos messages publicitaires. Ne vous fatiguez pas à essayer de concevoir des publicités avant d'avoir réussi à écrire l'accroche en dix (d'accord, douze) mots au maximum. Dans le cas contraire, votre message n'atteindrait pas l'esprit déjà très sollicité des consommateurs. Restez simple !

Ignorer le monde existant au-delà de votre secteur d'activité et de votre marché

Ça, c'est une erreur courante ! Et la plupart des gens ne s'en rendent jamais compte ! En effet, il est tellement naturel de se concentrer sur ce que font les concurrents et de s'évaluer par rapport à eux. Mais presque tout ce que vous faites, en marketing et dans le reste de votre travail, de nombreuses autres entreprises le font aussi, dans d'autres secteurs industriels. Très peu de choses sont véritablement spécifiques à un secteur d'activité. Cela devient clair lorsque vous adoptez une *perspective de procédé*, c'est-à-dire lorsque vous identifiez les procédés mis en pratique par votre département ou votre société.

Vous envoyez vos commerciaux aux clients, fournissez un service et un support client. Vous stockez et livrez des produits. Vous traitez les appels des clients. Vous gérez une base de données de clients. Vous embauchez et animez une force de vente. Vous participez aux salons professionnels pour générer des ventes. Vous concevez des plans d'action marketing. Vous voyez ce que je veux dire ! Mais des milliers d'autres sociétés, dans beaucoup d'autres secteurs industriels ainsi que dans d'autres pays, font les mêmes choses. Alors quelles sont les probabilités pour que vous ayez l'employé le plus doué dans un seul de ces procédés ? Assez minces. Dans ce cas, pourquoi mesurez-vous vos performances par rapport à celles de vos concurrents ? Pourquoi ne pas les mesurer aux meilleurs ?

Il est temps d'élargir votre horizon, de chercher des entreprises, dans d'autres secteurs d'activité, qui soient meilleures dans ces procédés que les entreprises de votre secteur, et d'apprendre de celles-là. De cette manière, vous dépasserez bientôt toutes les entreprises de votre secteur au lieu de les laisser vous retenir…

Annexe
Etablir un plan marketing

*V*ous pouvez simplement voir un plan marketing comme un résumé de vos objectifs et de votre stratégie (décrits dans la première partie) et des éléments de votre plan d'action marketing (décrits dans la troisième partie). Si vous avez déjà travaillé sur votre stratégie et votre plan d'action, vous avez toute la préparation nécessaire pour commencer à l'écrire.

Si, malgré tout, vous n'êtes pas très sûr de la meilleure façon d'établir un plan d'action, relisez le Chapitre 1 et utilisez les plans fournis en exemple comme guide.

Les plans d'action marketing varient considérablement selon les entreprises, mais tous ont les mêmes éléments décrits ci-dessous.

Résumé opérationnel

Rédigez cette partie en dernier, mais placez-la en tête. Résumez les point principaux de votre plan d'action et précisez s'il s'agit d'un plan d'amélioration ou d'une nouvelle stratégie. Dans le premier cas, votre plan introduit un certain nombre d'améliorations dans la conduite de la politique marketing. Dans le second, il permet de saisir une occasion ou d'identifier un problème et de réagir en conséquence. Assurez-vous que vous résumez bien ce que votre projet va rapporter (par produit ou par ligne de produits si tous ne peuvent pas tenir sur une page), et ce qu'il va coûter. Montrez aussi en quoi ce plan diffère de celui de l'année précédente. Le tout doit tenir en moins d'une page.

Si vous avez trop de produits pour tout faire tenir sur une page, listez-les par ligne de produits. Mais une meilleure option consiste à réaliser plusieurs plans. Tout plan qui ne peut être résumé en une seule page est trop complexe pour être appréhendé. Il faut diviser pour régner !

Objectifs

Les objectifs décrivent ce que votre plan est supposé accomplir. Par exemple, le plan augmentera-t-il les ventes de 25 %, repositionnera-t-il un produit pour le rendre plus attrayant pour des clients à fort pouvoir d'achat, introduira-t-il un canal de distribution direct par Internet permettant de remplacer progressivement les mailings ou de lancer un nouveau produit ? Peut-être que le plan regroupera plusieurs produits sous un nom générique, qu'il fera connaître à travers des publicités écrites et radiodiffusées pour gagner des parts de marché sur les concurrents, ou qu'il réduira les coûts des campagnes marketing dans la préparation de bons de réduction, l'achat d'espaces publicitaires ou le management de la force de vente. C'est le genre de point à préciser dans la partie "objectifs du plan". Cela donne au plan son orientation générale.

Si vous êtes clair dans l'énumération de vos objectifs, vous n'aurez pas de problèmes pour écrire les autres parties, parce que dans le doute vous pourrez toujours revenir sur cette partie et vous souvenir de ce que vous essayez de faire et pourquoi.

J'essaie de rédiger cette partie du plan en premier, tout en sachant que j'aurai à la réécrire plusieurs fois au cours de l'élaboration de mon projet. Et je la retravaille toujours à la fin. Les objectifs sont tellement la clef de voûte de votre plan que vous ne pouvez cesser d'y penser. Pourtant, malgré leur importance, ils n'ont pas besoin de beaucoup de mots pour être décrits. Une demi-page à deux pages au maximum.

Analyse de la situation

Qu'est-ce qui se passe ? C'est la question à laquelle l'*analyse de situation* doit répondre. La réponse peut prendre des formes multiples. Vous devriez analyser les évolutions les plus importantes du marché, car elles sont source de problèmes ou d'opportunités (voir le Chapitre 5 pour plus de détails sur les techniques de recherche et les sources à consulter).

Quels ont été les changements les plus importants depuis que vous avez analysé la situation pour la dernière fois ? La réponse dépend de la situation. Vous voyez la difficulté ? Vous devez avoir suffisamment de flair pour deviner ce qui arrive et identifier clairement les problèmes et opportunités.

En fait, votre but est de voir ces changements plus clairement que la concurrence. Pourquoi ? Parce que, si votre analyse de la situation est moins bonne que celle de la concurrence, vous leur abandonnez des parts de marché. Si votre analyse est à peu près équivalente, vous resterez à niveau. Ce n'est que dans le cas où elle est meilleure que vous gagnerez sur vos concurrents.

Voici ce que vous voulez obtenir de votre analyse :

- L'équivalence d'information. C'est le terme que j'utilise pour décrire le cas dans lequel vous connaissez au moins autant la situation que vos concurrents principaux. Si vous ne faites pas assez de recherches ou si vous ne faites pas l'analyse appropriée, vos concurrents auront davantage d'informations que vous. En conséquence, votre premier but est d'être à armes égales avec vos concurrents.

- L'avantage d'information. C'est l'intuition du marché que vos concurrents ne possèdent pas. Le but d'un avantage d'information est de vous mettre dans une situation favorable, vous permettant de disputer un match en pipant les dés. C'est bien la meilleure manière de lancer une campagne marketing ou de publicité !

La plupart des plans d'action marketing et leurs concepteurs n'utilisent pas ces termes et ne formulent pas ainsi la définition d'objectifs. Je vous confie un de mes secrets les mieux gardés parce que je ne veux pas perdre de temps sur l'analyse de situation "tarte à la crème", dans laquelle le responsable marketing enfonce des portes ouvertes et expose pompeusement des éléments d'information que tout le monde connaît avant même de lire le plan. Cette attitude, bien que répandue, ne fait rien pour le succès d'un plan. Si vous aviez voulu ne faire que le minimum, vous ne vous seriez pas donné la peine d'acheter ce livre !

Stratégie marketing

Beaucoup de plans utilisent cette section pour préciser les objectifs en expliquant comment les atteindre. Certains auteurs font facilement cette distinction, tandis que d'autres mélangent allègrement objectifs et stratégie. Un objectif ressemble à ceci :

Consolider notre leadership sur le marché des PC domestiques.

Une stratégie ressemble à ceci :

Introduire de nouveaux produits innovants et promouvoir notre marque afin de consolider notre leadership sur le marche des PC domestiques.

Notez bien que la seconde formulation, la stratégie, englobe l'approche générale pour atteindre un but. Elle fournit un bon fil conducteur pour définir quel chemin vous prendrez. Mais certains voient peu de différence entre objectifs et stratégie. Si vous êtes à l'aise avec cette distinction, séparez les deux parties. Sinon, fusionnez-les dans une partie intitulée "Objectifs et stratégie".

Pour plus de détails sur la manière de développer une stratégie marketing, consultez les Chapitres 2 et 3.

Vue d'ensemble d'un plan d'action marketing

Un *plan d'action marketing* est un ensemble d'actions marketing que vous utilisez pour influencer un groupe de consommateurs ciblés en vue de leur faire acheter un produit ou un ensemble de produits particuliers. Dans le Chapitre 1, nous avons vu comment développer ou analyser des plans d'action marketing. A mon avis, un plan d'action marketing commence par l'identification des "facteurs d'impact". En d'autres termes, on détermine par quel biais votre organisation doit influencer les achats des consommateurs. Et votre plan d'action se termine quand vous avez décidé de la façon d'exploiter ces facteurs d'impact.

Dans le Chapitre 1, nous avons parlé de facteurs d'impact primaires, des facteurs qui domineront votre plan d'action pendant la période pour laquelle il est conçu. La raison principale de cette approche est qu'elle vous permet de concentrer vos efforts, donc d'avoir plus de poids (plus probablement que des concurrents aux efforts plus dispersés) sur ces facteurs d'impact. Choisissez-les avec attention en essayant de trouver un à trois supports sur lesquels votre plan d'action reposera. Utilisez alors les autres facteurs d'impact (habituellement nombreux) pour étayer vos facteurs d'impact principaux et boucher les trous (on pourrait penser que votre plan serait plus solide si on lui ajoutait des supports, mais ce n'est pas le cas, ce sont les supports qui deviennent moins stables !).

Si vous suivez les conseils du Chapitre 1 (il n'est pas encore trop tard !), vous avez déjà identifié vos facteurs d'impact et avez une bonne idée de ce que votre organisation a dépensé sur chacun d'eux l'année dernière. Choisissez-en quelques-uns sur lesquels vous allez vous concentrer (si vous n'êtes pas sûr de bien choisir, revoyez la partie qui traite des éléments du plan d'action en troisième partie pour trouver les facteurs d'impact les plus adaptés à vos besoins et à votre marché). Ensuite, toujours en vous aidant de la troisième partie, commencez à développer un plan d'action spécifique à chacun d'entre eux.

Par exemple, considérons que vous envisagez de passer des pubs dans des revues professionnelles pour faire connaître aux détaillants votre nouvelle ligne de produits et les options intégrées que vous proposez. C'est bien, mais maintenant il faut préciser. Vous devez sélectionner des magazines (appelez leur service publicité pour connaître les tarifs et le type de lecteurs ; voir Chapitre 8 pour plus de détails). Vous devez aussi décider combien de publicités et de quel genre vous devez passer et évaluer le coût de cette campagne de pub.

Faites la même analyse pour chacun des éléments de votre liste. Détaillez jusqu'à obtenir une idée du coût initial pour chaque élément. Additionnez ces coûts pour vérifier que le montant total est réaliste. Le coût total est-il trop élevé par rapport à vos prévisions de ventes ? Est-il plus élevé que le plafond annoncé par la direction ? Si c'est le cas, ajustez et essayez encore. Vous devriez finir par avoir un budget logique et acceptable.

Une feuille de calcul électronique est un outil formidable pour mener à bien ce processus. La Figure A.1 présente un exemple très simple. Tout ce que vous avez à faire est de rentrer les formules qui vous permettront de calculer les sous-totaux et le total général, et de soustraire ce montant du total des ventes en bas de la feuille.

Vue d'ensemble du plan d'action ciblant les détaillants	
Eléments du plan d'action	**Coûts marketing en F**
Facteurs d'impact primaires	
-Déplacements de la force de vente	2 704,20
- Télémarketing	1 656,00
- Annonces-presse	7 530,00
- Développement nouvelle ligne produits	1 029,00
Sous-total	**12 919,20**
Facteurs d'impact secondaires	
- Magasins discount	420,00
- Présentoirs points de vente	750,00
- Page Web et catalogue en ligne	75,60
- Catalogue papier	312,00
- Publicité	1 112,20
- Stand (salon)	133,50
- Nouvel emballage	55,62
Sous-total	**1 858,92**
Prévision de ventes pour ce plan	1 392,30
Moins coûts plan d'action	14 779,00
Ventes nettes provoquée par ce plan	**1 338,67**

Figure A.1 : Exemple de feuille de calcul électronique.

Ce schéma nous donne un aperçu d'une société de vente en gros à des boutiques de cadeaux dans tout les Etats-Unis. Cette société réalise ses ventes en utilisant des représentants, du marketing téléphonique et des publicités dans les journaux comme composants principaux de son plan d'action. Elle prévoit aussi un budget pendant cette période pour le développement et l'introduction d'une nouvelle ligne de produits.

Les composants secondaires de ce budget ne font pas souvent appel au budget marketing par rapport aux composants primaires (87 % du budget total). Mais ils sont également importants. On pense que la nouvelle page Web apportera une réponse adéquate à la plupart des clients et servira également de catalogue virtuel, permettant ainsi d'économiser sur un catalogue papier et sur les frais de publipostage. L'entreprise compte également introduire une nouvelle ligne de présentoirs destinés aux points de vente chez les détaillants sélectionnés. Ces présentoirs, combinés avec des emballages transparents, doivent faire augmenter le chiffre d'affaires de l'entreprise chez les détaillants.

Si votre plan marketing couvre plusieurs catégories de clients, vous aurez besoin de plusieurs feuilles de calcul comme celle de la Figure A.1, car chacune des catégories de clients requiert un plan d'action spécifique.

Par exemple, la société de vente en gros dont le plan d'action marketing est illustré par la Figure A.1 vend à des boutiques de cadeaux. C'est ce à quoi sert ce plan d'action, mais elle travaille également avec des papeteries. Bien que les vendeurs soient les mêmes, les produits et les promotions sont différents pour ces deux clients. Ils choisissent dans des catalogues différents et n'utilisent pas le même type de présentoirs. Ils lisent des revues professionnelles différentes. En conséquence, la société doit développer un plan d'action marketing spécifique pour chacun des clients en répartissant les dépenses équitablement (par exemple, si les deux tiers des ventes sont réalisées avec les boutiques de cadeaux, les dépenses correspondant à ce client devront représenter les deux tiers du budget total).

De manière similaire, si vous avez besoin de commercialiser différents produits ou des lignes de produits différentes, vous devez préparer un plan d'action pour chacun d'entre eux séparément.

Détails du plan d'action

Dans cette partie vous devez expliquer en détail l'utilisation pratique de chaque élément. Chaque élément doit faire l'objet d'une section à part entière, ce qui signifie que cette partie du plan peut être particulièrement longue (prenez autant de pages qu'il vous faut pour tout bien expliquer). De toute façon, il faut que vous réfléchissiez à ces aspects : autant le faire par écrit. Vous verrez, le plan sera nettement plus facile à appliquer s'il est rédigé de manière détaillée.

Même si cette partie de votre plan est la plus longue, on ne va pas l'expliquer ici très longuement puisqu'on l'a déjà fait dans la troisième partie de ce livre. Chaque chapitre explique en détail la meilleure façon d'utiliser chaque élément de votre plan d'action. Alors n'hésitez pas à consulter ces chapitres au fur et à mesure que vous rédigez cette partie du plan.

Le plan doit couvrir au minimum les quatre P : Produit, Prix, Place (distribution) et Promotion (la façon dont vous communiquez et persuadez vos clients). Mais il est probable que vous utiliserez des sous-catégories comme on l'a fait dans la troisième partie de ce livre.

Il n'est pas nécessaire d'inclure des sections concernant des éléments que vous ne contrôlez pas. Souvent la personne en charge de la rédaction du plan d'action n'a aucune influence sur la politique des prix, le développement d'une nouvelle ligne, etc. Prenez conscience de vos limites et essayez de les dépasser, mais admettez leur existence sinon votre plan d'action ne sera pas conforme à la réalité. Si, par exemple, le seul élément que vous contrôlez est la promotion, toute cette partie du plan d'action doit être consacrée aux méthodes que vous envisagez d'utiliser pour promouvoir le produit. Ne vous en faites pas pour les autres P. Faites juste ce dont vous êtes capable.

Gestion du plan d'action marketing

Cette partie du plan n'est pas obligatoire, mais il est utile de la traiter. Cette section résume les tâches confiées à chacun pour permettre la mise en œuvre du plan d'action. Elle désigne également les personnes responsables de l'accomplissement de ces tâches en expliquant pourquoi ces personnes ont été choisies et comment elles seront encadrées. L'objectif prioritaire de cette section est d'assurer une bonne répartition des tâches et un bon timing. Quelquefois, cette section devient un peu compliquée lorsqu'on y évoque des questions de fond.

Maintenant il va falloir que vous endossiez aussi bien l'aspect financier que l'aspect de direction de projets (ce n'est pas évident, mais en un jour ou deux cela devrait être faisable).

- Faites une estimation des ventes pour chaque produit en unités et en francs.

- Justifiez ces estimations. Si c'est trop difficile donnez des exemples "Dans le pire des cas".

- Etablissez un calendrier pour l'implémentation des éléments de votre plan ainsi que pour la partie financière (cela vous aidera à mieux définir la gestion du plan d'action et également à établir votre budget marketing mensuel).

- Etablissez un budget marketing mensuel décrivant tous les coûts de votre plan d'action pour chaque mois de l'année à venir et faites des prévisions de ventes mensuelles par région ou produit.

Surveillez le bébé

On a passé en revue des tâches pas toujours très agréables, mais il y a des plans d'action élaborés de sorte que leur auteur n'ait pas à s'occuper des détails. L'idée générale est d'avoir un plan d'action qui décrive les objectifs et les stratégies pour les atteindre et propose des solutions pour son implémentation. Après cela, il passe entre les mains d'experts divers : en publicité, en vente et autres domaines fonctionnels. Mais si vous déléguez ces parties, n'oubliez pas de vérifier que le travail a été correctement effectué. Après tout, c'est votre bébé et il vaut mieux qu'il se porte bien !

Vous gardez le bébé. Comment faire des prévisions de ventes

Dans le pire des cas, vous êtes coincé et obligé de rédiger le plan d'action de A à Z sans l'aide de spécialistes ni la moindre participation d'autres départements. Mais, quelquefois, dans les grandes entreprises, cela n'est pas facile. Si tel est votre cas, le plus délicat sera d'établir des prévisions de ventes. Tout le reste (c'est-à-dire l'aspect financier) ne devrait pas poser trop de problèmes. Après tout, ce n'est pas difficile de savoir comment dépenser de l'argent. Utilisez un peu votre imagination et pensez à des activités telles que les relations publiques, la documentation écrite, etc. Ensuite, additionnez le tout pour avoir les totaux généraux. Les chiffres ne devraient pas soulever de difficultés – vous travaillez tout de même pour le département marketing et vous avez ce livre ! Mais que faire pour les prévisions de ventes ? A moins d'avoir une boule de cristal, il vaut mieux que vous vous penchiez sur le sujet avant d'écrire quoi que ce soit.

Le secret des projections marketing, estimations et budgets est de les voir à travers la perspective du retour sur investissement. Ce qui compte, ce n'est pas combien vous avez dépensé mais combien va vous revenir.

Il se peut qu'une déduction de 50 % sur les frais généraux vous donne un meilleur retour sur investissement en pourcentage. Ou qu'une augmentation de 200 % soit très bénéfique. Ou que le même budget, attribué de manière différente, vous procure une augmentation de 25 %. Si vous consacrez assez de temps à vos prévisions de ventes, à vos estimations marketing et à vos budgets, vous serez en mesure de prévoir et de mesurer le retour sur investissement avec suffisamment de précision pour pouvoir vous en sortir sans trop de mal. Assurez-vous simplement que vous avez bien établi des liens entre les plans d'action spécifiques et les résultats spécifiques (voir Figure A.1). Vous saurez alors de quelle façon vous dépensez votre argent et pourrez faire des estimations de votre retour sur investissement.

Prévisions de ventes

De nombreuses techniques sont disponibles pour faire des prévisions de ventes. Nous allons les passer en revue pour que vous puissiez choisir la plus appropriée. Si vous n'êtes pas sûr de vous, utilisez la technique la plus traditionnelle. Une manière habituelle d'assurer le coup consiste à utiliser plusieurs techniques et à en faire la moyenne.

- **Prévisions ascendantes** : elles partent du détail pour arriver à la globalité. Si vous avez des représentants ou des vendeurs, demandez-leur de prévoir les ventes de la période à venir sur leur zone géographique et de les justifier par les changements de situation qu'ils anticipent. Agrégez alors ces prévisions pour obtenir une version globale. Si vous avez peu de clients, vous pouvez utiliser la même technique client par client. Vous pouvez également partir sur des estimations raisonnables du volume des ventes de chaque boutique vendant vos produits ou sur la base du nombre de catalogues envoyés. Quelle que soit la base d'estimation, commencez par estimer le détail et additionnez pour obtenir le total.

- **Prévisions par indicateur** : cette méthode fait dépendre vos estimations d'indicateurs économiques supposés influer sur les ventes. Par exemple, si vous êtes dans le bâtiment, vous trouverez que dans le passé les ventes du secteur ont toujours été corrélées avec la croissance du PNB (produit national brut). Ainsi vous pouvez adapter vos prévisions, à la hausse ou à la baisse, en fonction des prévisions d'activité économique globales.

- **Prévisions par scénario** : elles sont fondées sur des hypothèses. Elles commencent par une estimation basée sur le prolongement direct de la tendance de l'année précédente. Alors l'influence de différentes hypothèses est intégrée, ce qui permet d'estimer un ensemble de scénarios alternatifs.

   Vous pourriez par exemple essayer les scénarios suivants :

- Que se passe-t-il si un concurrent fait une percée technologique ?

- Que se passe-t-il si vous rachetez un concurrent ?

- Si la réglementation change ?

- Si l'un de vos concurrents majeurs fait faillite ?

- Si votre société a des problèmes financiers et doit licencier des vendeurs ou du personnel marketing ?

- Si votre société double ses dépenses publicitaires ?

Pour chacun de ces scénarios, demandez-vous comment la demande du consommateur peut changer. Demandez-vous également comment votre plan d'action doit évoluer pour profiter au mieux de la situation. Par exemple, si un concurrent a introduit une innovation technologique, vous pouvez envisager la baisse de vos ventes de 25 % par rapport à vos prévisions de base.

Le problème des prévisions par scénario est qu'elles fournissent plusieurs scénarios ! Ce qu'on vous demande, c'est une seule prévision servant de fil conducteur pour déterminer le budget marketing. Une des solutions pour obtenir un seul résultat est de sélectionner les options qui vous semblent les plus probables. Ce n'est pas très satisfaisant si vous n'êtes pas sûr de ce qui va arriver en réalité. autre solution consiste à prendre toutes les options, même les plus improbables, et à attribuer à chacune une probabilité de survenance puis à en faire une moyenne pondérée pour obtenir un joli petit nombre.

Par exemple, le scénario A prévoit des ventes de 5 millions et le scénario B, des ventes de 10 millions. La probabilité du scénario A est de 15 %, celle du scénario B de 85 %. La prévision finale sera de (5 000 000 F x 0,15) + (10 000 000 F x 0,85) = 9 250 000 F.

- Prévisions par période : pour utiliser cette méthode, faites des estimations par semaine ou par mois, puis totalisez sur l'ensemble de l'année. Cette approche est adaptée à un marché ou à un plan d'action marketing saisonniers. Les stations de sports d'hiver utilisent cette technique car elles ont certains types de revenus à certaines périodes de l'année. Et des responsables marketing qui introduisent de nouveaux produits ou font de la publicité en une ou deux opérations "coup de poing" utilisent également cette méthode car leurs ventes augmentent de manière importante pendant cette période. Par ailleurs, les patrons de PME ou de n'importe quelle société ayant des problèmes de trésorerie ont besoin d'utiliser cette méthode, car elle leur donne une idée plus précise de ce que seront les entrées et sorties d'argent à court terme (dans une semaine ou dans un mois). Une prévision annuelle ne leur dit pas de manière assez précise quand l'argent va rentrer et à quel moment ils vont être à court de trésorerie.

Contrôle

Cette partie, la dernière et la plus courte du plan, est d'une certaine façon la plus importante. L'objectif de cette section est de permettre le contrôle des performances.

Déterminez quelques points de référence et identifiez-les clairement sur votre plan d'action. Par exemple :

- Toutes les zones géographiques doivent utiliser les nouveaux catalogues et appliquer les nouvelles directives concernant les ventes à partir du 1er juin.

- Si les campagnes promotionnelles fonctionnent selon le plan d'action, les revenus devraient augmenter de x F à la fin du premier trimestre.

Ces points de référence vous donnent (ainsi qu'à vos employeurs) des moyens accessibles de contrôle des performances au fur et à mesure que vous mettez en place votre plan d'action marketing. Sans ces points de référence, il est impossible de contrôler l'efficacité du plan. Cela permet également d'identifier rapidement des résultats inespérés et de réagir rapidement.

Planification et budgétisation de modèles

Il est très utile de pouvoir se servir de modèles comme point de repère. Malheureusement, la plupart des entreprises refusent de les divulguer, car elles les considèrent comme des secrets industriels. Heureusement, un certain nombre d'auteurs ont réalisé des compilations de ces plans ou du moins de certaines parties, et vous trouverez sans trop de difficulté des publications qui vous seront fort utiles.

Il est préférable de jeter un coup d'œil à quelques exemples de plans d'action et modèles dans différents ouvrages, car vous verrez ainsi différentes méthodes pour établir un plan ainsi que divers budgets et projections. Parmi tous ces modèles vous en trouverez bien un qui vous convienne. Ci-dessous, vous trouverez une courte liste d'ouvrages recommandés :

- *The Vest Pocket Marketer*, Alexander Hiam, Prentice Hall.

- *How to Really Create a Successful Marketing Plan*, David Gumpert, Inc. Magazine.

- *The Marketing Plan*, William Cohen, John Wiley & Sons.

Vous devriez pouvoir commander ces ouvrages à votre libraire, étant donné que les gros distributeurs les ont certainement en stock. Cependant, vous les trouvez rarement en rayon, car le marketing n'est pas, pour le grand public, un thème de lecture courant.

Index

Achevé d'imprimer le 20 juillet 1998 sur les presses de l'imprimerie «La Source d'Or»
63200 Marsat - Dépôt légal : 3ème trimestre 1998 - Imprimeur n° 7532